SIXTY-EIGHT PUBLISHERS, CORP.
BOX 695, STATION A
TORONTO, ONTARIO, CANADA
M5W 1G2

Nevěsta z Texasu

Romantický příběh ze skutečnosti

Josef Škvorecký
NEVĚSTA Z TEXASU

Vydalo nakladatelství Sixty-Eight Publishers, Corp.
v lednu 1992 jako svou 220. publikaci

Pomocná redaktorka Zdena Salivarová
Obálku s použitím dobové malby Henry A. Ogdena
navrhla Barbora Munzarová
Grafická úprava Věra Držmíšková
Kresba v záhlaví Ivan Steiger

Cena $19.75

Printed in Canada

Škvorecký, Josef, 1924 -
  Nevěsta z Texasu
ISBN 0-88781-222-8
I. Title.
PS8537.K86N4 1991 C891.8'63 C91/094248-X
PR9199.3.S57N4 1991

Lumíru Salivarovi, mému švagrovi,
protože má rád Ameriku
a za všechna ta léta přátelství.

PODĚKOVÁNÍ

Za pomoc při hledání materiálu a při ověřování reálií děkuji především Dr. Zdeňku Hrubanovi z Chicaga, Svatavě Jakobsonové z Austinu, Clintonu Machannovi z anglického oddělení Texas A & M University, Patricku D. Reaganovi z Tennessee Technical University, Jiřímu Kovtunovi z Library of Congress, Prof. Josefu Andrlemu z The University of North Carolina, Vítu Hrubínovi z Kalifornie, Emmě Barborkové z Chicaga a Barbaře Bristolové z New Yorku. Mnoho cenného jsem se dozvěděl také od Vlasty Vrázové z Chicaga, která se bohužel nedožila dne, pro jehož příchod celý dlouhý život pracovala. Zemřela na podzim 1989.

J.Š.

Kapitola první

SAVANNAH

Pršelo na sykomóry. Od Salkehatchie táhla při zemi mlha a z ní cinkaly plechové pohárky, přivázané na tornistrách.Vojáci sami nebyli vidět, jenom stíny, občas zablesknutí bajonetu, když potrhanými mraky vysvitlo slunce. Nad nízkou duchnou mlhy pomalu plula kupředu žerď, nad ní nahoře vodorovné bidýlko, na něm zmoklá zrzavá veverka, energicky se drbající zadní nohou za uchem. Kvikl vepřík. Pořád pršelo na sykomóry.

"Patnáctka," řekl seržant Kapsa. "Logan. Dost možná, že starej se přece jen ukáže."

"Von je kdo, vlastně?" otázal se Kakuška. "Synovec z druhý ruky?"

"Ne. Jeho táta byl prej se starym v byznysu. Když starej dělal do bankování —" seržant se zarazil. "Jak se to vlastně poví česky? Bankovničení?"

Kakuška se zachechtal. "Seš už moc dlouho mezi Jankama, seržo. Tvoje čeština rastuje."

"Rastuje, říkáš?" pravil Kapsa.

"Chci říct zrzaví," Kakuška ukázal zafačovanou rukou k bílému stanu. "Kil je tady. Může se začít."

Zadívali se ke stanu. Vedle něho, pod přístřeškem z plachty, který zákopníci vztyčili, když se dalo do deště, stála nevěsta. Měla na sobě šaty jako sníh a Kapsa se úmyslně vyhnul její tváři. Chápal, proč líbezná krása dívčina obličeje, jejích chrpových očí pod kaskádou zlata Vítka oslepila, třebaže to byly hadí oči. Ne barvou: Kapsa v životě nespatřil hada s chrpovýma očima. Ale jak před PEKÁRNOU MADAM RUSSELOVÉ přivřela víčka, jak se chrpová záře jako do ohniska soustředila do modrých zřítelnic jejího bratra a ona — jako had — zasyčela: "Nech si to, Cyrilku, jo, prosim tě!" a Cyril opakoval:

"Hanebnice hanebná! Kvůli ní! Kvůli ní, říkáš?" Ten chrpový koncentrát — čeho? Sobectví? Jistě už ne modré talířky dívčí nevinnosti, v nichž kdysi jako v modrém zrcadle pluly obláčky nad Radhoštěm, a pak je zamhouřila na Bay Street v Savanně, zasyčela: "Nech si to, Cyrilku!" A seržant už věděl proč.

"Vidíš? Pořídil si novej!" Kakuškův hlas zahnal vzpomínku. Seržant pohlédl k přístřešku, kam rázoval mrňavý kavalerista v generálské uniformě. Měl ji vyšisovanou trvalým karolinským deštěm, padajícím na sykomóry kolem stanu, ale na hlavě mu seděl černý klobouk s pérem, které déšť ještě nestačil rozmočit.

"Moh bejt vo hlavu kratší, kamaráde," slyšel Kakušku. "Naposled, co sem viděl ten starej, letěl nade mnou jako vrána a koutkem voka sem zahlíd blejsknout se šavli a pod ní tu jeho ulízanou kebuli." Kakuška se opět zachechtal. "A já koukal po tom klobouku a napadlo mi: mohla v něm letět taky hlava, a bylo by po Kilovi. Well, a stal se mi tenhle malér," zvedl zafačovanou levici.

Maličký generál — spíš po způsobu Jižanů, než jak by čekali od jankejského důstojníka — smekl krásný klobouk a před nevěstou se hluboce poklonil. Po obou stranách hlavy, již seržant viděl zezadu, se zlatavě naježily dobře nakadeřené licousy, za jaké by se nemusel stydět ani švihák Burnside. Sherman včera vyběhl ze stanu a zvolal: "Generál Logan! Pojďte sem!" Logan se otočil a se dvěma štábními důstojníky prošli kolem seržanta na stráži do Shermanova stanu. Uvnitř dostali příležitost podivit se Kilpatrickovu literárnímu umu, a seržant s nimi, neboť Shermanův hlas plátěná stěna propouštěla. Každý věděl, že záležitost u Aiken byl debakl a nebýt okolnosti, že nějaký postrašený rebel z poslední várky šedesátiletých odvedenců vystřelil moc brzy, octl se malinkatý generál v pasti, kde by se možná splnil Kakuškův sen až na to, že by asi bylo taky po Kakuškovi. Jenže v Kilpatrickově podání vypadalo všechno jinak. Taktické údaje ponejvíce chyběly, zato řinčely čepele, lítaly květnaté kletby ustupujících jezdců generála Wheelera a koně ržáli. Nade vším klidný hlas mrňavého Kila vydává rozkaz k ústupu. Proč ustoupily obě strany, nebylo jasné. O klobouku nepadla zmínka. Po srážce přivezly sanitní vozy jeden náklad kavaleristů, kteří vztyčili palce k pampeliškám, a dva náklady jejich zle posekaných druhů. Vedle kočího seděl Kakuška a pravicí si opatrně podpíral levačku mířící k nebi a zabalenou do špinavého hadru, z něhož se na sanitce vyklubala Kakuškova onuce.

"Tuhle vostudu," slyšel Kakuškův hlas.

"Proč vostudu?" zeptal se. "Bejt seknutej do zadku —"

"Uťatej ukazovák?" zaúpěl Kakuška. "Víš vo ňáký větší?"

Seržant pohlédl na ruku, ne už v onuci, ale v bělostném kaliku a ušklíbl se. Už od Donelsonu stihala armádu divná epidemie ustřelených ukazováků. Ve Vicksburgu o tom vykládal mladý Dignowitý, zběh ze zásady, jehož ve Wolfově Texaské legii přidělili k ostrostřelcům, neboť na něho prasklo, že v San Antoniu kdysi vyhrál myslivecké závody." Sotva jsem byl v mundůru," vykládal Dignowitý v přístřešku, odkud pozorovali vicksburské palisády, "zhoršil se mi zrak. Já se do nich netrefil nikdy. Ale Jižáci si to pochvalovali. Nejlepší terčová praxe. A na mou duši," Dignowitý se po sedláčku plácl do stehna. "Nad parapetem u Janků každou chvíli někdo vystrčil ukazovák, jako kdyby chtěl zjistit, vodkud vítr vane. Jenže i za úplnýho bezvětří. Tak jim tu službu prokazujem, říkali Jižáci. Vo jednoho čestně ze služby propuštěného Janka víc, vo jeden ukazovák na spoušti míň."

"Jenže tobě ho usekli na levý ruce," pravil seržant. "To neni epidemickej ukazovák."

"Nojo, vlastně," pravil Kakuška a překvapeně se zahleděl na obvaz. "Takže myslíš, že vojnu budu muset doválčit?"

"Hnal ses do ní vod samýho začátku," řekl seržant. "Přeci se neulejež za pět minut dvanáct?"

Pršelo na sykomóry. Nad stanem se však roztrhl mrak, stan se zabělal, svatebčané se řadili a nad nevěstou, krásnou, ale s hadíma očima, se na nebi rozklenula duha. V shromáždění zašumělo. Ruka v jezdecké rukavici ukázala na nebeský jev. Z nízké mlhy nad cestou pořád zněl cinkot plechových pohárků a tlumené pravidelné dunění pochodujících nohou. Žerď s veverkou už byla daleko, zvířátko samo slezlo do mlhy.

Pršelo na sykomóry.

Vstali a vydali se ke stanu. Za přístřeškem se krčila zmoklá kapela, korpusy trub nablýskané k slavnostní příležitosti. Na konci hloučku svatebních hostí čouhala dlouhá postava Franty Stejskala, jenž si na slavnost vyspravil potrhaný mundúr čerstvými záplatami. Byly ze zeleného sametu, zřejmě pozůstatek večerní róby nějaké plantážnice, ale nevhodný kontrast k vyšisované modři kazajky rušily starší záplaty mezi nimiž, kromě červené, byly zastoupeny všechny barvy nebeského jevu nad stanem. Stejskalův druh Vojta Houska neprojevil takovou úctu k nevěstě a dírou v nohavici mu prosvítalo bělostné, černě chlupaté stehno. Poslední z trojlístku, který uzavíral kratičký průvod, si zato vyspravil zadek dvěma zkříženými pruhy sytě modrého hedvábí, jež připomínaly kříž na konfederační vlajce. Seržant byl přesvědčen, že podobnost není čistě náhodná. U Jana Amosa Shaka se to sotva dalo předpokládat.

"Českej den," zabručel Kakuška.

"Česká nevěsta," řekl seržant a přidali se k trojlístku. Nad nevěstou roztáhl poručík Williams nádherný parasol a seržant zavzpomínal, kde uviděl tenhle artikl jižáckého přepychu. Parasol byl růžový, s modrými květinkami a s bílou krajkou kolem dokola, na vnitřní straně visela nad nevěstou blankytná obloha ze saténu, posázená zlatými hvězdičkami. Vzpomněl si a scéna ožila. Komická válka. Hrůzostrašná, ale komická. Šašek Shake pádí mezi zapáchajícími zdechlinami mezků, na hlavě obrovský žlutý dámský klobouk se zelenými péry a nad kloboukem roztaženou tuhle nádheru, dnes chránící bělostný nevěstin šat před zmoknutím po těch několik kroků, jež musí udělat mezi přístřeškem a stanem. Za Shakem uhání rozezlená černoška, ztepilý světlehnědý kus ženské se sukní vykasanou nad kolena, takže je vidět míhající se bělostné kalhotky, a ženská ječí cosi dialektem, jemuž seržant nerozumí, ale není potřeba rozumět, výjev mluví. Potom Shake upadl, klobouk se skutálel do prachu, černá pěknice spustila sukně, skočila po klobouku a Shake si zakryl obličej rukama, zřejmě v očekávání, že cílem skoku je on. Černoška však pouze opatrně zvedla opeřený kokrhel z cesty, jala se jej oprašovat, Shake vstal a hned zas zaujal obranný postoj, neboť ženská naň zahrozila. Konečně jí porozuměl: "Vokrádat nás, ubohý negry. Muj klobouk do kostela!" *"Sorry, ma'am, sorry!"* omlouval se Shake a zrak černé dámy spočinul na deštníku, který Shakovi vypadl z ruky a rovněž se válel v prachu. "Ten si můžete nechat!" a vydala se pryč, v rukou před sebou držela klobouk jako svátost. S údivem hleděli na hrdou postavu, vzdalující se k bílému domu se sloupořadím v průčelí, a seržantovi napadlo, že prostě předešla bamry a pomohla si ke kokrheli a k nádherným šatům, jež měla na sobě, bez svolení majitelky domu a všech nádherných věcí uvnitř. Ale bůhví. Byla to patrně domovní černoška, otrocká aristokracie.

Parasol tehdy zmizel. Nyní se objevil nad zlatými kadeřemi Lindy Toupelíkové.

Kakuška řekl:

"Zas jedna moravská holka přišla ke štěstí."

"Zas jeden jankejskej trouba se mocí mermo cpe do chomoutu," zabručel Shake a dodal: "A bude to solidní chomout, sousede. Moraveckej."

Parasol sklapl, nevěsta, zavěšená do svého bratra, zmizela ve stanu za ženichem, kterého provázel maličký Kil. Ženichovi důstojničtí kolegové se vešli dovnitř. Vojíni zůstali na dešti. Ale stan byl vpředu otevřený, viděli starého reverenda Mulroneyho, jak čeká za klekátkem, v ruce dobře opotřebovanou bibli, na tváři úsměv příslušný příležitosti.

Pořád pršelo na sykomóry.

Reverend upřel zrak na nevěstu a seržantovi se náhle zdálo, že úsměv vlastně není příhodný. Feldkurát jako by se díval na košilatý obrázek, jaké nosil desátník Gambetta v tornistře, po centu je půjčoval potřebným a ti s nima odcházeli do houští. "Milá panno nevěsto a vážený pane ženichu," hlas potvrzoval dojem zraku. "Poslechněte z knihy Ezekiele proroka kapitolu šestnáctou, verš třináctý," reverendovi se zaleskly oči a zpěvavým tónem zarecitoval: "...a krásná jsi učiněna velmi velice, a šťastně se vedlo v království..." Shake se potichu zasmál. "Co je?" šeptl seržant, ale Shake položil prst na ústa a naslouchal velebníčkovi, jemuž huba jela jako po másle. Seržant tedy rovněž obrátil pozornost k Mulroneyho slovům. Pamatoval se na kazatelovu armádní premiéru před Kennesaw Mountain, jež reverenda proslavila, téměř proměnila v legendu. Mulroney opustil v záchvatu vlastenectví bezpečí fary ve Winnetonce, kde jeho povinnosti zahrnovaly také duchovní péči o chovanky akademie paní Terrence-Villoughbyové, a vstoupil do armádních služeb. Duchovní dozor nad dívčí školou ho na armádu nepřipravil. K prvnímu kázání, v předvečer krvavé řeže, nastoupil s třesoucími se papírky v rukou a zakoktával se, přestože kázání od začátku do konce četl. Hovořil na téma ztráty panenství. Papíry v třaslavých prstech byly zažloutlé. Ve chvíli, kdy měli všichni stažené zadky před nadcházející bitvou, to vlastně nebylo špatné téma. Také se neozývalo obvyklé pokašlávání a poručík Matlock se dokonce přestal šťárat třískou v zubech, jak to při slově božím míval ve zvyku. I plukovník Browntow naslouchal se zájmem, dokud se reverend držel panenství, jeho ztráty a společenských i fyzických rizik s tím spojených. V závěru Mulroney přešel k výhrůžkám, jež se týkaly rizik posmrtných, a poprvé — a velmi nešťastně — se přestal držet žlutých papírků. Snad mu došlo, že kázání před těmi mnoha lety, kdy je koncipoval, nebylo určeno vojínům, odložil tedy lejstra a kazatelské výhrůžky přenesl z neopatrných panen na ty z vojínů, kteří, pravil, klesli tak hluboko, že připravili nějakou ubohou dívenku o věnec, nebo ještě hlouběji, když si za smrtelný hřích dokonce zaplatili. Moc to nesouviselo s předcházející exhortou, a taky souvislost panenství se zakoupeným hříchem byla chatrná, ale reverend se o to barvitěji jal líčit, co takové vyvrhele čeká v pekle. A tehdy začal plukovník Browntow kašlat, stále hlasitěji, stále významněji, až si toho reverend povšiml, vrátil se k papírkům a projev zakončil výzvou k pannám, aby si uchovaly svůj vzácný poklad do manželství. Za lesem se ozvala kanonáda a seržant si zprvu myslel, že plukovníka popudila zmínka o zaplaceném hříchu, neboť Browntow byl notorický zákazník táborových utěšitelek, bílých i černých. Ukázalo se však, že příčina plukovníkovy nespokojenosti byla morální a chvályhodná. Poděkoval — velice stručně — reverendovi a plukovnickým hlasem oznámil, že ovšem ti jeho hoši, kteří se z nadcházející bitvy odeberou na onen svět, přijdou, panny nepanny, rovnýma nohama do nebe. Zadky se jim opět stáhly a myšlenky na šťavnaté radosti míru vzaly za své.

Od Kennesaw Mountain se však reverend zlepšil. Ne že by opustil svá oblíbená témata, ale ty tam byly papírky. Nyní mluvil o panenství spatra, seržant měl dojem, že naslouchá recitaci z košilatého románu, jaké desátník Gambetta rovněž půjčoval, za tři centy na den, a velebník šikovně balil erotické reálie do biblických přirovnání. Seržant viděl, jak rudnou uši dvěma mužům stojícím přímo před reverendem, ženichu Baxteru Warrenovi II. a svědkovi Cyrilu Toupelíkovi. Jenom nevěsta sama mezi nimi zůstávala růžově bělostná. "Aj, jak jsi ty krásná, přítelkyně má," — i seržant poznal, že Mulroney opustil Ezekiele — "jak jsi krásná!" vzdychal reverend a hleděl na nevěstu kocouřím pohledem. "Oba tvé prsy jako dvé telátek —" Nevěsta se však ani teď nezarděla.

Pršelo na sykomóry.

Konečně zarudlý ženich políbil bílou nevěstu, nevěstin svědek políbil sestřičku a řekl nahlas, protože česky: "Tak ses, Lidunko, přece jen prošoustala do panskýho stavu!" Konečně se nevěsta zapýřila a v chrpových očích se rozsvítily zlé svítilničky. Prudce se otočila k maličkému generálovi a dala mu pusu. Kilpatricka polil nach. Seržant o tom přemýšlel —

— a večer u táboráku, Shake:

"Kila taky?"

"Jenže u toho to nevyšlo, protože nemohlo," pravil Kakuška. "Ten je největší utahovák v Shermanový armádě. Ten do chomoutu nevleze."

"To je, co nechápu," řekl Stejskal. "Takovej skrček vohavnej, málem hrbatej, a ženský —"

"Ne tam, kde na tom u chlapa záleží," pravil Kakuška. "Já to viděl." A pověděl jim to. Seržant příběh už znal. Jak skoro za tmy, bylo to v listopadu, přicválal maličký Kil k domu u kolejí, za uzdu vedl druhého koně a na něm dvě černé holky v pánském posazu. Kolem pochodovala četa od Šestadvacátého wisconsinského s desátníkem Gambettou v čele a pohled na hnědá stehna v měsíčním světle přiměl jednotku k téměř sborovému zahvízdnutí. Kilpatrick se smíchem seskočil s koně a pomohl na zem oběma kráskám. Kakuška zasalutoval, řekl: "Dobrou noc, pane generále!" Kilpatrick zasvítil chrupem v houstnoucím přítmí. "Vám taky, desátníku." Otočil se a obě dámičky hnal před sebou kolem baráku na odvrácenou stranu, kde byly dveře. V prvním poschodí se brzo nato rozsvítila okna, začalo cinkat sklo, ozývalo se ženské chichotání. Později ztichlo, praskala postel, zněly vzdechy porážených žen. V dálce prásklo několik výstřelů, někde u Augusty se patrně cvičili v noční střelbě ostrostřelci Braxtona Bragga, anebo se Wheelerova kavalérie otřela o Kilovy předsunuté stráže. Nadržený Kakuška strašlivě trpěl a proklínal svého generála, ačkoliv ten za jeho muka nemohl. Nakonec si ulevil a usnul. Vzbudil ho bengál. Od barikády na druhé straně trati zvonila koňská kopyta, údery kovu o kov, hulákání, třeskaly pistole. Kakuška vyskočil, přes plot někdo hodil hořící faguli přímo na skládku dříví u kurníku. Z něho s hlasitým kdákotem vylétávaly zděšené slepice. Pod dekami u vyhaslého ohně se probouzeli Kilovi kavaleristi, upoutaní koně se točili v panice. Na odvrácené straně domu někdo sekal šavlí do dveří, v poschodí se otevřelo okno. Kolem plotu přejela v měsíčním světle skupina jezdců s praporem, na něm hvězdy v úhlopříčném kříži. Kakuška odvázal koně, ale než stačil nasednout, vylétla z okna v poschodí postava oděná bílou košilí, a jak padala k zemi, košile se nadmula a ve světle hořící skládky a měsíčního úplňku se Kakuškovi zjevilo vybavení jeho generála. "Rvát se ale umí," pravil potom. "Až do rozbřesku velel jenom v košili. Nakonec sme ustoupili do Waynesboro, kde to wisconsinský lehce vopevnili, a i tam za palisádama pobíhal ešte nějakou chvíli hambatej, až mu Lester někde sehnal kalhoty. Jeho vlastní ukořistil Wheeler. I ty dvě černý mrchy. Jenže ty mu vyklouzly. Dyž sme dobyli Augustu, už si je zase vez, a v kočáře."

Plameny táboráku tančily po tvářích vojáků z daleké země. Čahoun Stejskal, v kraji Janků už deset let, v armádě přes dva roky, veterán Jedenáctého sboru generála Sigela, pamětník Chancellorsville. Málem se tam dostal do nebe, ale nakonec přišel jen o stříbrné hodinky a dvanáct baků a skončil ve věznici Libby. Neskončil. Tenkrát se ještě vyměňovalo. Prodělal pak celý pochod Georgií, teď v tělesné stráži generála Williamse. Seržant klouzl zrakem na jeho souseda Vojtu Housku, taky Jihočecha. Takhle si vždycky představoval Hloupého Honzu. Čelo na dva prsty, vlasy málem k obočí a jako udatný hrdina pohádek taky žádná baba. Dobrovolně se přihlásil na potřeštěnou Farragutovu výpravu po nesplavných řekách okolo Vicksburgu. Vedle Housky Paidr, neúnavný pisatel dopisů mamince do Iowy, které na požádání předčítal nahlas, než je odeslal. Obsahovaly kus po kuse celou jeho vojenskou dráhu: Gettysburg ve sboru generála Howarda, Chattanoogu se Šestadvacátým wisconsinským, Wauhatchie, McLarenův noční přepad generála Hookera, bitvu o Lookout Mountain. Ne zrovna nepozoruhodná válečná zkušenost. A Kakuška přirostlý ke koni už snad v rodné vesnici na táborsku a potom na farmě poblíž Manitowoc, kde se na první Lincolnovu výzvu dobrovolně přihlásil — proč? Nosil v tornistře obrázek pěkné mladé manželky, která se za ním vypravila přes velkou louži sama a kterou už skoro tři roky neviděl. Proč? Jednou zkusil dostat dovolenou. To už byl v armádě rok a čtvrt. "Rok a čtvrt?" podivil se s úsměvem dobrotivý generál Ritchie, proslulý tím, že mu bible v náprsní kapse opravdu zachránila život. Ukazoval ji. V tlustém svazku skutečně vězela minnie, jako by ji tam zasadil klenotník. "Rok a čtvrt? Já svou manželku neviděl už dva roky, desátníku. Jestli takovou oběť může na oltář Unie přinést generál, zajisté to může učinit desátník." "Inu, pane generále," pravil rozšafně Kakuška jihočeskou angličtinou, takže zbožný generál mu patrně dobře nerozuměl. "Já nevím jak vy a vaše paní. Mě a mou manželku ale Pán Bůh stvořil jinak." Nábožný generál taky možná rozuměl, ale nepochopil. Co přinášela na oltář Unie pěkná farmářka ve Wisconsinu, by seržant byl rád věděl. Ale zastyděl se za tu nepěknou myšlenku a rychle klouzl zrakem k dalšímu besedníkovi. Jan Ámos Shake, veterán od Lincolnových slovanských střelců z Chicaga, který, bůhví proč, z kumpanie nezběhl, když skoro všichni zdrhli, ačkoliv sotva kdo v Shermanově armádě se mohl honosit větší zbabělostí. Jednou zdržel útok před Vicksburgem o dvacet minut, protože se z ničehož nic začal velice nahlas modlit a plukovník O'Mackay, ještě zbožnější než generál Ritchie a katolík, respektoval tu do nebe volající pietu, podtrženou růžencem, který Shake žmoulal mezi prsty. Respekt mu však vydržel jenom do šestého desátku, kdy Shakův apel k Hospodinu zakončil rázným "Amen!" a "Vpřed!", načež všichni vyskočili a hnali se k palisádám, s výjímkou Shaka, který se modlil dál. Pak mu však za zády vybuchl kanistr a postrčil ho směrem útoku. To už se všichni, v čele s plukovníkem O'Mackayem, hnali nazpátek a Shake se jim postavil v čelo. Teď kouřil u táboráku z nepatřičné pěnovky — nosil ji v tornistře rozloženou na tři díly — a v plamíncích ohně podobala se jeho hlaďounká kulatá tvář měsíci s modrýma očima.

Pořád pršelo na sykomóry.

Nevěsta zavěšená do ženicha, už vybledlého, vyšla ze stanu a kapela spustila svatební marš. Duha pořád visela na nebi, svítila, celá pestrobarevná, v korpusech trumpet čouhajících muzikantům dozadu přes ramena směrem k shromáždění. Předjel dvoukoláček, tažený bílým šemíkem, jejž vedl černý štolba. Novomanžel pomohl nevěstě nasednout, vyhoupl se za ní. Na mladické tváři bezelstný pocit štěstí.

Pršelo.

Na sykomóry.

"Bůh sám ví, kde je oteckovi konec," říkal tenkrát v zákopu před Vicksburgem Čeněk Dignowitý." Prej je ve Washingtonu, sepisuje nějaký návrhy, jak vtrhnout do Texasu. Doufám, že je. Unik jim o vlásek. Tak si zchladili žáhu na mě a na bráškovi."

Velká děla jim houkala za zády a na vicksburských palisádách rozkvétaly šedé a ohnivé květy.

"Otecko byl člověk Sama Houstona. Vod začátku do konce," pokračoval mladý Dignowitý. "Sotva taky moh nebejt. Von vyrůstal v garnizóním městě, viděl, jak tejrali vojáky. Víš, co je ulička?" To seržant věděl, moc dobře. "Tak dyž carovi Rusáci táhli na Varšavu, utek přes Prajsko, dostal se k slavnýmu Čtvrtýmu pěšímu regimentu pod Romarinem. Viděl, jak polský sedláci, jenom s kosama a na nich přivázaný háky, kosili regiment po regimentu nejlepší carský kavalérie. A kněží s nima. Čtvrtej regiment byl vyzbrojenej z peněz, který kněží dostali vod židů za monstrance. Generál Klopický pořád doufal, že pomůže Francie. Houby pomohla. Zůstali na ně sami. I když konali divy udatenství, Rusáků bylo moc. Nevyčerpatelný zásoby kanonenfutru. Z Urálu, ze Sibíře, z černejch outrob tý zasraný země, co si myslí, že je spása Slovanstva, takže kdo si to nemyslí, je u nich nepřítel. Z Romarinova regimentu jich nakonec zbylo deset, mezi nima otecko," říkal Dignowitý a Shermanovi kanonýři vytrvale zasypávali vicksburské palisády konzervovaným ohněm z pekel. "A tak zdrhnul do Ameriky. Tady si myslíme, že líp věci pro lidi zařídit nejdou. Jestli jdou, dáme se poučit. Takže secesi z Unie? Vohledy na jejich zvláštní inštituci? To otecko přijmout nemoh. Bojoval přeci za Poláky. Tak mluvil, řečnil, hádal se v ordinaci s pacientama, no — "Dignowitý si prohrábl mladickou kštici, " — zkrátka jednou vodpoledne na vokno vzadu v ordinaci někdo ťuká, div že nerozbije sklo. Sam, votrok soudce Collinse, to byl taky člověk Sama Houstona, ale bojácnej. A prej: Dou po vás, pane doktor. Chtěj vás vytáhnout na strom — tak otecko koukne na náměstí, a na mou duši, tam už se rotí dav a starej Kearny mává nad hlavou stočeným provazem. Otecko nečekal, ven voknem a na koně, jenom jsem zahlíd jeho šosy. Ty jsou to poslední, co jsem z otecka viděl. Je prej teď ve Washingtoně. Doufám že je. Budu se snažit dostat se za ním, jenže jestli —"

Petarda. K bombardování se přidala těžká artilérie. Na přístřešek dopadly hroudy hlíny a kusy dřeva z rozervaných palisád.

"Zvláštní inštituce," říkal Dignovitý. "Já se na ty hádanice pamatuju, když eště šlo se hádat. Že maj kůži jako Baltazar? křičel otecko. Ten se taky klaněl Jezuleti!"

Nová ohlušující petarda. Od palisády se vznesl obzvlášť solidní kus opevnění, sledovali ho, jak pluje vzduchem k nim, přikrčili se. Těžká hmota dopadla na střechu, probořila ji. Na zem se snesl Baltazar s vyvalenýma očima. Chvíli seděl, omámen neskutečným letem. Hleděli naň jako na zjevení z černých povídaček. Je to možné? Baltazar zatřásl hlavou. Pak řekl, ale ještě tomu sám nevěřil: *"I's free."* Znova zatřásl hlavou, vykřikl: *"I's free!"* Vyskočil, rozesmáli se. *"I's free!"* hulákal Baltazar. Na vicksburských palisádách rozkvétaly ohnivé záhonky.

Pršelo na sykomóry.

Dvoukolák se zastavil.

Maličký generál ráznými kroky vyrazil vpřed. V dešti se blížili dva jezdci. První měl okoralou tvář hrdého žebráka. Anebo starého seržanta, jací vedli setniny do seče pod Malým kulatým vrškem u Gettysburgu, do Sršního hnízda u Shiloh, do Krvavého kouta u Spotsylvanie, do těch řeznických krámů. Jmenoval se Sherman.

Kapitán Warren mu představil nevěstu.

Poprvé uviděl seržant Lindu Toupelíkovou mezi dvěma sykomórami na Bay Street v Savanně, smaragd zasazený do bílé plochy dřevěného domu zalitého sluncem. Hadí oči oň pouze zavadily, proklouzly kolem něho a tyrkysový paprsek přeťal ulici přeplněnou otrhanci s insigniemi Šestadvacátého wisconsinského, Pětapadesátého ohijského, Třiatřicátého indiánského, kteří se valili kolem bílých průčelí domů v zelených zahradách města, jež nesměli spálit. Zahlédl mezi nimi Kakušku s divným nákladem, vypadalo to jako veliké stojací hodiny, ale sledoval tyrkysový paprsek k domu na protější straně, ozdobenému dřevěným krajkovím a červenými, zlatými a ebenovými hlavami zmalovaných ženštin v oknech v prvním poschodí. Paprsek sjel po fasádě ke skupině důstojníků ve vykartáčovaných modrých kazajkách a ti seržantovi ztuhli v živý obraz jako kolorované rytiny v *Harper Magazine*: poručík Williams, podporučík Szymanowsky, kapitán Bondy, všichni nakloněni jedním směrem, ke vchodu do hanbince, kde jako zlý měsíc stála rozložitá madam, nad hlavou její firma PEKÁRNA MADAM RUSSELOVÉ, pod tím menšími písmeny *Vodorovná občerstvení*, všichni tři táhnoucí za ruce kapitána Baxtera Warrena II. a ten, nakloněný na druhou stranu, nohy napnuté jak struny, podpatky se opíral o kraj chodníku a hlavu měl zvrácenou v nepřirozeném úhlu, jak ho zasáhl modrý paprsek rovnou do očí. Později, když seržantovi vše prošlo mozkem, bylo mu jasné, že o výjev pouze škrtl zrakem: vzpomínka jej ztvárnila, promísila s obrázky v *Harper Magazinu*. Ale tenkrát okamžitě pohlédl zpátky na dívku ve smaragdových šatech na sněhobílém pozadí a za sebou zaslechl Cyrila Toupelíka: "Ať sem trajcem, jestli to neni naše Lída!"

Nikdy se nedozvěděl, on ani Cyril, jak to zaonačila, ale když ji uviděl podruhé, od baru v hotelu Savannah, seděla v tyrkysových šatech u stolu s bělostným ubrusem, na němž jiskřil křišťál, proti ní neomylně a nevyléčitelně uštknutý kapitán, nad nimi černý stolník, stříbrné kudrny kolem masité tváře, v ruce láhev se stříbrným hrdlem a z ní šumivý proud do přetékajících šampusek. Nedozvěděl se, později to vzal jako samozřejmost. Byla to Linda Toupelíková. Za širokými okny hotelu Savannah lilo se měsíční světlo na sykomóry.

Když ji uviděl potřetí, věděl už o ní všechno. Večer dne prvního nevěděl ještě nic. Koukal na Kakušku, jak rozebírá obrovské hodiny a klade kolečko ke kolečku na modrý kapesník na stole, ale viděl Cyrila Toupelíka, ne tady v místnosti, kde Cyril ležel úplně zřízený panskou whiskou, ale jak kolem něho spěšně přešel k dívce, modrý paprsek pohasl, na líbezné tváři překvapení, jenže nemohl rozluštit jaké. Ne radostné: sourozenci se taky neobjali, nepolíbili, dívka se jenom zády opřela o sloupek přístřešku přede dveřmi, Cyril o sloupek na druhé straně, dal ruce do kapes, zkřížil nohy a mezi bratrem a sestrou začaly létat krátké věty. Slovům nerozuměl, slyšel jen tón, zprvu tázavý, pak Lindin vzdorný hlas, Cyrilovu rostoucí nespokojenost, uvědomil si, že stále civí na Lindu Toupelíkovou, zastyděl se, vykročil do ulice, zařadil se do průvodu Shermanových hadrníků, před sebou Kakuškovy hodiny, za ním vykvikl vepřík, ohlédl se, Jan Ámos Shake si tam vykračoval s kořistným doutníkem jak komín mezi modrýma očima, na hlavě luxusní klobouk konfederačního plukovníka a na zlaté šňůře od něčích záclon vedl Clema Vallandighama, maskota setniny "K" Šestadvacátého wisconsinského, jenž se zájmem rejdil rypákem v nevábných hromádkách na pokraji vozovky. Rychle se ještě ohlédl po PEKÁRNĚ MADAM RUSSELLOVÉ, Williams, Szymanowsky a Bondy už zmizeli, patrně dovnitř, protože zlý měsíc ve vchodu už rovněž nestál, zato tam stál kapitán Baxter Warren II., modrý solný sloup. Strhnul ho proud nasátých shermančat a za Kakuškovými švarcvaldkami ho nesla píseň:

Už jsme v Dixii, už jsme tady,
pět set tisíc maníků...

Kakuška rozebíral soukolí, jež vyndal z lesklé skřínky s leptanými skly, na modrý kapesník kladl kolečko po kolečku, větší, menší, ještě menší, za oknem zapadalo slunce, kývaly se sykomóry.

Nikdy neměl štěstí u ženských. Ne, tak to není. Štěstí je nikdy neprovázelo. "Ach, du mein armer Mann!" hlas ze tmy, skorotmy v komoře na konci špitálního baráku, kam jej hodili, aby tam chcípl. Ležel na břiše a nemohl se otočit. Hořela mu záda. Najednou se mezi plameny rozlila chladivá voda. Pokusil se ohlédnout, ale to nešlo, plameny okamžitě vzplály. "Sei still!" řekl hlas, ženský, kočičí, vídeňácký a voda se lila do jeho ran, chladivá, hojivá, milostná. Ucítil dotek ženské ruky. Před očima se mu náhle v šeru vynořila tvář, žena přiklekla k palandě, pohlédla mu do obličeje. Byla to ona. Viděl ji ráno na apelplacu v houfu ostatních důstojnických paniček a jejich harantů, ale znal ji už předtím, jejich oči se nad zakrvácenou palandou nesetkaly poprvé. Frau Hauptmann — i tenhle byl kapitán — von Hanzlitschek. Když kolem něho přešla, provázena služkou s nákupní kabelou, ale to stál na stráži, ani očima nesměl hnout, hnul však, když mu o ně zavadil její šedý pohled, a díval se za ní, štíhlou v dlouhých šedivých šatech s honzíkem, než zmizela za rohem, dokonce se ohlédla, usmála se. Potom na korze, zavěšená do manžela s mohutným panděrem, na němž klinkala šavle v nablýskané pochvě, stejně naleštěný císařský knír. Hanzlitschek, nové setkání očí. Stál před hospodou U tří měsíců a zrudl, přimhouřila oči jako koketa, a byl to, na krásných rtech, zase úsměv? Úsměv i ve stínu císařského kníru? Odpoledne v parku, ona s kapitánskou miniaturou v sametovém oblečku a na šňůře mopslík rovněž podobný kapitánovi. Úsměv, přimhouření víček, sbíral odvahu, ale to je přece nemožné, vojcl z pluku, jemuž velí von Hanzlitschek, její manžel, a stejně: než odvahu sebral, jiná panička s jiným mopslíkem a s holčičkou v bílé krajkovině, mopslíci se jali očmuchávat jeden druhého, miniaturní Hanzlitschek strhl holčičce klobouček ze zlatých kadeří a dostal pohlavek, brekot, štěkot, jekot, obě paničky v čilé výchovné činnosti. Uršula — to už věděl, že se jmenuje Ursula von Hanzlitschek — k němu pootočila přísně zamračený obličej, rozesmála se — situace to dovolovala — a smích docela zřejmě patřil jemu. Zrudl, zasmál se a ona pokračovala v pohlavkování brečícího Hanzlitschka juniora a v hlazení po zlatých vláskách vřískající holčičky. Ještě několik takových setkání, jenom oči a ústa v úsměvu, sbíral odvahu, nesebral, přišlo léto osmačtyřicátého roku a místo pokračování ve hře, která pro něho už vůbec nebyla hra, ale láska jak trám, přišel rozkaz. Odpochodovali z alpského městečka, dlouhá cesta do Prahy, tam se připojili k Windischgraetzovu sboru, tam poprvé uviděl obličej rozseknutý šavlí vejpůl, mozek stékající po rozevřených rtech, dvě půlky študentské čapky pocákané růžovým mozkem a krví. A on nebyl nevědomý, čítával, ještě doma, Havlíčkovy noviny, kantor Bříza držel v hospodě přednášky, vykládal o Husitech, o hrdých králích dávného českého království, staršího než Habsburkové. Uvědomil si, že je Čech. Tak spáchal ten zločin. Ne, střílet neodmítl. Taková věc nebyla možná. Jenom střílel Pánu Bohu do oken. Ale Hauptmann Hanzlitschek vyslýchal zajatého hokynáře a rákoskou mu do obličeje psal krvavé klikyháky. Hokynář zatí-

nal zuby, ani nezaúpěl, jenom v očích krutý vztek. Nenávist. Z nenávisti něco řekl. To stačilo. Třikrát uličkou. Rozsudek byl mírný — jenom třikrát.

Otřásl se. Nikoli hrůzou. Hokynářovou nenávistí. Zpátky v alpském městečku, kam ho eskortovali v železech, za kalného rána, hokynář s popsanou tváří byl už dávno někde v šatlavě, študent s rozseknutým mozkem v jámě, v Praze pokořený klid. Když ho eskortovali, vypadla z průčelí domu nad knihkupectvím Windischgraetzova dělová koule, do zdiva jen měkce zarytá, a před očima mu zabila kněze, který se s hlavou skloněnou ubíral k Týnskému chrámu. Kalné ráno, tři sta jeho druhů seřazených do dvou řad o velkém rozestupu na dvoře bývalého jezuitského kláštera proměněného v kasárna. Kolem nádvoří dosud stály pískovcové sochy svatých, na každé vyjevený kluk, aby mu nic neušlo — bůhví: pro zvrhlý požitek? Pro větší nenávist k domu habsburskému? Bůhví. Takoví kluci se taky motali mezi měšťany na barikádách, po Windischgraetzových trupách házeli kameny, a pod sochami skupinky oficírských paniček, ty jistě z perverze, až na jednu, až na jednu bílou jako papír, šedivé oči téměř černé v té umrlčí bělobě.

Provost a jeho pacholci z něho strhali košili, do úst mu vecpali kouli z muškety, aby si nepřekousl jazyk, převázali ústa hadrem, ruce spoutali vepředu. Čtyři belhaví vysloužilci pak rozdělili jeho druhům vrbové pruty, zbytek složili na čtyři hromádky po obou stranách dvojřadu pro případ, že by se někomu prut zlomil. Hejtman Hanzlitschek a dva poručíci rázným krokem odpochodovali na druhý konec dvojřadu a zaujali tam postavení. Dalo se do drobného deště. Dva kaprálové s nasazenými bodáky se postavili za něho. Kdyby nechtěl nebo nemohl běžet. Bubeník spustil pohřební rachot a pomalu jej měnil v rychlý rytmus tance. Pohlédl na Hanzlitschka dlouhou perspektivou dvojřadu. Jeho druhové upírali zraky před sebe, někteří rovněž bledí, jiní zarudlí nenávistí. Každý nenáviděl. Každému se to mohlo stát. Mnohým se to stalo.

Mnozí už tu nestáli. Bubeníkův rytmus se změnil v cosi jako quickstep, ale to ho napadlo až tady, kde takovou podívanou neznali, v rychlé kvapíkové tempo a štěkl rozkaz: "Lauf!" Rozběhl se, spolu s ním vně dvouřadu dva profousové, kteří měli bdít nad tím, aby každý jeho druh řádně vykonal svou povinnost. Bubínek horečně rachotil. Pršelo.

Slunce za oknem zapadlo. Kakuška rozsvítil svíčky v porcelánovém svícnu. Zvenčí se ozval hulákavý zpěv, voják zpíval o Johnu Brownovi, ale slova nedávala smysl, protože pěvec neuměl anglicky, jenom přibližně napodoboval zvuky cizí řeči. Dveře otevřel kopnutím. Byl to rozjařený, vrávoravý Houska, výstava Kakuškových koleček na modrém kapesníku okamžitě upoutala jeho pozornost.

"Nejdou? Nejdou?"

"Ale houby," odbyl ožralce Kakuška.

"Potřebuješ jiný hodiny? Přinesu!"

"Sedni si. Nemáš žízeň?"

"Tos uhod, sousede."

"Támhle je voda," Kakuška ukázal na obrovský hliněný demižón u stolu. "Vohnivá," dodal, když viděl, jak se Houska zašklebil. Demižón neosvobodili, přinesl ho darem černý děda, jehož provázela černá babka s čokoládovou holčičkou, která ale nemohla být její dcera. "Lokněte si, pánové!" oslovil děda otrhance. "Dobrý pitivo. Z panskýho sklepa." Lokli si. Kolem přecválal Sherman, generál Schofield, za nimi poručík Dolfa Chládek, generálův adjutant. "Beulah, koukni se!" zaječela babka a uzlovatým prstem ukázala holčičce na vrásčitého muže na rychlém koni. "Pán světa!" Pocítil vojenskou lásku ke generálovi. "Ať žije generál Sherman! Hurá!" zvolal a vyhodil čapku do výše. Současně tak učinili i Stejskal, Kabinus a Paidr. "Hurá!" Sherman se ohlédl, zašklebil se, zasalutoval. Když zmizel za rohem, obrátili zájem k whisce. Vedle demižónu klečel na zemi děda, ruce rozepjaté k nebi, a hulákal: "Mý voči spatřily slávu Páně! Mý voči spatřily —"

"Co to jako bude?" zeptal se Houska Kakušky.

"Ale, říkal Gambetta, dávaj do nich takový vozubený kolečka, prej —"

Myšlenky mu utekly od Kakuškových koleček. Se ženskými nikdy nepřicházelo štěstí. V dálce za oknem slabě zazněla kapela, hráli "Až se Johnny vrátí domů". Nikdy, pomyslel si. Ani bych nechtěl. I když tam louky voněly, i lesy, houbovou vůní a žáby v rybníce uměly zpívat. Co je to všechno platné. A všechno bylo, jak má být. Bylo. Anička, její blýskavé copy, její kozičky pod blůzou s vyšívanými rozmarýnkami, "Honzíku, já tě mám tak ráda!" Měl u ženských štěstí, vybral si tu nejhezčí, i věno měla, jejímu tátovi se líbil, byl ze statku, sice druhý syn, ale ze statku. Anička jediná dcera z pěkného hospodářství, tátovi se líbil a pak se zalíbil verbířům. Nic nevyšlo. Úplatky, přímluvy, dokonce až z děkanství ve městě. Anička brečela: "Já na tebe, Honzíku, počkám! Třeba sto let!" I sedm bylo moc. "Nezlob se, Honzo, ale Anči už je osmnáct," říkal rozšafně, ano, a smutně hospodář. "Tobě sejde z očí, sejde ti z mysli, anebo se z vojny nevrátíš. Anči zvostane na vocet —"

S ženskými k němu prostě štěstí nepřicházelo. Anička samozřejmě do roka pod čepcem. To už jí bylo devatenáct. Pravda je, že nechtěla. Brečela, zoufala si, dokonce chtěla vzít utrejch, napsal mu kamarád, jenže kde ho sehnat? Ale k oltáři nakonec šla. On kroutil vojnu a potom — Uršula.

Běžel. Ještě ji zahlédl, dva uhlíky v tváři z papíru, a už přišla první bolest, druhá, třetí, pršela krev, když doběhl na konec uličky, hořela mu záda, zastavil se před panděrem s císařským knírem, von Hanzlitschek, stačil se ještě ohlédnout, stála zády k divadlu, hlavu opřenou o roucho pískovcového světce, sladká křivka těla v dlouhých šedivých šatech, bolest —

"Lauf!" zaskřípěl Hanzlitschek. Obrátil se, rozběhl se zpátky. Profous odváděl z řady bledého Frantu Novosada, smýkl jím ke straně, Frantík zřejmě nevykonal řádně svou povinnost, v ruce dosud držel splihlý vrbový prut, za pár dnů tu možná poběží on. Ale ostatní povinnost plnili. Záda mu drásali supové. Na začátku šestého běhu na něho spadla tma. Byl si vědom, že ho nesou, pokládají břichem na stůl, nový rozkaz a rytmus pochodujících kroků, po každém kroku řízla do hořících zad rozžhavená pila. Poslední myšlenka: jestli zdechnu, budou stejně muset dopochodovat, moji druhové, jimž jsem nedal možnost splnit povinnost, protože jsem se složil. Bude ze mě mrtvola a do ní, pod přísným dohledem profouse Sinkuleho, budou švihat vrbovým proutím, až mrtvole zasadí předepsaný počet osmnácti set ran. Tma ho obejmula. Docela poslední myšlenka: Nenávidím — jestli je ráj — a litující, vlahý, vídeňský hlas: "Ach, du mein armer Mann!", chladivá, tělo, ale také duši léčící voda, šedivé oči v šedém přísvětlí, měkká parfémová ústa na jeho rozpraskaných rtech.

"— a z těch," vrátil se ke Kakuškovi, "sou lepší vostruhy než erární," Kakuška hrabal v lesklých kolečkách, jeden zdvihl, malý, zubatý plíšek. "Todle bude vono!" Odložil nález a jal se stahovat boty. Kapela v dálce vyhrávala "Aura Lea". Pohlédl oknem na hvězdy. Do chřípí ho udeřil smrad Kakuškových onucí.

Průvod rozjařenců, tenkrát, když uviděl Lindu Toupelíkovou poprvé, na konci Bay Street. Kráčel pomalu kolem veselých domů, v jejichž zahradách se zelenaly evergreeny a slunce padalo na sykomóry, minul sourozence v bílém rámu, Cyril šermoval pěstí, krásná sestra stála už k němu zády, pokračoval v chůzi. Nelákavě lákavé hlasy z bordelu a před bordelem dosud zkamenělý Baxter Warren II. Došel až na opačný konec ulice, propletl se davem Shermanových veteránů, smaragd ho táhl jak magnet. Dělal že nic, jenže jak kráčel kolem sestry a bratra, Lída Toupelíková se náhle prudce otočila k Cyrilovi a zasyčela jako had: "Nech si to, Cyrilku, jo? Prosím tě!" Cyrilovi přeskočil hlas — vztekem? Lítostí? "Hanebnice hanebná!" slyšel ho zasípat. Linda Toupelíková se odlepila od sloupku, otočila se, slunce jí spadlo na kadeře, vzňaly se. Oheň však zmizel v černi otevřených dveří, zaklaply za ním, na bílém pozadí zůstal jenom — rozezlený? Zoufalý? — Cyril Toupelík.

"Cyrile," chabě ho oslovil.

Cyril naň pohlédl, jako by ho nepoznával. Pak škubl rameny, vzpamatoval se, sestoupil po schůdcích na chodník.

"Poď! Dem!"

"Kam?"

"Máš eště ten demižón?"

Ležel tedy vzadu na posteli jako mrtvola a Kakuška v zapáchajících onucích montoval kolečka zničených švarcvaldek do prázdného držáku na kramfleku jezdecké boty.

Za oknem měsíční světlo padalo na sykomóry.

Pršelo.

Stáli před stanem a hleděli za Shermanem, jenž, s Loganem v závěsu, klusal zpět k cinkající mlze. Nad ní se nyní pomalu sunula zástava Devatenáctého michiganského. Pan a paní Baxter Warrenovi stáli u vozíku a rovněž se dívali za generálem. Před chvílí nevěsta udělala pukrle, jaké dělávaly důstojnické paničky v jezuitských kasárnách. Shermanovu pergamenovou tvář přelétl úsměv, políbil krásnou novomanželku, kapela spustila "Jsme v Dixii", generál se vyšvihl na koně a odcválal k mlze. Odněkud přiběhl zmoklý a špinavý mopsl, začenichal a zakousl se Shakovi do lýtka. Bylo ovšem v tlusté hovězině.

"Proboha nebeskýho!" zvolal Shake. "Strašná země! I psi tu mají duchy!"

"Co blábolíš?"

"Duch! Mopslí duch!" Shake zděšeně zíral za psíkem, jenž pelášil pryč, ale ještě se zastavil a vrhl neklamně nenávistný pohled, zcela bez pochyby na Jana Ámose Shaka.

"Podržte mě, sousedi!" pravil Shake. "V týhle válce je možný všechno! Hafani vstávaj z mrtvejch!"

A on byl, tenkrát, dlouho téměř mrtvý.

Každý den se felčar chodil přesvědčovat, jestli už konečně není, a protože nebyl, přinesli mu mináž. Když to trvalo týden a nechcípl, objevil se sám Regimentsarzt, prohlížel mu záda a mručel: "Člověče, vy jste vstal z mrtvých!" a předepsal obklady. Ale léčila ho ona, svou živou vodou, a když oheň v zádech pohasl, chladivým teplem svého těla. Neptal se, jak je to možné, co stráže a co hejtman Hanzlitschek, ani nemohl, protože česky ona neuměla a jeho němčina byla cele obsažena v hatmatilce vojenských povelů. Nedozvěděl se víc, než že je Uršula. Ani proč je Hanzlitschek, ani proč je ona (to však bylo zřejmé: měl u ženských štěstí, jenom mu štěstí nepřinášely), ani kde jsou stráže a kde je Hanzlitschek (ten však byl asi v důstojnickém kasinu, byl pivař, jak svědčilo monumentální panděro). Koncem léta se vrátil k pluku a měsíc pustý touhou, o níž věděl, že je marná. Strašná vojenská osamělost v chumlu mužů, viděl ji občas, jak jde přes nádvoří do města a vždycky pohled očí, povzbudivý, ale stejný jako předtím, než se to stalo, než ona se stala, než z ní byl pramen léčivé vody. Ale stalo se, a pohledy už nestačily. Občas ji spatřil s hejtmanem v kočáře, jindy s hejtmanovou miniaturou v parku, ale tam s ní korzovaly vždycky jiné důstojnické dámy, a tak jen k dotyku očí občas přidaný úsměv. Přestával věřit, že se to stalo.

Jednou ho zavolali k bráně. Měl po službě. "Máš návštěvu," řekl mu strážný. Kdo by? Až z Čech? Až sem? "Bejt tebou, tak tam nejdu, chlape," pravil strážný. "Kvůli tomuhle se přetahujou večerky. A ty víš, co za to." Poslal ho, kam i císař pán prý chodí pěšky, a šel. U brány stála dívčina jak z obrázku, ustrojená po tyrolácku. Měl na hezké ženské štěstí, které mu nepřinášely. "Herr Kapsa?" Přikývl. "Sie sollen morgens um sieben Uhr am Gottes-

tischlein sein." "Was?" "Gottestischlein. Sie wissen wohl, wo das ist?" "Ja, aber wer — " "Wiedersehen!" *obrázek se otočil a rychle odcházel v bílých podkolenkách.*

Uvědomil si, že tentokrát mu hezká holka štěstí přinesla.

Nevěděl, že se mýlí.

Potom, v Americe, věděl, že se nemýlil. Jenom to bylo jiné štěstí.

Kakuška si spokojeně vykračoval po místnosti a zvonil novými ostruhami. Zastavil se, zvedl patu, pak druhou, nadšeně se zadíval na roztočená kolečka. "Co tomu říkáš?"

"Nejdražší vostruhy v Shermanový armádě," ušklíbl se a ukázal na hromádku přesně opracovaného kovu, jež přetékala z modrého kapesníku. Pak na krásně zasklenou skříň z leštěného dřeva.

"Co uděláš s timhle?"

Kakuška pohlédl na následky své ostruhářské práce.

"To už je k ničemu."

Malá černá ručička na zlatavém ciferníku ukazovala dvanáct — poledne? Půlnoc? — velká byla ohnutá do pravého úhlu, neukazovala nic. Seržant řekl:

"To máš pravdu."

Houska spal s hlavou na stole. Kakuška si zavdal z demižónu. "Tak já du," řekl a vykročil ke dveřím. "Dobrou."

"Dobrou," pravil seržant. Šel za Kakuškou ke dveřím, zůstal stát mezi nimi. Kakuškovy ostruhy ještě chvíli cinkaly ve tmě. V dálce kapela hrála "Děvče, které jsem nechal doma". Měsíční světlo padalo na sykomóry. Přes měsíc přelétla mlčky sova. "V týhle válce je možný všechno!" zvolal u Kennesaw Mountain Shake. Čekali na povel k útoku a z koruny borovice vylétla sova, za ní tři vrány, sova se ve vzduchu obrátila a zasadila první vráně klofanec. Druhé dvě se na ni vrhly, sova se zdatně bránila. Tichem před bouřkou krákaly divoké ptačí hlasy, lítala péra, ptáci jim bojovali nad hlavou. "I ptáci válčí!" zvolal Shake, a teď si prohlížel botu se stopami mopslíkových zubů, kapela vyhrávala, Sherman s Loganem zmizeli jako duchové v nízké mlze. Nad mlhou se nyní sunula další žerď s bidýlkem, na tom však neseděla veverka, ale orel s bílou hlavou. Dvaaosmdesátý illinoiský. Velká Shermanova armáda se valila na Augustu.

Pršelo na sykomóry.

"To musel bejt ten z tý farmy v Burnville!" naříkal Shake.

Seržant řekl:

"Na zvířata se rušení klidu mrtvejch nevztahuje."

"Tak ten druhej. V Cedartownu. Byl mu podobnej, jako kdyby mu z oka vypad. A jeho paní po mně hodila rajčetem."

"Jenže psi duše nemaj, jestlis eště úplně nezapomněl katechismus," řekl seržant, který se dobře pamatoval na bumerský nájezd, jenž skončil rajčetem rozpláclým okolo Shakova nosu, neboť dívka v bílých šatech měla dobrou mušku, po zásahu k nim obrátila pyšná záda, pýchu však hned nato zrušil pláč, který zaškubal útlými ramínky, a oni oba za ní čuměli, trochu zahanbeni, neboť whiska z nich rychle vyprchávala, Shake s obličejem jako zmalovaný klaun a s kouřící pistolí nad mopslíkovou mrtvolkou v ruce.

"Já jsem nyní emersonián," pravil Shake. "Vesmír je pln jediný velký duše a z ní se všechny dušičky roděj. I psí."

"Máme rozkaz každýho loveckýho psa zastřelit," poučoval předtím Shake slzící dívku. Stála na cestičce k plantážnímu domu a Shake držel za vyšívaný obojek drobného mopsla. "Vinu si připište sami sobě. Naučili jste je honit lidi, a teď je to nejde odnaučit." Shakovi za zády Fišer právě zakroutil krkem kdákající huse a po cestě od plantážnického sídla přicházel Stejskal s velikou krabicí doutníků.

"Tohle přece není honicí pes," naříkala dívka. "To je Tippy. Pejsek do klína."

Shake nerozhodně pohlédl na vrčící potvůrku, potom na plantážnickou dcerunku, zrůžovělou zlostí a žalem. "Zajisté," pravil. "Jak nám ale zaručíte, že z něho nevyroste životu nebezpečná doga?" S přehnaně krutým výrazem přiložil pistoli k mopslíkově hlavičce, vykročil k jeho majitelce, zakopl a vyšla mu rána. Dívka sáhla do košíčku na lokti a Shake se připodobnil cirkusovému klaunu. Dívka jim ukázala pyšná záda, ale hned nato ji zlomil pláč. Mopslíkovy nožky sebou zaškubaly. Za rohem kolem bílého domu vyšla černá rodinka ověšená ranci a zamířila k silnici, po níž skřípavě jely vozy naložené bezcenným bohatstvím kořisti, municí, proviantem. Volské hlavy se kývaly ze strany na stranu, z rohů jim vlály cáry dámských klobouků, hedvábné pentle. Voják kulhající vedle vozu měl kolem krku třpytný řetěz s velkým medajlónem. V mezeře mezi dvěma vozy kráčela skupina rozjařených černochů, zpívali nesrozumitelným dialektem jásavou píseň a rytmus zdůrazňovali plácáním do dlaní. Voják za nimi měl na bodle pušky přes rameno napíchnuté pečené sele. Velká Shermanova armáda táhla na Atlantu. Stejskal vypáčil krabici bajonetem a vytáhl doutník, veliký málem jako policajtský pendrek.

Tragédii u Burnvillu seržant na vlastní oči neviděl, ale znal ji od táborového ohně. Ta žena nebyla mladá a plantážní dům vyhořel, ještě doutnal. Žena seděla na lavičce v zahradě, vedle ní o růžové keře opřené tři obrazy, čtvrtý si odnášel nějaký bamr. Znázorňoval nahou ženu ve veliké mušli. Tři, jimiž bamr pohrdl, byly portréty starců v krajkových plastrónech. Žena seděla bez hnutí a pohrdavě sledovala jejich počínání. Shake špičkou boty rozhrábl hlínu, zřejmě čerstvě vykopanou a pak nasypanou zpátky do díry. Vytáhl nabiják, postavil jej doprostřed vlhkého obdélníku a zkoumavě pohlédl na ženu. Z tváře jako sfinga nešlo vyčíst nic. Shake se ušklíbl a zaryl nabijákem ve vlhké zemi. Konec nástroje narazil na cosi tvrdého.

"Prsteny na prstech mám, zazvoní, když s nima zatřepám!" zazpíval Fišer. Žena se nepohnula, dali se tedy do práce. Posedlí chtivostí si nevšimli, že bedýnka, jež se objevila pod lopatou, nese už stopy násilného otvírání. Vypáčili víko bodlem a ušlo jim, jak to jde lehce. V bedýnce ležel ztuhlý mopslík. "Chudák Dribble," ozval se konečně ženin hlas. "Vidím, že mu nebude dopřáno klidu. Vy jste dnes čtvrtí." Otráveně zaklapli víko. Shake měl sto chutí prokopnout jeden z těch tří portrétů, ale ovládl se a jenom vyobrazenému starci přidělal uhlem brejle. Slunce už krvavělo nízko nad obzorem, ze spáleniště stoupal řídký dým. Žena seděla jako socha. Z mopslíka doga nevyroste. Ale oni je na ně posílali. Jako socha před portréty svých předků. Jako socha, tváří v tvář násilí.

Bůhví, řekl si. Pršelo na sokymóry. Kapela hrála. Dvoukoláček se rozjel po cestě, Linda Toupelíková se otočila, zamávala. Modré hadí oči pod klenoucí se duhou.

Čekala na něho. Šedivé Uršuliny oči. Uviděl ji, teprve když se vyškrábal na vršek kopce zvaného Gottestischlein, jak sedí na mechu mezi borovicemi. Asi s ním šla pohledem po celou cestu od posledních domků městečka v alpském údolí, taky rudnoucí slunce, raný podzim. Hloubějí v lesíku stálo stavení, nevysvětlitelné, ani opuštěná hájovna, na tu bylo příliš výstavné, ani panský letohrádek, příliš maličké, aby stačilo vznešeným potřebám. Jenom dvě místnosti, v jedné kulatá kamínka, pár hrnců, konvice a velké stojací hodiny, v druhé postel, čistě povlečená, se skrovnými nebesy, porculánové umyvadlo zasazené ve vyřezávané dubové komódě, nevysvětlitelné obydlí. Neptal se. Z okna ubikace viděl Gottestischlein. O večerech, kdy potom nemohla přijít, ležel na palandě a hleděl na zalesněný kopec a neviditelný domek zářil jako kaplička. Za večerů, kdy nemohla přijít, přemýšlel, že tenkrát na té lavici slzící druhové sekali skutečně do mrtvoly, že tohle je snad nebe, kam se dostal, přestože kostel zanedbával a četl bezbožné knížky, ale snad že nikomu nic neprovedl. Nebe, jako všechno krásné, odměřované po kapkách těch večerů, kdy přijít mohla, domeček zářil mezi borovicemi pod obrovským temným masívem Alp, hory s bílou čepicí v raném podzimu toho zázračného roku, poselkyně, která mu přinesla štěstí. Ale ne, nebe to nebylo. V zátylku jako hlaveň pistole cítil chlad té jistoty, že to nemůže mít trvání, jako má nebe, nebyl tedy šťastně mrtvý, ale šťastně nešťastně živý, neštěstí jako vždy bylo jen otázka času, jako vždy krátkého.

Neptal se, nevěděl, snad byla kouzelnice. Nebyla. Při drezírce se na apelplace objevil Hauptmann Hanzlitschek, kníry, pupek, malé a zlé oči, přešel kolem kumpanie, profous zvýšil hlas, rozkazy nabyly na tempu, sekali nohama, vlevo v bok! Vpravo v bok! Na rámě zbraň! a Hanzlitschek se zastavil, nerozeřval se však jako obykle, když opustil kancelář, zřídkakdy, a vypadl do deště na apelplace. Jenom stál, díval se. Pozoroval. Seržantovi se zdálo, brzo věděl jistě, jeho. Podlé oči, jisté si svým právem, svou pravdou, svým majetkem —

— hleděl do nich, oknem na ně padalo rudé slunce a Hanzlitschek mlčky strhl peřinu z Uršuly, chytil ji za vlasy, smýkl s ní na podlahu, a to uviděl v druhé ruce bejkovec, děsivé švihnutí, na Uršuliných zádech se objevil krvavý otisk strašlivého nástroje a Hanzlitschek opět zdvihl ruku, zlý svist, druhé znamení, ale Uršula ani nehlesla. Vyskočil z postele nahý jako Adam, třetí svist už nedozněl, Uršuliných bílých zad se dotkla pouze špička bejkovce, ostatek se jako had otočil kolem těla jemu, protože pravičkou svíral Hanzlitschkovo zápěstí, ale Hanzlitschek se mu vyškubl a bejkovcem tentokrát na něho, první rána mu dopadla na rameno, kožený had ho švihl přes nahá záda, záda se vzňala, ucouvl, Hauptmann se znova rozpřáhl a bičem rovnou do plamenů. A tu se ho zmocnila síla, jakou dosud nepoznal, hořká a hořící nenávist, vrhl se na hejtmana a pěstí mu zasadil dělovou ránu přímo mezi kníry. Měl dojem, že Hanzlitschkovo tělo, jakoby vyvrženo i z pekla, se vzneslo do výše, Hauptmann rozpřáhl ruce do gesta ukřižovaného lucifera a padal, spodinou lebeční přímo na osten ozdobného dubového sloupečku v rohu umyvadlové komódy. Svezl se na zem, čerň z očí vytekla někam dovnitř, snad dolila Hauptmannovu duši, na skelné oči spadlo rudé slunce, vznesl se netopýr. Uršula vstala, v rudém světle jí zlatě zazářil klín, stáli nad umrlým hejtmanem jako Eva a Kain ve svém ráji nad zabitým hadem, nepocítil ani záchvěv strachu, ani dotek hrůzy, nic nepocítil k té mrtvole, zvolna se už roztékající do posmrtné ztuhlosti —

— a tak ji bez citu naložil na záda, jak mu nařídila, odnesl ji hloub do lesa a tam z ní udělal příběh pro ty, kdo — na Uršulinu žádost — budou po hejtmanovi pátrat. Na slizkém, šikmém a plochém kameni vyrobil Hauptmannovým kramflekem v mechu rýhu, mrtvolu upravil na zemi zátylkem na hrot kamene vyčnívajícího z mechu o kus dál. I stopy k pomníčku hejtmanova osudu nadělal, obul si na to Hanzlitschkovy boty a zas mu je nazul a pořád necítil nic, jenom zoufalý vztek, že ho tenhle padlý anděl vyhnal z ráje.

Tu noc se rozešli až k ránu, tenkrát věděl, že navždycky. Vykradl se za svítání do lesa, v hejtmanových civilních kalhotách, které mu v noci přinesla, stažených kolem pasu řemenem, v hejtmanově obnošeném kabátě, s hejtmanovými zlaťáky v kapse, s hnízdem krystalových vajíček. Po letech, už v kasárnách Třináctého pravidelné armády Spojených Států, si začal vymýšlet fantazii. Napsal dopis, odpověď nepřišla, čekal, napsal znova. Nikdy se jí neptal, nerozuměl nevysvětlitelnému domu, nepochopitelným návštěvám ve špitálním baráku, dělala prostě zázraky, jistě udělá i tenhle. Ani na třetí dopis odpověď nedošla.

Proč? Vypátrali snad, co se opravdu stalo v lesíku na Gottestischlein? Anebo zapomněla? Chodí snad někde v *režné suknici kolem dokola po vězeňském dvorku? Anebo ji má jiný Hauptmann? Možná plukovník? Každý generál by se s ní mohl chlubit. Byl snad on, voják na sedm let, jenom pro oslazení života s velkým panděrem? Myslet si na ni? Byla von už než se stala von Hanzlitschek. Aby odjela za ním? Oč víc je seržant Třináctého pluku pravidelné armády Spojených Států než vojín c. a k. pluku dolnohradské infanterie?*

Vzbouřila se v něm Amerika. Byl na ni připraven, z Havlíčkových článků, z knížek Charlese Sealsfielda, ale tehdy to byla jen neexistující utopie za utopickým oceánem. Teprve nutnost zrozená z mordu proměnila ji ve skutečnou zemi, kde sedláci skutečně nesmekali před úřednictvem ze zámku, a ne proto, že v Americe zámky nejsou.

Zlomila ho lítost. Protože Uršula to nezná, i pro ni je oceán utopie. Křivdí jí. Něco se stalo. Jinak by jistě přijela. Nebyl přece jen cukr na pelyněk nějakého jejího manželství. Seděl zahanbeně nad Susquehannou, poléval jej horko viny — že si o Uršule myslí zlé. Něco se stalo. Napsal ještě dva dopisy. Pak už nepsal.

Pršelo na sykomóry. Potřetí uviděl Lindu Toupelíkovou v dvoukoláčku, který kočíroval rozsvícený kapitán Baxter Warren II., byl večer, na průčelích domů na Bay Street svítily už zase lampy, jež zhasly, když velká Shermanova armáda přitáhla do Savanny. Tentokrát žádné bamrování — skoro žádné. Semtam Kakuškovy hodiny, ale jinak zdvořilí důstojníci, které dámy úklonem hlavy braly už na vědomí, a vojáci po velkém pikniku v Georgii v dobré náladě, udržované černošskou whiskou, což byla úlitba vojákům Vládce světa, ale obětovaná s radostí, bez požádání, dokonce bez rozkazů. Z oken krásného hanbince PEKÁRNA MADAM RUSSELLOVÉ plonkala banja. "Moje sestra," řekl vztekle Cyril Toupelík. "Moje ségra panská kurva. Moje příšerka sestřička," a on se otočil za krásnou příšerkou, chrpové světlo rozsvěcovalo vycíděné knoflíky vykartáčované kazajky kapitána Baxtera Warrena II. Vtom ráz naráz, tak rychle, že scéna opět jak ze živého obrazu, po třech schodech bílého domu zkulhal muž v zeleném kabátě, tři rychlé, příšerně kulhavé kroky, všiml si, že místo boty čouhá z jedné nohavice bambule protézy, ale mrzák byl vysoký a jako socha, ve tváři hezký, vlastně krásný, dlouhé vlasy mu zavlály po rozložitých ramenou, překulhal kolem nich, zahlédl, jak Cyril rychle pokročil ke kulhavému, a to už zpod rozepjatého kabátu pistole a Cyrilova pěst hákem zespodu, výstřel přesně v okamžiku, kdy pěst jeho přítele vymrštila mrzákovu ruku vzhůru, pistole se vznesla velikým obloukem, letěla, na druhé straně ulice se sypaly střepy, jedna lucerna v průčelí PEKÁRNY MADAM RUSSELLOVÉ přestala svítit, pohlédl rychle na Lídu Toupelíkovou a viděl, jak sebou škubla, chrpové oči se zvětšily, zdálo se mu na dvojnásobek, sjel pohledem na kapitána, ten však jen téměř s nezájmem pootočil hlavu k výstřelu, a to už Cyril držel mrzáka kolem ramen, kapitán se otočil zpátky, pořád zářil jako hluboce věřící biřmovanec. I Lída se ovládla, vztyčila hlavu, zlatý vodopád přejel sebevědomě kolem něho a on uslyšel Cyrila Toupelíka, jak anglicky říká hloučku, který se sběhl okolo mrzáka: "Trochu přebral. Prostě mu je do střílení. Pánubohu do oken."

Tvářili se podezíravě, ale měli sami přebráno. Pomalu se začali rozcházet. Mrzák stál bledý jako smrt. Cyril sebral ze země pistoli, strčil si ji za opasek, vzal mrzáka za ramena a otočil ho ke schůdkům do bílého domu.

Z hanbince zněl nadšený zpěv:

"Až Johnny pomašíruje domů..."

Pršelo na sykomóry.

Kočárek zahnul za keře, zavlál bílý závoj Lindy Warrenové. Mlha nad cestou zřídla, pod platany táhla Mowerova divize. Jejich zasviněné škrpále opisovaly více méně pravidelné půlobloučky v roztrhaných cárech rychle se rozplývající mlhy, zpívali:

Pod hvězdami Unie a práva,
válečný zpěv svobody!

Za nimi švadrona Kilovy kavalérie, zástava prostřílená jako cedník, pak zarachotila kola baterie polních děl, z caissonu čouhal hnát velké uzené kýty, černé hlavně kanónů leksé v dešti. Po nich tři mrňaví hoši s bubny, následovaní hradbou vousáčů, válečný zpěv svobody. Šli nesrovnaným krokem, pohárky cinkaly na tornistrách, do hlavně pušky zastrčená pánev, z plání, z hor. Vzpomněl si na dávný ponurý sbor, ponurý ale nablýskaný, nablýskaný a ponurý, kráčející stejným krokem alpským údolím, sešněrovaní oficíři na koních, Dvaaosmdesátý illinoiský začal taky zpívat, strašlivá disharmonie nádherných hlasů, neznal žádnou jinou takovou armádu, nikdy, možná od Caesara...

Milióny svobodných doplní naše řady,
zpíváme hlasitý válečný zpěv svobody...

Táhli, muži, děla, koně, nedrželi krok, valili se jako Mississippi, velká Shermanova armáda táhla na sever, na Atlantu.

"Hele ho!" uslyšel Shaka.

Reverend Mulroney se potýkal s kobylkou. Za ním zákopníci bourali svatostan, kobylka tančila a reverend s ní měl potíže. Duha nad plihnoucím stanem bledla, zmizela. Shake se zachechtal a rozběhl se k reverendovi. Seržant viděl, jak krotí kobylku a reverend v kapitánské uniformě se drápe do sedla.

Pršelo, pořád se lil déšť na sykomóry.

"Co ti tak přišlo k smíchu?" zeptal se večer Shaka u táboráku. "Nevěsta přeci byla krásná?"

"Ach to!" Shake se opět zachechtal. "Je vidět, žes do kostela moc nechodil, seržo." Otočil se, zahrabal v tornistře. "Vlastně — tohle Církev svatá čísti nedává ani jednu neděli po svatém Duchu nebo při jiných příležitostech." Z tornistry vytáhl opotřebovanou bibli, zalistoval v ní. "Tak poslouchej," řekl. "Kniha Ezekiele proroka, kapitola šestnáctá, verš třináctý až šestnáctý. Jenže on si vybral jen kousíček třináctého, protože zná svoje papenhajmské. Ví, že vy, skotáci, jste bibli v životě ani neotevřeli."

Plameny se procházely po Shakově měsíčné tváři, tančily v modrých očích jako košilatí andělíčkové.

"Krásná jsi učiněna velmi velice," zaintonoval Shake farářským hlasem, pak dodal civilně: "Tohle Mulroney přečet. Ale tohle, hned nato, si nechal od cesty." Zase zpěvavý tón, vlastně ne docela vhodný k tomu, co Shake recitoval: "Ale úfalas v krásu svou, a smilnilas příčinou pověsti své: nebo si páchala smilství s každým mimo tebe jdoucím. Každý snadno užil krásy tvé."

"Přestaň, nebo nás zkazíš!" ozval se Stejskal.

"Klid! Teď teprv přijde hlavní vynechávka." Opět posměváčkovský polozpěv: "A vzavši z roucha svého, nadělalas sobě výsosti rozličných barev, a páchalas smilství při nich, jemuž podobné nikdy nepřijde, aniž kdy potom bude."

Rozhlédl se po svých druzích. Chvíli mlčeli. Shake si strčil do úst pěnovku a vypustil k hvězdám modrý obláček. Stejskal řekl:

"Co mi nejde na rozum, že ty, takovej neznaboh, znáš bibli nazaměť. Dokonce i ty nejzbožnější místa."

"Já? Neznaboh?" pravil Shake. "Slít ti na kokos kanistr, sousede, nebo co?"

Měsíční světlo padalo na sykomóry.

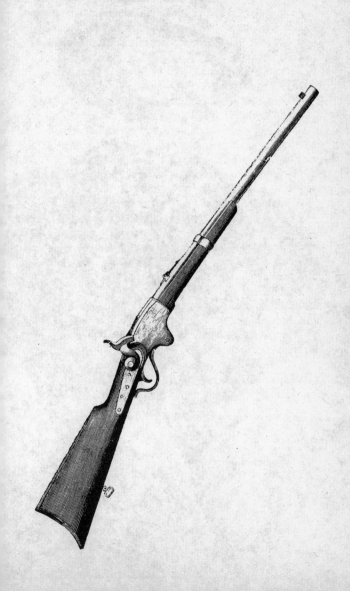

Spisovatelčino intermezzo I.

1.

Žádný generál nebyl v tolika bitvách jako Ambrose, a kdyby to nezapovídala pravidla jeho řemesla, nestrávil by ani minutu na velitelském stanovišti. V Cincinnati mi jednou řekl, že se tam necítí ve své kůži. "Vojáci umírají, a já se na to v závětří dívám dalekohledem. Připadám si jako ulejvák. Jakživ si na to nezvyknu, Lorraine, ačkoliv je to samozřejmě logické. Logické, počítám, je ale taky prásknout do bot, sotva se po poli rozběhne ta s kosou. Nikomu se nechce umírat."

"To není logické," řekla jsem, "jenom psychologické. Logické je šetřit si generály, protože stojí fůru peněz, než je naučí řemeslo."

Ambrose vzdychl. "Podle toho."

"Podle čeho?" zeptala jsem se podrážděně, protože jsem věděla, co myslí. Vrchním velitelem se jakživ nechtěl stát, ale Lincolna samozřejmě poslechl. Rozkaz byl pro něho něco na způsob božích přikázání. Lincoln ho měl rád. Taky si myslel, že je chytřejší než Ambrose. Jistěže byl — až na jednu věc. Sám sebe znal Abrose líp, než ho znal kdo jiný, Lincolna nevyjímaje.

Drahý Ambrose. Byl to prostě nejčestnější, nejpravdomluvnější, nejvěrnější a nejstatečnější voják Unie.

Taky to byl velký švihák.

Já patřím k těm mnoha, co se na něm v životě provinili, i když je tu polehčující okolnost: byla jsem tehdy mladá a příslušně hloupá. Možná dokonce nadprůměrně.

Později si Ambrose z ostudy ušil kabát. Ale tehdy —

2.

Hrůza hrůzoucí. Spíš než pevné nervy to byla nějaká křeč, co mě drželo na nohou, když jsem se otočila a uličkou mezi lavicemi utíkala z kostela do prahnoucího slunce mezi dvěma špalíry vyděšených tváří, protože tohle se v Liberty nestalo, kam lidská paměť sahá, a většinu lidí v kostele, žádného možná, v životě nenapadlo, že by se to stát mohlo. Křeč nervů mě držela pohromadě, ještě když jsem vylezla do kočáru a tam jsem dokonce počkala na Maggii a Sarah, svoje družičky, které se vyhrnuly z kostela a běžely za mnou. Teprve když žuchly na sedadlo naproti mně, poručila jsem Samovi, aby jel. A teprve až doma v pokoji mi všechno došlo a já propadla hysterii tak dokonale, že jsem se rozhodla, že poběžím zpátky a všechno ještě stihnu napravit. Jenže prvně v životě mi vypověděly nohy službu a taky: na psacím stolečku ležel ten dopis od nakladatele z Bostonu.

"Proboha! Maggie! Sáro! Já mu to musím vysvětlit!"

"Jak?" zeptala se Maggie a hleděla na mě bez nejmenšího slitování.

Dobrá otázka.

"Já pro něj doběhnu," řekla dobrák Sarah.

"Ušetři si cestu," pravila Maggie, ale Sarah už zmizela mezi dveřmi. Maggie se otočila ke mně.

"Seš pěkná kráva."

Vůbec mi nenapadlo jí to vyvracet, protože měla pravdu.

Tak jsem se dala do breku.

"Nebul, prosím tě," řekla Maggie. "To není tvůj styl."

Zase měla pravdu. Jenomže taková věc se nestala, co lidská paměť sahá, aspoň ne v Liberty. Byla to mimořádná okolnost.

Bulila jsem. Do pokoje přišla matka, posadila se ke mně na postel, pohladila mě po vlasech.

"Vyvedlas pěknou věc, holčičko," řekla. "Taťka šel rovnou do sklepa a pak nahoru. Zamknul se v pracovně."

To znamenalo, že táta si přines ze sklepa galón whisky, a když budem mít štěstí, udělá se do němoty. Když nebudem, bude pravý opak oněmělého. Řešil touhle prajednoduchou metodou všechno, od bolení zubů po rodinné problémy a po metafyzické otázky, pokud ho nějaké napadaly. Když bráška utek z domova a pak od něho přišel dopis ze Santiaga, kam připlul s velrybáři, táta rovněž vykonal pouť do sklepa a nahoru do pracovny a tím se otázka uprchlého brášky vyřešila.

"No, vyplač se," řekla máma a nic, žádné výčitky. Napadlo mi, že třeba lituje. Před těmi osmadvaceti lety to mohla udělat jako já. Jenomže tehdy se táta ještě neuchyloval do lihového soukromí. Nebo to o něm máma nevěděla.

Ještě chvíli mě hladila po vlasech, pak odešla.

"Já províst takovou skopičinu, roztrhnou mě doma vejpůl," ozvala se Maggie. "Važ si takovejch rodičů, ty krávo."

Už jsem tolik nevzlykala. Zasloužím si to. Přilítla udýchaná Sarah. V kostele už Ambrose nezastihla. Prý odtamtud vyběhl tryskem, sotva se zmátořil. Dobrák Sarah tedy utíkala k Burnsidům. Starý Bob ji ani nepustil dovniř. Pan poručík se stavil jen pro kuffík a odešel na nádraží.

Podívala jsem se na hodiny na komodě. Byly skoro tři. Vlak do Connersvillu odjíždí ve čtvrt na čtyři. V Connersvillu bude Ambrose přes hodinu čekat na spojení.

Můžu to stihnout.

Co mu řeknu, jsem nevěděla.

3.

Stejně to nebylo fér. Nebyla jsem na vdavky s Ambrosem připravená. Ale život je takový. Ne zrovna fér.

Když Ambrose odjížděl do West Pointu, bylo mu ani ne osmnáct. Hubený mladíček, krejčík, měl ne právě elegantní krámek a ani ne na Hlavní ulici, obchody mu moc nešly a čelo se mu už začínalo zvyšovat. Ne že by mi tohle všechno tenkrát vadilo. Bylo mi dvanáct, platila jsem za profláknutého holku-kluka, holčičky mě nezajímaly, jenom kluci, a to proto, že mě brali na ryby a hrála jsem si s nima na vojáky a na Indiány. Když mi ale jednou Huck Finnů navrhl, abych dělala unešenou krásku, již americká kavalérie vyrve ze spárů Šošonů, namíchla jsem se, prohlásila jsem, že žádná kráska nejsem a ať někdo zkusí mě unýst. A že mají říct Becky Thatcherové, ta kráska je a čte zamilované romány své starší sestry Jocelyn. Becky samozřejmě souhlasila, nastrojila se na to do nedělních šatů a já jsem dělala náčelníka Šošonů Plochou Nohu, který Becky unesl, aby ji zabil. Jak jsem byla z domova dobře vedená, myslela jsem, že krásky se unášejí, aby se zabily.

Pokud jde o Indiány, aby se umučily u kůlu.

Co se s unesenými kráskami dělá ve skutečnosti, dozvěděla jsem se teprve, když máma zjistila, že je na čase poučit mě "o životě". Přesto mi holko-klukovství vydrželo málem do sedmnácti, kdy jsem začala číst články Margarety Fullerové a místo flirtování s mladými muži, k němuž se už schylovalo, jsem se rozhodla bojovat za práva žen a nevdat se, aby mě v boji nic nerozptylovalo. Nebylo to čistě jen vlivem Margarety Fullerové, ale taky mámina postavení v rodině. Táta byl — inu, nedalo se s ním mluvit, na to měl příliš dobře zásobený sklep.

Jenže jsem musela být spíš případ opožděného vývoje než velkého intelektu na způsob chudáka Margarety Fullerové. Buď jak buď, můj dotehdejší život mě nepřipravil na postavu, kterou jsem jednoho slunného rána spatřila před saloonem pana Jenkinse na Hlavní ulici.

Nejdřív jsem zaznamenala hlavu — jakživa jsem takovou nespatřila. Byla jakoby krásně zarámovaná. Rám tvořil hustý kaštanový knír, jenž se mladému muži táhl zpod nosu obloukem přes obě tváře a nahoru kolem uší až přes hlavu, kde, vysoko nad čelem, se obě poloviny kníru spojovaly. Co svět světem stojí, nikdo v Liberty takový knír neviděl. A snad ani tak kaštanové oči pod hustým obočím, jež podtrhávalo výšku mladíkova čela. Že čelo je vlastně počínající biliárová koule, mi nevstoupilo na mysl.

Mladý muž, přesně řečeno jeho nenapodobitelná hlava, mě v mžiku položili na lopatky.

Teprve potom jsem si všimla, jak skvěle mu padne uniforma poručíka Armády Spojených Států, a jak dráždivě se mu u pasu houpá nízko zavěšená pistole.

A teprve až potom — ne, nevšimla jsem si pana Jenkinse, který stál vedle mladého muže s unikátním knírem, jenom jsem slyšela, že volá:

"Lorraine! Pojď sem!"

Taky jsem zaslechla, jak za mnou někdo hluboce povzdechl, a asi jsem šla. V každém případě jsem najednou stála před mladým mužem, hleděly na mě kaštanové panenky a pan Jenkins se zeptal:

"Jestlipak poznáte tuhle mladou dámu, pane poručíku?"

Zarámovaná hlava se zavrtěla ze strany na stranu.

"Nikdy jsem neměl tu čest," pravil mladý muž zamilovaně. "Tak krásnou mladou dámu bych si nemohl nezapamatovat."

"Z kukly se líhne motýl," pravil pan Jenkins. "To je Hendersonovic Lorraine."

"Ó!" udělal krásný poručík. Někdo za mnou zase vzdychl. Poručík se zlomil v pase a políbil mi ruku.

A měl mě.

Ženská práva mě — na čas — přestala zajímat.

4.

Měl mě jak uragán v epicentru a otáčel se mnou, jako když švihá káču, abych se nevzpamatovala. Ještě ten večer domácí bál u Campbellů, přijel pro mě s najatým kočárem a já, bojovnice v podstatě proti mužům, která se z bálů ulejvala a proto se nikdy nenaučila pořádně tancovat, plula jsem s ním celý večer po parketách jako něžný obláček. Druhý den vyjížďka na koních do Green Springs, kde mi v romantickém údolí vyznal lásku, sice čerstvou, ale o to hlubší. Den nato... prostě kompletní repertoár romantických námluv, zhuštěný do jednoho týdne, včetně milostných psaníček, ačkoli spolu jsme nebyli jenom pár hodin v noci.

Měl totiž dovolenou pouze čtrnáct dní.

Picknick se šampaňským — bylo to v létě — a pod srpnovým měsícem pečlivě naučená básnička nahlas. Nelíbila se mi, ale líbil se mi knír. Strašně. Vyjížďka koňmo do Gloucester Valley, croquet na zahradě metodistické fary a v neděli odpoledne přišel požádat o ruku a zasnoubili jsme se. Svatba za týden a z ní rovnou k posádce v Jefferson Barracks v Missouri. Zase šampaňské, slzící otec (po šampaňském vždycky chuť na whisku větší než normálně), neslzící máma. Ale to mi nepřišlo divné.

Jenže v pondělí přišel dopis od nakladatele v Bostonu.

Totiž: napsala jsem román. Tajně. Inspirace jednak z literatury — Margaret — jednak ze života — táta a jeho sklep a v něm množící se a čím dál míň dostačující demižóny. Když jsem román psala, začala jsem — vlastně prvně v životě — snít. Ne o romantických nebo i neromantických milencích, jako snila Sarah a možná i Maggie a vůbec kdekdo. Ovládlo mě, už tak mladičkou, kouzlo pera a papíru, rozkoš inkoustových porodů, které mají tu výhodu, že děti si člověk může udělat, jaké chce: chytré ale zlé, krásné, hloupé ale hodné, šeredné nebo plejnové, a ať jsou, jaké jsou, všechny je miluje. Snila jsem, jak se mi rodily z pera a rostly do podoby, že tahle magie ze mě udělá samostatnou ženu, nezávislou na volbě mezi nějakým ožralým, avšak zámožným ženichem a poklidnou, jenže ničivou chudobou staré panny.

Tou dobou byl už táta zadlužený po uši a začínal vidět bílé myšky. Snila jsem, jak mi romány přinesou bohatství a já budu jen a jen bojovat, perem, a mámu vezmu k sobě. Tak jsem snila.

Na týden to všechno změnil poručík Burnside, dokonale nepodobný někdejšímu majiteli krejčovství, dokonale ztělesňující Achilla, krasavce, válečníka a milovníka.

Jenomže v pondělí přišel ten dopis od nakladatele z Bostonu. Třicet dolarů zálohy, deset procent z ceny prodaných výtisků.

Udála se se mou zvláštní změna, snad chemická.

5.

Přesto že jsem ve svých sedmnácti pryč uměla být za něžnou krásku, když se toho ukázala potřeba, byl ve mně pořád kus holky-kluka. Přetáhla jsem přes hlavu svatební krajkoví, nasoukala jsem se do kalikových šatů pro všední den, osedlala jsem — sice dámským sedlem — svou klisničku Andromedu a ve dveřích se objevila máma.

"Snad sis to zase nerozmyslela, Lorraine?" zeptala se.

"Ne — když já mu ale provedla něco strašného!"

Máma neřekla nic. Z okna tátovy pracovny se ozval zpěv. V poslední době zpíval bílým myškám, které tančily.

"Já s ním musím mluvit!" vykřikla jsem jako správná hysterka a vyskočila jsem na Andromedu. Ještě jsem slyšela mámu:

"O počasí?"

To už Andromeda klusala polní cestou podél kolejí a v dálce přede mnou bafal komín lokomotivy. Stihnu to.

Jak jsem jela — v nepohodlném dámském posazu — hlava mi přirozeně pracovala, protože hlava se zastavit nedá. Sama od sebe rekapitulovala strašlivý týden před svatbou-nesvatbou. Ubohý Ambrose se stal obětí chemické změny ve mně a všechno, co zůstalo z jeho kouzla, byla aureola — mužnosti? Bezelstnosti? Zkrátka, Ambrose ztělesňoval všechny nejlepší mužské cnosti, ale když to byl takový jeliman.

A já jsem napsala román a pan Little v Bostonu ho vydá.

O čem Ambrose mluví, jsem první týden naší známosti moc nevnímala. Vnímala jsem toliko, že mluví sametovým hlasem. Básničky, co se je pilně učil z nějakého manuálu pro nápadníky, se mi sice ani ten první týden moc nezdály, jenže ten hlas!

Druhý týden jsem začala poslouchat taky, co říká.

Plácal nesmysly, taky asi naučené z manuálu. Většinou o krásách přírody a různých jejích, obvykle coby krásné citovaných, součástích, jako jsou růže, motýli, hvězdy a měsíc v úplňku. To prokládal těmi naučenými básničkami a já tenkrát četla Poa, hlava mi, sama od sebe, Ambrosovy veršovánky srovnávala s "Ulalume" a s "Israfelem" a srovnání nedopadalo pro Ambrosa dobře. Pomalu, a brzo hodně rychle, se ve mně probouzel strach a ten se, asi tak ve středu, proměnil v hrůzu. Proboha! Příští půl století života mám poslouchat tohle plácání, zčásti dokonce zrýmované? Jak jsem vystřízlivěla z okouzlení v podstatě krásnými licousy, vrátil se mi rozum. Uvědomila jsem si, že později nebo spíš dřív po svatbě přestane Ambrose recitovat špatnou poezii a mluvit o lahodném zpěvu slavíků — ale o čem, probůh, bude mluvit, když teď, údajně inspirován evidentní láskou, takhle camrá?

Byla jsem ovšem mladistvý pošetilec a měla jsem vědět, že láskou většina mužů přechodně zhloupne, úplně stejně jako ženské, jak jsem to poznala sama na sobě. Později se ukázalo, že Ambrose je sice jeliman, ale vůbec ne hlupák. Vymyslel třeba pušku, která byla lepší než všechny, co se tehdy vyráběly, a na začátku války jí vyzbrojili několik divizí. No, a vezměte si tuhle pušku. Zkonstruoval ji, ale prodat ji neuměl. Jeho Bristolská puškárna v Rhode Islandu se po šesti letech zápasu o existenci položila a on se octl na tak hlubokém dně, že musel za třicet dolarů prodat šavli a epulety parádní uniformy, aby s mladou manželkou Mary nezemřeli hlady. Pak přijal místo na dráze.

Prodat svou výbornou flintu tedy neuměl — jenomže jak to že ne? Prakticky jediný zákazník pro tohle zboží je samozřejmě armáda. Armádní komise, která vyzkoušela všemožné systémy, co si je vynálezci pušek navymýšleli, ohodnotila Ambrosův patent jako nejlepší. Ambrose se tedy rozjel do Washingtonu s naivní představou, že teď už stačí jen podepsat kontrakt se státním sekretářem pro válečné záležitosti Johnem Floydem a rhodeislandská puškárna se rozjede naplno. Sekretářův tajemník mu ovšem naznačil — přesně řečeno bez rozpaků mu nalil čisté víno — že kvalita zbraně je jedna věc, prodej jiná. Prodej musí prosadit někdo, kdo má vliv na armádní kontakty. Ten někdo je k dispozici za dvacet procent zisku, který z kontraktu vyplyne pro pana továrníka Burnsida.

"Ale to je — úplatek!" oslovil Ambrose tajemníka zděšeně a s klíčícím rozhořčením.

"Neříkal bych tomu tak," pravil muž s vlivem na kontakty. "Řekněme tomu provize."

"A když na to nepřistoupím?"

"Armáda si může vybrat mezi několika modely."

"Ale můj systém je nejlepší! Komise to sama rozhodla. Nikdo ji neovlivnil. Mě by taky ani nenapadlo někoho ovlivňovat!" Ambrose se dostával do varu. "Jde přece o zbraň, na níž závisí účinnost palby — a tedy konec konců životy vojáků!"

Tajemník na Ambrosa hleděl jako na postavu z pohádky pro děti.

"Tím spíš, pane poručíku." řekl. "Jde-li o životy vojáků, nemyslíte. že oželet dvacet procent zisku je na místě?"

"Ale to... ale to... Úplatek se nesrovnává s vojenskou ctí!"

"Hm," zamyslel se tajemník. "Vy tedy dáváte přednost vlastní cti před životy vojáků."

Ambrose se nadýchl, logickou odpověď však nevymyslel. Odpověděl prásknutím dveří, které nakonec vedlo k prodeji šavle a parádních epulet za třicet dolarů. Ještě než prošel těmi dveřmi, uvědomil si — takový jeliman zas nebyl — že finančně vzato, přijde mu vojenská čest draho. Jenže přece —

Lámal si tím logickým problémem hlavu ještě v Cincinnati, kdy se staré rány dávno zahojily a já ve svých třiatřiceti letech už nebyla za něžnou krásku, a dokonce ani ne moc za radikální bojovnici, třebaže jsem do svých příběhů chytrých mladých žen a hezkých mladých mužů propašovala nejednu myšlenku, kterou by moudří tohoto světa sotva schválili, kdyby na ni přišli. Já se však takové ideje naučila pečlivě kamuflovat a boj proti opilectví, vedlejší téma svého prvního románu, jsem pověsila na hřebík. Kritici jej sice chválili, ale nebyl komerčně zdaleka tak výhodný jako eros.

"Drahý Ambrosi," řekla jsem svému bývalému snoubenci. "To podmazání by bylo v tvrdých dolarech. Konkrétní suma. Jestli by se dalo konkrétně vyčíslit, oč víc padlo vojáků, protože místo z tvé dokonalé pušky byli nuceni střílet z nějakého nespolehlivého kvéru pánů Smitha a Wessona, to nevím."

"Však oni nakonec stříleli z mojí pušky," řekl Ambrose."Když jsem udělal bankrot, dal jsem patent věřitelům jako částečnou náhradu. Zbytek jsem časem splatil v hotovosti."

"A co udělali věřitelé s patentem?" zeptala jsem se.

"No," pravil generál Ambrose a přihladil si své gigantické licousy. "To víte, paní Tracyová — "

"Lorraine," opravila jsem ho.

"Lorraine," opakoval skoro jako to moje onomatopoické jméno vyslovoval před lety v Liberty. Příjemně mě zamrazilo. "Když vypukla válka, armáda měla citelný nedostatek zbraní. Smith a Wesson podepsali kontrakt na dva tisíce kusů měsíčně — "

"Bez úplatku?"

"To nevím, ale řekl bych že bez úplatku. Po Lincolnově výzvě bylo tu najednou pětasedmdesát tisíc dobrovolníků a dlouho museli cvičit s klacky místo pušek. Armáda kupovala všechno. Úplatkům bylo myslím odzvoněno."

"Takže dva tisíce měsíčně tvých pušek — "

"Zezačátku. Poptávka byla mnohem větší, výrobci rozšířili produkci a brzo byli s to dodávat pět tisíc měsíčně. U Bull Runu už asi třetina pěších pluků měla moje zadovky."

"Takžes nepřímo zachránil hodně životů a zachoval sis čest."

"No," pravil generál a opět si pohrál se svou nenapodobitelnou ozdobou. "Ztráty u Bull Runu byly přesto příliš veliké. Mně se podařil spořádaný ústup," pokračoval s docela nepatrným náznakem hrdosti... chudák Ambrose. Bull Run byl jeden z moc mála jeho vojenských úspěchů. Spíš skoroúspěch. Ve svém pluku zabránil panice, která jinak ústup dobrovolníků proměnila v zběsilý úprk, a tak na rozdíl od většiny velitelů vyšel z toho výprasku celkem bez úhony na profesionální reputaci. "Ale jinak — " slyšela jsem ho, " — některé jednotky se pomíchaly — bylo vůbec hodně zmatku — "

"Zachránil sis čest, a vojáci přesto dostali tvou výbornou pušku. A zisk — měls z toho nějaký? Myslím v dolarech a centech?"

Ambrose zavrtěl hlavou. Měla jsem dojem že udiveně.

"Patent mi přece už nepatřil," řekl. "Dal jsem jej věřitelům na částečnou úhradu dluhu."

Tak to máte Ambrosa. Dobrou flintu vymyslet uměl. Jak je to se ctí a s úplatky, se smrtí a s životy vojáků, na to mu mozek, třebaže krásně orámovaný, nestačil.

Jak mu mohl potom stačit na problémy, jež na něho čekaly v Cincinnati?

6.

Tenkrát v nepohodlném dámském sedle, cestou na nádraží v Connersvillu, jsem však na tuhle stránku Ambrosovy osobnosti nemyslela. Hlavou se mi honilo, jak hrůzu druhého týdne naší známosti vystřídala hrůza toho, co jsem mu provedla.

Noční můra toho druhého týdne mi zřetelně našeptávala: Lorraine, ty pitomče, zruš to zasnoubení, dokud je čas! Jenže já ne a ne se odhodlat. Šla jsem na rande a on, zmožený láskou, recitoval básničky — musel se je učit v noci, přes den se ode mě nehnul — a já najednou ty příšernosti nemohla poslouchat, skočila jsem mu do řeči vprostřed nějakého jakoby sonetu a vyhrkla jsem : "Já vám, pane poručíku, taky zarecituju báseň, smím?" A spustila jsem. Ne že bych se ty verše byla učila, Poe mě prostě uhranul:

> *"Je tomu už dlouhých a dlouhých let řad,*
> *kdes v přímořském království,*
> *že dívka žila, a měl jsem ji rád,*
> *se jménem Annabel Lee..."*

Dorecitovala jsem a on na mě koukal mlčky bezelstně krásnýma očima.

To bylo ve středu. Přestal mi odříkávat rýmovačky a ani ódy na přírodní krásy se mu moc nedařily. Plácala jsem spíš já, páté přes deváté a bůhví o čem, jenom ne o tom, co jsem mu chtěla a měla říct. Ty jeho oddané a zdálo se mi najednou trochu zoufalé oči — prostě to nešlo. Jednou, když jsem ještě byla desetiletá holka-kluk, skákali kluci ze skály dobrých dvacet stop vysoké, vytahovali se přede mnou a hecovali mě, že jako pouhá holka neskočím. Namíchnutá, vylezla jsem na skálu a nahoře, pozdrav Pánbůh, pode mnou propast a na dně kluci jak sedm trpaslíků. Nadechla jsem se, zavřela oči, ale strach mě odstrčil nazpátek. Tak znova, zdola posměváčkovské hlasy, a zase mě strach odstrčil. Nevím, kolikrát jsem užuž skočila, ale neskočila, posměváčkovské hlasy se slily v jeden jediný posměšný řev, otevřela jsem oči a vidím, že celá klukovská banda je ke mně zády, jdou pryč a přes ramena volají:"Holky se bojí! Holky se bojí!" Tak jsem zas zavřela oči, strach mě odstrčil a já — nebo kdo — odstrčila strach a už jsem letěla, sukně se mi nadmula, letěla jsem strašně dlouho, otevřela jsem oči a bum!, v noze mi ruplo, a když jsem chtěla vstát, svalila jsem se zpátky na zem jak kuželka. Domů mě kluci museli donést na nosítkách, které narychlo vyrobili z klacků, protože jsem místo pravé nohy měla báň. Naštěstí jen vymknutý kotník a naražená kostrč.

Podobný strach mi zavíral ústa pokaždé, když jsem se užuž odhodlala Ambrosovi říct, že to je omyl, že si ho nevezmu, protože ho mám ráda, a kdybych si ho vzala — Na rozdíl od skoku ze skály jsem strach odstrčit nedokázala.

Přišla sobota, ověšeli mě krajkovím a už jsem lezla z kočáru, napůl v bezvědomí, už mi Sarah s Maggií nesly vlečku, už jsem škobrtala uličkou, už jsem stála před reverendem Morrisem a už jsem ho slyšela, jak se mě táže, jestli si tohoto muže a tak dále a já jsem konečně, polomrtvá a v každém případě částečně v bezvědomí odstrčila strach, skočila do propasti a vylítlo ze mě úplně jasné: "Ne!"

Ještě v dámském sedle blízko Connersvillu jsem se otřásla hrůzou.

7.

Viděla jsem ho už z dálky. Seděl na nějaké bedně u kolejí, kde na hromadě klád pokuřovali dva farmáři a kus od nich se ve večerním slunci vyhřívala černošská rodinka asi s osmi dětmi, obložená ranci. Zarazila jsem Andromedu, sklouzla jsem na zem, ohlávku jsem přivázala k zábradlí a vykročila jsem k hromádce neštěstí.

Co mu proboha řeknu?

Hleděl upřeně do země, ale šestým smyslem poznal, že se blíží ta příšerná osoba, která ho zostudila před celou Liberty. Vzhlédl ke mně, vyskočil a obličej mu nad hustým rámem až po nejzazší výběžek čela zrudnul jako pivoňka. Zastavila jsem se na dva kroky od něho.

"Ambrosi — " takové pípnutí.

"Ano, slečno Hendersonová..."

V hlase mu zazněla strašlivá porážka. Bohužel, zdaleka ne poslední v jeho životě, i když ty pozdější nezavinil šíp z řecké mytologie.

"Lorraine," opravila jsem ho.

Neřekl nic. Svěsil hlavu.

"Víte, Ambrosi, já — "

Co mu ale říct? Zvedl hlavu, hnědýma očima mi pohlédl do očí. Bleskla mu v nich naděje? To ne! Honem jsem řekla:

"Víte, já — " No co já? Najednou jsem vyhrkla a neuvědomila jsem si, že vyslovuji samoznak pro všechen ten propletenec důvodů: "Mně vyjde román."

"Román?"

"No. Vydá ho Little a Brown v Bostonu. Poslali — poslali mi zálohu. Třicet dolarů."

"Gratuluji," řekl Ambrose.

Musím mu připadat jako pomatená. Honem jsem pravila:

"To vám neříkám, abych se chlubila. Říkám to, abych — abych se vám pokusila vysvětlit — "

"Nic nevysvětlujte, slečno Lorraine," pomohl mi. "Byl jsem — zvážen a shledán lehkým."

"Nebyl jste shledán lehkým!" vykřikla jsem, až se jeden z bánících farmářů po nás ohlédl. "Vy si ale zasloužíte lepší osobu než — "

"Bane," opět mě přerušil: "Zasloužil jsem si, čeho se mi dostalo. Jak jsem mohl být tak domýšlivý. Vím přece, nač stačím — "

"Vůbec nejste domýšlivý, Ambrosi! A já vám provedla — strašnou věc! Strašlivou!"

Zdálky se ozvalo zahoukání. Už nemám moc času. Spisovatelko! Ani mu nedokážeš říct pravé slovo — jenomže co je pravé slovo? Dá se to vůbec říct? A v několika málo slovech, než přijede vlak?

"Jsem domýšlivec. Vy jste bystrá a já — Ty básničky, co jsem vám je recitoval —a vy na ně —'Annabel Lee' — "

Projelo to mnou jako blesk, až to zabolelo. On to poznal! Sotva četl kdy víc než rýmovačky z manuálu, ale když uslyšel poezii, poznal ji. Bože! Muselo to pro něho být strašnější, než jsem si myslela. Ten hezký, čestný a — citlivý chlap jako hora — jak to, že je vůbec voják?

A to měl zůstat krejčím?

"Víte, slečno Lorraine, já nejsem moc chytrý," řekl smutně. "Jsem jenom o to chytřejší, než jiní hlupáci, že vím, že tady toho moc nemám," ukázal si na orámovanou hlavu.

"To není pravda!" zvolala jsem, ale přerušil mě rambajz brzdící lokomotivy. Ambrose se shýbl a zdvihl ze země kuffík. "Vy jste inteligentní! A citlivý! Každá by si mohla gratulovat, kdyby — jenže já — " Jak vysvětlit nevysvětlitelné, když je to zároveň jasné jak facka.

"Vydají vám román," pravil smutně.

"O to nejde," řekla jsem. Průvodčí hlasitě vyzýval k nástupu. "Ale já se nechci vdát! Chci být samostatná! Psát ty romány. A pracovat pro — "

Ambrose už stál na schůdkách a řekl něco neočekávaného:

"Jaká škoda by vás bylo pro mě. Nebyl bych vám k ničemu. Na to já nemám. "

Vlak se rozejel.

"To není tím, Ambrosi, věřte mi!" křičela jsem za vlakem.

Zamával mi.

"Odpusťte mi to, Ambrosi! Odpusťte mi tóóó!" ječela jsem jako správná hysterka. Andromeda u zábradlí znepokojeně zaržála.

Vlak s Ambrosem zmizel.

Příště jsem ho uviděla až za třináct let, v Cincinnati, když ho jmenovali vojenským velitelem departmentu O-hio. To už měl za sebou dobytí ostrova Roanoak, ve válce svůj vlastně jediný skutečný úspěch, a Fredericksburg, asi největší vojenskou katastrofu, jaká kdy postihla generála Unie. Já byla už leta vdaná za profesora Tracyho, měla jsem dvě děti, Jimmyho a Lorettu a jako Laura Lee byla jsem nejprodávanější autorkou románů pro dívky, do nichž jsem umně vetkávala mírně podvratná poselství o mladých mužích, jejichž epiteton constans bylo "hezký". To bylo tak všechno, co mi zbylo ze snu o velké emancipační bojovnici. Byla ze mě dáma, žena profesora cincinnatské Akademie, kde byl ten můj prezidentem a učil filozofii.

8.

Zvědavost, jak čas naložil s krásnými licousy, mě přiměla, že jsem mu poslala navštívenku, sotva dorazil do Cincinnati. Měla jsem trošku trému, ale počítala jsem, že čas je síto, jež věci nedobré propouští a uchovává jenom věci hezké. Věděla jsem taky, že zanedlouho po karambólu v Liberty se oženil, že z něho je samozřejmě vzorný manžel a manželství je tedy šťastné a pevné jako židovská víra. Licousy mezitím, v různě zmenšených podobách, přišly v armádě i mezi civilisty do módy pod neologismem "sideburns". Vznik mu dala lidová tvořivost přesmyčkou Ambrosova příjmení.

Napadlo mi, že aspoň takhle zůstane Ambrose v dějinách, až už nikdo kromě profesorů historie nebude vědět, jak u Fredericksburgu zkazil, co se dalo, nebo si tam aspoň vysloužil takovou pověst.

Protože když člověk poněkud natáhne řetěz příčin a následků, fredericksburskou katastrofu zavinil vlastně Lincoln. "Dokud mi vrchní velení jenom nabízel," přiznal se mi potom Ambrose ve slabé chvilce, kdy se marně snažil vyřešit problém Vallandinghama a chicagských *Timesů* a nakonec jej vyřešil jako Antigona, řekl můj muž: tedy správně. "Dokud mě o to jenom žádal," říkal Ambrose, "opakoval jsem, že takové cti nejsem hoden:

znám své meze. Jenže, Lorraine, prezident neměl moc z čeho vybírat — a byl tu ten Roanoak a ústup u Bull Runu. Že tam jsem velel jenom divizi a na to si troufám, to prezident nebral do úvahy. Řekl si patrně: Když dobře divizi, možná ne o moc hůř sboru, a dal mi rozkaz. A já jsem voják, Lorraine."

Po tom rozkaze zhubl o deset poundů. Věděla jsem něco o technice té odtučňovací kůry, ale neřekla jsem mu, co vím. Bezprostřední příčina jeho úbytku na váze nemohla být námětem konverzace mezi dámami, ale v pánské společnosti důstojníků, s nimiž rád pokuřoval můj filozof manžel, bylo to veřejné tajemství. V Mexické válce si Ambrose uhnal úplavici a její nepříjemné následky ho nikdy nepřestaly trápit. Neozývaly se v bitvě: nebezpečí života nenahánělo Ambrosovi strach. Postihovaly ho v obdobích, kdy se snažil jednat podle rozkazů, jež v něm, probouzely vědomí hranic jeho vlastních schopností.

Přede mnou mluvil samozřejmě jenom o blíže nedefinované nemoci, jež ho na čas sklátila v Mexické válce, a nebýt jeho sluhy Roberta Hallowaye, který ho pak provázel i na tažení proti Apačům v Novém Mexiku, bůhví zda by té — hm, nemoci — nepodlehl.

Robert Halloway byl černoch. Okolnost, která myslím, i když nepřímo, taky sehrála roli v dramatických událostech jara 1863 v Indianě, v Ohiu a v Illinois.

Přišel a mně, jak se píše v románech (musím se přiznat i v mých), se zatetelilo srdce. Probůh! Čas a utrpení mu neublížily, naopak, opracovaly jej do ještě mužnější krásy. Čelo se mu, pravda, zvýšilo až do temene, ale kaštanový rám zůstal neporušen a z něho na mě hleděly oči jakoby z hloubky zkušeností, jež ležely mezi tímhle odpolednem v mém cincinnatském salóně a hysterickou konverzací na nádražíčku v Connersvillu. Opravdu zeštíhlel: podtrhával to zlatý opasek na temně modré uniformě, na němž se na jedné straně houpala nízko zavěšená pistole, na druhé šavle s velikým zlatým střapcem. V ruce držel můj někdejší skoromanžel brigantský klobouk generálů Unie a usmíval se na mě, jako by byl skutečně rád, že po tolika letech vidí příčinu první velké ostudy svého života. Ale čas je to známé síto — Ambrose rád byl, stejně jako já, a hrůzy námluv byly ty tam. Obrátil zářivý zrak k malému Jimmymu, který byl dobře vychován a tak se zdvořile uklonil, a potom k Lorettě, jež vzdor krajkám, v nichž vězela jak ve šlehačkovém dortě, podědila mou náturu a zdatně se vyvíjela v nezkrotitelnou kluka-holku. Přesto však, snad pod dojmem Ambrosova kníru, udělala obstojné pukrle a Ambrose pozvedl oči ke mně a řekl:

"Vdát ses nechtěla, Lorraine, ale neušlas tomu. Se všemi následky."

Věděla jsem, že tím nemyslí, že na rozdíl od něho, i když jsem příliš neztloustla, v podstatě jsem nezeštíhlela. Byl možná pořád trochu jeliman, ale pořád byl taky gentleman.

9.

Na chvilku jsem k vlastnímu překvapení opět ztratila hlavu — jenom na chvilinku — a bylo mi jako před lety před saloonem pana Jenkinse na Hlavní ulici v Liberty. Když usedl do křesla a přehodil nohu přes nohu v nablýskaných holínkách, obklopil ho oblak šarmu, jaký dost nevysvětlitelně prýští z mužů oblíbených u dam — a já teď byla dáma. Ale ovládla jsem se, samozřejmě. Konec konců, romantická láska bylo zboží, které jsem prodávala, a to je lepší ochrana proti ztrátě hlavy než mateřství. Mateřství, jak potvrzuje denní tisk, nechrání vůbec. Začali jsme vzpomínat, to znamená drbat o společných starých známých, pluli jsme spolu po řece času a já překonala slabou chvilku a dopadla jsem zvolna zpátky na nohy a zeptala jsem se Ambrosa:

"A to víš, že Sarah Withersová se provdala do Anglie?"

"Tvoje družička?"

Zapálily se mi tváře a honem jsem řekla:

"Tichá voda Sarah. A je z ní hraběnka!"

Musela jsem ho zasvětit do příběhu, který zněl, jako bych ho citovala z některého svého románu, a on se hlasitě podivoval paradoxům libertyjského kuplování, které mě vůbec nepřekvapovaly, až jsem řekla:

"A co Maggie Rogersová? Ta se mi nějak ztratila — "

"Vzala si jednoho důstojníka v St. Louisu," pravil Ambrose nějak úsečně a mně opět ve tvářích stoupla teplota. Ty krávo! zacitovala jsem Maggii z těch dávných let. Musíš zavádět řeč na družičky! Honem jsem tedy začala hovořit o dětech, Ambrose seděl v plyšovém křesle, výstavní generál, ale hypnotické kouzlo z něho pozvolna vyprchalo a já vzplála jiným citem. Později toho dne, když Ambrose odešel do svého světa křižujících se povinností — těch, jimž se věnoval s chutí, protože v nich byl doma, a těch, jež ho trápily, neboť se netýkaly organizování jednotek pro rozvíjející se bitvu u Vicksburgu, ale plynuly z jeho postavení vojenského pána nad civilním departmentem Iowy, Ohia a Illinois — definovala jsem si ten pocit. Nepřišla jsem ovšem na nic originálního: bylo to přátelství. To, co mezi mužem a ženou není možné, a proto neexistuje. Jak to, že naše existovalo, nevím. A řekla jsem — to ještě seděl u mě v salóně a pohrával si se zlatým střapcem zlaté šavle: "A pak je tu samozřejmě Mortonovic Oliver, který je teď v Indianě guvernérem." Zasmál se. "Víš, že jsem jednou od pana guvernéra dostal klobouk? Tehdy ovšem ještě nebyl guvernérem. Bylo to v Liberty." "Nevím," podivila jsem se. "A proč?" "Protože on ode mě dostal kabát," řekl Ambrose. "To jste si navzájem koupili k vánocům?" "Nekoupili," pravil Ambrose. "Udělali. On se učil kloboučníkem, já krejčím. A byli jsme kamarádi. A teď —"

Představila jsem si Ollieho Mortona, kterého jsem už pomalu neznala jinak než ve fraku, v tom dřevěném městečku v lukách a řekla jsem:

"Teď ti to kamarádství může přijít vhod. On civilní, ty vojenská hlava departmentu. "

Ambrosovu slunnou náladu zatáhl mrak.

"Ano," řekl. "Jsme pořád kamarádi. Jenže právě proto se — " Měl něco na jazyku, ale uvědomil si, že o tom nemůže mluvit. "Znáš generála Carringtona, Lorraine?"

"Generála? Znám plukovníka Carringtona — "

"Wright ho včera povýšil. Můj předchůdce ve funkci." Zasmála jsem se.

"Inu to nic. Tady Carrington nemůže moc pokazit ani jako generál."

Hned jsem se zarazila, protože mluvit před Ambrosem o generálech, kteří něco mohou pokazit — ale Ambrose pravil:

"Halleck si myslí — "

Opět se v poslední chvíli zarazil.

10.

Lincolnův vrchní generál sehrál v Ambrosově životní tragédii zlou roli. Sotva se Ambrose vzpamatoval ze šoku jmenování velitelem Cumberlandské armády, pustil se do boje s pocitem vlastní neschopnosti tím, že do detailu promyslel ofenzívu proti Fredericksburgu. Jeho plán předpokládal, že armáda rychlými pochody podél severního břehu Rappahannocku dorazí k městu dřív, než se Lee dovtípí, co má Ambrose za lubem, a dá rozkaz Longstreetovi, tou dobou nejmíň třicet mil na západ od města, aby rychle pochodoval k Fredericksburgu. Na severním břehu řeky budou na Ambrosovy ženisty čekat pontony, z nich se postaví mosty, armáda přejde na druhý břeh a ztečí vezme město, neboť to hájí jenom pár konfederačních setnin a jedna baterie lehkých děl. Brána k Richmondu se otevře.

Měla jsem víc než dost příležitostí vyslechnout v našem salóně všelijaké podobné strategické plány, neboť bavily mého Humphreyho i důstojníky, které k nám zval na koňak a na doutníky. Ty plány mi vždycky připadaly jednoduchoučké, průhledné a nikdy neobsahovaly nic překvapivě nového, asi proto, že tak zvané válečnické umění je spíš polka než symfonie, i když hřímá jako Beethoven. Obchvat zleva, útok na pravém křídle, předstíraný úder středem, aby tam nepřítel přesunul síly zleva a z prava a oslabil tak obě svá křídla, a pak skutečný útok na křídle, obchvat zprava — taková abrakadabra. Nechápala jsem, v čem je co geniální, a Ambrosův plán, jak mi ho ex post vykládal v salóně, mi připadal stejně chytrý, jako kdyby pocházel od Napoleona.

Zezačátku taky všecko klapalo. Velká divize generála Sumnera, předvoj Ambrosova sboru, urazila čtyřicet mil z tábora ve Warrentonu do městečka Falmouth naproti Fredericksburgu za dva a půl dne. Žádný generál nikdy nepřemístil armádu takovou rychlostí. Počítalo se, že velké skupiny vojsk nemohou za den ušlapat víc než šest mil, takže z Warrentonu do Falmouthu měl Sumner pochodovat týden. Jenomže —

Halleck, Starej mozek, jak mu přezdívali generálové, byl buď moc velký pán, aby Ambrosa poslouchal pozorně, anebo měl ten svůj velký mozek plný jiných problémů, jimiž ho válka hojně zásobovala. Měl prý dojem, vysvětloval post factum Ambrosovi, že pan generál souhlasil se změnou plánu. Podle nových dispozic se armáda měla nějakých dvacet mil před Fredericksburgem přes Rappahannock přebrodit, zbytek cesty urazit po jižním břehu řeky a pak prostě zaútočit. "To mě ale musel poslouchat jenom jedním uchem," řekl mi Ambrose trpce, "protože refrén v písničce byly pontóny. A ten refrén jsem nezměnil. Pontóny bylo poslední slovo, které jsem mu řekl na rozloučenou, než jsem vytáhl do bitvy. Ale možná — " odmlčel se, stížnosti na nadřízeného měly své meze a Ambrose nechtěl vyslovit nahlas, co já jsem si řekla v duchu — že Halleck, s tou velkou hlavou plnou jiných starostí, na pontóny prostě zapomněl a pohádku o změně plánu si vymyslel. Nikdy se to nezjistilo ani to zjistit nešlo. U rozhovoru nebyli svědci.

Tak se stalo, že když velká armáda přesně podle plánu dosáhla sedmnáctého listopadu Fredericksburgu, pontóny tam byly veškeré žádné. Nebyly tam ani osmnáctého, ani den nato. Objevily se až za týden, čtyřiadvacátého listopadu, neboť teprve dvacátého si Halleck uvědomil, že jeho dojem o změně Ambrosova plánu byl patrně mylný. Generál Woodbury, jenž dostal pontóny na starost, udělal sice, co mohl, jenže když jeho vozy konečně čtyřiadvacátého dojely do Falmouthu, koumák Lee se dávno dovtípil. Sotva se ženisti pustili do práce na mostech, začala je kosit palba Longstreetových divizí.

A tady končil Ambrosův velitelský um. Jeho odhad pochodových možností armády byl neortodoxní, ale správný. Kalkulace s tím, že Lee, zvyklý na šnečí tempo Ambrosova předchůdce McClellana, neprohlédne včas situaci a v době ztečé Fredericksburgu bude Longstreet nejmíň dva dny pochodu od města, to všechno bylo bez chyby.

Jenomže nedošly pontóny.

Co měl Ambrose udělat, nevím. Totiž vím. Měl dostat rozkaz. Rozkazy dovedl plnit jako málokdo. Vrchní velitelé však rozkazy nedostávají.

Napoleon by možná přišel na nějaké geniální řešení a Hooker, Ambrosův nástupce v sedle, by něco, na oko bravurně, zaimprovizoval, i když by byla bláhovost předpokládat, že by mu to vyšlo. Neuplynuly ani čtyři měsíce a Hooker zkazil, co mohl, u Chancellorsvillu a stálo to na ztrátách o čtyři tisíce víc než Fredericksburg. Za další dva měsíce vyletěl i on a do sedla vrchního velitele se vyšvihl nenápadný Meade, opravdová z nouze ctnost. Jenomže takové jsou paradoxy války: teprve té z nouze ctnosti se podařilo Leea porazit. Krvavě, slavně a fatálně. Gettysburg.

Nemožnost zachovat se podle rozkazu Ambrosa ochromila. Dostal jakoby křeč do mozku. Zhloupl. A přitom musel rychle vymyslet novou variantu plánu, který ztroskotal, řekla bych, na Halleckovi, v jehož příliš velké hlavě se hromadilo příliš mnoho problémů, takže pro jeden zapomínal na druhý.

Inu, Ambrose jakýs takýs plán vymyslel. Rozhodl se vybudovat ještě tři pontónové mosty, asi tři míle po proudu řeky na východ od města, kde na výšinách nad řekou zaujaly pozice odíly Stonewalla Jacksona. Nový plán předpokládal dva současně provedené údery: jeden povede generál Franklin přes dodatečné mosty proti Jacksonovi — ten, přesně dle návodů, jaké jsem slýchala u nás v salóně, odvede pozornost od úderu hlavního: po dlouhé stráni proti opevněním na Marye's Heights.

Tam ovšem místo původních pár ulekaných setnin čekala teď armáda generála Longstreeta, která měla čtrnáct dní čas se dokonale zakopat a opevnit. Tak dlouho trvalo budování nových mostů, neustále přerušované Leeovými ostrostřelci.

Na papíře to pořád vypadalo jako možnost, sice slabá, ale možnost. Po vysokém čele proudily Ambrosovi čůrky potu, jako by neseděl v mém salóně, ale stál na druhém břehu řeky před Fredericksburgem a dalekohledem zděšeně sledoval tanec smrti na stráni pod Marye's Heights. Generál Franklin, vysvětloval mi, měl skoro dvojnásobnou přesilu nad Jacksonem, bylo v jeho silách zmocnit se výšin na jih od Fredericksburgu, a odtud zaútočit z boku na Longstreeta, jehož by zatím zaměstnával frontální útok po stráni pod Marye's Heights. Jenže ráno ležela všude mlha, a pod její ochranou vyslal Franklin až v půl deváté ze své mohutné armády do útoku jedinou Meadovu divizi. Ambrose vytáhl z rukávu modrý kapesník a osušil si čelo.

"Proč, proboha?" vylétlo ze mě, "když byl v takové přesile?"

Ambrose strčil kapesník zpátky do rukávu.

"Byla to moje vina. Já, Lorraine, který jsem jako první ze všech zavedl ve své armádě polní telegraf, já si řeknu, že situace je příliš vážná, abych svěřil rozkaz nespolehlivému stroji, a tak jsem s rozkazem Franklinovi poslal generála Hardicka." Ambrose zavrtěl hlavou, jako by sám nemohl věřit vlastní hlouposti. "A vůbec mi nenapadlo poslat současně rozkaz taky po telegrafu. Místo abych se proti nespolehlivosti stroje zajistil poslem, stroj jsem úplně vyřadil. A Hardick samozřejmě Franklina nemohl najít, dostal se k němu až kolem půl deváté, mezitím přesné znění rozkazu zapomněl, všechno popletl — "

Ambrose zmlkl. Ostře jsem na něj pohlédla. Zdálo se mi, že zbrunátněl.

"Anebo jsem mu rozkaz nevydal dost jasně," řekl. "Asi ne. Asi i tohle byla moje vina." Obrátil ke mně hnědé oči. "Poctivě řečeno, Lorraine, já nevěděl kudy kam. Na jedné straně Lincoln, který potřeboval vítězství jak sůl. Na druhé straně mí velitelé." Znova se objevil modrý kapesník. "Svolal jsem poradu. Byl bych přijal každou rozumnou radu, jenže oni na tom byli stejně jako já. Taky nevěděli kudy kam."

Jenomže co jeho pouze strašilo v mysli, oni řekli nahlas, protože nesnesli tu odpovědnost. "Útok na Marye's Heights budou největší jatka téhle války," řekl plukovník Hawkins. "Celá Cumberlandská armáda nemá dost vojáků, aby se tam dostal aspoň jeden," pravil plukovník Peters a výmluvně pohlédl na dlouhou stráň, na jejímž konci se ježily Longstreetovy palisády. "Pánové," řekl zoufale Ambrose. "Čekám od vás radu. Ne takovéhle — " hledal slova. Do ticha pravil podplukovník Taylor: "Bude to vražda, ne válčení." "Pánové," sípal Ambrose. "Radu, ne — "

Opravdu nevím, co by byl Ambrose udělal, kdyby nepovolily nervy staré vojně, padesátiletému generálu Frenchovi a on se nezachoval jako z kalendáře. Frázemi z takových tiskovin vyjádřil naprostou důvěru ve vojáky Unie, zaprorokoval, že ti vojáci do dvou dnů zprovodí ze světa Leeovu armádu, a nakonec třikrát provolal slávu

Ambrosovi. Proti střízlivosti mladších důstojníků, vychovaných ve West Pointu velkým odpůrcem frontálních útoků Dennisem Hartem Lahanem, postavil urostlý French starý napoleonský etos. Při pohledu na zničeného Ambrose zoufalí, ale dosud loajální důstojníci jeho štábu zahučeli na souhlas s sebou.

Inu, válečné umění. A málem se stal zázrak: Meade čirou náhodou udeřil v místě, kde mezi rebelskými jednotkami zela díra, a pronikl do Jacksonova týlu. Jenomže Franklin za ním nevyslal posilu a rebelský protiútok rychle zahnal Meadovy vojáky z kopce k řece. V půl třetí odpoledne napůl šílený Ambrose nařídil nový útok, tentokráte po telegrafu. Mezi prvním a druhým rozkazem však byly takové diskrepance, že zmatený Franklin, zbavený posledních zbytků důvěry v Ambrosovy velitelské schopnosti, rozkaz prostě ignoroval.

Na svahu pod Marye's Heights mezitím tančili tanec smrti. Severní křídlo podle plánu vyčkalo, až se bitva na jihu zdála v plném proudu — jenom zdála, protože bojiště zakrývala mlha. Telegraf sice pracoval, ale pro mlhu nebyla situace jasná ani ve Franklinově hlavním stanu a v jedenáct hodin dal generál Sumner rozkaz k frontálnímu úderu. Celé odpoledne potom útočili, jednotka za jednotkou, někteří se dostali na sto stop od předprsně rebelských postavení na hřebenu Marye's Heights, ale smrt je kosila spolehlivě a bez milosti. K večeru leželo na dlouhé stráni na třináct tisíc padlých a raněných a mezi nimi klopýtali další živí tančit ten *danse macabre*, anebo chcete-li, dostavit se neohroženě na vlastní popravu. Museli vědět, že už nejsou na bojišti, že běží do rány velké, mechanické, hřímající kose — ale běželi. Bylo to nepochopitelné. Aspoň já to neumím pochopit.

Ambrose? Po válce se o něm psalo, že se tu projevila jeho tvrdohlavost. Já nevím. Myslím, že jeho pomalu pracující mozek docela zabrzdila zoufalá touha nezklamat prezidenta. Hrůza, která nepocházela z rebelských hlavní, ale z duše. Věrné, ale neobdařené tím, co potřebuje úspěšný generál.

Noc po bitvě byla temná noc té duše. Ambrose bloudil od velitele k veliteli, pod krásnými licousy úsměv ztrnulý jako po mrtvici. K ránu svolal štáb a oznámil, že frontální útok na Marye's Heights se obnoví. S jedinou změnou. Povede jej on sám, osobně, nikoli z velitelského stanoviště, ale v čele svých vojáků.

11.

Ambrose se prostě narodil příliš pozdě. Měl na svět přijít v době, kdy králové cválali na obrněném koni v čele pomalu ujíždějících oděnců. Generál tehdy mohl být prosté mysli, jenom musel být statečný. A rozhodně se nemohl dostat do situace, v níž Ambrose, zakrátko po Fredericksburgu, připojil v Chicagu k vojenskému debaklu debakl politický.

Nový útok na Marye's Heights ráno čtrnáctého prosince, ten, co se mu chtěl postavit v čelo, mu nakonec rozmluvili a závěrečný manévr fredericksburgské bitvy, složitý ústup, provedl zas skvěle. To už opět bylo všechno jak z učebnice a Ambrose vždycky svědomitě vypracovával domácí úkoly. Když se pozdě dopoledne čtrnáctého prosince zvedla mlha a generál Longstreet, na vrcholu Marye's Heights, mohl použít dalekohledu, nebylo po federálním vojsku ani stopy. V salóně v Cincinnati, zpocený, jako kdyby to všechno prožíval znova, řekl mi, proč se tenkrát ve Fredericksburgu nepřidal ke svým padlým.

"Tvrdilo se potom, že jsem chtěl spáchat sebevraždu. Asi jsem chtěl," řekl. "Ale vědom jsem si toho nebyl. Pořád jsem viděl ty vojáky. Ty mrtvé vojáky. A já je poslal na smrt. Lorraine, vidím je dodnes. V noci, často v noci. Připadalo mi tenkrát, že moje místo je teď už jen mezi nimi. Mezi těmi mrtvými vojáky. Jenže pak —"

Odmlčel se, hleděl do neurčita. Oči asi viděly stráň pod Marye's Heights.

"Pak co?"

"Pak jsem — prostě —" pauza, oči se vrátily ke mně, smutně se usmál. "Zvítězil jsem aspoň nad vlastní domýšlivostí."

"Tys nikdy nebyl domýšlivý, Ambrosi," řekla jsem.

"Byl nebyl," řekl trpce a ukazovákem se dotkl spánku. "Muselo padnout třináct tisíc vojáků, aby se v téhle pitomé kebuli rozsvítilo. Strašná cena, Lorraine, strašná, za zmoudření jednoho pošetilce. Ale došlo mi, že moje gesto — zemřít v čele svých vojáků — by zaplatilo životem dalších — tisíc? Pět tisíc? A tak jsem útok odtroubil."

"Ambrosi, milý Ambrosi," řekla jsem, protože nic jiného se říct nedalo.

"Měl jsem samozřejmě pistoli," řekl Ambrose. "Ale to by byl příliš snadný únik před těmi vojáky a — před zodpovědností. De facto zbabělost, Lorraine. A zbabělec já nejsem. Možná idiot —"

"Ambrosi!"

"Radši idiot než zbabělec a zrádce. Tak jsem vzal všechno na sebe. Byl jsem vrchní velitel, Lorraine. Za všechno jsem byl zodpovědný."

Po tom debaklu a jeho složitých dohrách poslal prezident Ambrosa na Středozápad, aby tam zorganizoval armádu, jež by vytrhla trn z paty Grantovi, uvízlému u Vicksburgu. Jako vedlejší úkol dostal udržení pořádku v civilním sektoru, kde to vřelo nespokojeností s válkou a s Lincolnem a desítky novinářů se dožadovaly míru. Za každou cenu.

Přišel sem jako slon mezi porcelán a to odpoledne v mém salónku se v poslední chvíli zarazil, když řekl:

"Halleck si myslí —"

12.

"Co si Halleck myslí?" zeptala jsem se, když Ambrose mlčel už příliš dlouho.

"Chtěl jsem říct," pravil a pokusil se zamluvit, co mu málem ulítlo. Uvědomil si zřejmě, že myšlenky generálů o jiných generálech není radno svěřovat ženské. Nenaléhala jsem však, aby mi prozradil Halleckovy myšlenky, protože jsem si byla jistá, že si je z Ambrosových těžkopádných otázek dám stejně dohromady. "Chtěl jsem říct," pravil tedy můj strážce vojenských tajemství, "jestli neznáš kongresmana — bývalého kongresmana — Vallandinghama?"

"Krásného Klému?" Věru že jsem ho znala. Byl to šarmér, mezi dámami nejpopulárnější ohijský kongresman. Dámy sice nevolily, mohly však, ovlivněny okouzlením, ovlivnit politická rozhodnutí manželů.

"Krásného Klému?"

"To se mu někdy tady tak říká. Je to hezký muž."

"Kritizuje vládu," pravil Ambrose. "Často tak, že se to rovná podpoře rebelů."

"To je přirozené. Má na vládu vztek," řekla jsem. "V říjnu prohrál ve volbách, protože republikáni proti němu postavili generála Schencka. Kléma sice byl před válkou, kromě četných jiných funkcí, taky generálem milice, po Fort Sumteru však jaksi o vojančinu ztratil zájem a jako-kongresman se tím horlivěji věnoval činnosti politické."

"Generál milice dobrovolníků?" zabručel Ambrose se zájmem.

"To víš, že mu to připomněli," řekla jsem. "Jenže proti Schenckovi stejně neměl šanci. Schenck je hrdina. V druhé bitvě u Bull Runu mu kus železa z kanistru málem přesek pravou ruku nad zápěstím, takže mu z ní vypadla šavle. On poručil pobočníkovi, ať mu ruku improvizovaně obváže, vzal šavli do levačky a hnal se v čele svých oddílů proti rebelům. Ve srovnání s tím se Klémovo remcání v Kongresu nevyjímalo moc dobře."

"To mi leccos vysvětluje," Ambrose si spokojeně pohladil licous. "Slyšelas o řeči, kterou měl minulý týden v Hamiltonu v Ohiu?"

Zavrtěla jsem hlavou.

"Já se o Vallandinghama příliš nezajímám," řekla jsem. "Třeba bych měla. Nebyla by to špatná —" postava do románu, chtěla jsem říct. Pak mi však napadlo, že Ambrose o téhle druhé části mé rozpolcené osobnosti neví, na mou romanopiseckou kariéru se mě aspoň nezeptal. Buď mě ochránil pseudonym, nebo mu zmínka o románu na connersvillském nádraží vypadla z hlavy. A taky mi napadlo, že mnohem lepší postava do románu než Vallandingham by byl Ambrose. Naštěstí byl Ambrose příliš zaujat formulací otázek tak, aby mi neprozradil nic nevhodného, takže si mé náhlé odmlky nevšiml.

"Napadl v té řeči rozkaz generála Carringtona, který civilistům zakázal nosit zbraň."

"Aha," řekla jsem. "Takže Kléma citoval Ústavu."

"Jak to víš?"

"Domyslela jsem si to," ocitovala jsem příslušný odstavec, neboť díky drillu paní učitelky Wrightové byla Ústava jednou z mála věcí, které jsem si ze školy zapamatovala. "Právo lidí," pravila jsem slavnostně, "vlastnit a nosit zbraň je neporušitelné."

Ambrose se na mne podíval, snad s obdivem. Měla jsem dojem, že mi očima měří objem hlavy, která byla ovšem zvětšena módními příčesky.

"Přesně tak," řekl. "Ovšem generál Carrington měl k rozkazu zatra — velice pádné důvody. Navíc věc konzultoval s Olliem Mortonem. Dostal hlášení od seržanta Perkinse, velitele jednotky pověřené zatýkáním dezertérů ve Franklinu. Když se ve městě rozkřiklo, proč tam Perkinsovi vojáci jsou, srotil se na náměstí dav aspoň dvou set jezdců, všichni ozbrojeni, a nejen že zabránili jednotce, která i s Perkinsem čítala osm mužů, konat svou povinnost — začali dokonce provolávat slávu Jeffu Davisovi! Zrádci a pohlavárovi zrádců, Lorraine!"

"To se skutečně stalo?" řekla jsem nedůvěřivě. "Carington je poměrně známý bujnou fantazií, zejména když si přihne. "

"Potvrdil mi to Ollie. A nebyl to ojedinělý případ. Den předtím zabránil jiný dav ozbrojenců zatčení dezertérů v putnamském okrese."

"To je — " řekla jsem a Ambrose skončil, co jsem užuž řekla sama.

"Zrada!"

Zadíval se na mě upřeně. Najednou se ve mně probudilo tušení, že se můj přítel řítí do nové katastrofy. Nebylo těžké to tušit. Řekla jsem:

"Sotva se tomu dá říct jinak."

"Tváří v tvář zradě je nutné použít všech prostředků. Proto vydal generál Carrington ten rozkaz."

A já viděla, kde je zakopán pes. Řekla jsem:

"Je tu ovšem Ústava."

"No — je," připustil Ambrose. "Ovšem —"

Přerušila jsem ho:

"Stanné právo generál Carrington nevyhlásil?"

"No — ne."

"To udělal chybu."

"Snad," řekl Ambrose. "Ne! Jistě udělal chybu. Ale zrada tu byla, a zrada je zrada!"

"Jenže Ústava je Ústava."

Ambrose svraštil čelo. Přehodil nohu v holínce přes nohu, zlatý střapec zasvítil v paprscích odpoledního slunce a pochva šavle cinkla o čínskou vázu vedle křesla. Představila jsem si ho, jak v těch nablýskaných holinkách běží s tasenou šavlí vzhůru po dlouhém svahu Marye's Heights a holínky se třísní krví. Zarecitoval:

" 'Z rozkazu Spojených Států a lidu Spojených Států, George Washington, velitel.' Koho tedy máme nyní poslechnout — Carringtona nebo Washingtona?"

"Cože?"

"Tuhle otázku položil na táboru lidu v Hamiltonu Vallandingham."

Hleděl mi do očí. Nastala dlouhá pauza, pak jsem řekla:

"Co myslíš, Ambrosi?"

"Co myslíš, Lorraine?"

Pohlédl na můj značně velký účes.

"Nevím." Za oknem se dalo do chladného jarního deště. Po okenním skle kličkovaly krůpěje a v nich zajiskřilo slunce. "Jenom mi napadlo," řekla jsem pomalu, "kdyby tak George Washington byl v situaci toho seržanta, co měl se sedmi maníky pochytat dezertéry v Putnamském okrese a dav ozbrojenců by před ním začal provolávat slávu generálu Cornwallisovi..."

"Přesně tak to je, Lorraine," řekl Ambrose vděčně.

Přesně tak to není. Takové rovnice mohou být nebezpečné.

Ale nemusí.

Ne když jich použije někdo jako Ambrose.

Není to přesně tak, ale něco na tom je.

Ambrose řekl:

"Co ještě víš o Vallandinghamovi, Lorraine?

Kapitola druhá

KOLUMBIE

Sněžilo na řeku Congaree. Ale v téhle válce je možné všechno, myslel si seržant. Ostrý severák vířil vločky sněhu na protějším konci pontónového mostu; k nim sněžný vír zatím nedorazil. Brzo dorazí oni k němu. Vjeli na most téměř cvalem, aby stačili generálovu koni Samovi, který byl divná hříčka přírody. Dovedl kráčet tak rychle — a bez pobízení tak činil — že Howard, Logan i plukovník Ewing se neustále opožďovali za Shermanem a co chvíli museli použít ostruh. Blížili se proto po mostě ke Kolumbii jakoby kyvadlovým pohybem: neustále doháněli svého generála.

Vzadu zaduněly kroky Patnáctého sboru, který právě vpochodoval na most. Seržant se ohlédl. Před prvním čtyřstupem vousáčů velké Shermanovy armády — šli každý jiným krokem, aby nerozhoupali most, ale to jim nedělalo potíže — kráčel vedle svého koně kapitán Baxter Warren II., nad hlavou zástavu Dvaadevadesátého iowského, již nesl bezuchý seržant Waleski. O jedno ucho přišel před Varšavou, o druhé před pevností Donelson. Seržant se rozhlédl po krajině. Vinul se jí gigantický had Patnáctého sboru, pošmourné mraky nad bajonety, kraji vévodila nedokončená pevnost. Z její rozhledny se včera dalekohledy dívali, jak si kolumbijští černoši pilně pomáhají k pytlům kukuřice a k uzeným kýtám, složeným před železničním depem. Pod pevností rozestavil kapitán DeGress baterii dvacetiliberních perrotek a střílel z nich nazdařbůh do města, protože v jeho ulicích se sem tam mihaly skupiny jezdců Butlerovy kavalérie. Sherman odložil dalekohled a nařídil kapitánovi, aby toho nechal a nahnal strach černým rabovačům, neboť kýty i kukuřice patří jeho armádě. Šedivá, rozmoklá Karolína, nedoddělaná pevnost jako zbytek římské tvrze pod mračny šedými do šedočerna. Ale nikde žádná chumelenice. Divná válka. Seržant se otočil, popohnal koně a viděl, jak generála zahalil sněhový vír. Všechno je šejdrem. Vločky nepadaly z nebe. Vznášely se vzhůru z města, lehoučké jako peří, severák je proměňoval v drobná tornáda. Chumelenice padala na řeku Congaree.

Dostihla i seržanta. Na chvilku mu zakryla výhled na záda klusajících generálů, na Shermanův promaštěný klobouk, na nedostavěnou budovu konfederační vlády v dálce v městském centru. Vločky mu vnikly do nosu, kýchl.

Král bavlna. Někdo rozpáral králův hermelínový plášť. Udeřil ho pach spáleniny a uviděl, že z města se kouří. Šedivou stěnu dýmu rozsvítil zášleh plamene. Bavlna padala na řeku Congaree.

Večer na řeku začaly padat jiskry.

Zinkule věřil na duchy — na předtuchy, prorocké sny, přenášení myšlenek, vůbec na zázraky. Na víru ho obrátil hrdinský čin, jehož se dopustil u Atlanty a jemuž se po bitvě dostalo dokonce zmínky v plukovníkově hlášení: "Ač zpola omráčen nablízku vybuchnuvším kanistrem a leže na zemi, desátník Zinkule skolil bodákem rebelského vlajkonoše a zmocnil se jeho zástavy." To hlášení, tvrdil Shake, bylo v podstatě pravdivé, až na to, že Zinkuleho neomráčil kanistr ale minnie, jež se odrazila od balvanu a sníženou rychlostí trefila desátníka do kokosu. Je také pravda, že Zinkule ležel na zemi, říkal Shake, a že rebelský četař skončil na jeho bodle, s tím rozdílem, že četař se skolil sám. Bylo to tak: Shake, ležící vedle Zinkuleho, nezraněn a pouze podělaný strachem, se zrovna rozhodl vyskočit a prchnout z pole slávy, a právě v té chvíli jej překračoval rebel s vlajkou, protože ho měl za mrtvolu.

Vlajkonoš zakopl o Shakovu zdvihající se zadnici a v pádu se napíchl na bodák Zinkuleho pušky, již omráčený desátník třímal šikmo vzhůru. Rebelská zástava Zinkuleho zahalila, a když se probral a pokoušel se vstát, zamotal se do vlajky tak, že ztratil orientaci a vyrazil směrem, domníval se, k nepříteli. Shake se k němu připojil, neboť postřehl, že je to ve skutečnosti směr k jednotkám v záloze. Oba v pořádku dorazili do východiště právě odráženého útoku. Hned nato tam doběhl i zbytek setniny, takže nikdo nic nepoznal a na Zinkuleho padla sláva ukořistěného praporu. Hrdinský čin, tvrdil Shake, způsobil vlastně on, zadnicí. Přesto se o zmínku v hlášení neucházel.

A Zinkule začal věřit na sny. Pokaždé v nich umíral hrdinskou smrtí a pokaždé je potom vykládal u táboráku, až to znechutilo Šálka, že řekl: "Jen abys s těma snama nedopad jako náš obecní skoroblbec v Brnivsi. Pomatuješ se na něj?" Zinkule zavrtěl hlavou. "A pomatuješ se, Janku, na ty zkamenělý čerty v kapli pod prokopskym kostelem na Sázavě?" Zinkule opět zavrtěl hlavou, Šálek vyprávěl: "Svatej Prokop tam jednou sloužil mši a vlezli mu tam dva čerti a začli ho pokoušet. Tak nad nima svatej Prokop udělal kříž, a čerti zkameněli. Sou tam dodnes. Vypadaj spíš jako zkamenělý medvědi, ale sou to čerti. Jednou — "

Když k Shermanovi pustili tu dámu, bylo četařovi zničeho nic jako Zinkulemu. Znamení? Vidina? Věděl, že ji zná. Ne odkud. Myšlenky nebo snad duše se mu rozeběhly zmatením života nazpátek. Kdy ji spatřil? A kde? Dávno, dávno. Ale kdy? Kde? Slyšel, jak dáma oslovuje generála hrdým hlasem a mluví se silným přízvukem. Jakým? Ani to nebyl s to poznat. Říkala:

"Pohoršuje mě, pane generále, a udivuje, jak se vaši vojáci chovají k poraženému obyvatelstvu, které vám vydalo město bez boje a nebrání se. Vždycky jsem vás hájila. Říkala jsem lidem, že se nemají čeho bát, kromě nešťastných náhod, jaké se přiházívají v každé válce. Ale cílevědomé zakládání požárů? To za náhodu považovat nemohu."

Myšlenky hledaly, nenacházely. Generál si měřil rozezlenou madam a nevyspalý se nutil ke klidu. Za oknem svítalo, obloha zarudlá nejen sluncem, i ohni, jež se dosud nepodařilo uhasit. Generálova tvář byla jako poušť zbrázděná vyschlými řečišti. Venku praskaly hořící trámy.

"Ujišťovala jsem své jižní přátele," pokračovala dáma, "že až obsadíte Kolumbii, soukromý majetek a ženy budou pod vaší ochranou. A vy namísto toho — "

Věděl, že jeho generál je na kritiku citlivý, a v hloubi duše také věděl, že pravdu má generál, ne ti ostatní. Válka už dávno byla jiná. I jižanští oficíři, jimž kopání okopů kdysi připadalo jako ponižující zbabělost, teď s chutí ryli nosem do země, když se jim nad hlavou rozvztekalo konzervované peklo. Nikdy v žádné válce nebyla hrůza jako hrůza Pickettova útoku u Gettysburgu, kdy kanistry z krátké vzdálenosti a palba z opakovaček skládaly do velikých zakrvácených kup krásně seřazené Georgany a kulky a střepy znova a znova bily stejně do raněných jako do nebožtíků. Tu hrůzu se generál rozhodl skončit co nejdřív a měl na to jediný recept. Seržant s ním souhlasil.

"— vy vedete válku způsobem," říkala opovržlivě dáma, "který je skvrnou na našich amerických dějinách."

"Co tím myslíte, madam?" ozval se konečně generál. Hlas zápasil s hněvem.

"Myslím tím přesně to, co jsem řekla."

Generál mlčel. K ženám byl vždycky zdvořilý, nejen proto, že dlouhá léta prožil na Jihu. Seržant věděl, že generál má ženské rád, nikoli po způsobu maličkého Kila, ale jako je měli rádi jeho vojáci. Něžná krása ženského plemene byla světlo za černým dýmem štěkajících parrotek.

Generál sebral z popelníku hořící doutník a nadýchl se kouře. Místnost už byla plná dýmu, visel nad stolem jako visívala mlha nad rybníkem v daleké Rožnici. Seržantovi napadlo, že generál v životě nevytáhl paty za humna

Ameriky. Nikdy nespatřil zemi, kde ani jeden kostel není ze dřeva, zato v horských údolích ční k nebi černé katedrály. Jenom jako mladík, ale katedrály té země zas seržant nikdy neviděl. U ohně, jednou, hryzal tenkrát jako oni suchary a uzené, vyprávěl pohádku o francouzském restaurantu Faroux na úpatí hory zvané Homole cukru v Riu de Janeiru. Zelenáče čerstvě vyslané z West Pointu kolem Cape Hornu do posádek v kalifornských zapadákovech, pro něž vrcholem elegance byl Willardův hotel ve Washingtoně plný mosazných plivátek, probudil tehdy ze snů o světě nad exotickým ovocem účet v cizí měně, který jim tmavý číšník předložil na stříbrném tácku. Generálovy oči blýskly nad ohněm pod Kennesaw Mountain. Panika mezi holobrádky z West Pointu, dolování v kapsách, pár zlatých dolarů, dohromady necelá dvacka. Generál se zasmál, ukousl uzeného, zapil je dýmem z doutníku. Osmahlý číšník se vrátil s hromádkou zlata a mědi na stříbrném tácku. "Přines zpátky skoro sedm tisíc rei!" Generálovu tvář osvítil záblesk táboráku a podobal se žebrákovi. "Tisícovka byla tehdy asi jeden dolar," smál se, zahleděl se do vzpomínky na jediný únik z domova, sladkého domova v Americe. Na Rua da Ouvadar, kam je zavedl cicerón, místní pamětihodnost: umělé květiny z peří barevných papoušků. "Jenomže spíš ty hezké dívky," řekl jeho generál. "Ty krásné Brazilky, co tak šikovně dělaly ty květiny, vlasy jako eben —" Pohled generála Howarda, který právě přistoupil k ohni, mu připomněl, že je ženatý člověk. Generál Howard ovšem v bibli přeskakoval místa, která se po křesťansku dala číst jen alegoricky, a nebyl s to pochopit, že jeho velitel vzpomíná na krásu, nikoli na karnální hřích. Že z šera vzpomínky září mulatky nad květinami z papouščího peří jako krásné světlo za černým dýmem štěkajících parrotek. Jako světlo — už dávno ne karnální hřích — jménem Uršula. Seržantova duše opět začala pátrat. Dáma pravila:

"Vždycky jsem si myslela, že velíte armádě disciplinovaných vojáků. Co jsem však viděla na vlastní oči, pane generále... Můj nebožtík muž byl rovněž důstojník. Jeho vojáci, pokud to bylo je trochu možné, museli dbát nejen na chování, ale i na svůj vzhled. Jeho důstojníci dovedli udržet kázeň. Vojáci, mám za to, na celém světě si rádi přihnou. Ale co jsem včera a dnes viděla v Kolumbii... To nejsou vojáci. To jsou tlupy otrhané soldatesky. Opilé soldatesky, pane generále. Viděla jsem dokonce i opilého důstojníka!"

Sežantovi — duše pořád hledala bod v čase — bleskl hlavou jeden z mnoha obrazů té noci, utkvěly v ní, možná navždycky. Obr generál Giles A. Smith na ztrnulém černém koni, v žáru plápolajících spálenišť po obou stranách ulice, na rtech láhev, v ní zlatě zasvitla whiska. Dopil, odhodil flašku mezi uhlíky, zvolal: "Ať zhyne Konfederace!" Pak pohlédl na černého dědu, který mu s očima doširoka obdivem podával novou láhev. "Co tomu říkáš, Sambo? Co tomu říkáš, tady tomu kolem?" "Myslím, milostpane, že nastal den vykoupení a plesání," odpověděl starý černoch uctivě. Seržant se vrátil ke generálovi. Generál hovořil chladně:

"Mluvíte o skvrně na našich amerických dějinách, madam. Zdá se však, že si neuvědomujete, že tohle město, které se vzdalo bez boje, po boji volalo, a není to tak dávno. Tenhle stát, Jižní Karolína, překřičel, a není to tak dávno, všechny rozumné a loajální jižanské hlasy, madam," vložil doutník do úst, ale kouř vyfoukl tak, aby nezasáhl dámu. Zasáhl generála Howarda, jenž ve své jediné ruce držel bibli a rudnul. Dáma stála bez hnutí, v postoji, napadlo seržanta, všech těch hrdých, nehybných plantážnic, co je spatřil na pochodu Georgií, na pochodu k moři a k Savanně, na pochodu Karolínou. Podobaly se jedna druhé. Jeho generál řekl:

"Bavlnu vaše prchající jízda zapálila. Ale zásoby whisky, neslýchaně vydatné zásoby na takhle bohabojné město, madam, tu nechali netknuté. Kdybych byl podezíravý člověk —"

Odmlčel se. Seržant si vzpomněl a četl mu myšlenky. "Co čekáte?" generál na starostu Goodwina téměř křičel. "Co můžu já čekat? Co může kdokoliv čekat?" To bylo před úsvitem, starosta přiběhl do domu Blantona Duncana, kde tu noc spal nespal generál, a prosil ho, aby učinil zázrak. "Bavlnu podpálíte, ale whisky tady necháte zásobu na deset let!" "Já je zapřísahal, pane generále — já i generál Beauregard, abychom to zničili, vylili, zapálili. Místo té bavlny. Protože mně napadlo, co to může —" Seržant četl generálovy myšlenky. Generál říkal:

"Madam, měl jsem příležitost mluvit s mnoha vašimi zajatými vojáky. Mnozí z nich, možná většina, ale rozhodně mnozí, měli války po krk. Kdyby záleželo jen na nich — jenže byly jste to vy, jižanské dámy, kdo je nepřestávaly hnát do boje, pro ně už ztraceného. Kdo je i teď zapřísaháte, aby vytrvali, až —" zvolna se nadýchl kouře, " — do hořkého konce. Snad to děláte proto, že jste dosud neměly příležitost poznat, co se za tou frází skrývá."

Kouř opět zasáhl Howarda, jenž svíral bibli, až mu bělaly prsty. Generál pokračoval:

"Teď tu příležitost máte. Možná — doufám že vy, jižanské dámy, když teď už máte představu, jak ten hořký konec vypadá, použijete své známé výmluvnosti, abyste hořkost pomohly zkrátit. Jak se o to snažím já a moje —" generál se ušklíbl, "— soldateska."

Nyní mlčela dáma. Hrdá záda, čertví jak, náhle seržantovi připadala jako záda uraženého člověka. Zamyslel se, myšlenky běžely —

— *tam šel na pouť náš obecní skoroblbec," vyprávěl Šálek. "Ne teda doslova. Sedlák, jmenoval se Matěj, ale s obecním Franckem si neměl moc co vyčítat. Uvažte, sousedi: vleze do kaple a vidí, že sochy svatejch sou všechny polepený rozsvícenejma svíčkama, co tam mniši prodávali. Matěj taky dvě koupil. Ale pak uviděl ty zkamenělý čerty, a jak byl pitomej, přišlo mu jich líto. Pomyslel si: Všechno jen svatejm a vám, chudáci, na věčný časy zkamenělý, nikdo nic. Tak jim do pacek vlepil po svíčce a ve svý zabedněnosti si klek před jednoho toho medvěda místo před oltář svatýho Prokopa a pomodlil se. V noci se mu zdá, že voba medvědi, voživlý, vlezli do seknice a kejvaj na něj, aby šel s nima ven. Tak de na zahradu a tam voni: 'Matěji, žes nám jedinej za těch tisíc nebo kolik let zapálil svíčku, budeš bohatej. Tady na tom místě je poklad. Až se ráno zbudíš, přiď sem a kopej.' 'Jemnospane,' povídá Matěj, 'jenomže jak já to místo najdu? Já mám děravou hlavu.' 'Najdeš, Matěji,' povídá čert. 'Stáhni si kalhoty a tady na to místo se vyser. Ráno tu hromadu najdeš, pod ní bude poklad.' Čoud, síra, medvědi zmizeli. Inu, Matěj ve svý tisíciletý blbosti, stáh kalhoty a začne dělat kopec, jenže najednou, ježišmarjá, panimanda ho pálí, jako dyby sed do sršního hnízda. Hned zalitoval, že si začal s čertama, poněvadž si myslel, že je to voheň pekelnej — a vtom se probudí a kouká, sedí vobkročmo na manželce, ale ne proč tak chlapi sedávaj, ne. Sere na ní. Doslova. A vona ječí a pálí ho do panimandy svíčkou, kterou zapomněli sfouknout u postele. Co bys tomu řek, Zinkule?"* Zinkule pokrčil rameny. *"No řek bys, že Matěj tomu snu přestal přikládat vejznam? To by ses teda splet. Von ráno místo na pole na zahradu a dva měsíce tam ryl, až měli místo zahrady díru — poněvadž čerti jeho hovna mysticky nepřenesli z ksichtu jeho starý na zahradu — teprve potom přestal na sen věřit. To už bylo ale po žních, von nesklidil, takže tu zejmu jen vo chlup že neumřeli hlady."* Řehtali se, Zinkule se tvářil, že ví své.

Dáma pravila:

"Mně, pane generále, křivdíte. Já jsem pro tuhle válku nikdy nebyla. Užila jsem si pro to své. Nejsem ani Jižanka. Přijela jsem do Ameriky jako dospělá osoba a že jsem skončila na Jihu, to nebyla věc volby. A můj muž," polkla, duše hledala, nenalézala, "můj muž nebyl americký důstojník."

Odmlčela se. Na ňadrech se jí zdvihal a klesal veliký zlatý kříž. I generál mlčel. Seržantova duše pronikala do dálky času. Konečně dáma řekla:

"Stráž na ochranu mé školy mi tedy nedáte, pane generále?"

"Nebudete ji potřebovat," odsekl generál, ale zarazil se, pravil znechuceně: "Pokud se nic nestane, odejdu odsud zítra a všichni moji vojáci musí být v pohotovosti tam, kde je potřebuju."

"Musí, ale nejsou," pravila dáma. "Pokud je nepotřebujete v pohotovosti v soukromých domech, aby tam kradli, ničili, co nejde odnést, a dopouštěli se činů, o nichž jako žena se zdráhám mluvit. Mám dvě dcery, málo přes dvacet. A do zítřka je dlouhá doba. Ale nebudu vás už zdržovat, pane generále."

Otočila se, kříž se zaleskl. Generálova tvář potemněla, otevřel ústa, jako by chtěl dámu zavolat zpátky, setkal se očima se seržantem, oči daly rozkaz. Seržant otevřel dámě dveře a vyšel za ní.

Večer před tím zařval: "Nechte toho!" a vytáhl pistoli. Obrátilo se k němu pět, šest obličejů, alkoholický smích. Věděl, že pouhá šarže v téhle ožralé barbarské noci nestačí. Muže neznal, na roztrhaných mundurech marně pátral po insigniích sboru. Z obličejů užuž vylétly pohrdlivé výkřiky, Di se vycpat, seržo!, ale uviděli pistoli a seržant znova zařval: "Rozchod! Chcete popohnat?" Opsal pistolí kruh, jeden po druhém se podívali do hlavně. Muž pracující na černošce jako píst parního stroje znehybněl, nahý zadek se pomalu zvedal. "Rozchod!" zařval seržant. "Jen klid, seržo. Už dem," zavrčel pořízek a dopínal si opasek. "Co se čílíš? Dala nám sama. A s radostí. Sme jí přeci vosvobodili, ne?" "Pohyb!" rozkřikl se zupácky. Holý zadek s černošky slezl, zakryl se. "No dyť už dem." Ožralé vizáže na vrávoravých tělech se vypotácely ze dvora. Černoška ležela na lavici bez hnutí, s roztaženýma nohama, sukni vyhrnutou až po břicho. Přistoupil k ní, stáhl jí sukni přes kolena. Hezounká mladá tvář, černošské rysy pomíchané s bůhvíčím. Oči křečovitě sevřené, rty vtažené do úst, takže v obličeji jen tenká rýha ovládaného utrpení. "Můžeš vstát?" oslovil ji vlídně. Oči se otevřely, velká bělma, černé panenky — co je v nich, neviděl. Bylo příliš tma. Hlas však zněl pokorně: "Ano, pane." Posadila se. "Bydlíš tady?" "Ano, pane." Vstala, zůstala stát, čekala — na rozkaz? Snažila se ovládnout chvění, ale třásla se. Hlavou mu bleskl černý děda téže noci. Den plesání a vykoupení. Dívka se třásla jako osyka. Den vykoupení. Bílý anděl shodil zlatou paruku, z bílého roucha vyčouhla noha s kopytem. To ne! To ne! Přece je znal. Dnes na zemi, neohroženě proti kanistrům, zítra pod zemí, roztrhaní na kusy. Odulí. Mrtví. Jenže jak je teď může vidět tohle stvoření? Co si může myslet? Že pravdu měl její plantážník? Zastrčil pistoli, pohladil černošku po hebkém líčku. "Běž domů a dobře se schovej. Za den za dva táhneme dál." "Ano, pane." Otočila se, rozběhla se k ohořelému stavení, skryly ji stíny.

Seržant zavřel dveře, přidal do kroku, octl se dámě po boku.

"Madam, seženu vám nějakou stráž."

Pohlédla na něho. Duše se rozběhla dál a dál časem.

"Proti rozkazu vašeho generála?"

"Žádný rozkaz mi nedal. A nebude nic namítat."

Vyšli na dvůr. Rozhlédl se. Kus dál seděl na bednách hlouček vojáků, všichni bánili ukořistěné doutníky se zlatými manžetkami.

"Říkala jste, že máte nějakou školu?"

"Ano. Barnhamsvilleskou akademii pro mladé dámy."

Pohlédl na zlatý kříž.

"Katolickou?"

"Ano."

"Počkejte, prosím, tady."

Vykročil k hloučku kouřících vojáků. "Nazdar, seržo," pozdravil ho přátelsky zrzoun. Na čepici odznak Sedmnáctého newyorského. Seržant věděl, že je v něm hodně

Irčanů. "Jste katolíci?" zeptal se. "Samozřejmě. Ty ta-
ky?" Místo odpovědi řekl: "Vidíš tu dámu? Je katolička.
Je to matka dvou mladých dcer a má o ně strach." Zrzoun
pohlédl na zlatý kříž, který zářil ve světle počínajícího
dne a dohořívajících domů. Zvedl se. "Pate!" Vstal ještě
jeden. Odvedl je oba k dámě.

"Tohle jsou katolíci."

Zamračená tvář se rozjasnila.

"Poláci?"

"Ne, madam. My jsme Irové," řekl zdvořile zrzoun.

Seržantova duše náhle dorazila k cíli.

Sněžilo na řeku Congaree. Dorské sloupy kolumbijské
sněmovny podpíraly už jen černé nebe, trojúhelníkovou
fasádu trefil přesný zásah kanonýrů kapitána DeGresse,
kteří se svými parrotkami uměli zacházet jako Loganovi
ostrostřelci s puškami. Sherman chtěl zabít srdce Kolum-
bie. Na jeho rozkaz je kapitán DeGress proklál železnou
koulí. Koule nyní ležela mezi troskami na ulici, dřepěl na
ní černý kocour a na seržanta, na dámu a na dva Irčany
hleděl belzebubíma očima. Přes černé nebe vířila bílá
chumelenice. Z hořících domů se vznesl roj jisker, vločky
se vznaly. Nad kolumbijskou sněmovnou ohnivé mávnu-
tí.

Dáma se zarazila.

"Pane Komorowski!"

Před výstavným sídlem ležela na chodníku skleněná
výstava. Láhve, demižóny. Ve zlatavé tekutině se chvěl
slabý odraz ohnivého mávnutí. Muž v černém kabátě
přiložil láhev ke rtům, uslyšel ženin hlas, ruka s láhví mu
klesla. Z obou stran ho mušketami podpírali vousáči v
modrých hadrech. Zablábolil a svezl se k jedné straně. Na
konci výstavy si z láhve po ruce přihnul voják a svalil se
na záda. Jeden z obou vousáčů dloubl muže v černém

hlavní muškety do žeber. Muž s námahou zvedl láhev, whiska zkropila bílý plastrón s červenobílou jehlicí.

"Pane Komorowski!"

"Vy ho znáte, madam?" zeptal se seržant.

"Pan Komorowski je majordomus generála Wade Hamptona," pravila dáma. "Tohle je sídlo generála Hamptona," ukázala na průčelí bílých sloupů se zdobenými hlavicemi. Očima spočinula na opilém muži. "Pan Komorowski byl vždycky abstinent. Znám ho už od —" nedomluvila, trpké světlo v očích.

"Zapíjí ten průšvih," zabručel jeden z Irčanů.

"Co se tu děje?" zeptal se ostře seržant.

Vousatý voják si ho změřil, všiml si proužků na rukávě. "Lil do whisky jed," řekl. "Vodšpuntovával jednu láhev po druhý, měl je připravený tady na chodníku a lil do nich jed." Ohlédl se po vojákovi, který ležel na konci řady lahví. "Jesli ho votrávil —"

Seržant přistoupil k mrtvole. Ze strniska znělo chrápání.

"Nadrátovanej, ne votrávenej," řekl. Oba Irčani se zasmáli. Muž nakřivo opřený o hlaveň muškety zamítavě mávl.

"Možná jo, možná ne," řekl. "Měl počkat, až tenhle hajzl všecky vokoštuje. Jestli ten nenatáhne brka, tak se uvidí."

Na černé obloze klenul se hořící sníh jako zlatá a rubínová duha. "Je to abstinent. Po tomhle tahu," seržant rukou opsal oblouk, který zahrnul celou skleněnou výstavu. "natáhne brka tak jako tak."

Muž v černém se náhle vzchopil. "Chtěl jsem je vylít. Proto jsem je — odzátk —" zbledl, z úst mu vytryskl žlutozelený proud. Dáma zavřela oči.

"Pusťte ho," nařídil seržant. "A vylejte ty flašky."

Vousáči se naježili.

"Seržo, hele!"

Beze slova kopl do nejbližšího demižónu. Překotil ho, whiska se rozlévala po chodníku. Oba vojáci ho napodobili. Když se otočil zpět k dámě, koutkem oka zahlédl, že každý špuntuje jednu láhev a strká si ji do tornistry. Neřekl nic.

"Pojďte, madam."

Dáma hleděla na muže v černém. Přestal zvracet, odvrávoral ke schodišti a svalil se na mramor. Seržant měl dojem, že dáma na něho chce zavolat, ale vztyčila hlavu, pohlédla na svého průvodce a řekla:

"Slavná armáda generála Shermana."

"Nejsou to moji otroci, pane starosto. Jsou to moji vojáci," řekl předtím generál třesoucímu se pytli neštěstí. "Odvelet je z města? Takovou věc jim neudělám. Bojovali statečně a jednotky, které vstoupí do města první, mají podle staré tradice právo —" — postarat se ve městě o pořádek. To generál neřekl, ale seržant znal tradici a věděl, že pořádek znamená vyčistit ulice od dobře poschovávaných ostrostřelců, od tvrdohlavců, kteří se rozhodli radši zemřít než ustoupit. Potom se takhle definovaný pořádek rychle zvrhne ve výstavy lahví na chodníku, v kruté nemravnosti v průjezdech. Kráčeli na východ a výstavy lahví lemovaly ulice. Město, anebo aspoň jeho mouřeníni, proměnili se ve sbor výčepníků, nabízeli vojákům zdarma vína z panských sklepů, whisky dovezenou ze skotských hor, zpívali k tomu písně. Věděl že nábožné, zněly však jako pozvání k tancovačce. Kolumbie, pod svatozáří hořícího sněhu, zvonila hudbou jako gigantická hospoda —

— a Cyril, než usnul dodělán tou panskou whiskou v savannském domě, kde Kakuška vyráběl ostruhy, vyprávěl o dračí sestřičce, a jak se její hadí, ale modré oči, hned jak vešli do salónu, setkaly s očima Etienna de Ribordeaux. Potom klouzaly sem tam po obrazech v zlatých rámech, portrétech pánů, na jejichž krakoví vynaložili malíři stejně nebo snad víc umu než na masité tváře, vystupující z pozadí krajin krásnějších než krajiny tohoto světa, a zpátky k očím jednonohého, taky s krakovou náprsenkou. Těkaly po bohatě rozestavených svícnech

zpátky k Etiennovi, chrpové dračí oči sestřičky mezi zla-
toslávou svěc. Jakoby odjakživa patřila sem: do sametu
a vůně verbény, ačkoliv vězela v pevně sešněrovaném
živůtku moraveckého kroje, takže se jí pod květinkama na
bílé blůze lákavě zdvihala ňadra. Jednonohý nevěděl, že
je okusila už ústa nemluvněte, ale i kdyby věděl. "Řekni
mu," pravil táta a Cyril překládal: že zvláštní instituce se
tátovi nelíbí, to jediné, co se mu tady nelíbí. Protože jako
mladík poznal na vlastní kůži jinou zvláštní instituci a ví
tedy, co je pracovat pro pány, ne za mzdu, ale protože
nevolník musí. Etienne schovával dřevěnou nohu pod
živou nohou, starý de Ribordeaux netrpělivě točil doutní-
kem v prstech, ale zdvořile čekal, až těžkopádnou tátovu
řeč Cyril přeloží do angličtiny, téměř už plynné. Bylo po
večeři, na řadě byl koňak. Není nad svobodnou práci,
přeložil Cyril. Pan de Ribordeaux se konečně dostal ke
slovu a mluvil jako ve verších. Cyril překládal, dračí
sestřička si očima hrála se svíčkami a s černým zrakem
jednonohého v krajkách. Pan de Ribordeaux nebyl žádný
honák otroků, nesdíral z nich kůži. Jeho otroci se leskli
jako vycídění. Byli ovšem ještě všichni mladí, zakoupení
až na cestu do Texasu, na novou plantáž. Staří zůstali v
Louisianě. Pan de Ribordeaux nebyl honák otroků. Pře-
mýšlel, četl, citoval, a Ovšem, říkal, nevolnictví je něco
zcela jiného nežli náš systém služebnosti — nepoužíval
slovo, jímž zvláštní instituci říkal táta a jak to Cyril zprvu
překládal, než pochopil, že slovo nezní uším pana de
Ribordeaux příjemně. Ale proč? pomyslel si a překládal:
služebnost. Nikoli otrok a pán, ale pán a služebník. Ne-
volnictví je právě nešťastná kombinace svobody se slu-
žebností, vykládal pan de Ribordeaux, a Cyril si všiml, že
pan Carson, který je sem přivedl, se ušklíbl, ale mlčel, z
obého má povinnosti, ze žádného práva, nevolník je vy-
dán všanc neúrodě na vlastním políčku, musí jít k pánovi
žebrat. Při sklizni nejdřív pro pána, potom teprv pro
sebe. Nic takového neplatí zde, pravil pan de Ribordeaux.
Risk neúrody nesu já, služebníci jsou jako moje děti a

musím se o ně starat. Ostatně, mentálně... pan de Ribordeaux nasál z doutníku, potom ilustrace: Když jejich malé děti onemocní — však jste viděl, pane Ťupelik. Provázel je plantážním sídlem před večeří a oni spatřili dvě osypané černé holčičky s dvěma osypanými bílými holčičkami v dětském pokoji, v péči tlusté černošky a mladičké bílé dámy, dcery přítele pana de Ribordeaux na návštěvě z Lousiany: malé vřískající kvarteto, protože z Austinu přivolaný Dr.Wilmonton je právě všechny proklepával lechtavými prsty. Jo, pravil táta. Jo, to jo. Ale lepší než co jinýho je svoboda. Svoboda a majetek, pravil vážně pan de Ribordeaux. Svoboda bez majetku? Vy jste ovšem nebyli na Severu — modré oči dráčete spočívaly teď na krajkových krinolínách míšeňských dam na krbové římse, Etienne si přeseděl nohu, přehodil protézu přes živý úd, ale hned ji zase schoval, třebaže byla krásně vyřezávaná, poposedl v křesle. Já ano, pravil pan de Ribordeaux. Nezakládám své přesvědčení jenom na zděděné tradici. Žijeme ve věku empirie. Navštívil jsem severní továrny. Svoboda bez majetku, pane Ťupelik? Když není práce? Nepřejte si to vidět. Svobodní dělníci! Něco takového by moji služebníci nepřežili. Jsou zvyklí na bezpečí, pane Ťupelik. Od kolébky do hrobu. Panu de Ribordeaux vyhasl doutník, sáhl po svíčce. Kde vězí Dinah? Zatáhl za fialovou šňůru, lahodně zazvonilo, nasál z doutníku, konec zřeřavěl, rudým světlem zalil obličej pana de Ribordeaux a nebyl to obličej honáka otroků: tvář přemýšlejícího konkvistadora. Jeden soused v Louisiáně — vlastně, zasmál se, taková anomálie. Bílá vrána. Vlastnil cukrovou plantáž a byl to — opět se zasmál — contradictio in adiecto — jižanský abolicionista. Svoboda a majetek, ozval se mlčící pan Carson. Na Severu se někteří domohli majetku. Pilnou prací a — Jeden z tisíce, možná, pane Carsone, pravil pan de Ribordeaux. Můj přítel, pan Collet —

— šli kolem jiného domu, rovněž se zdobenými sloupy. Na chodníku seděl v pozlaceném křesle kapitán Hen-

ry od Šestadvacátého wisconsinského a učil skupinu slu-
žebníků "Johna Browna". Byl to abolicionista, byl na mol
a takt udával baňatou lahví, z níž šplíchala hnědozlatá
tekutina a na chodníku dělala rychle vyprchávající pli-
vance. Seržant si vzpoměl na Windischgraetzovy Haupt-
manny, taky pijáci koňaku, jenže nikdy v ulicích dobyté-
ho města, na očích seržantu Kapsovi a jeho druhům: v
důstojnické kantýně. Velká Shermanova armáda. Kapitán
zpíval bitevní zpěv svobody, sbor hlasů překládal píseň
do nesrozumitelného dialektu. Měli i houslistu a jeho
skřipky dávaly melodii ráz hospodského jigu:

> John Brown mrtev jest
> a tělo jeho tlí —

Seržant s dámou se zastavili. Mezi pěvci zahlédl ser-
žant Jana Ámose Shaka.

> John Brown mrtev jest
> a tělo jeho tlí —

Vypnut do pozoru, držel Shake u boku jako karabinu
vysoké kyvadlové hodiny a krásným, farářsky školeným
hlasem přidával svrchní part k harmonizujícímu sboru:

> jeho duch však kráčí dál!

"Vojín Shake!" kapitán Henry se vztyčil v křesle,
přepadl ke straně. Přiskočil jeden ze služebníků a důstoj-
níka podepřel. Kapitán ostrým tónem, jakým předčítával
rozkazy, zahulákal:
"Vojíne Shake! Jste povýšen na desátníka! Zpět! Na
četaře!"
Ten večer, nad zpola rozebranými hodinami — Kakuš-
ka je před vstupem do Kolumbie požádal, aby se po
nějakých poohlídli, protože při obchvatu proti Hoodovi
ulomila se mu jedna nedávno vyrobené ostruha a jiné než

z pendlovek už nechtěl — přišil si Shake na rukáv četařské prýmky. Hodiny dokončil až ráno, večer se učil zupácky řvát. Ne s velkým úspěchem. Jeho hlas se hodil spíš na roráty.

— *udělal takový experiment, pokračoval pan de Ribordeaux. Ovšem, pouze na své druhé, menší plantáži, kterou ostatně právě zdědil. Bylo tam jen asi dvacet služebníků, těm dal svobodu a najmul svobodné bílé zemědělské dělníky. A víte, co mu provedli, ještě se na plantáži ani neohřáli, pane Tůpelik? Cyril přeložil, táta zavrtěl hlavou. Lída si přehodila zlatý cop ze zad na ňadra, převazovala červenou mašli na krásnější uzel, sklonila hlavu, ale najednou zdvihla oči k mrzákově tváři. Jednonohý byl v lasu. Počkali do žní, řekl pan de Ribordeaux, a pak šli do stávky. Buď dvakrát tolik, anebo si skliďte sám! Naštěstí svobodní — slovo dal pan de Ribordeaux do uvozovek — služebníci se celý ten čas na svobodě potloukali kolem plantáže, kradli kuřata, několik jich odešlo k příbuzným na velkou plantáž, a když stávka trvala čtrnáct dní, pan Collet doexperimentoval. Dělníky vyházel, služebníkům nabídl, že se mohou vrátit, a všichni se vrátili, až na dva, ty dal pan Collet vyučit truhlařině, ti odešli do New Orleansu. Sklizeň se v poslední chvíli podařilo zachránit. Táta tvrdohlavě vrtěl hlavou, pan de Ribordeaux pokračoval: Služebnost je prostě nejstálejší forma práce a složité ošetřování, jaké vyžaduje bavlna nebo cukrová třtina, nelze s úspěchem provádět při nějaké méně stálé formě. Sestřička přehodila cop s mašlí na záda, jednonohý se na chvilku vymanil z katalepse, pravil jako z učebnice: Náš systém harmonizuje zájmy kapitálu a práce. Ani jednonohý nebyl žádný honák otroků, patřil k mladé vzdělané generaci. Dozvěděli se, že studoval ve Francii, tam ho potkala nehoda a znemožnila mu studia dokončit. Náš systém služebnosti, říkal, jenže učebnice se začala zakoktávat, protože chrpová světla se zaostřila do dvou ohnisek, náš... systém služebnosti vyřešil problém, s nímž si od počátku organizované společnosti marně lámali hlavu státníci, jímž se po... staletí trýznili filantropové... hlas odezněl, rozpustil se v modři. Cyril řekl: Všiml jsem si, pane de Ribordeaux, že záhonky, kde si vaši služebníci pěstují melouny a zeleninu — nevím, ale zdají se mi v lepším pořádku a plodí rozhodně víc než vaše velká pole. Taky slyším stížnosti, jak se na některých plantážích služebníkům neustále láme nářadí, jak šlapou po úrodě, mlátí dobytek — tentokrát starý pan de Ribordeaux nepočkal, až Cyril domluví. Někteří, pane Tůpelik. Říkám vám, jsou jako děti. Občas trpí dětskými nemocemi, jaké běloši neznají. Dysaesthesia aethiopica —*

Ráno kapitán Henry rázným krokem kráčel kolem stanu, před nímž četař Shake rozebíral hodiny. Náhle se zastavil, čelem vzad. "Shake!" pravil pohoršeně. "Co to má znamenat?" "Rozebírám hodiny, pane kapitán, abych —" "Co tohle má znamenat?" ukazovák zacílil na čerstvé proužky na četařově rukávě. V hodinách zadrnčelo, jak Shake vyskočil. "Vy jste mě včera povýšil. Na četaře, pane kapitáne..." "Vás?" Důraz dokazoval, že kapitán je už zase při smyslech, i když ne při paměti. "To jsem musel být ožralý." Shake to kapitánovi nevymlouval. "...jak jste včera učil negry 'Johna Browna'. Tady četař Kapsa byl u toho..." Okno v kapitánově mysli se počalo vyplňovat krajinou kolumbijské ulice. Kůže na obličeji mu poteměla. Je v loji, pomyslel si seržant. Hned nato však vyřešil kapitánovo dilema pohled na Shakovo dílo. Zamračil se. "Znáte rozkaz, který generál Sherman vydal před útokem na Kolumbii?" Shake neznal a obvyklá pohotovost ho opustila. "Že potrestá každého, kdo krade civilistům věci, s výjímkou věcí, které potřebuje armáda!" Ukazovák zamířil na rozkuchaný časostroj. "Seržante Shaku," pravil kapitán přísně, "pro neuposlechnutí rozkazu —" ačkoliv to přesně vzato rozkaz nebyl, jenom něco, co i seržant přeslechl, když se o tom jeho generál zmiňoval generálu Howardovi, "— vás degraduji na vojína!" Prudké čelem vzad, až se mu krásné rajčí pero, nebo paví nebo jaké — včera je na klobouku rozhodně neměl, vypadalo jako vytržené z vějíře — nad skosenou střechou širáku zatřáslo. Shake ho sledoval pohledem nepravděpodobně smutným. Levičkou chopil lehce přistehované prýmky a vzdychl:

"Bůh dal, Bůh vzal."

"Snad chlast dal," řekl seržant. "Kdo vzal, Bůh ví. Snad kocovina."

Shakův smutný obličej se rozveselil. Degradaci lehce přežil.

— dozorci ji někdy omylem přičítají černošskému uličnictví, pokračoval pan de Ribordeaux. Tyhle věci vypadají jako schválnost. Ve skutečnosti jsou to symptomy nemoci, kterou způsobuje infantilita černošské mysli a nervová necitlivost. Přeložil, seč byl, co nejpřesněji a táta řekl, Já teda nevim, ale udělala na něj dojem plantážníkova učenost. Anebo drapetomania, řekl pan de Ribordeaux. Nemoc projevující se opětovnými pokusy o útěk. Na mé plantáži byla vždycky velice vzácná a při správné lékařské péči se dá vyléčit. Já teda nevim, opakoval táta. Vlastně jsem měl jen jeden případ, pravil pan de Ribordeaux. Jean. Dokonce jsem ho dal vyučit zámečníkem. Moje nebožka žena ho naučila číst a psát, aby mohl studovat odbornou literaturu. Jak jinak byste si to vysvětlil, pane Tůpelik? Bohužel, nepodařilo se mi ho dostat zpátky. Ale napsal mi z Kanady. Pan de Ribordeaux rozdrtil zbytek doutníku v alabastrovém popelníku ve tvaru mušle, na jejímž okraji stála nahá Venuše. Jednonohý hleděl na zlatý cop, už uřknutý. Pracoval tam v továrně, pokyvoval pan de Ribordeaux hlavou. Měl úraz, amputovali mu ruku. Abych se prý nezlobil, že je za všechno vděčný, ale že si nemohl pomoci. Poslal jsem mu peníze na cestu, ale nevrátil se. Dozvěděl jsem se, že ho udělali kostelníkem v nějakém methodistickém kostele v St.Catharines. Cyril překládal. Pan Carson neříkal nic. No, já teda, pravil táta —

— otevřely se dveře a v nich se objevila služebná. Strkala kočárek, na něm baňatá láhev koňaku, baňaté

číše a rozžehnutý ohřívač. Konečně! pravil pan de Ribordeaux. Promiňte, monsieur, řekla služebná. Museli do sklepa pro novou láhev. Nalila do první číše, nahřála tekutinu nad hořákem, Cyril viděl a neviděl láhev, číše, viděl a neviděl plamen olizující skleněnou oblinu tmavohnědého moku, viděl ruku barvy čajové růže, pan de Ribordeaux jim poskytoval jakési informace o koňaku, slyšel a neslyšel, viděl paži v černém hedvábí, krajkovou náprsenku, zapomněl, že sem přišli kvůli výrobě oleje, viděl dlouhý krk přepásaný sametovou stužkou a nad ním tvář jako čajová růže, korunovaná mědí. V ní se pojily všechny krásy bílého i černého světa.

Generál nevysvětlil povahu práva, jež tradice dává jeho armádě. "Ostatně," řekl třaslavému starostovi, "o mně se ví, že nad hříchem nestřídmosti v pití a nad hříchem zesmilnění, pokud se jich dopouštějí vojáci, kteří denně dávají život v šanc, mhouřím oči. Není to ale pozoruhodné, že vaše bohabojná metropole má zásoby whisky, které by hospodám v Dublinu, všem dohromady, vydržely na půl století?"

Na plot opuštěného skladiště, za nímž se v plamenech, jako Satanova ruka, k nebesům tyčilo vznešené sídlo, přibili Shermanovi vojáci klikatou řádku stříbrných mís. Padesát yardů od plotu stála v nevyrovnané řadě četa rozedranců, každý druhý bos, jeden měl vzadu u pasu za krk přivázanou mrtvou husu. Jako popravčí četa, až na to, že u nohy stála každému láhev. Mířili na talíře. Seržant se díval, jak se ústí pušek kymácejí, snad podle tarantely plamínků na dobře udržovaném stříbře. Stranou od čety čekal otrhanec se šavlí z nějakého generálského majetku, z kapsy mu čouhal stejně generálský dalekohled. Štěkl rozkaz, zarachotila nesjednocená fusiláda, ale cinklo to jen o dva tácky. Mušku měla na svědomí whiska.

"Slavná Shermanova armáda," pravila dáma a zavrtěla hlavou.

"Madam," zeptal se seržant, "vy nejste Němka? Nebo Rakušanka?"

Hořící sníh padal na řeku Congaree. Padal i na černobílý průvod, který vyšel za rohem budovy pobořené kanonádou a mířil k domu, před nímž se madam Sosniowská zastavila. Dům byl jedno z mnoha panských sídel, jaká se v seržantově mysli slila v bělostnou stužku přepychu od hranic Georgie do Savanny a odtud Karolínou až sem, k hořící zdechlině města. Vypadal neporušeně, jenom symbolickou sochu na vrcholu trojúhelníkového průčelí svlékl explodující kanistr ze sádrového masa, takže už nešlo říct, co symbolizuje. Byl to nyní ohořelec z černého drátu a jedna drátěná paže zdvižená k černým oblakům měla na konci sádrovou rukavici. Zastavili se. K domu přicválala skupinka důstojníků, podle knírů, jež se jako dvě turecké šavle stáčely hroty dolů, paralelně s pokleslými koutky krutých úst, poznal seržant generála Logana. Dva strážní — střízliví, takže vypadali jako z nějaké jiné armády — zasalutovali, generál s doprovodem zmizel mezi dvěma mosaznými lucernami s leptaným sklem.

Dáma hleděla na netknuté sloupořadí a seržant už věděl. Odpověděla mu: "Ne, já jsem Polka. Madam Sosniowská."

Uršula v parku, miniaturní Hanzlitschek, holčička a klobouček spadlý z kadeří. Dvě dámy a jejich brečící ratolesti. V městském parku ji s Uršulou uviděl znovu, to už se udál zázrak Gottestischlein a večer: "Wer ist die Dame im Park?" *zeptal se fragmentární němčinou, která se však už vyprošťovala ze zajetí řvounského jazyka jejího muže, ve volných chvílích se dokonce začal učit z knížečky* Jazyk německý pro začátečníky. *Sama o sobě ho cizí dáma nezajímala, ale zajímalo ho všecko, co bylo kolem Uršuly.* "Welche Dame im Park?" *zeptala se.* "Die mit zwei Maedl und Mopsl," *řekl. Uršula se zasmála jako zvonky na saních.* "Ach, du lieber Mann! Du machst sogar Fortschritt in der deutschen Sprache!" "Fuer dich," *pravil*

99

vážně. Zase zvonečky a ruka, která ještě nedávno rozlévala živou vodu po hořících zádech, ho nyní pohladila po vlasech. "Frau Doktor Sosniowski," *řekla Uršula do šera, které temnělo a vrhalo stín na ráj, vymezený krátkým časem, kdy Hanzlitschek popíjel pivo v důstojnickém kasínu a — slunce skoro zalezlo za alpský štít — už je asi korunoval prvním šláftruňkem. Uršula vstala, začala se oblékat. Žena polského doktora z rakouské Haliče. Do garnizoního města se přistěhovali asi před dvanácti lety. Uršulina dobrá kamarádka.* "Die Salbe fuer dich hatte ich von ihr bekommen. Ihr Gemahl wusste davon. Ein guter Mann. Sie haben beide vieles mitgemacht." *Co zakusili, se nedozvěděl, ani ho to nezajímalo. Vršek hory lemoval už jen rudý krajíček slunce, Hanzlitschek dopíjel druhý šláftruňk, třetí vypije až doma. Oknem hleděl za Uršulou, jak běží z kopce a ztrácí se mu na okraji Helldorfu. Brzo nato se v ráji objevil Hanzlitschek s bejkovcem.*

Černobílý průvod stanul před nepoškozeným sídlem. Byl to hlouček děvčátek v ušpiněných bílých šatech, jako parte lemovaný řeholními hábity. Jeptišky držely hlavy pokorně skloněné, hábity kropenaté dirkami po hořících vločkách sněhu. V čele statná matka představená s tváří vůbec ne pokornou. Takovou, jako měla dáma, o níž už věděl, že to je — nebo byla — Frau Doktor Sosniowski.

"Je tohle sídlo pana generála Johna G. Prestona?" otázala se představená podporučíka, opřeného o bílý sloup.

"Nikoli, vaše svatosti," odpověděl podporučík. "Tohle je hlavní stan pana generála Johna Alexandra Logana, velitele Patnáctého armádního sboru armády generála Williama Tecumseha Shermana."

"Nemáte pravdu, pane podporučíku," velká jeptiška vytáhla z rukávu lístek. "Mám tu dopis od vašeho generála Williama —" udělala krátkou pauzičku, "— Tecumseha Shermana, jímž mi dává dům pana generála Prestona náhradou za moji klášterní školu, kterou vaši vojáci zapálili, ačkoliv váš generál William —" polkla, "— Tecumseh Sherman mi přislíbil, že jak klášter, tak škola pro mladé katolické dámy státu Jižní Karolína zůstanou ušetřeny."

Podporučík vzal zaraženě lísteček.

"Jmenuji se sestra Baptista Lynchová," pokračovala jeptiška, zatím co podporučík luštil generálovy klikyháky. "Před lety v Ohiu jsem vyučovala slečnu Minnii Shermanovou, dcerušku vašeho generála Williama — Tecumseha Shermana —" podporučík vyskočil a úprkem zmizel v nitru domu. Bylo slyšet, jak volá: "Pane generále! Moment!"

Sestra Baptista se rozhlédla a spatřila madam Sosniowskou.

"Ach, madam Sosniowski! Doufám, že vaši Akademii nepostihlo žádné takové barbarství!"

Seržant naslouchal, vzpomínal.

Generál si přečetl dopis, řekl: "Ano, učila Minnii, a teď si na to najednou vzpomněla. V jednašedesátém na to zapomněla. Stejně jako její bratr Patrick, charlestonský biskup," otočil se na plukovníka Ewinga. "Přítel mé ženy." Pohlédl z okna na hořící město. "Ten má taky vinu, a ne zrovna malou vinu na téhle spoušti."

"Tecumseh Sherman," řekla pohrdlivě Matka Baptista. "Jeho raubíří a on — jako římská soldateska, když se posmívala našemu Pánu Ježíši Kristu," pokřižovala se. "Věřila byste tomu, madam? Foukali kouř z doutníků sestrám do očí — i našim děvčátkům a posmívali se: My jsme svatí jako vy, vaše svatosti. Svatí co pochodují. Že je náš Sherman všemocnější než váš pámbíček?" Představená se znova pokřižovala. "Tecumseh Sherman. Pohanské jméno se pro něho hodí víc než dobře."

Seržant nikdy neviděl generála při modlitbě. Snad jen jednou —

"To jen kvůli starýmu Abemu," tvrdil zezbožnělý Zinkule. "Sherman je ve spolku s ďáblem."

"Chceš přes držku?" nabídl mu Houska.

"Nech ho," řekl Stejskal. "Má možná pravdu."

101

"To mám," pravil Zinkule. "Vzpomeňte na Kennesaw!"

"A co mělo bejt na Kennesaw?" pravil s temným podezřením Houska.

"Dály se věci. Nevysvětlitelný."

Všichni zmlkli. Seděli v salóně nějakého jiného bílého sídla někde před Savannou, seržant už je přestal počítat. Nad nimi stála zamračená černoška jako hora a trucovala, protože jí zakázali vzít náklad peřin z náruče dcerunky domu a odnést je nahoru do plantážníkovy ložnice, kde se Kabinus chystal na defloraci své zbrusu nové nevěsty. Nevěstiny šaty — před záborem patřily dcerunce, jejíž téměř zbrusu nový manžel bojoval někde kousek na jih s Hoodem — byly dost špinavé, ale bílé, avšak nevěstina vydrhnutá kůže byla jako dehet.

"Ženská! Dyť si teď svobodná!" Stejskal vyrval černošce duchnu a naložil ji k ostatním v dcerunčině náručí. "Nejsi votrok, tak si vodvykni votrocký zvyky!"

"Já patřim do rodiny!" ohradila se černoška.

"Jo? Tak dyž je to tak, ať to hezky vodnese vona. Je mladší."

Černoška zmlkla a Houska řekl:

"Neni takovejch fajnovejch duchen škoda? Dát je zasvinit vo svatební noci?"

"Sou tvoje?" zeptal se Stejskal. "Tak co se staráš? Víš, co to pro Vendelína znamená? Musel vobjet půl zeměkoule a probojovat se z Wilberu až do jižní Georgie, než jednu ukecal."

Salónem přešla plantážnice. Odnášela si, podle jejich rozkazu, deku do zadního traktu budovy, kde spali černí rodinní příslušníci. Za celý pochod Georgií pronesl Vendelín Kabinus podle jedněch čtyři, podle jiných sedm slov a jednu krátkou, ne úplně souvislou řeč. To když před vivandierkou, kterou podplatili se Švejkarem, uprchl do stanu. Tehdy taky vysvětlil příčinu své trvanlivé poctivosti, jež jim vrtala hlavou. Jak prý měl nějakou umluvit pod čepec, neřkuli na mez, když jakživ nevěděl, o čem s ženskýma mluvit. O čem bude hovořit s nevěstou, sice *také nevěděl, ale to ho netrápilo, protože neuměl anglicky. Sňatek domluvil Shake, jemuž řečí Janků huba jela málem jako mateřštinou. Tři z těch čtyř, nebo možná sedmi slov, která Kabinus pronesl za pochodu Georgií, byla totiž: "To je kusanec!" Shakovi to stačilo, delegoval se sám k ukecání mladé černošky, která v zeleném turbanu okukovala Shermanovy vojáky. Stejskal ji odhadl na sedmnáct, Shake na dvanáct, a když se jí na to reverend Mulroney před obřadem zeptal, řekla:* "Jesus! I dunno! My Mom thinks I'm sixteen." *Do oddacího záznamu Mulroney zapsal šedesát.*

Přemýšleli o neuvěřitelných věcech, které se udály na úpatí hory Kennesaw, a seržant věděl, že Zinkule má pravdu v tom, že generálova zbožnost v metodistickém kostele v Memphisu neměla teologickou motivaci. Generál byl prostě jako on. Patriot.

K návštěvě metodistické svatyně ho přivedla homilie biskupa Lynche, otištěná v charlestonských novinách, o nezadatelném právu států na svobodu. Seržant ji četl a uvažoval, jak Rakousko je svobodný stát, ale on by dal přednost životu v nesvobodných Čechách, kdyby Rakousko bylo svobodné ne, jak je, ale jako Amerika. Nešla mu na rozum ta dvojí tak rozdílná svoboda, o jaké vlastně mluvil biskup Lynch? Pohlédl na černošku vylévající si v koutě salónu vztek na stříbrném tácu, takže až zítra odtáhnou, plantážnice připíše tác ke škodám, které způsobili Yankeeové, hned za nákladnou mramorovou sochu Venuše, již mravný Zinkule barvou na plot oblékl do bílého trikotu.

Kázání přimělo generála k nečekané návštěvě kostela, který byl po ruce. Provázen čtyřmi vojáky své osobní stráže (dva Češi a dva Irové) usedl do přední lavice, a když velebník, nervózní z jeho přítomnosti, skončil opatrné kázání, odmodlil se za nejmenované "vojáky v poli" a prosbu za vítězství byť nejmenovaných zbraní radši vynechal, generál se vztyčil a hlasem, jaký používal jenom k přeřvávání kanonády, spustil modlitbu předepsanou velitelstvím armády Unie: "Všemohoucí Bože, prosíme tě, dej sílu, zdraví a dlouhý život prezidentu těchto Spojených Států Abrahamu Lincolnovi!" Vojáci dvojí výslovností zahřměli "Amen!" a reverend se chystal, že ho seberou.

Přemýšleli o divných věcech, jež se jim přihodily na úpatí hory Kennesaw. Pozdě odpoledne 22. června zaútočili po obou stranách cesty do Powder Springs veteráni konfederační divize Cartera Stevensona na divizi Alpheuse Williamse: po staru, loket na lokti, snad proto, že to byli veteráni, ale podle Zinkuleho nevysvětlitelně. Williamsova divize, podporovaná zprava Milo Hascallem a zleva Johnem Gearym, byla v početní převaze a generál Hood, jenž útok nařídil, se asi musel zbláznit. Jinak se jeho rozkaz dal vysvětlit jen zlomyslným vnuknutím od Boha, jenž na hoře Kennesaw stranil federálním. Jejich artilerie si Stevensonovy muže pustila na pět set yardů k tělu a pak je ze všech svých čtyřiceti děl pokropila nejdřív nevýbušnou municí a potom, protože to rebely nezastavilo, kanistry. Čtyřicet kanónů vypálilo rekordních devadesát salv za minutu. Šedivé šiky, v nichž už zely díry jako ve zkaženém chrupu, se přesto dostaly až na padesát yardů před Williamsovy palisády, kde řezničinu dokončily minnie. Teprve pak se rebelové stáhli do rozbahněné kotliny, přeskupili se a vyrazili znova. Opět tedy fusiláda, horší, přísahal potom Paidr, než u Chickamaugy nebo na Missionary Ridge u Gettysburgu. Zase couvali zpátky, v řadách víc a víc děr, a pak do třetice. Takhle se Hood přeci nemohl zbláznit normálně, tvrdil Zinkule. Štěkot děl se slil v řev draka, šílenci se dostali na třicet yardů před palisády, a tam zůstali ležet, roztrháni na kusy. Zbylí *potřetí zmizeli ve strži, kde už byla tma. Tma brzo klesla i na palisády Williamsovy divize: než klesla, svítily do soumraku balvany na svahu natřené na červeno krví. Ve tmě rebelští sanitníci odnesli své řvoucí i mlčenlivé zraněné do strže. Paidr přelezl palisádu a šel dát napít naříkajícímu rebelovi, jenž ležel jenom kousek před zátarasy, a sotva se napil teplé vody z Paidrovy flanděry, vypustil duši. Paidr se vydal ze stráně dolů a vrátil se teprve, když narazil na rebelské saniťáky. Cestou zpátky se mu zamotala noha do řemení osiřelé tornistry, vyprostil ji a tornistru vzal s sebou. Ráno v prvních paprscích slunce zblednul. V tornistře našel kus vytržený z novin s kresbičkou muže podobného Lincolnovi, jenž Lincoln určitě měl být. Potvrzovalo to jméno pod portrétem, vytištěné švabachem. Proto se však Paidr nezděsil. V obou armádách bojovali Němci, v severní měli celou divizi, jíž velel nefalšovaný — zdálo se Stejskalovi, který pod ním kdysi krátce sloužil —prušácký generál Franz Sigel (byl ovšem z Bádenska a v roce 1848 se stal ministrem války revolučních armád, které nakonec porazili praví Prušáci). Básnička pod podobiznou přibližného Lincolna, ačkoliv taky vysázená švabachem, byla česká. Paidr ji přečetl nahlas.*

Jak Fénix, bájný pták, též svoboda
vždy v dýmu požárů se rodí,
než člověk "bratře" řekne člověku,
své ruce v krvi lidské zbrodí.

Od věků bylo tak: náš Mistr Jan
svůj život skončil na hranici,
John Brown pro tutéž vinu ctnou
s hrdostí kráčel k šibenici.

Však v tentýž okamžik, kdy před katem
šíj sklonil jeden nebo druhý,
již začal v hlavách jejich krajanů
vést rozum s předsudkem boj tuhý.

A rozum zvítězí. Vždy vítězí,
v zem krvavá kde sákne vláha —
a okov zlomený a hrobů řad,

v něž přítel nepřítel se svorně klad,
nám značí směr, jímž nezlomná
se musí bráti naše snaha!

*"Hoši," Paidrovi se zadrhl hlas. "Voni sou tam taky. A
my ho možná včera vodbouchli —*
"Proč se k nim dával?" zavrčel Stejskal.
*"Dával?" řekl seržant. "Proč myslíš tahal s sebou v
tornistře tohle?" A opakoval si v duchu:*

Jak Fénix, bájný pták, též svoboda —

*Lámal si hlavu svobodou biskupa Lynche, svobodou
černé nevěsty. V noci se nevyspal a ráno si řekl, že by na
to měla být dvě slova.*

*Houska přemýšlel. Na vršku se lákavě červenaly třeš-
ně — v červenci? V Georgii? — lákavé červené plody.
V Houskovi probudily klukovské laskominy. Seděli v oko-
pech pod kopečkem, jejž jako ideální terč korunovalo to
bůhvíjaké červené ovoce. Na kopcích naproti číhalo Hoo-
dovo dělostřelectvo. Houskovi se sbíhaly sliny. Shake
potom tvrdil, že Housku měli postavit před polní soud pro
pokus přivodit si otravu nejedlým ovocem: třešně to přece
nemohly být, proč by si jich ptáci nevšímali? Houska se
po břiše vydal do kopce k rajskému stromu.*
*O kus dál, na úpatí hory Kennesaw, stal se obětí
divných sil Švejkar. Jakýsi Hookův ostrostřelec chtěl
trefit poručíka Bondyho, jenž na skalní pozorovatelně
neopatrně blýskal sklem dalekohledu, ale špatně mířenou
ránu umístil do žulového břicha skály, pod níž si Švejkar*

v rozepnuté košili opaloval panděro. Kulka se odrazila od skály v ostrém úhlu vzhůru, téměř kolmo dopadla na Švejkara a zasadila mu ránu na solar plexus. Naštěstí na něm měl knihu od desátníka Gambetty a ta, spolu se sníženou rasancí odraženého projektilu, zafungovala jako pověstná bible generála Ritchieho. Na rozdíl od ní se k veřejnému ukazování nehodila, a Švejkar musel dát Gambettovi dolar za znehodnocení svazku. Mimoto jej postihl monumentální průjem.

Divné věci se dály na úpatí Kennesaw. Za bitvy u vesničky Dallas se z útoku ulil Fišer. Ne úmyslně —sklál ho nadpřirozený děs. Ve chvíli, kdy přišel povel k útoku, mířil Fišer mušketou na rebela v klobouku, který mu připadal urážlivě pirátský, a náhle měl dojem, že pirát míří na něho. Než stačil vypálit, zablesklo se jeho protivníkovi pod okem a Fišer, ačkoliv sám nevystřelil, ucítil prudký náraz pažby do ramene. Zašilhal k ústí své zbraně a zdálo se mu, že se na něm udělala boule. Skryl se tedy za balvan a zjistil, že pirát se trefil přímo do ústí hlavně jeho muškety, a protože střílel zbraní větší ráže, kulka se Fišerovi do hlavně zarazila jako špunt. Zbraň, aspoň jako zbraň střelná, byla tím vyřazena z boje. Fišer nasadil bodák a znechuceně naslouchal rachotivému třesku, jejž vydávala jeho setnina, která mezitím doběhla ke kamenné zídce asi sto yardů vpředu. Fišel vysunul pušku s bodákem podél balvanu a opatrně vykoukl. Pirát na něho snad čekal. Opět se mu zablesklo pod okem a úder vyrazil Fišerovi pušku z ruky. To už se zděsil. Pirát se trefil přímo do špice bodáku, takže Fišer měl na bodle nabodnutou minnii jako miniaturní vdolek. Stáhl se za balvan a od myšlenek na hrdinství upustil. Zažil prudkou konverzi k Zinkulově víře a měl pocit, že před balvanem se koná sabbat čarodějnic. Když ostatní vyrazili od předsunuté

zídky, kterou dobili, dál do útoku, zůstal, omráčen meta-
fyzickým děsem, ve svém úkrytu.

Přesto jej útok, z něhož se vlastně ulil, proslavil po
celém pluku. Jeho mušketa putovala z ruky do ruky, až ji
plukovník Connington zabavil pro svou sbírku memorá-
bilií. Kromě ostruhy Braxtona Bragga a záhadného vějíře
s nápisem Souvenir d'Yle McCourtney (nikdo nevěděl,
kde to je), který našel jeden z pouhých pěti reportérů, jimž
se s nasazením života podařilo vetřít do Shermanovy
armády, na vršku stometrové borovice (odkud chtěl, s
přidávkami a vynechávkami podle vkusu svých čtenářů,
popsat nadcházející bitvu), měl plukovník ve sbírce taky
vlastní malíček ve flaštičce s lihem. Ukousla mu ho was-
hingtonská dáma ze společnosti v prvním Bull Runu,
která se přijela na bitvu podívat v kočáře se dvěma lokaji.
V závěru bitvy dostal prchající kočárek přímý zásah, oba
lokajové přišli o život, dáma se pochopitelne lekla, spetla
si směr a pádila v krinolíně k rebelům. Plukovník Con-
nington ji chytil a chtěl jí zacpat ústa, protože příliš
ječela.

"Kakuška se doma živil u cirkusu, ale nám to tají," řekl
Stejskal. Přemýšleli. Zinkule vypočítával zázraky na úpa-
tí hory Kennesaw.

"Za něco takovýho bych se nestyděl, dybych to uměl
dělat na povel," pravil Kakuška. "Ba ne, Franta Zinkule
má pravdu. Dály se divný věci. Já cejtil, jak mě nadnáší
něco nehmotnýho."

"Anděl strážnej?" navrhl Paidr.

"Spíš Belzebub," pravil Stejskal. "Anděle se drží vod
bitev stranou."

"Vodpor vzduchu," řekl Švejkar. "Kůň je těžší, tak
padal rychlejc."

Kilova jízda klusala skalní stezkou podél řeky Chatta-
hoochee k brodu, když vtom Kakuškův hřebec uklouznul,
prý na odhozené rebelské pleskačce, a hochům z Šesta-
dvacátého wisconsinského, aspoň těm, co znali staré čes-
ké pověsti, naskytl se pohled na Šemíkův skok. V Georgii

se Šemíkovi úplně nezdařil. Kakuška vylít ze sedla a provedl pomalé salto nazad, Šemík udělal totéž, jenom vpřed. S roztaženýma nohama oba chvíli letěli nad sebou, dole kůň, nad ním jezdec, a nad jezdcem Kakuškův klobouk, a vzdálenost mezi nimi se zvětšovala. Když Šemík dopadl do vody, všechny tři součásti jevu se složily v jeden celek, Kakuška popadl otěže a Šemík, nevyveden z míry, usilovně plaval k druhému břehu. Když se přebrodilo čelo Kilovy jízdy, čekal na ně Kakuška na mokrém koni a se suchým kloboukem na hlavě.

"Proč by měl Kakuškovi pomáhat čert?" řekl Shake. "Kdyby si byl tím pádem zlomil vaz, byl by bez další ďáblovy námahy přišel do pekla. Kam jinam může přijít, když se dloubá v nose? Ďábel by se spíš pokusil svíst ke hříchu tebe, Franto."

"Ďábel pomáhá Shermanovi," pravil temným hlasem Zinkule.

"Tak ty chceš do držky?" otázal se znova Houska.

"Pomáhá," stál na svém mystik.

"Podle tebe pomáhá teda naší svatý věci Lucifer," ozval se mlčenlivý Javorský, který bral všechno vážně. "A na čí straně je potom Pán Bůh?"

"Na vobouch," pravil Shake. "Pámbu je, jak víte, Žid, a tak chce bejt se všema zadobře."

"Ty si taky koleduješ vo přesdržku?" otázal se Houska.

"Co tě vede k tak mylnýmu názoru stran mých přání?" pravil Shake.

"Vážně, sousedi," řekl Zinkule. "Znamení sou jasný."

"Že naší dobrý věci pomáhá pekelník?" ozval se výhružně Javorský.

"Ne, Jindro," řekl Zinkule, obrátil oči ke stropu a jakoby zřel. "Naší věci jako takový pomáhá Bůh Všemohoucí. To jenom Shermanovi pomáhá ďábel. Protože mu upsal duši jako Faust. Znamení mluví jasně."

Zmlkli, přemýšleli. Nahoře v panské ložnici začala vrzat postel, jako by se v ní převaloval slon.

"Vendelín vendelíní," pravil Shake.

Zinkule řekl:

"Dejte si dvě a dvě dohromady. Co se stalo den před tim, co kanistr pohřbil a nepohřbil Honzu Dvořáka, a co se stalo vo den pozdějc?"

Přemýšleli o zmrtvýchvstání hocha z Milwaukee. Obtěžoval rebely ostrostřelbou ze skrytu pod skalním převisem, až s ním rebelský kanonýr nadpřirozeně mířenou ranou udělal krátký proces. Střela se zaryla do spáry pod převisem, vybouchla a zafungovala jako kamenická nálož. Na Dvořáka se sesypala lavina a navršila nad ním sarkofág. Jali se ho rozebírat, jenže tím ze sebe udělali terče a rebelská kanonáda je donutila zalehnout. Fišer ťukal ještě nějakou chvíli oblázkem na kameny, volal, ze sarkofágu však ani hlásek. Usoudili, že ostrostřelec je na maděru. Před palisádami se objevili rebelští harcovníci a museli věnovat pozornost jim. Rebelů bylo příliš mnoho, ustoupili tedy na druhou linii a odtud zahájili střelbu. Rebelské rojnice se stáhly za vlastní palisády a sarkofág se octl na území nikoho.

Už se šeřilo, chvíli ještě po sobě stříleli, pak spadla noc. Ráno rebely zahnali a zalehli opět za svoje palisády. Sotva si oddychli, zarachotilo kamení a ze sarkofágu vylezl Dvořák s monumentální boulí na hlavě, jinak nepoškozen.

"Co bylo den předtim?" zeptal se Paidr.

"Negr přeci." Zinkule pořád zřel na strop. "Znamení tu sou, jenom je přečíst."

Na negra se seržant pamatoval. V rozedraných kalhotách, bez košile, ale s kloboukem uctivě přitisknutým na prsa stál uprostřed palouku deset stop před generálem. Generál vykročil k němu a stalo se několik věcí současně. Sherman uklouzl na slizké muchomůrce a sedl si. Někde se s praskotem přelomila borovice, generál ze země pohlédl na negra, a ten stál na paloučku bez hlavy. Za ním se zelenou trávou kutálela černá dělová koule a před ní černá hlava.

"Čtěte je!" vybídl je Zinkule. *"Ďábel drží ruku nad Shermanem. Ta byla vod něj, ta jedovatá mochomůrka."*
"Jak víš že jedovatá?" řekl Stejskal. *"A jak víš, že v Georgii rostou mochomůrky?"*

Mystik ho ignoroval. Řekl:
"Čtěte znamení, sousedi! Vo den pozdějc —"

Den nato kontroloval generál své předsunuté linie. Ani ne půl míle od jeho stanoviště se tyčila vystrčená hora Pine Mountain. Na jejím vršku zahlédl generál skupinku důstojníků v šedém. Na tu dálku je nešlo poznat, ale Shermana popudila jejich kavalírská nonšalance. *"Koukněte na ně!"* namíchl se. *"Myslí si o nás, že neumíme mířit?"* Zařval: *"Kapitán Dilger! Vemte si je na mušku! Ať vidím, jak jdou k zemi!"* *"Rozkaz!"* ozval se kapitán, někdejší badenský důstojník pod Sigelem. Rukávy sněhobílé košile měl vyhrnuté nad lokte, snad aby naznačil, že obsluha děla je kromě rizika taky dřina, v podstatě dělnická. Rozkaz k palbě vydal v soukromém kódu, jejž pracně naučil natvrdlé hochy z Ohia, a který mystiku Zinkulemu připadal jako čertovská abrakadabra. Dvě pomalá, tři rychlá a zase dvě pomalá tlesknutí, hoši dali kanónu požadovanou elevaci, rána houkla —

— a na vršku Pine Mountain se skácel bojující biskup generál Polk, prostřelený dělovou koulí skrz naskrz, a z velkých otvorů v těle vypustil duši.

Přečetli si to v rebelských novinách a Zinkule si skutečnost upravil, aby víc znamenala. *"Abrakadabra, a víc jak půl míle vocaď se svalí generál Polk, prostřelenej z pravýho boku do levýho, a je to biskup!"* říkal s očima dokořán, a dokonce se vztyčeným ukazovákem. *"Předevčírem utrhne koule hlavu vosvobozenýmu votrokovi, dneskon provrtá biskupa. Dyž se modlíme, řikáme: Pán Jéžíš sestoupil z nebe na zem, aby vedl lidi z levé strany na pravou. Koule vlítne do pravýho boku, vylítne z levýho. Jako je vo pekelnym sabatu kříž vzhůru nohama a jako je—"*

Do vrzání postele nahoře zaznělo dívčí zaúpění.

"Herdek, ten jí dává!" řekl Paidr.
Kabinus zaržál.
"Vona jemu," řekl Stejskal.
"Čtěte znamení," trval na svém mystik.

Houska došplhal ke stromu s rajsky červenými plody a natáhl po nich ruku. Ozvalo se zapraštění, jako den na to na palouku, kde se zlomila borovice a černochovi ulétla hlava. Tady se jenom poroučela červená koruna rajského stromu rovnou na Housku, právě když si do pusy nacpal plnou hrst. Dole za palisádou viděli, jak se k nim ze stráně valí dělová koule. Vzápětí prolétl kolem kopečka roj železných včel, Houska udělal k zemi, a jal se válet sudy dolů k palisádám. Za takový nevojenský přesun ho přivítali posměchem, a přesto že spolkl jenom hrst, postihl ho, jako Švejkara, monumenmtální georgijský quickstep.

Shake řekl:
"Podivné jsou cesty Páně."
Podivné věci se dály na úpatí hory Kennesaw.

Uspala je panská whiska. Rozložili se v salóně po zemi, a když se ráno vzbudili, měl každý pod hlavou panský polštář. Černoška sice trucovala, ale divně hovořících vojáků se jí zželelo.

Zapraštělo schodiště. Sestoupila po něm půlka Kabinuse. Na stole ležela od večeře zpola zkonzumovaná kýta šunky a Kabinus nechal manželce k ohlodání pouze kost. Ten den vyrazili na usilovný pochod k Savanně. Když po čtyřech hodinách plukovník Connington vydal povel k odpočinku a všichni se svalili do trávy u cesty, Kabinus pochodoval dál. Poručík Bondy chvíli užasle hleděl za pochodujícím novomanželem (novomanželka v turbanu,

vybavená listem wilberskému šerifovi, který Kabinusovi
přeložil do angličtiny Shake, už zase pilně zařezávala v
panské ložnici), pak zařval: "Kabinus!" a opět: "Kabi-
nus!". Vojín se nezastavil, poručík se rozběhl za ním. Vzal
ho za rameno, otočil jím, Kabinus se vydal nazpět. Když
šel kolem nich, nastavil mu Shake nohu. Kabinus se svalil,
rozbil si nos, procitl, a k svým snad sedmi slovům připojil:
"Hoši, já bych chrápal, až bych brečel!"

Bylo to nejdelší souvětí, jaké pronesl na velkém pocho-
du Georgií.

Sedm slov předtím řekl na několikrát.

Z hlubin honosného domu zaznělo vzdálené klení.
Tvář ctihodné Matky Baptisty ztvrdla. Mezi mosaznými
lucernami se objevil generál Logan, kníry naježené jako
hejtman von Hanzlitschek. V ruce držel generálův lístek
a vyjadřoval se jazykem, jaký by si seržant v přítomnosti
dam nedovolil.

Všiml si ctihodné Matky Baptisty a rovněž v něm
zvítězil gentleman.

"Promiňte, madam," řekl. "Nebo Matko představená.
Tenhle dům patří zrádci Prestonovi a měl proto přijít k
spálení. Nebýt tohohle dopisu," zatřepal listinou podmra-
čené jeptišce pod nosem, "bylo z něj už, co z něj mělo
být. Promiňte proto, že užívám jistých výrazů." Rozhlédl
se. Vítr mezitím zesílil a hořící vločky poletovaly sem
tam jako hejno válčících svatojánských broučků. "Tako-
váhle krásná fagule z něj byla!" Generál Logan ukázal na
ďáblovu pěst na obzoru. "Ale když si to pan generál
Sherman nepřeje — nate!" Vrazil lístek ctihodné Matce
do ruky, vyskočil do sedla, skupina důstojníků ho násle-
dovala, pěší oddíl se jakž takž seřadil, a oblévan kouřem
a sazemi, odpochodoval za jezdci. Z nedotčeného meto-
distického kostela na druhé straně ulice se vyhrnul hlou-
ček černochů a dal se do zpěvu:

Já du, já du do zaslíbený země!
Kdo pude se mnou? Kdo? Hej, kdo?
Já du, já du do zaslíbený země!

Na černém koni se generál tyčil do nadlidské výšky. Vojáci se ani neohlédli, pochodovali dýmem a hořícím sněhem k východu.

Hluboko zazněla v seržantovi jiná píseň, v jiné řeči, která byla, a možná už nebyla, jeho:

Svobodo, svobodo, svoboděnko milá!
Pro tebe zmírala chasa ušlechtilá.
Chasa ušlechtilá, žádostivá boje.
Svobodo, matičko, my jsme děti tvoje!

V duchu zas uviděl lebku rozdvojenou hulánskou šavlí, v ní velkou slzu šedivého študentského mozku. Hejtman von Hanzlitschek, zkrvavený hokynář s ústy jako sotva viditelná čára, dvojstup jeho vlastních druhů s lískovkami, zatřásl hlavou. Objevil se mu nahrbený generál Kilpatrick na koni u pontonového mostu, po němž cválá jeho kavalérie, generál hledí na rozervanou cestu. Na cestě leží roztrhané mrtvoly seržantových druhů, farmářské mozky rozstříknuté v bahně Jižní Karolíny. Nahrbený generál křičí: "Až převálcuju tu pekelnou žumpu secese, na vás, rebi, už toho moc nezbude k zničení!" Obrovský generál Slocum hledí na udivenou tvář mrtvého vojáka z Ohia, jemuž chybí celá spodní půlka těla. "Takhle se neválčí!" Pak seržant spatřil svého generála, seděl nad rozkazem, žebrácká tvář zamračená, *Nic kromě válečného materiálu a veřejných* — a přiběhl kurýr se zprávou, že na silnici u pontonového mostu přes řeku Savannu, když k mostu pochodovala četa Osmého ohijského, vybuchly rebelské miny zahrabané do země a roztrhaly sedm vojáků. Sherman odhodil nedopsaný rozkaz. Generál Howard za Shermanem se pokřižoval: "Takhle se přece neválčí!" Sherman namočil pero, načal nový list, Howard otevřel bibli. Polohlasé čtení: "Pročež takto praví Panovník Hospodin: Aj, hněv můj a prchlivost má vylita bude na místo toto, na lidi i na hovada, i na dříví polní, i na úrody země, a hořeti bude, tak že neuhasne." Sherman přestal psát, zápasil s Hospodinem. Generál Howard se polohlasem modlil. Sherman se shýbl pod stůl, zdvihl odhozený papír, namočil pero — *budov se v Kolumbii nespálí.* Seržant tedy věděl, že oheň se vzňal z vůle Hospodinovy, nikoli generálovy. A objevil se mu zas, v domě Harrise Simmonse, jehož bratr býval kdysi v Charlestonu generálův kamarád. V rohu pokoje stál hubený muž v kněžském kolárku Episkopální církve. Sherman se loučil a pastor zaútočil: "Pane generále, dejte, prosím, svým mužům rozkaz, aby neničili naši kolejní knihovnu. Máme v ní mnoho vzácných svazků o americké historii i o historii klasického světa, o evropských dějinách —" Generál se prudce otočil. Před týdnem Reverend Toomer Porter ještě kázal, napadlo seržanta, a o čem? Žebrák se ušklíbl. "Nestrachujte se," řekl. "Ale jestli tu máte tolik knih o historii," pravil trpce, "měli jste své studenty vést k tomu, aby je líp četli. Věděli by pak o historii dost na to, aby si začínali s válkou."

Loganovi vojáci pochodovali ohněm, kouřem, soumrakem. Za nimi hlasy od metodistického kostela:

> *Ó svobodo, svobodo, bez tebe nechci žít!*
> *A než zůstat votrokem,*
> *radší hnít pod černou zem.*

> *Vodejít k Pánu svýmu*
> *a tam tě, svobodo, mít!*

"Paní Sosniowská," zeptal se seržant. "Nebydlela jste někdy v Helldorfu v Tyrolích?"

Na řeku Congaree padal hořící sníh.

Objevil se Cyril, vyprávěl přes zvuk noční Savanny, banja, černošské kapely, přes výskání utěšitelek z PEKÁRNY MADAM RUSSELLOVÉ, z JÍZDÁRNY HOLANDSKÝCH DĚVČÁTEK, v koutě nad rozebranými švarcvaldkami chrápal Vojta Houska. Vyprávěl o sestřičce s dračíma očima, dávno, než odjeli do Ameriky. Kraj znal. Byl odjinud, jenže vzdálenost let a mílí zmenšila maličkou zemi v hořkosladký obrázek z voňavých hnojišť a temných lesů, ale taky z mučíren horských políček pod krutým srpnovým sluncem, kde se skláněli k hrobu třicetiletí starci. Kratičké mládí, kratičké stáří. Ten život znal. Nikdy nepocítil trýzeň stesku po lesích naplněných houbami, po oblinách podhorského kraje, po děvčatech vonících mateřídouškou. Ani v garnisonách v Louisianě, v Dakotě, v Kalifornii, ani v kamenitých údolích Arizony. Po tom kraji, po Aničce, již mu vzala vojna, realistický tatínek, poslušnost. Ani se už nepamatoval, jak vypadala. Jenom po Uršule se mu stýskalo. Dlouhý čas. Děsily ho noční můry jejího neznámého osudu, který mohl být roky v šatlavě nebo taky vteřinka v oprátce. I Uršula se však nakonec proměnila v obrázek, v medailón na dně tornistry, zasypaný obrazy jeho nového života, v němž neumělé kresbičky lidí z daleké země za oceánem v novinách tištěných švabachem se proměnily v jódlujícího (ale jinak, než jódlovával feldvébl Schnurrgericht v Helldorfu) seržanta Hillaryho z Arizony, v karbaníka MacManuse, v podnikavého kaprála Gambettu, jenž kdysi bojoval pod Garibaldim, v neněmeckého Němce Guertlera s důlkem v holé lebce po kouli, která ho trefila v osmačtyřicátém, jenž se nedokázal odnaučit jednu věc: před nadřízenými cvakal podpatky. Plukovník Sherman mu poradil, ať si k patám přilepí rozbušky, aby se pokaždé sám sebe lekl, jenže lekl se zelený poručík Williams a rozlítil se docela *po rakousku. Ale jeho řev se nakonec proměnil ve smích. To všechno v cizím, anebo už ne cizím jazyce, který se seržant, kdysi neschopný postoupit za hranice kasárenské němčiny (teprve s Uršulou, jenže to trvalo tak krátce) k vlastnímu úžasu tak brzo naučil, tak dobře, že nakonec rozuměl i kuchaři jménem Washington White, černému jak eben. Medailon pomalu upadl v polozapomnění, taky tu byly cypriánky z pekáren jako ta madam Russellové, obratné profesionálky z Mexika, dokonce jednou i česká konejšitelka v Chicagu, kamarádova manželka, a on ne-potřeboval ukonejšit, jenom ukojit, utěšila ho země. Ne maličká: nekonečná, propochodoval ji, projel na koni, po železnici, z garnizóny do garnizóny, země jak kaleidos-kop. Armáda, kdysi dávno past, v níž zahynulo i kratičké, skoro šťastné mládí, se mu stala matkou, Třináctý pluk Armády Spojených států —*

— proto když Cyril vyprávěl o Zálesní lhotě a obrázek kraje v duši se jakoby rozsvítil, hořká šeď zakryla červán-ky, ani teď ani na chvíli stesk, jenom znova, potisícáté, pocit domova. Exotické cikády se přidávaly k exotickým kapelám krásného města Savanny pod exotickým nebem s hypertrofií hvězd. Byl to domov. Předtím nikdy žádný neměl, jenom zlý sen, o němž hovořil Cyril: chalupa, tři korce, utýraný táta, dračí sestřička.

Tenkrát jiná, jiná: modré oči spíš jako tyrkysové pam-pelišky, které udělaly Vítku Mikovi z Mikova gruntu. Grunt a tříkorcová chalupa, takový svět. "To nešlo," říkal Cyril. "Na všechno bylo potřebí ouřední glejt. Ženich musel bejt zproštěnej vojenský služby nebo mít po ní, a to potom byl už pěkně starej ženich. A musel mít ouřední glejt, že nevěstu uživí. Všechno se samosebou dalo uplatit a vystrejčkovat. Já se tam ale voženit nemoh, nejvejš vošoustávat děvečky. Však pamatuješ. Co jich všude bylo samodruhejch. Strejc Tomáš byl s regimentem tři roky v

Kutný Hoře a za ten čas se tam narodila taková fůra nemanželskejch děťátek, že se tam začalo říkat Parchantí Hora. Sedm set, povídal strejc. Vo to samosebou ve Vítkovým případě nešlo. Lída neměla věno, jak by na tři korce mohla. A s náma to šlo vod deseti k pěti, tři roky neúroda, kráva nám chcípla, museli sme s Jozífkem tátovi tahat pluh a Jozífkovi eště nebylo čtrnáct. A potom —

Starý Mika pojal podezření na jediné dítě, jediného syna, dědice. Stejně jako Cyril na sestřičku. Spali všichni v jedné sednici, v chalupě byla než jedna. Máma s tátou na posteli, Cyril s Jozífkem na peci, sestřička v rohu na lavici. V noci začala chodit na reterát na voňavém hnojišti, ale přes košili si vždycky uvázala sukni. Tak mu to bylo jasné. Táta s mámou měli tuhý spánek, o tom nevěděli. Že sestřička se vrací z reterátu až po půlnoci, svléká si sukni a tichounce uléhá na lavici. Ani Jozífek, který spal hlubokým spánkem udřených dětí. Když v poledne přestali orat a vytáhli suché krajíce a cibuli, ani nedojedl, mezi dvojím ukousnutím se svalil na mez a byl v limbu. Jenom Cyril to věděl, mladé tělo bylo silnější než únava z dřiny, již zastával po mrtvé krávě. Posilovala ho taky vášeň k děvečce z Mikova statku Marii, jenomže Marie měla vojáka, který se měl za dva roky vrátit. A byla z těch tvrdohlavých panen, které svůj jediný volný čas v neděli promrhávaly v tvrdohlavých modlitbách v kostele a volné chvilky v zimě večer na rorátech, na litaniích, na jaře na májových mších, tvrdohlavá víra, co taky jiného? Docela jiná než Lída, v neděli v kostele jen z povinnosti a na tříkorcové chalupě nebyl na litánie čas. Jednou v noci, sotva tichounce zavřela dveře chalupy, vstal a viděl ji, jak utíká kolem reterátu za humna, k lesu.

Tu noc se skoro setkal se starým Mikou, prodíral se mezi smrčky, jen občas zahlédl Lídiny bosé nohy, jak se v měsíčním světle míhaly po pěšině, a za stromem na druhé straně pěšiny najednou uviděl Mikův stín. Zastavil se. Lída zmizela mezi kmeny vysokých smrků a starý Mika vyšel na cestu a obezřele, potichu se vydal za Lídou. Pak se mu ztratil i on a Cyril se rozběhl po pěšině, protože už věděl docela jistě — věděl to od začátku, jenomže ne za kým — kam vede Lídina noční cesta.

Spatřil starého Miku, jak se krade do podrostu nalevo od paloučku. Sešel z pěšiny napravo a stejně opatrně jako starý sedlák se plížil podrostem.

Byli tam. Samozřejmě. Stáli jako srostlí, v bezpečí noci a lesa, tvrdého spánku z tvrdé dřiny, uprostřed paloučku, jedna duše, ne ještě jedno tělo, jen velké oči sov je pozorovaly. Netušili, že i dva páry jiných očí. Splývali v jedno pod měsícem žní, nerušeni, ukolébáni sovím zpěvem jako na lesní roh.

Pomalu, s něžností, jaká předchází divokosti, se složili na mech. Spatřil Lídina stehna, jak jí Vítek vyhrnul sukni, do podbřišku mu divoce vrazila incestuální žádost, ale to už z protějších křovisk vyběhl na palouček starý Mika, sedláckou paží strhl syna a dědice z klínu bez věna, jedno tělo ještě nebyli a starý sedlák vyrval Lídě Vítkovu duši. Mlaskla veliká facka. "Táto!" Vítkův hlas. "Mlč!" jako profouský štěk. Mika zakroutil Vítkovi ruku za zády a hnal ho ranami, ale mlčky před sebou po pěšině k vesnici a ke statku.

Lída si stáhla sukni, posadila se. Vyskočil z křoví a běžel k ní. Sestřička jektala zuby, po celém těle se třásla, ale nikoli pláčem. Leknutím? Hrůzou? Klekl si k ní, obejmul ji. Ani se nepodivila, kde se tu vzal, a teprve za chvíli se rozplakala. "Ježišmarjá, Cyrilku, nepovíš to na mě, viď že ne? Viď že to nepovíš?" Ujišťoval ji, že jak by mohl, celou cestu po pěšině, po mezích k chalupě. "Proboha, Cyrilku, musíš mlčet jako hrob!" Incestuální žádost byla jen vteřinové pominutí bílých stehen ve světle měsíce, přece to byla jeho sestra. Teprve dlouho po tom, až v Texasu se dovtípil, že to nebylo leknutím, hrůzou. Že se tenkrát sestřičky dotkla strašlivá rakouská smrt.

Nepověděl to na ni, jak by mohl. Ale druhý den — ačkoliv byly žně — se na poli objevil sedlák, zavolal na tátu. Táta odložil kosu a vykročil k mezi. Cyril rovněž

*přestal kosit. Jozífek ani nedovázal snop a svalil se na
strniště. Lída zbělela jak smrt, pohlédla na Cyrila —
děs? nenávist? — ale hned se opět sehnula ke klasům,
vzala povříslo, uvázala snop. Všiml si, že se, jako v noci,
třese po celém těle. Na mezi sedlák tátovi něco dlouho a
důrazně vykládal. Cyril ovšem věděl co. Potom se táta
vrátil, tvář temnou do ruda, ale neřekl nic. Zvedl ze
strniště kosu a pustil se znova do práce. Teprve večer.*

*Táta byl dobrák, ale taková byla tradice. Přikázal jim,
aby šli ven, jenom sestřička zůstala. Venku slyšeli její
vzdechy, svištění otcova řemene. Máma se křižovala,
Jozífek se zeptal "Co provedla Lída?" A on, taková byla
tradice: "Mlč! Tomu ty ještě nerozumíš." Takže teď i
Jozífek věděl:byl to vesnický kluk, už dvanáctiletý. Táta
je zavolal zpátky, usedli k večeři a jedli potichu brambo-
ry, k nimž ani neměli kyselé mléko, protože kráva byla
mrtvá. Sestřička ležela na lavici, obličejem ke stěně,
třásla se po celém těle.*

Seržantovi se hlavou mihla vzpomínka na uličku, na
rudý šrám na Uršuliných bílých zádech. Taková tradice.
Zešedlá strana medailonu. Zatřásl hlavou, pohlédl na
pilného Kakušku, jehož kolečka se ve světle svíčky mo-
sazně leskla. Zvuky za oknem, Savanna. "Nech si to, jo,
Cyrilku!" Chrpové oči, ne už modré pampelišky, ale hadí,
kruté, černoši za oknem, *A než zůstat votrokem, rači hnít
pod černou zem.* Drnkavá banja, cikády, měsíc se lil na
sykomóry.

*Něco se stalo. V neděli na mši, kde sestřička vždycky
potají zívala nebo házela očkem po chasnících na druhé
straně lodi a ožívla teprve, když se začalo zpívat, tuhle
neděli ani nedosedla na lavici: celou mši proklečela,
vstala, jenom když to liturgie přikazovala, a zase klekla.
To se pak opakovalo neděli co neděli, až do jara. V koutě
na druhé straně jiný klečící, jiný růženec, nezvyklý mezi
prsty Vítka Miky. Přišlo jaro.*

Může být zbožnost zlá?

"Já na pouti nikdy nebyl, na to nezbejval čas," říkal Cyril. "Ani mi nenapadlo, že Lída, aby dosáhla svýho, podfoukne i Pánaboha."

"Co jí zbejvalo?" řekl seržant. "A s čim mohli počítat?"

"Že utečou do Ameriky. S čim nepočítali, bylo, že za prachy se dá koupit všecko. A vypadalo to jako dovopravdický pokání. Máma byla v kostele jak vostříž, ale Lída vo Vítka vokem nezavadila. Na podzim si máma taky voddychla, že šoustačka neměla následky."

Na jaře začala Lída škemrat. Lído, jakživas vo žádný poutě nestála a teď — do Ambeřic! Musim vodprosit Matičku boží, řekla sestřička drze, ani nemrkla. Ještě to nebyly hadí oči, ale chrpové pampelišky už taky ne.

"Táta vo tom nechtěl ani slyšet. Tak moje strašná sestřička —"

"Strašná?" řekl seržant. "Spíš chudák."

Cyril se zle zasmál.

"Počkej, až se dovíš. Tak si vosedlala pampátera. Byl mladej, samosebou až po uši. Ale byl to dobrej kněz, držel se. Jenže si ho vosedlala. Přišel do chalupy a přimlouval se. Že dá na Lidunku pozor, poněvač procesí do Ambeřic letos povede sám. Pozor! Voni hned první noc — do Ambeřic se šlo tři dni, čtvrtej se pámbíčkovalo, nový tři dni nazpátek, takže to máš celkem šest nocí po stodolách, ženský v jedný, chlapi v druhý a páter Buňata samosebou nemoh spát se ženskejma. Pozor! Na ženský ho dávala Matka Fidélia vod františkánek. Jenže ta byla špatná na nohy a večer už neměla myšlenky než na kuří voka."

"Proč nepočkali? Byl to přeci risk," řekl seržant. "Nemohli si to schovat až do Vídně?"

"Byli mladý. A neměli tušení, že na chlapy ve stodole nedává pozor jenom páter Buňata. Taky vysloužilec Švestka. Ten za prachy. Za prachy starýho Miky."

"Že ho vůbec pustil?" podivil se seržant.

"Dalo se v Rakousku někomu zakázat na pouť? Lídě možná, nebyla ešt plnoletá. Ale Vítkovi bylo už dvaadvacet. Tátovi nic neřek, přihlásil se na procesí k Buňatovi. Šlo se, když už měli zaseto, co moh Mika dělat? Navíc páter Buňata, když byl v neděli u Miků na vobědě, Vítka chválil. Jak prej se v poslední době změnil k lepšímu, jakej je z něj zbožnej jinoch, vo Božím těle nes nebesa. Buňata samosebou věděl, co se stalo. Ve Lhotě kaplan nebyl, zpovídal jenom von —

"Samosebou?" přerušil ho seržant. "Seš si jistej, že z toho hříchu se mu vyzpovídali?"

Cyril se zamračil, zamyslel.

"Nojo," řekl."To bude tím, že jako kluk jsem ministroval. Mně by to nenapadlo. Ale vidíš, jaká je? A to nevíš, co ti povím, proč ti to všechno povídám. Není to hrůza? Prohřešit se k smilstvu svatokrádežema?"

"Copak to bylo smilstvo?" řekl seržant.

Cyril neřekl nic, pak mávl rukou. Řekl:

"Nojo. Starýmu Mikovi teda nezbylo než najmout špeha. Akorát že špeh za moc nestál, takže jim to málem vyšlo."

Ambeřice stály jen tři kilometry od okresního města a tam stavěl vlak do Vídně. To byl plán. Jenže nedokázali počkat. Tři noci po sobě se vytráceli ze stodol, Matka Fidélia spala, usoužena kuřími oky, a vysloužilec Švestka spal, zmožený borovičkou (ve vojenském ruksaku si na pouť nesl dvě láhve, pořídil si je z Mikova žoldu) a v lese — všude podél cesty do Ambeřic se táhly lesy — z nich byla už nejenom jedna duše. Čtvrtý den se od časného rána konala pobožnost v kostele Matičky Boží na Vršku, která, jako by podvedený Bůh měl smysl pro zlomyslnou legraci, byla mezi několika jinými predikáty taky patronkou šťastného početí. Sestřička nápadně pořád v první řadě, páteru Buňatovi na očích, velebníček tál nadzemskou zbožností, měl pocit, že naň sestupuje z nebe zvláštní milost boží, krásným, zvučným tenorem zpíval litanické předzpěvy — Naděje hříšníků... sladká Panno panen.... Panno neposkvrněného početí... Oroduj za nás! zpívaly ženské, v první řadě krásně zvučným sopránem sestřička.

Ale její plurál zahrnoval jenom je dva. Jestli vůbec věřila. Asi ano. Cesty Páně jsou podivné.

Vítek se zatím, nepozorován, vytratil z chrámu a rozběhl se k nádraží v okresním městě. Jenže vysloužilci došla borovička, a tak byl střízlivý, ostříží. Vyklouzl za Vítkem a utíkal ve skrytu keřů lemujících silnici.

Ještě jednou zasáhl Bůh — nebo Ďábel, podle toho — a milostiplné hříšníky málem zachránil. Když se vysloužilec přesvědčil, co šel Vítek dělat do města, počkal, až mladík vyběhl z nádražíčka a spěchal zpátky ke kostelu. Sám už nespěchal. Nebyl žádný veleduch, ale dvě a dvě si dohromady dát uměl. Loudavě se vydal přes městečko. Měl čas nejmíň do setmění.

Na náměstí bylo několik hospod. Pod štítem restaurace U rohu hojnosti stál vysloužilý obrlajtnant von Meduna a študoval jídelní lístek za oknem. Vysloužilcova dobrá nálada — po objevu na nádraží ho posedl duch dobrodružství a vidina dodatečné odměny za dobře vykonanou službu — vystoupila do závratných výšin vojenských vzpomínek, vždycky blahodárně selektivních. Úplně zapomněl, jak ho za tažení proti Garibaldimu dal jednou tenhle obrlajtnant uvázat, a pamatoval se pouze na lombardskou obrlajtnantovu maitressu, manželku jeho nadřízeného, kterou jako obrlajtnantův ordonanc úspěšně vydíral. A tak se k němu rozběhl, srazil paty, zahlásil se: "Herr Oberleutnant, ich melde gehorchsam —" Táž selektivní paměť zapracovala i v obrlajtnantovi. Do výslužby odešel v tak nízké šarži, protože nesehnal příslušně zámožnou nevěstu, a vedl proto z dišperace život, jenž přesahoval přípustné normy důstojnické promiskuity. Selektivně zapomněl, že tohoto ordonance dopadl při krádeži doutníků (ordonanc nekouřil: prodával doutníky feldvéblům za poloviční cenu), při upíjení koňaku a dolévání láhve vodou a při desítkách podobných deliktů. Pamatoval si pouze, jak diskrétně dovedl ordonanc zprostředkovávat promiskuity, a zavelel: "Pohov!" Pak vzal vysloužilce do hospody na guláš.

Nejen na guláš, ale vysloužilec měl do setmění čas. V hospodě zjistil, že čas má až do rozbřesku, protože první a jediný vlak do Vídně přijíždí na nádražíčko v půl páté ráno. Dozvěděl se to od svého obrlajtnanta, který přijel do městečka navštívit nemocnou sestru a ranním vlakem se vracel do hlavního města mocnářství. Nad koňakem a borovičkou rozkvetly vzpomínky na kanonády, jež nikoho nezabíjely, na bezbolestná zranění, na slavné padlé, pak na slavné kurvy. Tak jim příjemně ubíhal čas, zatímco v chrámu Šťastného početí tál páter Buňata a Vítek tajně ukazoval Lídě lístky do ráje.

Měli všichni čas do rozbřesku.

Madam Sosniowská se zastavila a pohlédla na seržanta:

"Jak to víte?"

"Já jsem tam nějakou dobu slou — bydlel. V osmačtyřicátém. Váš manžel byl lékař."

"Vy jste ho znal?"

"Ne osobně. Vídal jsem vás v parku. Měla jste dvě malé holčičky."

Madam Sosniowská se usmála. Šli kolem posledních stavení na předměstí Atlanty. Na řeku Congaree padal hořící sníh. Cesta se vinula k osamělému bílému domu se stromy kolem. "Z těch holčiček jsou mladé dámy," vzdychla madam Sosniowská. "Co jste dělal v Helldorfu vy?"

"Byl jsem tam v garnizóně. Až do jara v devětačtyřicátém."

Pohlédla na něho zkoumavě.

"Pak jste odešel do Ameriky?"

"Ano."

"Dezertoval jste." Nebyla to otázka.

"Šel jsem za svobodou," řekl seržant.

Mlčela. Kolem přecválal oddíl Kilovy jízdy s malým kanónem v závěsu.

"Můj manžel taky," pravila madam Sosniowská. "Nedezertoval, přirozeně. Nebyl v armádě. Aspoň v Rakousku ne. Ale stejně tam nechtěl zůstat. Po osmačtyřicátém. Nastoupil Bach — po tom, co všechno prožil —" odmlčela se. Pak: "Taky šel za svobodou."

Vyhrkl:

"Ale proč sem? Na Jih?"

Zavadila očima o insignie jeho sboru.

"Divíte se, že se ze mě stala zarytá Jižanka?"

Pokrčil rameny.

"Ze mě se nestala," řekla. "Jenom mi vadí — pobuřuje mě to — že vaše armáda se nechová, jak by si přál člověk, jemuž jde o —" Zase se odmlčela, jako by se ostýchala to vyslovit. "Slyšel jste zpívat ty černochy?"

"Slyšel," přisvědčil. "Ale válka je válka," zapapouškoval svého generála. "Nám nejde o to, abychom tu byli populární."

"Je takováhle válka ještě válka?"

Pocítil prudkou touhu zastat se opilých druhů, protože s nima prošel celou Georgií, byl s nima u Chickamaugy, u Spotsylvanie. Řekl naléhavě a slovy svého generála: "Válka se musí vést účinně, nebo vůbec ne." Zvedl se v něm skoro vztek. "Nejde dělat všecko tak, aby se to líbilo jižanským dámám."

Madam pohlédla k nebi černému dýmem, jenž se pořád valil z Atlanty. Jiná švadrona Kilovy kavalérie se přehnala kolem nich do města. "Já nejsem jižanská dáma," pravila tiše. "A můj muž byl svého času taky voják. Vojenský lékař. Ale máte — možná — pravdu. Kdo jednou uviděl Shermanovu armádu, toho přejde válkychtivost. Jenže víte — člověk se přes některé věci přenést nemůže. Takhle se v Polsku chovali kozáci. Můj manžel o tom na Sibiři často hovořil. O krutosti. Ale ovšem taky, proč kdo vede jakou válku."

"Na Sibiři?" zeptal se užasle.

Na řeku Congaree padal hořící sníh.

Ve spánku se vysloužilec lekl a vzbudil se. Nad sebou
uviděl jarní hvězdy, všechny do páru. Nevěděl, proč se
lekl. Nevěděl, kde je. Ležel na nějaké mezi a třásl se
zimou. Za chvíli si vzpomněl. Vyskočil, rozběhl se ke
kostelu, který se proti dvojhvězdám tyčil čtyřmi věžemi
jako černá výčitka. Tu noc poprvé nespali ve stodolách,
nýbrž v jídelně kláštera.

Ubíhal, srdce mu vynechávalo. Doběhl k vratům kláš-
tera, vrazil dovnitř, do jídelny a ke slamníku. Byl prázdný.
Zděšeně se rozhlédl. Měsíční světlo dopadalo na nástěn-
né hodiny, byly za pět minut čtyři. Zpanikařil. Otočil se
a utíkal k poslednímu slamníku u dveří. Na něm tichounce
sténal páter Buňata. Zatřásl jím.

"Důstojný pane! Vzbuďte se!"

Kněz vytřeštil oči. Bůhví, odkud se vrátil. Ani on nevě-
děl, kde je.

"Chtěj spólu utýct do Vídně!"

"Cože? Kdože?"

Páter se posadil na slamníku, pořád duchem jinde.

"Mladá Toupelíková! S mladym Mikou!"

"Cože?"

To už se kněz rychle vracel z ráje nesprávného snu do
světa a svět se mu hroutil.

"Liduška Toupelíková?"

"Nojo! Prosim vás, dělejte! Dyť to možná už ani ne-
stihnem!"

Hnali se k temnému městu, kněz v nezašněrovaných
botách a v nepozapínané klerice, vysloužilec střízlivý, že
to nepamatoval. Přesto mu docházel dech, opožďoval se
za knězem. Kněz byl mladý, statný, hnala ho nepřiznaná
láska. Vzdaloval se od vysloužilce jako velký černý ko-
hout. Když vysloužilec, u konce s dechem, doběhl na
náměstí, páterova klerika už pouze zavlála kolem rohu na

vzdáleném konci. Vysloužilce opustily síly, upadl na všechny čtyři. Vůlí se vyškrabal na nohy, srdce za ohryzkem, a napůl běžel, napůl se vlekl k nádražíčku. Přepotácel se čekárnou, ale neušla mu cedulka na stěně. ZPOŽDĚNÍ, vedle křídou na černé plošce 30 min. Bylo přesně půl páté. Oddychl si a otevřel dveře na peron.

Tam na zemi seděl páter Buňata a z nosu mu tekla krev. Lída Toupelíková stála schovaná za Vítkem, který měl ruce sevřené v pěst, ale pravičku si kapesníkem otíral obrlajtnant von Meduna. Zleva dusal po peróně četník v klobouku s péry.

Vysloužilec vyběhl na perón. Lída Toupelíková řekla něco obrlajtnantovi. Von Meduna se uklonil: "Frauendienst ist Gottesdienst." "Das ist Gotteslaesterung!" zaúpěl poražený kněz a chytil se za nos. Četník doběhl k dramatu, uchopil kněze pod paží a postavil ho na nohy. "Was ist da los?" zeptal se. Kněz hrabal pravičkou pod klerikou, asi hledal kapesník, jenže zapomněl, že si ve spěchu nestačil natáhnout kalhoty, a pod zdviženou sukní se objevily zažloutlé podvlékačky. Obrlajtnant mu kavalírsky nabídl šátek.

"Co se tu děje?" opakoval četník česky.

"Chce jí unýst!" zvolal vysloužilec. "A ešte jí neni sedumnáct!"

"Co se do toho pleteš, Zwetschke?" utrhl se na něho obrlajtnant.

"Eště jí neni sedumnáct!" pravil vysloužilec bezmocně.

"Od který doby seš tak mravnej, troubo?"

"Já né že bych — ale já ho měl hlídat."

"Cože?"

"Hlídat," pravil nešťastně vysloužilec. "Málem mi upláchli. To proto, že ste mi, pane obrlajtnant, tak nalejval."

"Já ti nalejval! Ty ses nalil sám!" zařval obrlajtnant. "Dělals ostudu, že tě z hospody museli vyhodit!"

Vysloužilec měl okno. Za oknem však nezmizelo vědomí, že je placen za hlídání Vítka Miky, a za co byl placen, to dělal. Ne kvůli nějaké cti, jakou s sebou nese poctivě vykonaná práce. V ordonancské zkušenosti nesla s sebou dobře vykonaná práce tuzér.

"Já ho musim přivíst domu!" pravil zoufale. "Jeho táta mi to nařídil!"

Konečně se ozval dosud němý Vítek:

"Táta mi nemá co poroučet. Sem plnoletej!"

"Ale vona neni!" Vysloužilec ukázal prstem na Lídu. V kalném světle rána se Lídě leskly oči jak bazilišek.

"Di se vycpat, Švestko!" řekl Vítek. "Je to moje žena. Bude. Eště dnes vodpoledne."

Nyní se vmísil do diskuze četník:

"Frajlinka je pod zákon," pravil ouředním tónem. "Bez vědomí rodičů, neřkuli ausgerechnet proti jejich vůli se to kvalifikuje jako únos."

"Nikdo nemá morální právo bránit mladé lásce!" prohlásil obrlajtnant.

"Rodiče maj!" zaúpěl vysloužilec. Byl rozhodnut bojovat o svůj tuzér až do konce.

V dálce zacinkala lokomotiva. Kněz slabě odstrčil četníka, sundal kapesník z nosu a pravil zničeně:

"Rodiče mají morální povinnost zabránit hříchu. Hříchy lze odpouštět," z nosu mu vyhrkla krev, rychle ji zas přikryl kapesníkem, "ale nelze je schvalovat nebo je krýt, nebo jim dokonce napomáhat. Lidunko —" obrátil se k sestřičce a znělo to jako prosba za odpuštění.

"Nechte mě!" pravila Lída vztekle.

Vysloužilci připadalo, jako by kněze zasáhla dragounská píka. Páter zběl, ustoupil o krok.

"Polizei!" zvolal vysloužilec desperátským hlasem. "Tuen sie ihre Pflicht!"

Četník si konečně dal všechno dohromady. Vlak zacinkal, už musel být blízko. Četník přikročil k Lídě Toupelíkové a popadl ji za ruku.

"Frajlinko, kolipak vám je?"

"Deset!" zasyčela sestřička.

"Pusť ji!" pravil výhrůžně, ale bez velkého přesvědčení obrlajtnant. "Víš, kdo jsem?"

"Vim, pane obrlajtnant," řekl četník. "Jenomže Gesetz ist Gesetz. Tady velebný pán mi to dosvědčí." Zacloumal Lídou Toupelíkovou, ta se chytla Vítka, Vítek pěstí vyrazil na četníka, ale četník byl vycvičený, uhnul ráně. Zvolal: "Jménem zákona —" praštil Vítka pažbou pušky po hlavě, " — vás zatýkám!" Vítek se poroučel.

Do šatlavy ve městě si pro něho přijel starý Mika bryčkou. Lída na peróně kněze odstrčila a on nad ní udělal kříž, ale o víc se už nepokusil. Lída Toupelíková na něho vyplázla jazyk.

Do Lhoty se vrátila sama. Totiž: měla za sebou stín. Vysloužilec belhal celou cestu za ní, spal před vraty stodoly, kam si vlezla na noc, a druhý den o půlnoci byli ve Lhotě. Vysloužilec dostal tuzér. Lída přestala chodit do kostela. Za měsíc věděla, že patronka šťastného početí vykonala své dílo.

Doktor Sosniowský ošetřoval polské raněné. Nakonec bylo raněných víc než zdravých a doktora Sosniowského zajali kozáci taky s puškou v ruce. Poslali ho na deset let do vyhnanství na Sibiř. Že byl vzdělanec, povolil mu car, jenž rovnost pánů s kmány neuznával, aby ho do vyhnanství doprovázela mladá žena. Kodrcali se v kočáře přes obrovskou Rus, doprovázeni lhostejnými, zoufalými a ze zoufalství neurvalými ruskými vojáky. Tři měsíce, do jakési ztracené vesničky v tajze vysoko na severu, kde smradlaví mužíci lovili mrňavé rybičky v polozamrzlé řece a kde se týdně museli hlásit carovu místnímu zástupci, jemuž táhla vodka z úst. Stýkali se tam se čtyřmi jinými vyhnanci. Jeden byl spisovatel, dva právníci, čtvrtý jurodivý kněz a všichni byli Rusové. Spisovatel vlastnil pár knížek, Voltaira, Rousseaua a ruský překlad

Paina a amerického Prohlášení nezávislosti. Doktor Sosniowský často churavěl. Ošetřovala ho, jak mohla, nosila mu biliny od vodkou nasáklé kořenářky, ale po nich se mu vždycky přitížilo. Nakonec ho ošetřovala už jen láskou, ani ne tělesnou, protože ve vyhnanství byla na živu hlavně duše.

"Často jsme mluvili o kozáckých krutostech," blížili se k bílé školní budově. "Taky o Americe."

"My vedeme válku, aby z Ameriky zmizelo, co se tu podobá Rusku," řekl seržant.

"Musíte ji vést tak krutě?"

"Čím bude krutější, tím bude kratší," opět zapapouškoval svého generála. "A Sherman nezabíjí. Dělá ale všechno pro to, aby zemřelo co nejmíň jeho mužstva. Je přesvědčen, že život jednoho vojáka má větší cenu než —" rozhlédl se. Na břehu řeky Congaree stálo vznešené letovisko. Hořelo, padal na ně hořící sníh. "Než tohle. Sherman právě nezabíjí. Možná ničí, ale nezabíjí. Jako Rusové. Jen si vzpomeňte!"

Vzdychla.

"Snad máte pravdu."

Seržantův hněv rychle vychládal. "Ani v ničení si nelibuje," pravil smířlivě. "Dělá, co musí, aby už bylo po válce. Lidé přitom přijdou do neštěstí. Ale z neštěstí on radost nemá. Nikdy!"

To nebylo tak docela pravda.

Nakonec —úplně až nakonec —se ukázalo, že početí opravdu bylo šťastné. Starý Toupelík by se byl jinak nerozhoupal, už proto, že chyběly peníze. Bylo zase ve žních a tentokrát se na mezi Mikova pole objevil starý Toupelík. Jako loni on, i Mika odložil kosu, neboť věděl, že jenom něco neodkladného přimělo chalupníka nechat práce vprostřed dne a jít v červencovém vedru ty málem dvě míle, které dělily Toupelíkovy tři korce od sedláko-

vých lánů. Ostatně Mika věděl, co to je. Teď, uprostřed
žní, to nemohlo být nic jiného.

"Táta myslel na Ameriku dávno. Všichni chudáci na ni
mysleli," říkal Cyril. "Ale vadily dvě věci. Jednak peníze.
Lístky na loď pro pět dospělejch, to byl tehdá slušnej
majetek. A jednak se vo Americe zatraceně málo znalo.
Vo to se staraly rakouský ouřady. V novinách se nic psát
nesmělo a když, tak sem tam přeloženej německej slou-
pek. Jaký hrůzy čekaj na emigranty na lodích, kolik jich
cestou pomře, a jak je potom eště skalpujou Indiáni.
Jenže něco se na veřejnost přeci jen dostalo," Cyril se
zasmál. "Ty seš tady vod padesátýho roku, ale povídals,
žes čítával Havlíčkový noviny —"

"Čítával," pravil seržant. "Nasadily mi americkýho
brouka do hlavy. Jenže sem byl na vojně."

"Lešikar a Klácel," řekl Cyril. "Ty dva to zavinili.
Nebo na tom maj hlavní zásluhu, jak chceš. Klácel byl
mnich, všeuměl. Psal básničky, prej taky pozdějc se svým
opatem fušoval do řemesla Pámbíčkovi. Pěstovali v klá-
šterní zahradě hrách, a opat Mendel pak vo tom psal
německý články. Lešikar je tátovo bratranec z třetího
kolene, krejčí a chalupník, ale plet se taky do politiky,
takže po osmačtyřicátým si u něj četníci podávali dveře.
Lešikar měl plno knih, po těch hlavně pásli. Von byl jedna
ruka s nějakou Němcovou, spisovatelkou. Krasavice, prej
— to mi Lešikar říkal až tady, v Texasu — dost veselá v
rozkroku. Ale taky celá hr do politiky. Její muž teprv.
Jenže Lešikar na četníky vyzrál. Když v osmačtyřicátým
dopadli jak sedláci u Chlumce, čekal, že po něm půjdou,
a tak regál vyčistil, zakázaný knížky dal do bedýnky a tu
schoval mezi bramborama a vod jedný báby ze soused-
ství, která byla helvítka jako von, si vypůjčil jiný knížky
a vystavil je každýmu na vočích v seknici. Četníci šli
rovnou po nich. Jenomže co mu mohli udělat kvůli kníž-
kám jako Udatný Brunclík, Selská pranostyka, Láska
komtesy Tuebingové, anebo Jiříkovo vidění? Nejpodez-
řelejc vypadal Snář, aneb Výklad co snové znamenati

131

mohou. Ten mu sebrali, ale po čase ho vod nich dostal
zpátky, s nečitelnejma poznámkama kurentem po krajích
a jeden sen začerněnej tuší. Zavřít ale Lešikara kvůli
jednomu jedinými snu v tak tlustý knize — měla sedm set
stránek — to se i jim zdálo moc. Lešikar tuš smyl Hof-
fmanskejma kapkama a ten začerněnej sen byl: Vola na
trůně viděti — v zemi bída nastane.

Za oknem se chechtala banja. Seržant řekl:

"Já bych ho zavřel. Ten sen se přeci v tý zemi splnil."

"Voni ho nezavřeli, ale podávali si u něj dveře." vy-
právěl Cyril. "Tak von pro legraci doplňoval sbírku vo
další díla. Sláva rodu Habsburského. Žertovné příhody
ze života mocnářova. *Dokonce, ačkoliv byl helvít,* Co pět
hvězd na svatozáři patrona našeho, sv. Jana Nepomucké-
ho, značí. *To si četníci nevypůjčovali. Ani ty* Žertovné
příhody. *To je nebavilo. Tak mu časem dali pokoj, a von*
bábě vrátil snář, na regále nechal pro jistotu Žertovné
příhody, *k nim někde splašil druhej díl, kterej se jmenoval*
Smutné chvíle v životě mocnářově *a jednou se u nás*
stavil. Než vodjel do Texasu, v padesátým, a z jedný svý
knížky nám kusy překládal. To dokonce vím, kdo jí napsal.
V Cat Spring jí měl jeden německej soused. Charles
Sealsfield, Das Kajutenbuch. *Ale Sealsfield byl prej*
Čech, říkal Lešikar. Nějakej Karel Postl. Sealsfield si
začal říkat až v Americe. Přijel tam dávno před všema
vostatníma, už někdy ve dvacátejch letech. Lešikar nám
tlumočil kousky vo Texasu. A ty — jak říkáš — nasadily
tátovi amerického brouka do hlavy. Potom, vlastně eště
před tím, to jsem vlastně chtěl vyprávět," Cyril se odml-
čel, chvíli poslouchali černochy za oknem:

Já du, já du do zaslíbený země!
Každej každýmu tam pane řiká,
řeky sou z medu a z mlíka...

"Přesně tak," řekl Cyril. "Články vo Americe se v
novinách tisknout nesměly, jenže Lešikar dostal mazanej

nápad. Klácel tehdy redigoval Moravský noviny. Chodily i k nám do vsi, kupoval je Mika a vod něj si je sousedi půjčovali, táta taky. Lešikarovi se dostal do ruky dopis vod reverenda Bergmana, kterej koloval, protože z něj se člověk moh dovědít, jak to v Americe dovopravdy chodí. Bergman působil jako luteránskej pastor ve Skružným, ale po vosumačtyřicátým měl už Rakouska plný zuby, v padesátým vodjel do Texasu, stal se farářem německejch luteránů v Cats Spring v austinským vokrese a hned začal psát dopisy bejvalejm svejm farníkům do Skružného. Dopisy šly z ruky do ruky. Jenomže pravdu vo Texasu se takhle mohla dovědět jen hrstka lidí. Tak se Lešikar domluvil s Klácelem, že dopis votiskne v Moravskejch novinách. Měli tam na dopisy vod čtenářů rubriku. Dopis není článek, soudil Lešikar, a aby se ještě víc pozichrovali, dohodli se, že Klácel v tom samým čísle napíše článek proti emigrování, aby se c. a k. ouřady uklidnily. Vyšlo to. Další takový dopisy jim sice zatrhli, ale ten jeden stačil. Nasadil texaskýho brouka do hlavy spoustě lidí. Noviny měl někdo v každý vesnici, někdy i víc lidí, krátce to vykonalo svý. Přes ty hrůzný příběhy vo umírání na lodích lidi začli emigrovat málem houfně. Brzo zmiznul i Lešikar. Nojo, jenže na emigrování potřeboval člověk aspoň trochu peněz a táta neměl ani vindru. Kráva nám umřela, na novou jsme neměli, čtvrtej rok neúroda, a lístky pro pět dospělejch? No way!" řekl Cyril.

Každej každýmu tam pane řiká,
řeky sou z medu a z mlíka...

Jemný déšť se teple lil na sykomóry. Kakuška pilně rozebíral hodiny. Houska se otočil a ubzdil.

"Je takový pořekadlo: Každý zlý k něčemu dobrý. A není to blbý pořekadlo, jak většinou bejvaj," řekl Cyril. "Aspoň nám se vosvědčilo."

Mně taky, pomyslel si seržant. Kdyby tenkrát hejtman na zvědách nebyl — uklouz teda po mechu — anebo mu

podezření na parohy v pivařské hlavě zastřela alkoholic-
ká mlha — několik málo měsíců navíc v ráji nazvaném
Gottestischlein, pak by von Hanzlitschkův pluk převeleli
jinam, on by sešel z očí — z vojny by ho utéct nenapadlo,
jenom by sešel z očí —

— staly se dvě rozhodující věci. Lída počala a s tím se
něco udělat muselo. Pozoroval tátu. Táta se rozhodoval
k nějakému činu. Krajem brousili verbíři a Cyrilova
vlastní budoucnost už byla nepochybná. Toho roku mu
bylo dvacet, tak teda bílý kabát. Co však zamýšlí táta,
nevěděl. Starý Toupelík se rodině nesvěřoval.

Ať zamýšlel, co zamýšlel, asi to nebylo to, k čemu se
nakonec odhodlal. Došlo k druhé události. Bratranec z
třetího kolene naň v dalekém Texasu nezapomněl. Den
před tím, než Toupelík, ačkoliv bylo ve žních, opustil
políčko v půli dne a ušel málem dvě míle až na mez
Mikových lánů, dostali od bratránka z Texasu list. Tou-
pelík jej četl nahlas nad neomaštěnými brambory u veče-
ře.

Lešikar psal: Cat Spring lze sotva nazvat městečkem,
ba ani ne vesnicí. Leč kraj jest to divoce krásný, s četným
stromovím. Kopec střídá se s luzným údolím, z dálky až
z Galvestonu vine se cesta, ač železné dráhy tu posud
není. Začátky, to víš, milý bratránku, nebyly lehké. Kaž-
dý začátek však je těžký. Nejprve obývali jsme prostý
srub, kde jediného hřebíku nebylo, místo oken byly jen
díry, dveře z nějakých štěpin stlučené nebo nějakou tka-
ninou zastřené, prkna a jiné náleželo k zvláštnostem.
Manželce mé tyto poměry nikterak se nelíbily, mlčela
však a trudila se, já ale nalézal útěchy v svobodě. Při tom
všem nezastesklo se mně a nezatoužil jsem ani na oka-
mžik po mé někdejší vlasti, které ani já, ani ona mně
pomoci nemohla. Mne blažila svoboda a volnost zdejší,
neb já nebyl z počtu těch mnohých, abych tak řekl nedos-
pělých, kteří se vždy úzkostlivě sukně matky své drží a
křičí: "Mámo, mámo, maminko naše!" Skutečně byl jsem
zde vždy spokojen, stav můj se vždy lepšil, nescházelo

tedy nic než písemnictví naše. Avšak něčeho člověk oželeti musí, a mně jinak se dařilo. Pšenice prospívá zde znamenitě, též žito, kukuřice, a zdejší nejvíce ceněná plodina, což jest bavlna. Za dvě léta zmohl jsem se na sedmdesát akrů.

Táta přestal číst. Velikost Lešikarových pozemků ho omráčila. Užasle zíral na mísu brambor. Bylo to víc, než měl Mika, a Lešikarovi doma říkaly pane čtyři korce, jako jemu, jedině že si přivydělal krejčovinou. Vrátil se k dopisu: Jak jen to možné bylo, počal jsem s dvěma staršími syny tesařit, a nyní obýváme slušný dům farmovní o čtyřech sednicích, máme chlév a volský potah, koně ku ježdění, gin na bavlnu. Časem přikoupil jsem polnosti a nyní vlastním již 109 akrů.

V té chvíli se starý Toupelík rozhodl. Pečlivě složil list, schoval jej do truhly k několika málo svým písemnostem a přestože už bylo tma, odešel na pole.

Pravda je, že někdy jeho generál radost z neštěstí měl, řekl si seržant. Jednou před Vicksburgem se neštěstí prošlo po třech reportérech, kteří mu v armádě dělali neplechu, a generál věřil ve dvě věci, v jeho vojenském řemesle obě logické: v přesnost a v jazyk za zuby. Ani v jednom, ani v druhém se reportéři nevyznamenávali. Napůl vymyšlená zpráva však mohla zničit nanejvýš něčí generálskou reputaci a někdy dokonce mohla zmást nepřítele: prozrazení faktů, jež měly vyjít najevo až ex post, soudil generál, přivádělo v zoufalství matky, manželky a děti, jichž se reportéři rádi dovolávali. Ani jedno, ani druhé si generál nevycucal z prstů. Nevěděl například — protože kurýr od Granta ani kurýr od Bankse nedorazili, možná je oba generálové ve zmatku zapomněli poslat, možná že cestou dojeli navždy — že na Chickasaw Bluffs útočí sám, což bylo šílenství. Grantovi přeťala přísunové cesty a přerušila telegrafické spojení Forrestova a Van

Dornova kavalérie, takže Grant nemohl současně se Shermanem zaútočit z východu a musel se spolehnout na smrtelné kurýry. Generál proto taky nevěděl, že Banks, zchoulostivělý neworleanským klimatem, v drsnějším počasí Mississippi onemocněl a jeho útok z jihu, rovněž časově koordinovaný s jeho vlastním, se musel odložit. Nic z toho nevěděli ani reportéři a nic se taky nenamáhali zjistit. Viděli jen, že ofenzíva, jež měla Pembertonovu divizi sevřít do trojramenných kleští a tak uvolnit cestu k Vicksburgu, se scvrkla na sólový Shermanův úder proti Chickasaw Bayou. Pemberton byl s to rychle přesunout svou divizi z fronty proti znehybnělému Grantovi. Sherman se pořád domníval, že současně s ním útočí z východu Grant a z jihu Banks, provedl svůj úder a rozbil si nos. Přišel o osmnáct set vojáků a ve velení, naštěstí jen na čas, ho vystřídal McClernand, jemuž šlo o dobytí Vicksburgu hlavně proto, aby měl svatební dárek pro zbrusu novou manželku, kterou si na frontu přivezl s sebou.

Sólový útok na Chickasaw Bayou tedy vypadal jako šílenství, ale Sherman šílený nebyl. Přesto z něho reportéři šílence udělali, neboť v neznalosti fakt si Shermanovu donquijotiádu jinak vysvětlit nedovedli. Mimoto svůj úsudek spojili s drbem o stavu Shermanovy mysli, který v kuloárech koloval už delší dobu, neboť šílený a pokud možno i opilý generál je pro odbyt denního tisku výhodnější než muž, který má všech pět nezajímavě pohromadě. Udělali z něho proto řezníka, jenž zavinil slzy matek, manželek a u žurnalistů ze všeho nejoblíbenějších dětí.

Generál je tedy neměl v oblibě a vyháněl je z ležení své armády. Jakými slovy se o nich vyjadřoval, sami se neodvažovali tisknout. Takže nebylo pravda, že z neštěstí druhých se nikdy neradoval. Zaradoval se, velmi hlasitě, když se u snídaně pod Vicksburgem dozvěděl tu zprávu. Tři novinářské vši (jedna z jeho mírnějších metafor) jménem Richardson, Browne a Colburn, se v noci pokusili proplout na člunu kolem vicksburských baterií — což bylo šílenství, ale oni nebyli šílenci, jenom ignoranti —

aby unikli z dosahu Shermanových drábů (dobře věděli proč) a dostali se do ležení generála McClernanda, jenž měl rád, když se o něm psalo v tisku. Pembertonovým kanonýrům člun samozřejmě neušel, a tou dobou už dobře vycvičeni ve střelbě na plující cíle, udělali z plavidla řešeto. Generál se zaradoval: "Výborně! Od nynějška si budem moct přečíst k snídani zprávy z pekla!" Zalitoval pouze, že příliš unáhleně vyhnal z tábora reportéra Knoxe, jehož se předtím pokusil dát zavřít, ale soud novináře osvobodil. Při své touze po sólokaprech byl by teď Knox určitě v pekle s utopeným trojlístkem.

Trojlístek v pekle nebyl, neboť se neutopil. Napadali jenom jeden po druhém do Mississippi, a jak byli z přímého zásahu zpitomělí, podařilo se jim v krátkém čase doplavat na nesprávný břeh. Rebelové je lapli a bez soudních formalit je zavřeli skoro na dva roky do věznice Andersonville, kde málem zčernali.

Lapená trojice bylo však jen nevinné divertimento, jež generálovi možná dokonce zkrátilo dlouhou chvíli v nekonečném obléhání Vicksburgu. Pár dní předtím spáchali jiní novináři jinou neplechu, která, kdyby konfederační kapitán Grimfield byl ovládl gentlemanskou potřebu sarkasmu, byla by způsobila — a hodili by to samozřejmě na hřbet generálovi — mimořádný žal a hoře matkám, manželkám, snoubenkám a sirotkům.

Generál vyčenichal Achillovu patu ve vickburských opevněních a rozhodl se napodobit Parida. K tomu ale potřeboval nepozorovaně přesunout tři dělostřelecké baterie do jiných palebných pozic, neboť bez dělostřelecké podpory by útok bylo šílenství a šílenec generál nebyl. Taky nebyl bez talentu pro vojenskou lest. Vymyslil si jednu velmi nepěknou — aspoň z hlediska jižanského kódu cti. Jenže, pomyslil si seržant, co z toho kódu na jaře v třiašedesátém ještě zbývalo?

Generál prostě vyslal parlamentáře za vicksburské palisády a úmyslně se zapletl do dlouhých a opětovaných vyjednávání o výměně zajatců. Pokud se jednalo, panovalo příměří. Generál se v rebelském hlavním stanu hádal o kurz výměny, vyžadoval si čas na rozmyšlenou, urážel se a opět se udobřoval, kladl přehnané požadavky a protestoval proti přehnaným požadavkům, splétal svou lest. Rebelové protahovaná jednání vítali, neboť pro ně znamenala oddych a volný čas na shánění potravin, jejichž zásoby se ve Vicksburgu scvrkávaly. A zatímco hrál diplomatické divadýlko, generál potichu a potmě přesunoval své baterie, kanón po kanónu.

Jenže generál — tohle se možná nedalo omluvit, znal přece své pappenheimské — zapomněl, že z tábora pořád ještě nevyhnal pár novinářů a ti se jako jeden muž vydali na lov sólokapra. Když si generál po dvouhodinovém jednání opět jednou vyžádal čas na rozmyšlenou do druhého dne (v noci hodlal přesunout poslední dělo) a chystal se odjet ke svým, přistoupil k němu kapitán Grimfield v nezvykle čisté uniformě (díky generálově diplomatické kverulanci měl jeho Sambo Billy čas zapečovat o svého kapitána) a s gentlemanským úšklebkem ho požádal, aby právě přesunutých baterií zítra ještě nepoužil, neboť on, kapitán Grimfield, jde za svědka na svatbu svému nadřízenému a bylo by velmi nepříjemné, kdyby svatební hostinu měla pokazit kanonáda.

Generál v této chvíli vypadal jako žebrák, jehož dopadli na hruškách. Ovládl se však a pravil ledově:

"Gratuluju vám k vašim zvědům, pane kapitáne."

"Já, pane generále, gratuluji vám k vašim novinářům," pravil kapitán Grimfield v nejlepším stylu gentlemanské ironie.

Generál se vřítil do svého stanu a poručil přinést všechny noviny, které ten den ráno neměl čas přečíst, protože se s kapitánem DeGressem radil o přepravě posledních děl. Našel, co hledal. Reportér Memphis Bulletin (jedna ze vší, které se za pár dní nato bohužel neutopili v Mississippi) tam měl strategickou úvahu, kde na základě právě probíhajícího tajného přesunu baterií usuzoval, že lze očekávat útok Shermanových jednotek proti Achillově patě ve vicksburských opevněních.

Generál vylítl z kůže. Vydal rozkaz k zatčení majitele sólokapra. Ten se však dobře schoval až do chvíle, kdy se nalodil na člun, který jej, žel, do pekla nedopravil. A generál se jal hlasitě volat po cenzuře, ne, raději po zákazu vstupu do oblasti operací pro všechny novináře, anebo ještě lépe po zákazu vůbec jakéhokoliv reportování o válce, dokud vítězně neskončí. A po trestu zastřelení (kdyby to v Americe šlo, pomyslel si seržant, raději po trojím prohnání uličkou) všech provinilců, protože jejich psaní je vždycky nebezpečné, často prokazatelně škodlivé a obvykle úplně vedle.

Všechno, co lidé v civilu potřebují o válce vědět, usoudil generál, dozví se z dopisů vojáků. kteří jsou, na rozdíl od evropských armád, skoro všichni gramotní, velmi psaví a v líčení vojenských akcí, protože v nich nasazují krk, pozoruhodně přesnější než žurnalisti.

Cenzuru dopisů drahým doma generál proto nevyžadoval.

"Co v tom hodláš dělat, sousede?" zeptal se starý Toupelík. Mika stál zamračeně, neříkal nic. Po čele mu stékal pot, který možná nebyl jenom následek červencového vedra.

Přes nebetyčný rozdíl v majetku byli Toupelík s Mikou kamarádi. Oba šumařili o tancovačkách, Toupelík aby si přivydělal, Mika protože měl muziku v krvi. Když bylo nejhůř, Toupelíkovi i vypomáhal. Třebas mu teď Toupelíkovic Lída provedla to uličnictví — tak se na věc Mika díval — nepošle jistě jejího tátu jen tak do horoucích pekel. Toupelík proto čekal, až Mika přeruší mlčení.

"Chceš ji provdat?" zavrčel po chvíli. Toupelík poznal, že jeho odhad Mikovy reakce byl správný. Neodpustil si proto zlomyslnost:

"Myslíš za vašeho Vítka?"

Na to Mika neodpověděl a Toupelík po chvíli řekl:

"Chceš říct, že bys matce svýho vnuka dal věno, případně jí i vopatřil ženicha?"

Věděl, že takové řešení Miku napadlo. Najít pro nevěstu, třeba i s malým věnem, ženicha, byla v těch letech mezi chudáky na čtyřkorcových chalupách hračka a nevěstin požehnaný stav maličkost, kterou by dukáty snadno vyřešily. Dukátů měl Mika dost. Byl to největší sedlák v kraji. Kdyby měl dceru, mohl ji vyvdat na každý grunt i v jižních Čechách. Měl však jenom syna, žádoucího sice pro každou nevěstu z jihočeského gruntu, ale byl tu tenhle problém. A Mika nebyl zlý člověk.

"Kolik?" zabručel.

"Padesát zlatejch," řekl Toupelík. Mikovi vylétlo obočí překvapením.

"Tolik na ženicha sotva bude stačit."

"Nepotřebuju pro Lídu ženicha," pravil Toupelík. *"Potřebuju pro ní a pro nás pro všechny lodní lístky do Ameriky."*

Mika mu ochotně podal ruku, aby si plácli.

"To neni všechno," pravil Toupelík.

"Co ešté chceš?"

"Je tu taky Cyril."

"Co ten s tim —"

"Už mu bylo dvacet," řekl Toupelík, *"a v kraji brousí verbíři. Minulej tejden vodváděli v Petákově."*

"To nepude tak hladce."

"Ale pude to," řekl Toupelík.

Šlo to, i když suma na podplacení doktora, když se k ní připočítala cena za lodní lístky, vydala by na věno, za jaké by se prodané nevěstě dal koupit víc než obstojný ženich. Cyrilovi našel doktor slabé srdce, regma v levé noze, silnou krátkozrakost a noční pomočování a zaplacený kripl se místo v munduru octl v Texasu, kde rázem ozdravěl. Tam, ještě před jarním setím, povila sestřička dceru a dala ji pokřtít Deborah, aby jí co nejmíň připomínala starou vlast. Lída sama si brzo začala říkat Linda a pro své příjmení přijala místní výslovnost Taupeliková. O něco málo později odhodila i ženskou koncovku a začala se podepisovat Linda Towpelick.

"Linda Towpelick," pravil hořce Cyril. "Přijeli jsme do Ameriky mladý, akorát eště včas, abysme pochytili angličtinu. Dostat se sem vo pár let pozdějc, asi bych dnes mluvil stejně jako táta, žejo, corporal Kekaška?"

"Dats rajt," pravil Kakuška, aniž se dal vyrušit z práce na ostruhách.

Za oknem se měsíc lil na sykomóry.

Každej každýmu tam pane řiká,
řeky sou z medu a z mlíka...

Hořící sníh padal na řeku Congaree. Madam Sosniowská vzpomínala na Sibiř. Na žádost za žádostí, protože manžel byl nemocen, chybělo mu základní ošetření. Car, který na rovnost pánů a kmánů nevěřil, se po šesti letech smiloval. Ale v Haliči, příliš blízko pokořenému Polsku, Dr.Sosniowski žít nechtěl. Napsal mu kolega ze studií, který si vybudoval praxi v Helldorfu, ale pak se oženil s bavorskou velkostatkářkou, a Dr. Sosniowski praxi koupil. Na splátky. V Helldorfu čím dál víc přemýšlel o Americe. Opatřil si americký originál Prohlášení nezávislosti, americkou Ústavu, učili se spolu řeči té země, četli Tocquevilla, protože francouzsky samozřejmě uměli. Narodila se jim holčička, potom druhá. Když praxi splatil, prodal ji a vystěhovali se do Ameriky.To bylo v roce 1850.

"Ale proč sem? Na Jih?"

"Měli jsme tu přítele. Nikoho jiného jsme v Americe neznali. Taky bojoval v třicátém roce a po porážce se mu poštěstilo utéct. Vždyť jste ho viděl. Před domem generála Hamptona."

Seržant se nezastyděl. Nikdy se nestyděl za armádu svého generála. Ohlédl se, uviděl, jak jeden z obou Irčanů si právě přihýbá. Irčan rychle schoval láhev a zazubil se na seržanta, rukou udělal gesto, No co! Seržant se otočil k madam Sosniowské.

"A co říká téhle válce váš manžel?"

Madame Sosniowská hned neodpověděla. Ohlédla se po hořícím městě, vzdychla. Pak řekla:

"Manžel zemřel, ještě jsme v Americe nebyli ani rok. Sibiř ho zničila. Pro něho bylo už na Ameriku pozdě."

Generál věděl, že vzít vojákům právo psát domů, bylo by jako vyzbrojit je místo ručnic špuntovkama. Psalo se všude. U ohňů a při svíčkách ve stanech, nebo třeba i jenom v bledém světle měsíce v úplňku. Houska vedle seržanta měl před sebou na tornistře rukopis už o několika listech, a seržant věděl, jaký má jeho druh problém. Staří Houskovi sice číst neuměli, zato byli po celém wilberském okrese proslulí jako drbů lační žvanilové a na čtení měli děti. Houskových devět bratrů a sester nejen že byli gramotní, ale dědictví po obou hovorných rodičích proměnilo v nich schopnost psát v písařskou vášeň. Všichni od čtyřicetiletého Lojzy až po osmiletého Ferdu posílali Houskovi nejméně jedno psaní měsíčně, a třebaže všichni žili v jedné vesnici blízko Wilberu, Housku nikdy nenapadlo, aby záplavu písemností vyřizoval jedním obecným listem celé rodině. Nejmladší sourozenec navíc komplikoval problém tím, že byl gramotný už pouze anglicky. Kvůli němu musel Houska zaměstnávat angličtiny mocného Shaka. Sám rozuměl toliko rozkazům, a protože byl jedlík, také názvům potravin, které v táboře prodávali markytáni. Častá psaní posílal rovněž jakési snoubence, o jejíž gramotnosti vyslovoval Shake za Houskovými zády pochyby, neboť místo odpovědí zásobovala snoubence buchtami, jež cestou pravidelně ztvrdly. Nakonec se ukázalo, že se Shake mýlil, a snoubenka Houskovi napsala. Naposled.

Od vickburské palisády zazněl kornet. "Přijď ve kraj ten, kde moje láska sní." Všude, kam seržant dohlédl, zdvihali písaři hlavy po zvuku. Ticho po celodenních dělostřeleckých soubojích přinášelo hlas nástroje od vzdálené palisády až do ležení. Na palisádě se zablesklo. Měsíc, v jehož světle Mississippi obtáčela Vicksburg jako roura natřená stříbřenkou, usadil se v korpusu hráče a zvuk jako by k tábořišti letěl po zezlátlém paprsku. Ve Vicksburgu uvízla kapela Pembertonovy divize a večer co večer, když umlkly perrotky, vystřídal je zpěv plechů a tuby a trombóny podkládaly kornetistovy tóny mosazným sametem. "Johnny!" uslyšel jednou seržant slaboučké zvolání vojáka odněkud z předsunutých postavení. "Chcem vidět toho korneťáka!" "Von má strach, že mu z kornetu uděláte cedník," ozvalo se z palisád. "Neuděláme! Přestanem střílet!" z jankejských zákopů. "Fakt! Přestanem!" Kornetista, jehož předtím znali jen jako melodii, vylezl tedy na předprseň a hrál. Jankové dodrželi slovo. Nato se v zákopu vstyčil jankejský kornetista a převzal od Jižana sólo. Ani rebelové nestříleli. Seržant však už dávno věděl, že v téhle válce je možné všecko.

Jižanský kornetista, jehož paprsky měsíce zvětšovaly do nepravděpodobných rozměrů, spustil "Až Johnny připochoduje domů" a hráč v jankejských zákopech zanotoval druhý hlas. V téhle válce — seržant se na okamžik vzdal plechovému zpěvu, harmonii basů skrytých za předprsní. Najednou se lekl. Příliš zkušenou myslí bleskla myšlenka, jestli to není rebelský trik: jedem písničky o míru, muziky, která je všude krásná, i na Jihu, omámit generálovu psavou a zpívající armádu, užuž chtěl vyskočit, zařvat: Hrajte "Válečnou hymnu republiky!" Když se chcete vrátit, musíte si návrat vybojovat! a hlavou mu bleskla jiná myšlenka: Slyší to generál? Ale vtom uhrančivý duet přerušila večerka — jednoduché kvartové skoky, jež vojáky posílaly na kutě a tím připomínaly ráno, probuzení do jiné písně. Seržant se uklidnil. Stejně však: slyší to generál? A co si o tom myslí, když vojenské dopisy necenzuruje? A protože necenzuruje —

    Při útoku pod horou Kennesaw svalil se Houska omráčen do křoví, a když se probral, hnali do protiútoku rebelové. Houska ležel na území nikoho, to však momentálně patřilo Konfederaci. Zůstal tedy v houští, a skryt za stromem sledoval, jak se protiútok úspěšně rozvíjí. Na pár kroků od jeho úkrytu se náhle zastavil rebelský voják. Před ním na zemi ležel naditý ruksak s rebelskou vlaječkou na kapse. Voják možná bojoval v nejlepší tradici kavalírské neohroženosti, ale vypadal jako hrabě z Nemanic. Byl bos, kalhoty původně dlouhé mu sahaly sotva pod kolena a jejich někdejší délku naznačoval cár nohavice, plandající mu kolem kotníku. Košili neměl, zato kazajku z děr pospravovaných záplatami butternutu. Na hlavě mu seděl slaměný klobouk, ten však někde napůl shořel, takže Houskovi připomněl strašáky v polích kolem rodné vesnice na táborsku. Vtom se nablízku roztrhl kanistr, zasvištěla střepina, rozpárala naditý ruksak a zasekla se do stromu, za nímž se kryl Houska. Z ruksaku se vyvalily věci jako vnitřnosti z rozpáraného břicha. Rebel hněvivě zaklel, a zatímco v pravidelných intervalech vybuchovaly podél okraje lesa další kanistry, jal se prohlížet roh sartoriální hojnosti. Houska si nemyslel, že sní — v téhle válce bylo možné všechno — ale když později dal

historku k lepšímu, vyjádřil se, že si připadal jak na buzerantských šibřinkách. Otrhanec vytáhl z hromady věcí cosi bílého, roztáhl to, a Houska spatřil jižanské oficírské podvléčky z jemného plátna s modře vyšitým monogramem. Rebel prádlo pečlivě odložil na trávu, ale nejdřív se přesvědčil, není-li potřísněná krví. Potom zdvihl košili s krajkovou náprsenkou. Rychleji a rychleji vybaloval jemňoučkou strůj — byla v ní i páska na vousy a sítěná noční čapka — až se prodoloval k zarámovanému portrétu bleďoučké krásky, jíž daguerrotypista vylepšil líčka, takže vypadala, jako by měla zarděnky. Nakonec vytáhl rebel láhev s vinětou. Nastala druhá část představení. Od náspu, za nímž se potili Houskovi druhové, zněl sice pořád praskot mušket a vzadu za nimi, jako římské tuby, houkaly strašlivými zvuky parrotky, otrhanec však nedbal. V mžiku se svlékl do naha a už se cpal do běloučkých spodků (pod vlastními kalhotami žádné neměl). Za chvilku stál před Houskou v okrajkované košili, hned nato v kalhotách jak břitvy s červenými lampasy, vyžehlených nějakou černošskou ordonancí. Následovala čepice podobná cylindru jenže bez okraje, s širokým červeným pásem kolem dokola a s červenomodrobílým chocholem. Nakonec si bývalý otrhanec oblékl blůzu s dvěma řadami zlatých knoflíků a s epuletami z tučného zlata, opásal se zlatem protkávaným opaskem a v té chvíli nad ním a nad Houskou začalo divoce jiskřit konzervované peklo a kolem se přehnaly první řady otrhanců na ústupu. Útok byl tedy odražen. Vyparáděný rebel dřepl na zem a zuřivě se dral do holínek z rukavičkové kůže, vpředu nahoře s lesklými chrániči kolen. Přibíhali další a další rebelové, mnozí zkrvavení, kulhaví, jeden nesl na zádech druha, jemuž z ramene visel pahýl po paži, utržené asi dělovou koulí. Řinula se z něho krev, která v trávě zanechávala lajnu jako natěračskou štětkou. Bývalý otrhanec, obut, vyskočil, kolem se hnaly už značně prořídlé, tedy asi poslední řady ustupujících rebelů, elegán kratičce pohlédl na dívku s tvářemi jak rajčata, strčil si ji za košili,

sebral láhev a vložil ji do objemné kapsy na blůze, zdvihl
ze země mušketu a Houska se rozhodl k akci. S puškou
namířenou na břicho v zlatavém opasku vylezl z křoví a
oslovil vyfintěnce jihočeskou výslovností:

"Hencap!"

Pár dní nato byl pořád vystrojený rebel vyměněn za
seržanta Karpelese, ale kromě uniformy mu ponechali
jenom podobenku červenolící krásky. Whisku Houska
zabavil. Kolovala kolem táboráku a nic se nestalo, jenom
Kakuškovi.

Kakuška, tvrdil o něm Stejskal, byl hřebec. Stejně jako
hřebci v divoké přírodě nezanášejí samicím svého stáda,
zůstával i Kakuška manželce věrný, přes nabízené služby
pekáren ve městech a ženštin, jako byla v jejich ležení
oblíbená Easy Lizzie a dívka přiléhavě zvaná Bubbly
Barbie. Kakuška jenom trpěl, proto se taky odvážil ke
generálovi Ritchiemu s prosbou o dovolenou, kterou ne-
dostal. Pak trpěl dvojnásobně, ale pokud se samohana
nepokládá za manželskou nevěru, zůstal dobrým katolic-
kým manželem. Popíjeli ukořistěnou whisku a protože
jich na láhev bylo pět, nikdo se nezlískal, jenom jim ze
žaludku do hlavy vystoupilo známé přesvědčení, že se
světem je vlastně všechno v pořádku. Kakuška vypil svou
dávku. Chvíli byl zticha, jako všichni ostatní v příjemném
světě, kde vzdálená kanonáda zněla téměř laškovně. Pak
najednou vstal, divoce se rozhlédl a tryskem zmizel mezi
stany. Teprve druhý den se dozvěděli, že skončil v laza-
retě. Za dva dny ho pustili a záhada se vysvětlila. Ale
dokud byl Kakuška na léčení, jeho náhlý úprk si vysvětlit
nedovedli a dali více méně za pravdu Zinkulemu, podle
něhož Kakušku přechodně posedl ďábel, vdestilovaný do
whisky v Tennessee.

Když zmizel mezi stromy, neutíkal Kakuška na záchod,
jak by mohli soudit mnozí, které kdy postihl kansaský

146

quickstep. Skočil do potoka, ten byl však jednak mělký, jednak z georgijského vedra příliš teplý. Kakuška tedy vylezl a na převislé větvi stromu dělal kliky, dokud se s ním neutrhla. Na zemi potom prováděl vzpěry, jimiž na sebe upozornil, a když se vydal na maratonský sprint táborem, pádila za ním tlupa zájemců, kterým vrtalo hlavou, co to pil. Na opačném konci ležení potkal vivandierku jménem Bubbly Barbie, právě vycházející ze stanu plukovníka Curtisse, a vrhl se na ni. Zájemci se vrhli na něho a po dlouhém zápase ho přemohli a dovlekli do lazaretu. Tam se Kakuška octl ve svěrací kazajce. Ale Dr. Blake si všiml symptomu, odstranil jej lektvarem a Kakuškovu trýzeň uvedl do normálního stavu.

Rokovali tedy o nebezpečenstvích whisky a shodli se na teorii v podstatě rasistické, jejímž původcem však nebyl Houska, ačkoliv ji vyslovil první. Byla založena na poučení, jehož se jinochovi z wilberského okresu dostalo od irského doktora Paddocka, který měl ordinaci (taky v ní bydlel) v prvním poschodí vůbec prvního domu, jaký kdy ve Wilberu vystavěli a v jehož přízemí byla hospoda Homestead Saloon. Místo pro ordinaci si Dr. Paddock nevybral náhodně nýbrž s rozmyslem: hospoda mu dodávala pacienty.

Dodala mu i Housku, jenž rozhovor nad sklenicí whisky, který vedl s norským sedlákem Olafem Heglundem (sloužil teď u Patnáctého wisconsinského a rozhovor si zopakovali po Chancellorsvillu, s opačným výsledkem), musel předčasně ukončit pro natržené ucho. Naštěstí byl v prvním poschodí po ruce Dr. Paddock. Nehoráznou sumu deseti dolarů za chirurgický výkon Houska u sebe neměl — málokdy vůbec viděl tolik peněz v hotovosti pohromadě — nabídl proto uhradit dluh v naturáliích a jako zástavu dát dva obrazy, jež si nesl ve vypraném pytli od brambor. Kvůli nim vlastně těch dvanáct a půl míle z Bee Grove do Wilberu ušel. Měl to být dárek k tátovým šedesátinám a podle daguerrotypie z otcových mladších let je u wilberského umělce devatera řemesel (bídu způsobila záliba v režné) Josefa Prokeše dal zhotovit Houskův starší bratr Vincek. Kromě portrétů maloval Prokeš taky kulisy pro ochotnický spolek Wilberská Thálie, v sobotu večer hrál v Homestead Saloonu na harmoniku a odměnu bral v režné. Rovněž stavěl domy, vyráběl nábytek a boty a pálil slívovici, kterou zčásti konzumoval, zčásti prodával do Chicaga. Když se Vincek dozvěděl Prokešovu sazbu — dva dolary za portrét tři krát pět stop — dal se od mistra vymalovat taky. Pro hotové dílo poslal mladšího brášku a ten byl pro náhlý úraz nucen dát malby Dr. Paddockovi do frcu.

Irskému lékaři se obrazy na první pohled zalíbily. Dárek pro tátu znázorňoval pořízka s kulatým obličejem ve velmi detailně vymalované květované vestě. Starý Houska seděl u stolu a levičkou svíral sklenici vzorně zpěněného piva. V pozadí visela na stěně zmenšená podobizna jeho syna Vincka. Celkem dýchala z pořízka dobrá pohoda a dobře sloužící zdraví. Na druhém portrétu seděl u téhož stolu muž podstatně mladší a vychrtlejší, Vincek, s tváří úzkou a zažloutlou, již hyzdila kozí bradka. Za Vinckem visela na stěně zmenšená kopie portrétu jeho otce. V ruce opřené o stůl držel Vincek sklenici nápoje sice rovněž žlutavého, ale bez pěny. Aby nedošlo k omylu, stála na stole láhev s etiketou Visky.

Dr. Paddock zálibně hleděl z obrazu na obraz a z obrazů na Housku. Po chvíli se ho zeptal: "Ty co piješ, Vojto? Pivo nebo whisku?" "Visku," přiznal pacient. "Přestaň, dokud je čas," pravil Dr. Paddock a ukázal na přišité ucho. "Jsi ještě mladý a můžeš se z toho dostat. Začni pít pivo!" Znova pohlédl na muže vyportrétovaného se zdravou sklenicí, pak na jeho vychrtlého syna na obraze a na jeho dosud růžolícího syna před sebou. "Pama-

tuj, že nejsi Ir!" pravil. *"Pokud se Čech drží piva, je zdravý jako buk. Ale jak se chytne whisky, začíná si předplácet na funus."* Houska se ulekl a učinil předsevzetí, jež pak skutečně dodržoval, aspoň dokud ho nestrčili do modrého munduru. *"Kdybych já propadl pivu,"* pokračoval Dr. Paddock, *"budu vypadat takhle —"* ukázal na Vincka, *" — a ne takhle!"* Ukázal na tátu. Sám byl růžolící, dobře oplácaný a s hustou červenou kšticí. *"Já, protože jsem Ir,"* pokračoval, *"piju pouze whisku. Kdybych všechnu whisku, co jsem zatím za život zkonzumoval, nalil do sudu, všichni Češi v Bee Grove — a to je celá vesnice, protože Nečech je tam jen černý Freddy — pomřou jak slepice. Freddy White taky. Černochům svědčí pouze mint julep."*

Co je mint julep, dozvěděl se Houska až v Georgii, a protože se mu po něm udělalo zle, víra v teorii Dr. Paddocka se utvrdila. Tehdy ve Wilberu mu Dr. Paddock nabídl, že na úhradu celého desetidolarového dluhu je ochoten vzít obrazy, ačkoliv stály pouze čtyři dolary. Houska sám nebyl k takovému, byť výhodnému, čachru zplnomocněn, ale když se večer vrátil s prázdnou, tlumočil nabídku Vinckovi. Vincek se nad věcí vážně zamyslil a vypočítal, že zisk šesti dolarů skončí vlastně rovněž v doktorově kapse. Ráno dostal táta k úvaze místo portrétu matematický problém. Řešili jej celý den oslavy narozenin, a den nato táta vstal svěže a se slepicemi (oslavovali pivem), a zatímco zwhiskovaný Vincek ještě chrápal, vydal se do Wilberu. Večer se vrátil a v kapse cinkal šesti stříbrnými dolary. Nedal se opít doktorovým rohlíkem, takže malby podle Vincka nakonec přišly Dr. Paddockovi na šest dolarů za kus. Doktor jimi vyzdobil ordinaci a užíval je k zdravotnické osvětě.

"Jak to šest baků za kus?" otázal se Paidr.

"Well, šest sem mu dlužil a šest vysázel tátovi," řekl Houska.

"A co ty vobrazy? Čtyry baky musíš přičíst, takže to přišlo na čtyry baky za kus."

"Vodečíst," pravil Shake.

"Houby. Přičíst," stál Paidr na svém. Chvíli dumali, pak řekl Fišer:

"Vzal vás na hůl. Tvuj táta neumí smlouvat. Mělo mu bejt jasný, že doktorovi se ty vobrazy ani ne tak líběj, jako že je potřebuje pro živnost. Táta z něj měl vyrazit nejmíň deset baků za kus a úplnej vodpis dluhu."

"Šest dolarů?" zeptal se Stejskal.

"Deset. Plas dvacet baků na dřevo."

"A ty vobrazy," pravil váhavě Houska, "vodečíst nebo přičíst?"

Znova se oddali matematické záhadě, nic nevyřešili. Vrátili se k rasové teorii.

"Ve Wilberu je nejtlustší chlap nějakej Baloun. Má tam kovárnu. Je mu už sedumdesát, ale široko daleko koně nevokovaj jako von," spustil zeširoka Houska. "Ten za mlada hrál v ruský vojenský kapele a v Římě uviděl papeže, jak žehná lidem z balkónu. Jak ho zahlíd, dostal žízeň a vod tý doby chlastá pívo jak nezavřenej. Deset i víc litrů deně."

"A před tím chlastal co?" zeptal se Shake.

"Různě," pravil Houska. "Nejrači borovičku."

Shake významně pohlédl na Zinkuleho.

"Kdyby zůstal u borovičky, už by nekoval. Už by vůbec nebyl."

Zdálo se, že papežovo zázračné působení potvrzuje teorii Dr. Paddocka, ale pak namítl Švejkar:

"Borovička neni viska."

Teorií to otřáslo.

"Z čeho se dělá?" zeptal se Šálek.

Chvíli se hádali, ukázalo se, že ze staré vlasti odešli příliš mladí, aby pochytili dávné tradice. Z borovicové kůry? Ze šišek? Přijali názor, že borovička je vlastně režná, do níž se přidává nějaká esence, asi z jehličí.

Teorie se udržela.

Rozpracovali ji a za rasově vhodné nápoje přisoudili vojákům generála Sigela šnaps —z čeho se dělá, nevěděl nikdo, ale vojáci včetně generála ho pili a prospívali. Fišer to podložil důkazem, že generál Blenker, Skopčák jako Sigel, si uhnal předčasnou smrt přečasto vydávaným rozkazem "Ordinans Numero eins!", po němž se v jeho modrém stanu servírovalo šampaňské, zatím co jeho mančaft správně pil šnaps. O Francouzích se nedohodli, zda je pro ně vhodnější Blenkerovo Numero eins nebo brandy. Italům jednoznačně přiklepli červené víno. Případ Irů byl jasný: všichni se pamatovali na příhodu, k níž došlo na pochodu ke Kennesaw Mountain. U cesty ležel markytánský vozík zasažený dělovou koulí. Koule zabila koně a markytán šel hledat pomoc. Na vozíku, mezi bedýnkami se sušeným ovocem a pytlíčky kávy a čaje, se zachoval soudek. Vojín O'Malley vyskočil na vozík, vzal za dřevěný špunt, jenže než jej stačil vytáhnout, chopili se soudku na rozkaz agresívního abstinenta kapitána Parryho dva seržanti a whiska se lila proudem na cestu a rychle vsakovala do vyschlé půdy. Když vyrazili na další pochod, obrátil se vojín O'Malley k seržantu MacManusovi: "Bille, jestli mě zejtra v bitvě zabijou, dones mě sem a tady mě zakopej," ukázal na vonící, avšak vsakující se louži. Seržant MacManus to přání nesplnil, protože v bitce u Cherry Grove přišli o život oba.

Irové byli tedy jasný případ, stejně jako Skoti a Angličani. O Kanaďanech usoudili, že je pro ně zhoubný bourbon. Nevyřešili záhadu muže z ostrova Dea Tristan, který se nějakou náhodou války přidal k Šestadvacátému wisconsinskému a pil bělavou tekutinu, kterou si nosil v kožené lahvi. Sčetlý Shake identifikoval ostrov jako velrybářskou díru na poloviční cestě mezi Ohňovou zemí a mysem Dobré naděje a rozhodl, že pro muže z Dea Tristan je asi nejvhodnější zkvašený rybí tuk, což je taky to, co s sebou vláčí po bojištích občanské války.

Přes všechny expertýzy se jim nezdařilo uspokojivě vysvětlit výbušný účin, jaký měla jižanská whiska na Kakušku.

Jak psal Lešikar, začátky v Texasu byly těžké. Hned v Galvestonu se roznemohl Jozýfek, stálo to peníze. Od Lešikarova příjezdu ceny pozemků stouply: za zbytek peněz z prodeje hospodářství koupili sotva třicet akrů. Jako pět let před nimi Lešikar, nejdřív bydleli ve srubu, ale Cyril s tátou brzo okoukli sousední farmy a postavili chalupu lepší, než měli na Moravě. Cyril dokonce zhotovil kolíbku pro Deborah a večer pod jantarovým texaským měsícem poslouchal Lindinu ukolébavku. Usnul dřív než Deborah, práce na začínající farmě byla otročina. Než usnul, přemýšlel chvíli o sestřině hlase. Zní v něm láska, nebo nějaký jiný, nikoli dobrý, ale možná hlubší cit? Potom o staré vlasti. Jako Lešikar, necítil k ní nic. Snad proto, že ho lámala otročina ve svobodné zemi? Ostatně, ukolébavky znal. Víc naslouchal černošskému zpěvu, který k němu pod měsícem z jantaru doléhal přes lány bavlny od sousední farmy pana Carsona. Bral ho za srdce víc než ukolébavky, ačkoliv tenkrát ještě slovům nerozuměl. Byl to jiný zpěv, jako Texas byl jiný než lhotecké podhůří, texaské hvězdy jasnější než zamlžené slzičky nad čtyřkorcovou chalupou.

A nic tam nenechal, ani holku tam ještě neměl. Vlažné noci těch prvních měsíců, Lídin stesk — nebo co to bylo — harmonie nesrozumitelných hlasů za vlnami bavlny, všechno se v něm — jako v Lešikarovi, a to Cyril nebyl žádný čtenář, ze všeho nejmíň mu chyběly české písemnosti — slévalo v pocit člověka, který uprchl z klece do divočiny, kde život je — zatím — tvrdší než ve vísce voňavé hnojem a mateřídouškou, ale někde do toku času je zasazena budoucnost. To doma nebylo.

Jinak pohroma za pohromou. Vůl si zlomil nohu, museli ho utratit. S bavlnou se opozdili, taky kde měli vzít zkušenosti? Bída, bída — jen ta budoucnost zasazená někde do plynoucího času.

A kočárek. Bryčka.

Vesele drkotala po cestě od Carsonovy farmy, mířila asi do Austinu. Na kozlíku dívka v červených šatech. Cyril se narovnal, prasklo mu v zádech jako dědkovi a na cestě se koně něčeho lekli. Kočárek se divoce rozhrčel, sjel z cesty, překotil se, to už Cyril vyskočil na cestu vstříc splašeným koním a zahlédl ještě, jak dívka, podobna červenému ptáku, letí do bavlny.

Cimprlinka to nebyla. Když koně zkrotil a za chvilku docela uklidnil — uměl to s nima, doma často vypomáhal na hraběcím statku ve Dvorci — stála už zase na cestě, prohlížela si dlaně pádem odřené a ulevovala si něčím, o čem tenkrát ještě nevěděl, že to jsou kletby.

Nebyla to žádná krasavice. V tváři se trochu podobala svým koním. Ale byla štíhlá, červené šaty jí vpředu zdvíhala hezká ňadra. Přistoupila k němu a řekla: "How shall I thank you?" *Tomu rozuměl. Tvář měla možná jako její koně, ale byli to hezké koně. Měli jiskru, ještě trochu odfrkovali přestálým leknutím, ale když je pohladila po čumácích, olízli jí zkrvavené dlaně.* "Good," *řekla a opakovala:* "How shall I thank you?" *Připojila něco, čemu nerozuměl.* "Ic oukej," *pravil, bylo to asi tak deset procent jeho tehdejšího anglického slovníku.* "You're German?" *Na to slovník stačil.* "Nou. Morejvian." "Oh," *řekla dívka a pohlédla na žalostně zřízené dlaně.* "Kam," *řekl.* "Voš hens."

Tak se Rosemary Carsonová ocitla v chalupě, a zatímco Cyril s dřevěným vědrem utíkal k pumpě — vodu naštěstí našli hned — prohlížela si Debořinu kolíbku. Linda do ní rozžhaveným hřebíkem — protože od Lešikara věděli, že je to v Texasu vzácnost, vezli si s sebou bedýnku — vypálila černá srdíčka, ověnčená černými kvítky. Pomalu lil vodu přes ubohé dlaně a Rosemary kývla hlavou k Lindiným kytičkám. "That's very nice!" *a ještě něco (říkala, že něco takového se v Texasu nevidí): zase nerozuměl. Znova kývla hlavou k spinkajícímu miminku:* "That's your baby?" "Nou," *odpověděl.* "Maj

sistrs bejby," a koňská tvář jako by zkrásněla. Zapomněl,
že je vlastně koňská a ostatně měl koně rád.

Mnohem později, hlavně zásluhou Rosemary, dovedl
hovořit i o jižanské politice, která se do světa Toupelíko-
vých vkrádala čím dál s větší a nežádanou naléhavostí.
Ale pak uviděl všechny krásy černého a bílého světa, a
kde byli koně? Mezitím ovšem nepravděpodobný romá-
nek — jenže byli v Americe. Ani zahanbující memento
Lindina hříchu Carsonovým nevadilo — a z plynoucího
času začala vystupovat budoucnost. Tenkrát ovázal Ro-
semary dlaně kusem bílého plátna z vyprané Debořiny
košilky, ani nepomyslel, jak bude sestřička vyvádět, až se
vrátí z pole, protože plátno byla velká vzácnost, taky
dovezená až ze Lhoty. Když čekal u koní, až Rosemary
vyleze na kozlík, rozpřáhla komicky ruce s dlaněmi nyní
jako sněhulák. Hlavou kývla k otěžím, zatřepala sněhu-
láckýma rukama a husté kaštanové vlasy se rozvlnily,
hezky. Ne! Krásně.

Takže ji dokočíroval ke Carsonově plantáži. Z rychlé
konverzace mezi Rosemary a její matkou nepochytil nic
— pan Carson byl na poli, tam rytmicky zpívali jeho
otroci — ale domyslel si, o čem dcera s matkou hovoří.
Čekal v hale bílého domu, nebyl zdaleka tak honosný jako
sídlo, které viděl cestou do Fayette, jež mělo bílé sloupo-
řadí a patřilo — to tenkrát ještě nevěděl — panu de
Ribordeaux. Byl to však prostorný dům, voněl kouřem z
udírny, na stěnách v hale visely obrázky mužů v červe-
ných kabátech a bílých kalhotách, kteří, provázeni smeč-
kami psů, ujížděli neznámou krajinou. Paní Carsonová
mu nalila nápoj do sklenice, napil se, chutnalo to jako
jablečný mošt (byl to jablečný mošt) a někam odešla.
Rosemary se naň usmála, řekl: "Aj mast gou in fíld. Mast
vórk." Dívka se pořád usmívala, zoubky v koňské tváři
měla drobné a bílé. "Just a minute," řekla. "Wait, plea-
se!", rozuměl, do haly se vrátila její matka s něčím veli-
kým, co nesla zabalené v kusu plátna. "Nou, nou!" bránil
se. "Yes, yes!" zaopičila se Rosemary, zrudl, všimla si

toho a řekla mu pomalu: "You must take this. You —
saved — my — life!"

Teprve když spěchal s balíkem v podpaží k vzdálenému
poli, došlo mu, že Rosemaryina slova byla značná nad-
sázka. Jenom si odřela dlaně. A nebyla žádná cimprlínka.
Ale už jí odpustil opičení a bylo mu jedno, že přeháněla.

Ukázalo se, že v balíku je uzená šunka. Po dlouhé době
měli večeři, jíž se dalo říkat večeře. Uvědomil si, že doma
takovou neměli snad ani o posvícení.

"Zamilovala se do tebe," řekla Lída, když nad šunkou
vylíčil, jak Rosemary rozpřáhla sněhulácké ruce a vláka-
la ho na kozlík. Přes okouzlení, ne ani tak cizí dívkou jako
dobrodružstvím, jež krásně trčelo z monotónie denodenní
otročiny, nezapomněl, do čeho zabalil bolavé dlaně. Toho
večera však na to Linda nepřišla. Objevila ztrátu až o tři
dny později, jenže mezitím už dobrodružství přineslo do-
brý zisk.

"Budeš povídat," pravila Lída, když se snažil popřít
její tvrzení, a olízla si prsty. "Takovejhle prezent — to jen
tak, jo?"

"Zachránil sem jí — " málem opakoval nadsázku, " —
její spřežení. Že jí neuteklo."

"Budeš povídat! Copak splašený koně utíkaj na kraj
světa?"

Druhý den večer před chalupou zaržání — seděli u
večeře, ale měli jen polentu. Šunka, zabalená v plátně,
spočívala v chladné díře pod prkny v rohu sednice, pro
zlé časy. Zaklepání na dveře. Táta otevřel a proti texaské
obloze stála divoká silueta muže v texaském klobouku.
"My name is John Carson," *řekl.*

"Toupelík," pravil táta a česky: "Poťte dál, ať nám
nevynesete spaní."

"May I come in?" *zeptal se Carson. Cyril už stál vedle
táty.* "Plís." *řekl.* "Kamin."

Tak dostal džob. Carsonovi onemocněl dohližitel,
chtěl se vrátit do New Orleansu, kde měl sestru, vdovu po
bohatém obchodníkovi s tabákem. Později Cyril zjistil, že

155

na Carsonovy černochy není třeba dohlížet. Carson nebyl vlastně otrokář, ačkoliv své dělníky vlastnil: plantážník ze sportu, Angličan, ve staré vlasti farmář — ne bohatý, rozhodně ne chudý — který po bezdětném bratranci zdědil obrovskou plantáž v Louisianě. Louisiana se mu nelíbila. Když se otrokářům otevřel Texas, prodal plantáž, zakoupil se ve fayettském okrese a své otroky vzal s sebou. "Těm se v Louisianě rovněž nelíbilo," ušklíbl se, když už Cyrilovi nedělala konverzace potíže, protože anglickou řeč zanedlouho pochytal, skoro jako to umějí děti. Rosemary se mu posmívala, že mluví jako černoši (bylo jich na plantáži příliš mnoho, hodně mluvili), ale i do její královské angličtiny, naučené ještě v internátě slečny Meachamové v Devonshire, pronikaly už nejen texaské nosovky, ale i černošská gramatika. Aspoň když skákala do řeči uvaněným otcovým otrokům. "Málokterým černochům se v Louisianě líbí a mají k tomu dobré důvody," řekl pan Carson. Nevěděl ještě proč, neboť Carsonovým louisianským černochům se v Texasu líbilo, aspoň v tom kousíčku Texasu, který vlastnil pan Carson. Brzy však byly důvody Cyrilovi jasné. Politika pomalu, stále rychleji pronikala do vědomí Toupelíkovy rodiny: Cyril pochopil, že pan Carson není otrokář.

Dva mladí muži, které pan Carson dal k dispozici starému Toupelíkovi namísto polovice Cyrilovy mzdy, taky nevypadali na otroky. Huba jim jela, že od nich angličtinu — ovšem jejich angličtinu — pochytil i táta, měli šikovné ruce, nechovali se jako otroci. Tátovi spravili bavlníkový gin, koupený z páté ruky a proto gin už jen podle jména, a mámu se smíchem nutili, aby je učila česky. Měli i šikovné hlavy: že češtinu zvládli jak děti, se sice zdálo potvrzovat teorie, které pan Carson, když už Cyril uměl mluvit, po britsku ironizoval, ale pokud byli děti, byly to všemi mastmi mazané děti.

Jenom k sestřičce se chovali jako otroci. Tak se ale — jak se brzy ukázalo — chovali k sestřičce i běloši. Nejenom bílá chátra. Sestřičce, odjakživa hezké, dítě, jak se stává, na kráse ještě přidalo: dítě a snad i ošklivá tragédie, která ji postihla ve starém světě. Černoši měli pěkná jména: Washington White a Jefferson Black.

Pokud měl pan Carson něco z otrokáře, tedy jen to, že víc než o hospodářství hloubal o politice. Plantáž byla v dobrém stavu hlavně proto, že otrokář byl, jaký byl, a otroci byli, jací byli. Za chatami černochů — nebyly to chatrče s hliněnou podlahou, ale prostorná dřevěná stavení — voněla zelenina a kvokaly slepice. Pan Carson hloubal o historii.

Cyril, mladý muž ze čtyřkorcové chalupy, hloubal o hospodářství, třebaže mu nepatřilo. Přemýšlení ho nakonec dovedlo ke všem krásám černého i bílého světa.

Pod přístřeškem v rohu dvora stál stroj na čištění bavlny. Vedle, v hluboké jámě, se tyčila hromada bavlníkového semene. Jednou v ní lopatou vyhloubil díru. Semeno leželo v různě starých vrstvách, vrstva na vrstvě, zřejmě pozůstatek několika let bohatých sklizní.

"Co s tím děláte?" zeptal se černocha, který obsluhoval stroj.

"Nic," řekl černoch (jmenoval se Franklin Adams). "Je to k ničemu dobrý."

Cyril nabral hrst semen z nejhořejší vrstvy a rozemnul je v dlani.

"Vůbec nic?"

Franklin zavrtěl hlavou. "Zezačátku sme s tim hnojili. Ale bavlna moc rostla a málo nasazovala do tobolek. Tady se hnojit ani nemusí. Je to čerstvá země. Massa řek, že ať s tim krmíme dobytek. Jenže dobytku to nejede. Taky mlíko se pak nedalo pít. Moc mastný," řekl Franklin. "Tak to tady tak leží."

Chalupa se už Cyrilovi vytrácela z paměti. Ale jen tak tam neleželo nic. To věděl.

Přemýšlel. Začal si hrát se strojem na drcení kukuřice. Na chalupě uměl všechno spravit. Přitáhl šrouby, seřídil čelisti. Stroj dokázal omnout slupky z bavlníkového semene. Oloupaná semena upražil Cyril na pekáči, který si udělal z kusu starého plechového komína, jejž kdysi porazila vichřice, a pak je ručně vylisoval.

Tou dobou už mu angličtina šla. Za pár dní se objevil v kuchyni. Černoška Hester tam pod dozorem Rosemary Carsonové připravovala večeři. Na plotně se smažila kuřata. "Zkuste tohle," řekl a podal jim lahvičku. "Co je to?" Vyvětlil jim, že je to olej z bavlníkového semene. Rosemary ohrnula rty a dělala, že se dáví. "Aspoň na jednom," řekl. "Nikdo to neuhodne."

To věděl. Den předtím vyzkoušeli nový olej s Washingtonem a Jeffersonem.

Rosemary se přestala šklebit. Tou dobou už začala uvažovat, kdy Cyril půjde za otcem.

U stroje na drcení kukuřice stál Franklin a udiveně hleděl na krávu, která hladově chlemstala hromádku rozdrcených a vylisovaných semen.

"To sem blázen," řekl. "Koukněte, massa Cyril, jak jí jede!"

Tak se na Carsonově plantáži začal vyrábět olej. Byla to jedna z prvních výroben na Jihu a Cyril brzy zdokonalil čištění, zbavil olej slabé, ale nepříjemné příchuti. Stal se podílníkem Carsonovy firmy. Jeho věhlas dospěl až k uchu pana de Ribordeaux a u něho Cyril spatřil všechny krásy černého a bílého světa. Všechno ostatní přestalo být důležité.

Opatrně se zeptal Washingtona, protože Carsonových se ptát nechtěl. Už pro to měl dobrý důvod.

"Dinah?" Washington mrkl na Jeffersona a oba se zasmáli. "Dáreček k narozeninám," řekl Jefferson. "Pro mladýho massu Driborda."

Jejich smích Cyrilovi nepřipadal veselý. A co se dozvěděl, se mu nelíbilo.

Seržant se k otázce ne a ne odhodlat. Strach z otevřené rány? Čas a veliká země mu ji dávno zahojily, zbyla jen jizva, na níž prst vzpomínek občas spočinul, a jizva nebolela. Bylo to už jen memento ráje v nevysvětlitelném domku na vršku Gottestischlein, nikoli připomínka útěku v Hanzlitschkových šatech, které mu byly velké, ale bez Hanzlitschkových dokumentů, bez ouředního papíru, jenž by mu poskytl aspoň nějaké bezpečí v zemi, kde různě uniformované uši a oči — zdálo se seržantovi, když se jim vyhýbal stezkami v alpských lesích a potom, už v Německu, před nimi prchal v dostavnících, dokonce vyskakoval z jedoucího vlaku — byly na světě jen proto, aby na cestujících, kteří nedělali nic, co by mohlo vzbudit podezření (i to vzbuzovalo podezření), vyžadovaly papíry s razítky, jaké seržant neměl. Měl jenom peníze, sto osmdesát zlatých ve zlatých a stříbrných mincích, jež Uršula vybrala z Hauptmannovy domácí kasy: naštěstí měl von Hanzlitschek zálibu v mincích ze vzácných kovů. Jenže peníze jenom pomáhaly, nechránily před očima v uniformách. Přesto seržant překročil dvoje hranice — ty druhé, do Holandska, už v kalhotách, které nemusel v bocích zužovat jehlicí jako gatě objemného von Hanzlitschka, a v saku, jež na něm neviselo jako stan (za tři Hanzlitschkovy zlaťáky je koupil od diskrétního Žida v jakémsi jihoněmeckém městečku, kam se konečně odvážil z lesů a kde pak prožil hodiny nepříjemné tísně na malém nádraží, protože si uvědomil, že nebezpečnější než oči v uniformách jsou oči pod buřinkami), a v nejistém rozhodnutí se nějak přestrojit koupil od Žida s odporem i fízlovskou buřinku. V Amsterodamu z něho tíseň konečně a bezmála úplně spadla a v hospodě narazil na nepravděpodobnou partu.

V kapse měl pořád hodně přes polovinu zlaťáků a pod košilí, na nahém těle, podlouhlou sametovou etuji. Už se rozloučili, poslední polibek, už se loučili navždy a pak mu ji vtiskla do ruky: *"Jetzt lauf, und vergisst meiner nicht, mein liebster Mann!"*

Do etuje nahlédl až v lese. Pod alpským měsícem se v ní zablýskal briliantový náhrdelník jako hnízdo skleněných vajíček.

Odněkud houkla nelogická parrotka, seržant se prodral ven ze vzpomínek. Hořící sníh pořád padal na řeku Congaree: odhodlával se k otázce. Protože se bál, aby naň ústy polské dámy nedýchla smrt. Protože v nočních můrách, nejen když přespával ve stozích slámy a ve stodolách na útěku, ale i na Atlantiku a potom dlouho v New Yorku a ještě i v garnizónách Třináctého pluku, v halucinacích jako z ďábelských časů objevovala se mu Uršula na šibenici. Co jestli promluvila služka? Jistě byla vyděšená do morku kostí, ani na ni nemuseli moc udeřit. Co jestli už dávno koloval nějaký drb (přesně: pravda), povšimnutý slídivýma očima, jakých v městečku bylo jako sovích oči v koruně borovice, náhle osvětlené pochodní? Co jestli plukovník vyšetřující tragickou nehodu v lese, která pluk připravila o nejlépe řvoucího důstojníka, neuvěřil výpovědi zakrváceného kamene a stop v kluzkém mechu? Na palandě v garnizóně už U.S. Army se potil seržant smrtelnou hrůzou. Co vlastně dělal hejtman večer v lese na kopci Gottestischlein? Na houby nikdy nechodil a na ty se stejně chodí ráno. Na procházkách v parku ho Uršule většinou nahrazoval mopslík. Ještě tak na korze, ale většinou v kasínu nad pivem, nad koňakem, dva habituelní šláftruňky. Komu vlastně patřil nevysvětlitelný domek? Nikdy se na to Uršuly nezeptal. Někdo přece musel vědět, že někdo domek používá. Možná i k čemu. Seržant se v horku letní Kalifornie třásl zimnicí. Uršula, cizoložkyně a vražednice, stála v trestaneckých šatech pod zlověstným orlem, pod hrozným soudcem, pod strašlivou oprátkou. Třásl se tím víc, že sám byl v bezpečí.

Hypertrofovaná fantazie roztáčela kola nočních myšlenek, v záchvatu šílenství ho napadlo, že by měl opět dezertovat, zase přeplout Atlantik, přes dvoje hranice dojet až do Helldorfu a nějak jako Robin Zbojník nebo Jánošík Uršulu unést po laně z kriminálu, pak s ní přes dvoje hranice a přes oceán — byl to však jen zlomek křečovité vteřiny, věděl, že tohle nebylo možné nikdy, a i kdyby se taková dartagniáda dala provést, teď je na ni už i pozdě. Třásl se strachem o Uršulu.

To bylo dávno. Strach usnul. Ukolébaly ho jiné vzpomínky. Na proslulou pitomost vyšetřujícího plukovníka von Stottelheima, který si jednou na manévrech spletl pravé křídlo s levým a vehnal regiment do trapné porážky. Na chytré oči služky v dirndlu a v bílých podkolenkách, a jak řekla: *"Sie sollen Morgens um sieben Uhr am Gottestischlein sein."* Na Uršulu. Na její: *"Ach, mein lieber Mann. Frag nichts und sei nett zu mir!"*, když si jednou přeci jen troufl zeptat se na vysvětlení záhady domku, kde se Alpy za oknem dotýkaly růžové polevy nebe, a on byl v nebi. To bylo dávno. Nyní se strach probudil a seržant se ho bál.

Byli už blízko bílého domu. Ze dveří vyběhla zděšená dívka v šedomodrých šatech a křičela: "Mamá! Mamá! Stalo se něco hrozného!"

Nevysvětlil to ani Kakuška sám, ale mazaný Shake o tom vyslovil hypotézu, která se netýkala vztahu rasy k alkoholu, nýbrž jazykových schopností mladé Kakuškovy farmářky.

Zdrcený, zostuzený, ale z lazaretu propuštěný násilník Kakuška se totiž podřekl, a tak to z něj vypáčili.

"Na co medicínu?" podivil se Stejskal. Kakuška patřil k nejzdravějším kavaleristům Kilovy jízdy, rýmu znal jen z doslechu a o existenci horečky snad vůbec neměl tušení. Neměl ani osobní zkušenost s průjmem, jímž za pochodu

Georgií trpěli všichni: na farmách tam zůstalo příliš mnoho prasat a přes bídu války je slušně krmili. Kdežto jiní okrajovali z masa tuk, Kakuška okrajoval maso, plnil železné útroby horkou slaninou, a nikdy nic. Právě to znova dokazoval: v ohni si opékali velké kusy prošpikované klobásy, kterou pro potřebu armády zabavili na nějaké farmě Paidr a Shake.

"Jakou medicínu, čoveče?" dorážel Stejskal na divně zaraženého uzdravence.

"Poslala mi jí Boženka," zabručel Kakuška.

"Proč?"

"Já nevim," pravil kavalerista a zrudl.

"Nehřeš!" řekl Shake a Kakuška zrudl do fialova. Shake zpozorněl: "Víš, že lež je smrtelný hřích?"

"Já nelžu," pravil Kakuška a definitivně se prozradil, neboť se v obličeji barvou připodobnil kardinálskému klobouku.

"Věříte mu někdo?" Shake se obrátil k ostatním. Zavrtěli hlavami.

"Lže, jako dyž tiská," pravil Paidr.

"Tiskne," opravil ho Shake a otočil se ke kardinálskému klobouku. "Kakuško! Nalej nám čistého vína! Co sis to nasypal do whisky?"

"Takovej prášek."

"Jakej?"

"Dyť vám to řikám: co mi poslala Boženka."

"To víme, že ti ho poslala Boženka. Ale proč ——"

"Já —" pokusil se Kakuška skočit Shakovi do řeči, ale ten si slovo vzít nedal.

" — a co ti měl vyléčit? Nadrženost?"

Tuhle barvu jde přirovnat už jen k čerstvý krvi, pomyslil si seržant. Díky své špinavé mysli udeřil Shake hřebík na hlavičku.

Nyní se Kakuška proměnil v chlupatou deku a z té to nakonec vylezlo. Věděli, že novomanžel Kakuška se oženil už před třemi lety, hlavně proto, že se dal na vojnu, načež mu Boženka s pláčem sdělila, že je v tom. Odhlásit z vojny se nemohl, a tak z dívky přišlé o panenství aspoň narychlo udělal počestnou ženu a rovnou od oltáře odcválal za Kilpatrickem. Vzdor dlouhé době, jež uplynula od svatby, se však vyhýbal pekárnám i dívkám s přízvisky, jenom se stal stálým abonentem půjčovny desátníka Gambetty. To v něm ale, jak se nyní přiznal, probouzelo špatné svědomí a tak se odhodlal napsat permanentní novomanželce s dvou a půlletým synem Matějem.

"Skotáku, proč sis neřek doktoru Fišbachovi?" namíchl se Fišer. "Ten na to něco má."

"Nemůžeš po mně chtít, abych se sám zvostouzel," řekl Kakuška. "Fišbach neni farář, jenom doktor. Neni vázanej zpovědnim tajemstvim, dá to někde k lepšímu, a abych se šel hambou utopit."

"A psát to starý, to ses nestyděl?" zeptal se Paidr.

"No styděl," připustil Kakuška. "Manžele ale před sebou nemaj mít žádný tajnosti."

"A vona se neměla hambit, dyž šla pro ten tvuj pitomej prášek k doktorovi?" rozčilil se Fišer. "Než udělat vlastní manželce (Fišer byl svobodný mládenec) takovou vostudu, to si tvrdýho rači nakvaltuju."

Shake, obyčejně mluvný, jen poslouchal.

"Dyž Boženka má pusu prostříhnutou," řekl Kakuška. "Ne jako já. Myslel sem, že vona už bude vědít, jak to doktorovi vytmavit, aby se nemusela červenat."

A Shake se ozval:

"Anglicky?"

To Kakušku zarazilo.

"Nojo — anglicky. Von u nás žádnej českej doktor neni. Je tam německej, Šláflíbr, jenomže Boženka německy neumí."

"Takže vona s německým doktorem mluvila anglicky?"

"No asi jistě."

"Kdo umí anglicky nejlíp," otázal se Shake. "Doktor, tvoje mladá stará, anebo ty?"

Kakuška připustil, že asi jistě on. Naučil se dost v armádě. Dost málo. Jako každý voják, několikrát o vlásek

163

unikl smrti a mezi jeho úniky byl i jeden zaviněný angličtinou. Šel do lesa pro dříví, za stromem se objevil strážný (byl to Skot) a něco na Kakušku zavolal. Kakuška nerozuměl, odpověděl česky slovy" "Polib mi šos!" a strážný po něm střelil. Naštěstí měl mizernou mušku.

Z bohatého seržantova proudu vědomí se vynořil plukovník Kennedy, který u Shilohu vydával rozkazy v pečlivě nabiflovaných sedmi řečech a všechny je vyslovoval s těžkým anglickým přízvukem. Jeho pluk zmateně pobíhal sem tam za vlajkonoši, jimž přízvuk rovněž vadil, a do bitvy vůbec nezasáhl. Plukovník po boji vyměnil vlajkonoše, vesměs rekrutované z Bábelu jazyků armády Unie, za rozené Jankejce, napříště velel jen anglicky a jeho vojáci spořádaně klusali za jazyka mocnými muži s prapory, většinou do zkázy.

"Doktor Šláflíbr ani anglicky nepotřebuje," uslyšel seržant Kakušku. Klobásy napíchané na větvích voněly. "Na vokrese málem žádný Jankove nejsou, jenom Češi a Moravci, na jihu pár Švejdů, v Ulmu Němci a jeden Polák v Haldenu. Anglicky věčinou taky moc neuměj, eště tak ty Švejdi, ale ňák se s nima doktor dycky dorozumí."

"Myslíš?" řekl Shake. "Jaks to vlastně napsal manželce?"

"No, žejo," Kakuška zrůžověl. "Že potřebuju něco, abych furt neměl tu — potřebu, co jí mám, když s Boženkou nemůžu —"

"Šoustat?" řekl Stejskal

"To sem nenapsal!"

"When I cannot make love to my wife," přeložil nenapsané Shake do angličtiny a Kakuška řekl:

"Yes."

Z rozpaků vytáhl svou klobásu z ohně, kousl do ní a vodotrysk zarůžovělé šťávy stříkl Paidrovi do oka. Paidr zaklel, ostatní si vzpomněli na pomalu uhelnatějící pochoutku a konverzace na chvíli ustala. Sržant si vzpomněl na konec vojenské kariéry generála Sigela, který v bitvě u New Marketu neporozuměl Halleckovu rozkazu a místo

postupu vpřed ustoupil vzad až ke Strasburgu. Grantovi,
uvízlému u Spotsylvanie, vytekly nervy, a když ho Halleck
telegraficky vyzval, ať na Sigelův postup Shenandoah-
ským údolím ke Stauntonu zapomene, Grant nešťastného
Němce zbavil velení. Shake oslovil Kakušku:

"*Takže je ti doufám jasný, co se stalo?*"

"*Well,*" *řekl Kakuška,* "*něco se stát muselo, dyž sem z*
toho byl tak rozdivočákovanej."

"*To ti patrně řekl Bůh,*" *pravil Shake a vyložil jim svou*
hypotézu. Podle ní rozpoznal doktor Schlaflíbr z pracně
soukaného Boženčina anglického projevu pouze slovo
husband *a frázi* cannot make love to me *a usoudil, že*
Kakuškovi, patrně na dovolené, válečné útrapy snížily
potenci. V dispenzáři namíchal Božence koňskou dávku
zpráškovaných španělských mušek a —

"*Kolik jí řek, že toho máš brát?*" *zeptal se Shake.*

"*Inč,*" *řekl s naprostou jistotou Kakuška.*

"*Inč?*"

"*No inč,*" *opakoval Kakuška.* "*Vono v tý flaštičce bylo*
akorát tak na inč. Tak sem si myslel, že je to asi jednou
provždycky a nasypal sem si to do visky všecko."

"*Ježišmarjá!*" *vykřikl Stejskal.* "*Ty seš ale vůl! Co dyby*
byl bejval doktor Šláflíbr tvý starý rozuměl? Do smrti
smrťoucí už by ti neztvrd!"

Kakuška se ulekl.

"*Všemohoucí stál zřejmě při tobě,*" *pravil Shake.*
"*Anebo, v případě, že ses dal k Volný myšlence, měls víc*
štěstí než rozumu. Ale — Božence doktor vopravdu řek
inč?"

"*No prej asi vopravdu,*" *pravil Kakuška.* "*Je ale taky*
dost možný, že mu nerozuměla."

"*To je asi možná jistý,*" *řekl Shake.* "*Neřek von pinč?*"

"*Copak se s doktorem bavila vo psech?*" *ozval se*
Houska.

"*Pinch,*" *pronesl pečlivě Shake.* "*Pé — í — en — cé —*
há," *řekl a přeložil:* "*pí — áj - en — sí — ejč.*"

Zinkule vyskočil a rozběhl se pryč.

"Sakra," řekl Stejskal. *"Snad taky nepsal starý."*

"Žádnou nemá," pravil Houska. *"Dyk je z povolání."*

Zinkule zahnul k latrínám. Chvíli ho sledovali, pak Stejskal řekl:

"Nebyly votrávený? Mně bylo hned divný, že je mýrnix týrnix nechali viset v udírně."

Dívali se za Zinkulem, až zmizel v ohradě. Shake pravil:

"Pinch — jak se to vlastně řekne v jazyce mateřském?"

Všichni se zamysleli. Byli už v Americe několik let, někteří moc let. Ztráceli slova.

"Štípanec? navrhl Paidr.

"Ale ne," pravil Shake. *"Když je něčeho hodně málo."*

"Málem nic?" otázal se Paidr.

"Mysli, člověče," řekl Shake. *"Copak by jí doktor naordinoval, že si Kakuška má vzít málem nic?"*

"Proč ne?" bránil se Paidr. *"Podle toho, jak vyváděl, by málem nic bejvalo akorát."*

"Málem nic, málem nic," Shake si zamnul čelo. *"Je na to přece česky jedno slovo!"*

Mlčeli. Jak se řekne jedním slovem málem nic? Seržant si už nemohl vzpomenout.

"Ňák jako špaček," ozval se Houska.

"Jakej špaček?" řekl Paidr.

"Nebo špička?" pravil Houska.

"Eště řekni špe — " Shake spolkl, co chtěl říct, a vztekem poteměl. Fakt, že v nové vlasti zapomíná česky, ho zřejmě žral ze všech nejvíc. *"Vlastně — o tom třeba doktor s Boženkou mluvit moh. Hele — "* obrátil se na Kakušku, *"nebyl ten prášek vlastně pro ní?"*

"Já nevim," řekl Kakuška. *"Snad asi možná ne."*

Hluboké mlčení: Kakuška ze zoufalství nabodl na prut nový kus klobásy a seržantovi se zvedl žaludek. Shake pravil:

"Do prkvantic! Do prkvantic!"

Najednou zazářil:

"Štipec!"

"Dyť to řikám!" ozval se Paidr. "Copaks mě neslyšel? Řek sem skoro to samý."

Ale Shake se obrátil na Kakušku, jenž v slábnoucích plamenech dohořívajícího ohně otáčel klobásou. "A tys toho, Kubo," řekl, "spolykal celej inč místo jenom štipec a eštěs to smíchal s whiskou! Můžeš si gratulovat, žes nepřefiknul Jeffa Davise. Má takovou hezkou prdelku."

Nemyslel tím prezidenta rebelů, ale dámské podsvinče, které si přivedli z farmy, jež poskytla klobásy. To odpoledne je pokřtili bourbonem, rovněž zabaveným na farmě, po němž Jeff Davis usnul a ze sna chrochtal, tvrdil Shake, na melodii Yankee Doodle.

V salóně v druhém poschodí stál bílý kůň, za ním na koberci hromádka koňských kobližků. Pod velkým portrétem důstojníka v cizokrajné uniformě ležela na otomanu mrtvola muže v rozedrané uniformě federálního vojáka. Vedle otomanu se válela šavle s bohatě zdobeným chráničem, jaké seržant v Shermanově armádě neviděl, jenom si na ně pamatoval z Helldorfu. Nad mrtvolou drkotala zuby dívka v šedomodrých šatech s blonďatýma lokýnkama. Na zemi před koněm byla otevřená etuje, z níž se vysypaly stříbrné lžičky, veliká panna v kroji a bronzový americký orel. Jedno křídlo měl od krve. Seržantovi připadalo, že tu scénu si někdo vymyslel.

"Co se stalo?" zděsila se madam Sosniowská. "A proč je tu Ferdy?" ukázala na koně.

Kůň pohodil hlavou a zaržál.

Druhá dívka — ta, co je přivítala mezi dveřmi výkřikem — řekla:

"Jankové odvedli Lindu a Grošáka. Tak jsme aspoň Ferdyho —" pohlédla na muže na otomanu a ztratila hlas. Madam Sosniowská rovněž spočinula očima na bledé mrtvole na zeleném otomaně:

"On — ?"

Dívka polkla. "My jsme ho nechaly, když bral stříbro. I panenku z Polska. Ale — "

Roztřásla se, zmlkla.

"Něco si na vás dovolil, slečno?" zeptal se seržant.

Zdálo se mu, že teprve teď si všimla jeho a obou Irů. Irové se rozhlíželi po salóně, v němž znovu zaržál krásný kůň, a ten, jehož cestou ke škole madam Sosniowské seržant přistihl, jak si přihýbá, přistoupil ke koni a pohladil ho po nozdrách. Dívka řekla:

"Ne. Na nás si nic nedovolil." Obrátila se k madam Sosniowské. "Ale sundal ze stěny tatínkovu šavli. Já ho prosila, ať nám ji nebere, že patřila tatínkovi —" dívka ukázala na portrét muže v cizokrajné uniformě. " — ale on ji vytáhl z pochvy a hnal se s ní —" hlas se jí zadrhl, " — já se s ním začala prát —" Nedořekla. Irčan vyndal z kapsy nějaký umatlaný pamlsek a nabídl jej koni. Paní Sosniowská se obrátila k druhé dceři: "Evo?" mlčky ukázala na mrvolu na otomaně.

"Já ho nechtěla zabít!" pípla dívka a oběma rukama si přikryla ústa. Seržant přistoupil k otomanu a rozepnul mrtvole blůzu. Košili pod ní voják neměl. Seržant mu položil ucho na hruď. Slabě, ale přece — bum-bum-bum — Obrátil se na druhého Irčana, který si koně nevšímal, ale zato upřeně hleděl na blondýnku.

"Dej sem tu whisku!" štěkl na něho.

"Jakou whisku?"

"Co máš v kapse," řekl netrpělivě seržant. "Dělej!"

"Jo tu," řekl voják a vytáhl láhev. Seržant po ní dozadu sáhl, odšpuntoval a přiložil mrtvole ke rtům. Kůň upustil další koblížku. Paní Sosniowská přistoupila k mladší dceři a přivinula si ji na hruď.

Za oknem padal na řeku Congaree hořící sníh.

"S tou viskou," řekl Houska. "Vod tý doby, co sem se dověděl vod doktora Paddocka, že ji Češi nemaj pít, u nás se nepila. Ani Vincek se jí nedotk, a ten to neměl lehký."

"Přesedlal na vodu," řekl Shake, "nebo na vodku?"

"Jak mi poradil doktor Paddock," pravil Houska, "na pívo. A vydržel. Málem dva měsíce. Jenomže jednoho krásnýho dne —"

Jednoho krásnýho dne musel táta do Wilberu na křtiny syna (šestého) Ezekiele Koháka, jenž ve Wilberu vlastnil generální stór. Dle rady Dr. Paddocka se na křtinách podnapil pivem, a když ve čtyři odpoledne vyrazil na zpáteční cestu do Bee Grove, zatoužil brzo po konverzaci, kterou na zahradě Ezekiele Koháka přerušil jen nadlidským vypětím vůle (do Bee Grove to přece jen bylo dvanáct a půl míle) a vtáhla ho dovnitř hospoda Homestead Saloon. Nesl si v pytlíku z balicího papíru výslužku: láhev skotské whisky — matka Kohákových šesti synů byla té národnosti a nápoj jí tedy prospíval — a tu postavil na okno za stolem, k němuž zasedl. U stolu potom, nad pivem, probral živé mrtvé, právě narozené i teprve počaté se čtyřlístkem wilberských sousedů. Soumrak jej zastihl pořád ještě u piva v Homestead Saloonu, ale připomněl mu, že tou dobou chtěl už být u piva v Bee Grove. Přemohl tedy nepřemožitelnou povídavost novou dávkou nadlidské vůle a vykročil k domovu. Láhev zapomněl na okně, domů došel za svítání a posnídal tři láhve piva. Spolustolovníci, kteří to měli domů jen pár kroků, poseděli ještě do půlnoci, kdy je hospodský vyhodil. Tou dobou byli už nezdravě zřízeni, neboť přešli od piva (došlo) k ginu, a když i ten došel, všiml si soused Špaček pytlíku na okně. Přesvědčili se, co skrývá, zachutnalo jim to, a protože do hospody právě dorazila Špačkova dcera Sissy a přes vzpouzení odvlekla otce, jehož nezdravý gin oslabil, domů, zůstali na láhev tři a udělali se pod obraz George Washingtona, který měl hospodský Řeřicha vlastenecky nad výčepním pultem. Ještě než se odpotáceli do noci, dostal však soused Vejrobek kvůli vypité láhvi špatné *svědomí. Protože do hospody zapadl vlastně jen na skok cestou z nákupu, měl v brašně dvě láhve řídkého oleje na smažení, který whisku aspoň barvou připomínal. Přemístil obsah jedné do vyprázdněné flašky starého Housky, strčil ji zpátky do pytlíku z balicího papíru a stačil ji ještě postavit na okno, než s ním ospalý hospodský vyrazil dveře.*

Tři dny nato si táta Houska sice na výslužku vzpomněl, ale neměl do Wilberu cestu a rozhodl se, že hospodský je poctivec a že se pro flašku staví při nejbližší příležitosti. K té došlo o týden později, kdy se do města vypravil pro novou zásobu piva. Tentokrát jel bryčkou, na výslužku však opět zapomněl, neboť schůze se čtyřlístkem wilberských sousedů se konala znova v poněkud méně abstinentním duchu.

Dva měsíce neměl záminku k nové výpravě, a potom musel pro pivo poslat Vojtu, jelikož dostal hexenschuss. Jako nezletilce ho však nechtěl vydávat v pokušení zapomenutého nápoje, jelikož věděl, že před diagnózou Dr. Paddocka byl Vojta už málem notorik. O láhvi na okně mu proto neřekl. Konečně po dalších dvou měsících se příležitost naskytla: vdávala se dcera tety Vejlupkové ze Spider Web u Wilberu a na novém zasedání se čtyřlístkem si táta láhev postavil na stůl, aby ji měl na očích. K ránu se mu konečně podařilo donést výslužku domů.

Doma dosud působilo varování Dr. Paddocka: Vincek pouze, jako mlsný kocour, chodil okolo kredence, kam nahoru táta whisku postavil, a zakázaného nápoje se nedotkl. Láhev ovšem byla nadána silou, jež Vincka na obchůzkách přitahovala blíž a blíž. Kruhy se úžily, až jednou k večeru, z ničehož nic, objevil se bratránek Martin se stařičkým otcem na cestě ze vzdálené Kuby v Dakotě do Wilberu, a požádal o nocleh. Muselo se to oslavit — neviděli se už tři měsíce — ale dle rady Dr. Paddocka se začalo pivem. Potom Martinův táta, který v životě doktora nepotřeboval, dostal chuť na něco ostřejšího. Vinckovy se kruhy scvrkly v bod bez rozměrů a na stole

se octla dvakrát zapomenutá a jednou zatajená láhev. Z
ní Vincek štědře nalil stařičkému strýci, Martinovi, Voj-
tovi i tátovi a dvěma mladším bratrům a co zbylo (zbylo
hodně), nalil sobě. "Kvalitní viska," pronesl stařičký
strejc znalecky. "Nechává na skle mastnej flek. Na zdra-
ví!" Ve Vinckovi se probudilo špatné svědomí, jenže ne-
mohl příbuzné urazit. Zdvihli číše a všem se zdvihl žalu-
dek.

"Vod tý doby se Vincek visky nedotk, pokavad vim,"
řekl Houska. "Z táty je zapřísáhlej suchej a já se taky
držel, dokud sem nenarukoval. Tady de vo krk, tak na
zdraví dvakrát nesejde."

Z táboráku zbyly už jen řeřavé uhlíky. Na nich si
nevytravitelný Kakuška opékal poslední dvě klobásy.

V Amsterodamu pršelo. Na náměstíčku dlážděném
mokrými kameny, kousek od Grandhotelu, který kameny
zaléval zlatem rozsvícených oken kavárny v přízemí, stál
menší hotel Savoy. Z Hanzlitschkových dukátů zbývalo
ještě hodně přes polovinu. V pokoji v druhém poschodí
byla na komódě svíčka v cínovém svícnu, a když ji pokoj-
ská zapálila, padla zář na obrázek alpského údolí, kde za
bílou čepicí vysoké hory zapadalo slunce.

Pořád lilo. Za oknem, za stěnou deště — seržant jej
neviděl, ale věděl — byl oceán. Na druhé straně, na
jihovýchodě, se nad Německem klenula noc, na jejím
dolním cípu bylo Rakousko. Věděl, že se tam nikdy nevrá-
tí. Byla tam Uršula, ale ta nebyla nikdy ani možnost.
Jenom kousíček krásného života, zelený ostrůvek v šedi-
vém a černém moři jeho existence.

Sklátil ho strach o Uršulu. Nemohl však nic dělat.
Ještě hodně přes polovinu Hanzlitschkových dukátů mu
zbývalo.

K čemu?

V deštivé amsterodamské noci byla volba jasná. Zítra k cestovnímu agentovi, loď, Amerika —

Sešel do hotelové jídelny. Jméno hotelu znělo vznešeně, hotel sám — jak jeho rozměry napovídaly — byl, co byl: útulek drobných pocestných, nikoli bez prostředků, ale neoplývajících penězi tak, aby mohli zaplatit za portýrské livreje v Grandhotelu.

Usedl k nálevnímu pultu, a protože ta spousta peněz byla k ničemu, poručil si celou láhev koňaku. V něm se měl rozpustit šedivý oceán, až by zůstal jen zelený ostrůvek s Uršulou, bez krvavé stopy Hanzlitschkova zátylku, bez šibenice.

A pak uslyšel mateřštinu.

Lekl se.

Hlasům nerozuměl, ale vnímal intonaci řeči, v níž byl doma, ačkoliv s rájem se mu nespojovala: s tím jenom nenáviděná a milovaná němčina (Ach, du lieber Mann! Aber du weisst es doch, oder bist du so dumm? Mus ich es noch dazu sagen? Wenn du die Sprache so wenig verstehst, mein liebster?). Líbezný jazyk Ursuly von Hanzlitschek. Ráj domov nebyl, ale v řeči domova byl doma. U rohového stolu seděla parta sedmi mužů, nejstaršímu jistě ne víc než třicet, i když věk kamufloval hustý doutníkový dým. Všem čouhala z obličejů velká trabuka, jejich zlaté manžetky v rozporu s nuzným ošacením. Kromě jednoho. Tomu nad trabukem vyčníval z aristokratické vizáže orlí nos, měl nové šaty z irského tweedu a jeho hlas vévodil konverzaci. Na stole velká otevřená krabice těch doutníků a dvě láhve brandy.

Porozuměl hlasu —

"...nský má v Novým Yorku cihelnu. Potřebuje chlapy, který nemaj obě ruce levý..."

Sebral láhev a buřinku ze židle a vstal.

"Krajani?"

Škubli sebou, sedm párů nedůvěřivých očí za clonou kouře. Všimli si fízlovské buřinky, strach.

A jeden náhle řekl:

"Kapso! Seš to ty?"

Hlas z nepříliš vzdálené minulosti. Vesnická tvář. Naposled ji viděl pod dvěma mosaznými jablíčky na rakouské čepici.

"Šálek?"

"Nojo, čoveče drahá! Co ty tu děláš?"

Co ty tu děláš, pomyslel si. Tenkrát zahlédl Šálka v Praze, když Windischgraetz nemilosrdně lámal barikády kanonádou. Pochodovali kolem baterie do východiště k útoku a vnímavost, zjitřená napětím bitvy, zaznamenala obrovitého Šálka z vedlejší vesnice se zčernalým nabijákem v ruce, jak rve kouli do hlavně. Očima přelétl celé shromáždění. Nad obličeji sbírky buranů, kromě toho v tweedovém obleku, se v seržantově fantazii zablýskala mosazná jablíčka.

"Asi to samý co ty, Ondro."

Přisedl, vyslechl jejich kratičké příběhy. Dohodli se, utekli, celá česká parta z Mohuče, ze spojené rakouskoněmecké posádky. Byli od Pětatřicátého plzeňského pluku Klevenhuellera, jenž měl s sebou devět setnin dělostřelectva od pražského Prvního pluku. Všichni až na nosatce v tweedu: ten řekl, že je od dělostřelectva generála Hartmanna, ale dělostřelec že není. To sežant poznal: muž neměl kanonýrské ruce. Byly to — farářské ruce? V pravici držel nosatec doutník ve stříbrné špičce, kolem níž se vinul hádek ze slonové kosti. Byl to feldkurát? Proč by rakouský feldkurát dezertoval z armády, kde feldkuráti zaujímali postavení hned po Bohu a císaři? Jenže možná že na počátku tohoto kněze je taky nějaký von Hanzlitschek a nějaká — ale Uršula byla jen jedna.

Kratičké příběhy o dlouhé, nekonečné vojančině, o mizérii teď po krachu na pražských barikádách ještě mizernější. Mizerné zprávy z domova. Havlíček už noviny vydávat nesmí, basy, pravil drobný muž z Nymburka, spolkly stovky vlastenců, v Rakousku je u kormidla svině Bach. Jedou do Ameriky. Už tam mají i práci.

Seržant přistavil svou láhev ke dvěma na stole a všiml si, že nosatec — nebo snad nějaký poručík emeritus? napadlo ho — zavadil o láhev pohledem a potom jím s otázkou spočinul na seržantově tváři.

"To je pravda," pravil poručík. "O čtyři roky, ještě před osmačtyřicátým, nás předešel z posádky Tůma. Ten šel sám. Tedy — ne doslova. Odešla s ním ovšem taky plukovní kasa. Teď má v Brooklynu hospodu a říká si Senny. Dal se dohromady s nějakým Sennou a vlastněj taky cihelnu."

Muži kolem stolu se zachechtali.

"Nalejte si," seržant ukázal na svou láhev.

"A ty si vem trabuko," poručík emeritus — nebo feld-kurát? — k němu přistrčil krabici. Sám dýmal pořád z doutníku, zastrčeného ve stříbrné špičce, kolem níž se plazil hádek ze slonové kosti.

"Pěknej ptáček," pravil seržant.

"Myslíš Tůmu?" řekl poručík-feldkurát. "To máš recht. Ale vlastenec je taky."

Seržant si zapálil cigáro. "Vopravdu?" Cigáro mu připomnělo von Hanzlitschka a odložil je do popelníku. "A vodjel před vosumačtyřicátým?"

"Proč ne? Amerika byla na světě už před osmačtyřicá-tým. Nepotřeboval jako my, moulové, kopanec do zadku od pana generála Windischgraetze."

"Stačila mu šance s kasou, že?"

Poručík znovu — seržantovi se zdálo že významně — pohlédl na jeho láhev.

"Máš recht. Jemu právě stačila ta šance s kasou."

Zmlkli. Ozval se jeden z těch šesti:

"Von dává v tý cihelně práci jenom krajanum. Jedem vlastně na jisto."

"A hledá český kapitál," řekl nosatec. "Chce podnik rozšířit." Usrkl koňaku a opět pohlédl na seržantovu láhev.

Nakonec s ním seržant osaměl. Měl pokoj v hotelu jako on. Ostatní odešli do noclehárny v přístavu.

"Odkuds ty vlastně vzal roha?" zeptal se poručík.

"Promiň, ale to si nechám pro sebe."

Zase ten pohled na láhev.

"Nebudu vyzvídat. Měls k tomu jistě pádný důvody."

"Jako všichni."

"Jak se to veme," poručík vytáhl z tweedové kapsičky zlaté cibule. *" Ty kluci —"* pohodil hlavou ke dveřím, za nimiž před chvilkou zmizeli," — *u těch je to bída. Rakousko. V Rakousku je teď — a dlouho bude — vojna jako řemen. I v civilu. I kdyby nebyla, vrátěj se z vojny, jejich holky se jim zatím povdávaly za chytráky, který podmazali verbíře, protože na to měli. A co je čeká? Dřina, kamaráde, dřina a naděje, že když budou hodně dřít, zůstanou naživu až do smrti. Myslíš snad, že některej z nich je ze statku?"*

"Já sem taky jenom z chalupy," řekl seržant. *"Proto sem taky byl v mundůru."*

"A proč už nejsi?" Cítil na sobě pronikavé — farářské? — oči. *"Protože se ti taky nechtělo zpátky do chalupy? Protože se ti taky zachtělo do Ameriky?"*

Neřekl nic a vzklíčila v něm hrůza, jestli nesedl — jestli i těch šest nesedlo — na lep. Jestli tweedové sako není buřinka v přestrojení. Zamrazilo ho. Ale byli přece v Holandsku —

"Já ti povím, jak to s tebou je, kamaráde," řekl nosatý poručík emeritus a vložil čerstvý doutník do stříbrné špičky, kolem níž se plazil hádek ze slonové kosti. *"Ty se na chalupu vrátit nemůžeš!"*

Přišly dopisy. Seržant stál na stráži před generálovým stanem a hleděl na vickburské palisády. Město se zvedalo nad širokou řekou jako rozžhavený trojúhelník. K nedobytí. Ze stanu vyšel poručík Williams.

"Sergeant, you're Bohemian?"

"I am, sir."

"The general wants to see you."

Ve stanu seděl za polním stolkem jeho generál a zahušťoval doutníkem znikotinované ovzduší. Zvedl k seržantovi oči, které se vzdor koncentraci dýmu leskly, nebyly zarudlé. Opakoval otázku poručíka Williamse. Seržant opakoval odpověď.

"U Šestadvacátého wisconsinského je hodně vašich krajanů, pravda?" řekl generál. V seržantovi hrklo. Generál měl před sebou dopis s hlavičkou, jež vypadala na nějaký farní úřad. Přečíst se nedala, dopis byl k seržantovi vzhůru nohama. Generál si v něm něco přečetl, pak se otázal:

"Znáte nějakou vivandiérku, které se říká —" odkašlal si, "— Kozatá Betty?"

"Myslím," seržant se snažil vzpomenout, jestli mezi utěšitelkami je nějaká toho jména, a není-li to dokonce krajanka, ale marně, a tak řekl: "Myslím, že neznám, pane generále."

"Ale to víte, že takové ženské v táboře jsou?"

"Vím," připustil seržant. "Znám Easy Lizzie, Bubble Barbie, Hot Bottom Lynn — "

Generál ho přerušil:

"Seznam nepotřebuju. Jenom vědět, jestli se tu někde vyskytuje —" odkašlal si, "— Kozatá Betty."

"S —" seržant napodobil generálovo odkašlání, "— Kozatou Betty vám posloužit nemůžu, pane generále. Ale přeptám se."

Generál přihustil atmosféru, vrátil se k dopisu. Venku cinkaly ešálky nějaké pochodující čety. Generál pravil:

"Vojáci člověka vždycky něčím překvapí. Něco vám přečtu." Zdvihl dopis s farní hlavičkou, pod ním leželo jiné psaní, na růžovém papíře s ozbrojeným amorkem, jaké vojenským spisovatelům prodával desátník Gambetta. Amorkův šíp byl z pozlaceného plechu, dal se z luku vyjmout a zapíchnout do srdce na druhém listě růžového dvojlistu, který zasažená měla odstřihnout, popsat a poslat lučišníkovi. Generál se jal číst z růžové stránky:

"Každý večer, milovaný bratře, šeptám své zdejší milé, která je utěšitelkou chorých v plukovním lazaretě: Aj, jak jsi ty krásná —" generál si odkašlal, " — Kozatá Betty, aj, jak jsi krásná —" generál recitoval text, hojně prokládaný jménem dívky se zajímavým přídomkem a seržant zděšeně přemýšlel. Generál dočetl až k verši — a v něm si odkašlal dvakrát —"Oba tvé —" odkašlání, " — prsy jako dvé telátek blíženců srních —" odkašlání, " — Kozatá Betty, jež se pasou v kvítí — No," generál odložil psaní, "dál snad nemusím. Text, předpokládám, v podstatě znáte. Jste křesťan?"

Seržant zavrtěl hlavou a s hrůzou domýšlel různé varianty následků. "Býval jsem katolík. Teď se hlásím k Volné myšlence. Jsem theista."

"Vy jste někdy studoval v koleji?"

"Ne. Ale četl jsem knížky. A text znám."

"I když nejste křesťan, budete se mnou snad souhlasit, že je to pěkná blasfemie, uvážíme-li, že tohle je armáda povýtce křesťanská, aspoň podle jména. A vezmeme-li v úvahu, zač bojuje. Ale něco jiného je mít pletky s —" odkašlal si — " — Kozatou Betty a eventuálně se tím chlubit mezi vojáky, a něco jiného je psát takové nepatřičnosti v dopisu bratrovi." Něco hledal v listě s farskou hlavičkou a seržant intenzívně pocítil blížící se pohromu. "Alespoň," generál našel, co hledal, "když je tomu bratrovi osm let."

Odložil dopis a pohlédl seržantovi do očí.

"To nemůžu nechat jen tak," pravil výhrůžně. "Hoch tomu nerozuměl, ukázal dopis starší sestře, ta jej přeložila rodičům do jejich mateřštiny a oni s ním zašli za farářem, aby pisateli promluvil do duše. Farář tím pověřil mě. Mám vám jeho dopis přečíst?"

"Není to nutné," zachraptěl seržant.

"Znáte u Šestadvacátého wisconsinského vojína jménem —" generál nahlédl do farářova dopisu. " — Vož-teč Hauska? Je to váš krajan a slouží u setniny K."

"Ten to nebyl!" vyhrkl seržant. *"To psal —"* zarazil se, ale pod generálovým přísným zrakem musel kápnout božskou.

Za čtvrt hodiny stál pobledlý žertéř Shake před generálem a nepřesvědčivě tvrdil, že útlý věk Vojtova bratra mu nebyl znám. Generál mu nevěřil, a ač obvykle stručný, kázal dost dlouho o kažení neviňátek. Za hodinu už Shake truchlivě kráčel táborem v sudu s nápisem JSEM LHÁŘ.

Zklamanému generálovi se přiznal, že Kozatou Betty si vymyslel.

Housku si k sobě generál ani nezavolal. Seržant si oddychl. Houska snad setrvá v blahém nevědomí.

Vzápětí se praštil do hlavy. Daly se přece čekat dopisy od táty a mámy, proslulých povídavostí, jimž zasvěcení faráře jistě nebude stačit. Psát sice neumějí, ale na psaní mají syny.

Jen aby nenapsala snoubenka!

Té to snad rodiče neřekli.

Za pár dní zastihl Housku před stanem s psaním v ruce. Vojta se mračil a vrtěl hlavou.

"Co ti píšou z domova, Vojto?"

"Sem z toho jelen," řekl vojín z Wisconsinu. *"Máma mi káže jak velebnej pán. Že se mám vyhejbat lehkejm ženštinám a mejt se studenou vodou. A na maso si nedávat pepř ani jiný koření —"* Houska zvedl zachmuřené oči od dopisu, *" — jako dyby se v armádě jen tak jako nic dal sehnat pepř!"*

"Menuje máma ňákou tu lehkou ženskou?"

"Ne," řekl Houska. *"To bych rád věděl, jak jí to napadlo. Sem přeci zasnoubenej."*

Ale už zas piješ whisku, pomyslil si seržant a nahlas řekl:

"To víš, mámy si dělaj zbytečný starosti."

Domácí fronta je tedy zachráněna. Teď ještě snouben-
ka. Ale té to přece neřekli.

Za týden přišla nová pošta. Houska znovu seděl před
stanem nad dopisem a tvářil se jako sedlák, jemuž shořela
stodola.

"Děje se něco, Vojto?"

"Přečti si to," pravil Houska záhrobním hlasem.

List obsahoval jedinou větu, napsanou krasopisem
absolventa jednotřídky:

Vojto tosem nevěděla že seš takovej prasák sbohem
beru si fredy houžvičku z cedrový rapice už né tvá vždy
růža.

"Ať sem trajcem," pravil Houska jako funebrák. "Ser-
žo, nevyved sem něco ve vožralství? Ale takový vokno
snad čovek nemůže mít." Zamyslel se, pak se rozzuřil: "A
kerej skoták jí to napsal, jesli sem snad ve vožralství něco
vyved?"

Dva měsíce pak — s výjímkou čtrnácti dnů, kdy se
zapletli do šarvátek s rebely a pošta nefungovala —
Houska zanedbával rodinnou korespondenci a bojoval o
záchranu snoubenky.

Hned poté, co si seržant přečetl snoubenčin ortel nad
Vojtou, zašel za Shakem, který měl odpochodováno teprv
půl trestu v sudu. Šprýmař pokorně sedl a napsal dlouhé
psaní. Jenže hned nato udeřili rebelové, pošta uvízla,
bojovali, krváceli, a další dopisy přišly až za dva měsíce.

Vojta zdrceně seděl před stanem.

"A mám po nevěstě," řekl seržantovi. V dopise stálo:

Milý vojto vodpusť mi byla sem ne spravedlivá ale
napravit se to už nedá před tejdnem sem se vdala za fredy
houžvičku z rapic a na vánoce čekáme rodinu už mi nepiš
to se vdaný ženský nehodí tvá vždy růža.

To bylo koncem září. Seržant přemýšlel, zda hochovi
z Bee Grove došly implikace Růžina sdělení.

Jestli došly, nedal to na sobě znát.

"Popad mě vztek, seržo, a já se neudržel," říkal otrhaný voják, který na otomanu už seděl a dával se ošetřovat. Madam Sosniowská přinesla kus bílého plátna a otrhanci rostl na hlavě turban. Byl bos a palec na levé noze měl zabalený do špinavého hadru. "Já dyž vidim ty nafoukaný rebský ksifty na těch vobrazech, du po nich. Vod Kennesaw sem jich rozsekal aspoň padesát. Ty bys to dělal taky, seržo. Mně u Kennesaw zabili mladšího brášku."

Seržanta dávno pokrytého hroší kůží se dotkla lítost. Viděl ten ubohý palec na bosé noze. Pravil drsně:

"Jenže tady ses seknul sám. Tohle neni rebskej oficír."

"Nežvaň, seržo. Poznám přece ty jejich kokrhély. A ta šavle —"

"Tenhle bojoval v jiný válce," řekl seržant. Madam Sosniowská dokončila obvaz a sepnula jej špendlíkem. Voják se opatrně otočil k obrazu.

"V mexický?" zeptal se.

"Ne," řekl seržant.

Voják si prohlížel portrét.

"Za revoluce se takovýhle mundůry nenosily. Na žádnym vobrázku sem nic takovýho neviděl."

"To je můj nebožtík manžel," řekla madam Sosniowská. Voják se k ní podmračeně otočil. "Bojoval v Polsku." Nezdálo se, že voják chápe. "V Evropě," řekla madam. "Proti ruskému carovi."

Možná to slovo, americké anatéma, vojákovi něco řeklo. Vstal těžce z otomanu, zabručel:

"Promiňte, madam." Rozhlédl se, všiml si rozházených lžiček, sehnul se a začal je neobratně dávat zpátky do etuje. "Dyby vaše cery bejvaly něco řekly —" Vstal, podal etuji madam Sosniowské, nejistě se otočil k seržantovi. "Seržo —"

"Běž se prospat," řekl seržant. "Zejtra vyrazíme do Severní Karolíny."

"Díky, seržo!" voják se otočil a vrávoravě vykročil ke dveřím.

"Vojíne," pravila tiše madame Sosniowská. Voják se zastavil, ohlédl se, zřejmě s námahou. Paní Sosniowská vzala pannu a beze slova ji podala Shermanovu otrhanci.

"Ale madam —"

"Vezměte si ji," řekla. "Jako souvenir."

Seržantovi bleskl hlavou Dignowitý, který kdysi taky bojoval v dalekém Polsku a ani v otrokářském Texasu se nezměnil. Zase měl dojem — kůň, zakrvácený orel, panna, kobližky na zeleném koberci — že si to někdo vymyslel.

Byla to válka.

Obrazci otrhanec možná dobře nerozuměl. Seržant ano.

"A nekoukej na mě jak tele na nový vrata a zapal si!" Poručík — jestli je to poručík — mu podal doutník se zlatou manžetkou. Dal si ho zapálit, třebaže nosatec mu teď víc než dřív něčím připomínal muže, jehož zabil v domku na Gottestischlein. "Plaveš v tom jako já, viď?"

"Vo tobě nic nevim," řekl a nedíval se mu do očí, ale na tweedové sako. "Jenom to," řekl, "že ty z chalupy nejseš."

Poručík se zachechtal.

"Tos uhod. Já sem ze zámku."

Snad je to teda opravdu poručík.

"Lokaje syn," dodal nosatec, a když si všiml nového podezření v seržantových očích, řekl: "Podívej se. Ty tady vykládáš, že seš obyčejnej vojcl — a najmeš si pokoj v Savoyi a koupíš si flanděru za dva zlatý. Buď lžeš a žádnej obyčejnej vojcl nejsi, a jestli nelžeš, je tady jen jedna jiná možnost."

To náhle napadlo i seržanta.

"A co ty? Ty seš vobyčejnej vojcl?"

"Generálskej ordonanc. Takže obyčejnej vojcl v trochu lepším postavení."

Seržantovi spadl kámen ze srdce. Nasál kouř z doutníku a trochu se mu zatočila hlava. Ukázal na poloprázdnou krabici.

"Todles čmajz generálovi?"

Poručík-ordonanc se ušklíbl.

"Asi jako tys čmajz tuhle láhev výčepnímu."

Tweedový oblek se změnil v tweedový oblek. Seržant si uvědomil, že nosatcova mylná interpretace jeho vlastního případu je vlastně vysvětlení pravděpodobnější, než kdyby v nějakém pominutí smyslů vyprávěl muži v tweedu o vršku Gottestischlein.

"Něcos ale čmajz, žejo?"

"Generálovou kasu. A ty?"

"Já — jenom plukovníkovou."

"Tak si ťukněm!" Ordonanc naplnil sklenice seržantovým koňakem. Ťukli si, číše zazněly jako zvon.

"Kolik máš?" zeptal se nosatec.

Ale to mu seržant řekl až na Atlantiku.

Před bílým průčelím domu, které žloutlo odrazy ohňů z hořící Kolumbie, sebral seržant konečně odvahu. Po cestě klusala švadrona Kilovy jízdy, vzadu Kakuška v nových jezdeckých botách s blyštivými ostruhami, které nevyfasoval. Cválali k severní obloze, která už potemněla a hořící sníh proti ní svítil jako rozpadlá kometa.

"Madam," řekl seržant, udělal pauzu, hrdlo mu sevřel strach. "Znala jste — neznala jste, když jste ještě žili v Helldorfu —" naposled zaváhal, potom německy: "Frau Hauptmann von Hanzlitschek?"

"Uršulu?" pravila madam Sosniowská a seržantovi srdce dusalo jako kůň.

Na řeku Congaree padal hořící sníh.

Spisovatelčino Intermezzo II.

1.

"Vallandigham věří — nebo tvrdí, že věří — že náš spor s Jihem nevyřeší válka, ale mírová jednání," říkal můj manžel Humphrey nad vepřovými kotletami, které mi samozřejmě nejdřív pochválili, než se pustili do konverzace, jež je zajímala. Večeři na Ambrosovu počest připravila ovšem naše panská a factotum Jasmine: od té doby, co k nám přišla, převzala dozor nad kuchyní a já svou kulinářskou činnost omezila na vaření čaje, což mi šlo. Jasminu jsem sice najala jako pokojskou, ale ona ve velkém domě pana Carmichaela v Jižní Karolíně pochytila leccos od kuchařské přebornice Gospel. Z pana Carmichaela vypěstovala jeho nebožka žena nadlidsky mlsného labužníka, takže když jako oběť vlastního umění v mladém věku zemřela, zaplatil vdovec za proslulou Gospel neslýchanou sumu pěti tisíc dolarů, ačkoliv měla jen jednu nohu. Neuvážené sumy brzy litoval, neboť sotva si kuchařku přivezl na svou plantáž, ukázalo se, že Gospeliny kuchyňské schopnosti spočívají na nejistém základě jakési magie, která v Karolíně přestala nebo snad začala fungovat.

Věděla jsem, že Ambrose má pro černochy slabost, snad dědičnou. Jeho otec se vydal — jak se tehdy říkalo — po "quakerské stezce" z rodné Jižní Karolíny do Indiany a tam otroky po rodičích propustil na svobodu. Rodinou tradici posílilo přátelství s vojenským sluhou Robertem Hollowayem, jenž svému veliteli, jak Ambrose později přehnaně tvrdil, zachránil život, když ho v Mexiku zle zřídila úplavice. Přátelství ho sice neproměnilo v militantního abolicionistu, ale otrokáře nesnášel a negrobijce, jako byl Vallandigham, nemohl cítit. Když začal, údajně moje, kotlety vynášet do nebes, rozhodla jsem se proto, že se nebudu chlubit cizím peřím a po večeři představím Jasminu Ambrosovi. Předpokládala jsem, že dívka bude ve společnosti generála Unie v sedmém nebi, neboť na vítězství severních zbraní měla nejenom zájem u své rasy přirozený, ale taky velice silný interes osobní.

"Jenomže Vallandigham se mýlí," říkal můj manžel. "I kdybych si dokázal představit, že Jeff Davis přistoupí na mírová jednání s Lincolnem, bude za tím nějaký postranní úmysl, ne upřímná vůle k dohodě. Bude chtít své armádě dopřát odpočinek, nebo příměří využije k nerušené expedici bavlny do Anglie a tak podobně. Rubikon už překročil."

"S tím souhlasím," pravil Ambrose.

"Jih se odhodlal k secesi ne z nějakého zásadního filozofického důvodu," pokračoval Humphrey. "Nejde tu o žádnou teorii, ať už opřenou o biblickou legendu o služebnících určených k sekání drva nebo o nějaké paleontologicko-psychologické spekulace o nerovnosti lidských plemen. Otrokáři vědí líp než my tady na Severu, že takové legendy jsou žvást. Na rozdíl od nás, kteří černochy pojímáme většinou jenom jako koncept, oni je znají jako lidi z masa a kostí a moc dobře vědí, že to lidé jsou. Žádná filozofie, pane generále. Otrokářství se prostě zatraceně vyplácí!"

Koncept jménem Jasmine vstoupil s podnosem a já si vzpomněla na její pětitisícovou učitelku, již na plantáži pana Carmichaela zázračné schopnosti žalostně opustily a ona svému mlsnému majiteli předkládala kuřata spálená na uhel, přesolené omáčky a rozvařenou rýži.

"Co je s tebou, Gospel?" rozčiloval se pan Carmichael.

"To to zlý kouzlo, massa!"

Pan Carmichael na kouzla nevěřil. Černochy měl za lidi primitivní, protože nevzdělané, a byl si jist, že postačí vymyslet si nějakou pohádku, která kouzla odkouzlí a on se dočká pochoutek, kvůli nimž si Gospel přisvojil. S vážnou tváří se tedy kuchařky zeptal, co že je zdrojem té černé magie.

"Muj syn Hasdrubal, massa."

"On je čaroděj?" otázal se pan Carmichael pořád s vážnou tváří.

"Naučila ho to Nausika, zlá negerka na plantáži massy Robertse. Každýho dovede uhranout. I massu uhranula."

"Opravdu?" Panu Carmichaelovi se pořád dařilo tvářit se vážně, ačkoliv Nausiku znal, i jejích pět světležlutých dětí, na něž se pod různými záminkami chodily dívat drbny z celého kraje. Po matce okaté dětičky měly všechny orlí nos pana Robertse. Byly to jediné děti s takovými nosy na plantáži, protože s manželkou pan Roberts potomstvo nezplodil.

"Jak ho uhranula?" zeptal se vážně pan Carmichael.

"Že nemoh mít děti," pravila stejně vážně Gospel.

Pan Carmichael znejistěl a zauvažoval, zda je kuchařka tak hloupá, jak si myslel, nebo tak drzá, jak se mu začalo zdát. Neřekl však nic a zeptal se:

"Takže tvůj syn uhranul tebe, Gospel. A jak?"

"Přeci vám to nemusim vysvětlovat, massa."

Věru ne. V panu Carmichaelovi vzklíčilo podezření, že kuchařka na kouzla věří stejně málo jako on. Zmocnilo se ho taky nepříjemné tušení.

"Chtěl jsem říct: proč tě uhranul?"

"Dyž mě prodaj a jeho neprodaj se mnou, neuvařim už v životě ani kukuřičnou kaši," pravila Gospel s tváří vážnou do nehybnosti.

Pan Carmichael dostal vztek a v duchu zrušil kauzální nexus nevzdělanosti s hloupostí. Tak ty tak! obořil se na Gospel, ovšem pouze v duchu. Já tě naučím — jenže to asi sotva. Došlo mu, že je vůči jednonohé umělkyni bezmocný.

Roberts byl karbaník, a kuchařku prodal jen proto, že nutně potřeboval sehnat osm tisíc. Kuchařka nového majitele zapřísahala, aby si koupil také jejího syna. Hasdrubal byl mladý, hezký, komornický typ a Roberts zaň požadoval tři tisíce. Pan Carmichael komorníka nepotřeboval a vyhodit tolik peněz za negra na pole se mu příčilo. Z koupě sešlo, plačící Gospel odjela do Karolíny sama, a tam padla za oběť Hasdrubalově variantě černé magie.

Pan Carmichael se vztekle zeptal:

"Proč mi o tom uhranutí neřekla už v Georgii?"

"Myslela sem, že se to Hasdrubalovi nepovede. Von předtim nikoho neuhranul."

Jinými slovy, trik ji napadl až v Karolíně.

"To je od tebe velice ohleduplné, Gospel," pravil pan Carmichael, proti svému zvyku jedovatě. Věděl, že je v pasti. Gospel byla sice taky vynikající švadlena, Hasdrubalovo kouzlo by však jistě ochromilo i jehlu a pan Carmichael nechtěl chodit v kalhotách s jednou nohavicí o stopu kratší. Fáma o uhranutí se brzo rozšíří široko daleko a Gospel bude neprodejná. Hleděla na něho s tváří, z níž se nedalo vyčíst, co si myslí, jenže on to věděl. Pravila:

"A hlavně sem počítala, massa, že byste mi nevěřil. Vy si myslíte, že žádný kouzla nejsou."

To už měl pan Carmichael co dělat, aby se ovládl, a ona — vážně, ale jemu se zdálo že s vítěznou ironií — dodala:

"Anebo ste si to donedávna myslel."

Nezbylo než přikoupit ještě jednoho komorníka. Naštěstí se Robertsovo štěstí v kartách obrátilo a on, v dobré náladě, střelil Hasdrubala za pouhých dvanáct set.

"Vallandigham nechápe," řekl můj manžel, "že otěže války drží teď v rukou kapitáni průmyslu. V konkrétní americké situaci se kapitalismus a otrokářství vylučují. Lincoln si možná ani neuvědomil, co všechno znamená jeho proslulé dictum, že americký národ nemůže přežít napůl svobodný, napůl v otroctví. Kapitáni průmyslu by mu tuhle vznešenou, ale trochu abstraktní myšlenku přeložili do konkrétních pojmů. Na jedné straně černí nádeníci na polích — ale pracují sem tam už i v továrnách — kteří nestávkují a jsou placeni v naturáliích, na druhé bílí kverulanti, kteří, v podstatě vyděračstvím, vytloukají z průmyslníků co nejvyšší mzdu. Při vší své zálesácké mazanost je Lincoln idealista, i když, svým způsobem, je idealista i Vallandigham —"

"Chacha!" přerušila jsem svého muže.

"Co tím chceš říct, Lorraine?" otázal se můj manžel a pán přísně.

"Takový příběh tím chci říct," pravila jsem. "Ze života."

2.

Byla jsem očitý svědek, protože vrahova oběť Jeremy Lecklider dodával do naší kuchyně produkty své farmy. Byl to scvrklý padesátiletý mužík a jako mnozí majitelé farem příliš malých, aby si mohli dovolit námezdní síly, a příliš velkých, aby na nich bez zabijácké dřiny mohl hospodařit padesátiletý vdovec sám, vypadal i Jeremy Lecklider na sedmdesát. Žil s ovdovělým otcem, jenže toho v šedesáti zmrzačila dna, takže příštích dvacet let — v době vraždy mu táhlo na jednaosmdesátku — nebyl na farmě skoro k ničemu: nasypal slepicím, s bídou uvařil kaši, vyčistil brokovnici, s níž na podzim Jeremy chodil střílet tetřevy. Na těžší nebo jemnější práce zkroucené prsty a nepohyblivá kolena nestačily. Jeremy byl na všechno sám.

Připadalo mi, že to jsou oba hodní, tíší lidé a marnost své existence — ani Jeremy, ani starý Lecklider neměli sourozence a farma tedy byla bez dědiců — nesou s křesťanskou pokorou. Tak se to jevilo ženské, která psala romantické romány. V Jeremyho románu doutnala pod kamufláží smíru s osudem tragédie.

O tom však nikdo nevěděl, nejen spisovatelka, která pro své příběhy brala ze skutečného života jenom zlomyslné detailky o hezkých mladících a chytrých dívkách a osudy starců ji nezajímaly. Teprve po procesu se starým Leckliderem mi napadlo, že bych mohla zkusit i něco takového. Zjistila jsem však, že je snazší si vymýšlet a čerpat ze zkušenosti papírové, už taky vymyšlené. Nedokončené napodobeniny života jsem tedy svěřila šuplíku, patrně navždy. Leží tam i příběh mojí komorné Jasminy.

Jasminu přidělil pan Carmichael Gospele jako pomocnici brzo poté, co na plantáž dorazil Hasdrubal a zrušil uhranutí. Nakrátko je zase uvedl v činnost, když se pan Carmichael pokusil přidělit ho k práci na poli, protože už jednoho lokaje měl. Opět je zrušil, sotva mu bylo dovoleno nasoukat se do hedvábných punčoch a lokajovi, jenž nyní povýšil na hlavního komorníka, asistovat tím, že v jídelně dělal při večeři dekoraci.

Dekorativní byl a ukázalo se, že ač jako lokaj zbytečný, není bez užitku. Pan Carmichael se ženit už nehodlal, stačil mu prý jeden chomout za život, z něhož vzešla dcera výtečně provdaná za jankejského továrníka Morrise v Clevelandu, ale jinak rád klábosil s dámami a zjistil, že Hasdrubal je objekt, na jaký se dámy barvoslepě rády dívají a mají proto sklon navštěvovat vyhlášeného neženáče.

Jasmine se na Hasdrubala dívala ze všech, černých i bílých, nejraději, a když byla aférka v nejlepším, přijela na návštěvu dcera pana Carmichaela Beate s manželem a s dvěma chlapečky, aby v otcovském domě oslavila osmadvacáté narozeniny.

Debata u večeře v předvečer narozenin by zůstala civilizovaná, kdyby se byla omezila jen na oba muže, kteří byli gentlemani britského typu, neochotní pozvednout hlas, byť se o ně vztekem pokoušely mdloby. A tak zlé to ani nebylo: zvláštní instituci pan Carmichael hájil a pan Morris zamítal nikoli z niterného přesvědčení, ale z důvodů čistě praktických. Jenže Beate, tělesně i duševně vypadlá z oka své vznětlivé matky, jež za svého naštěstí krátkého manželství přivedla pana Carmichaela málem do blázince, se v Clevelandu dostala pod silný vliv abolicionistů a nehodlala držet jazyk za zuby. Večeře měla tedy bouřlivý průběh a skončila malým domácím dramatem, o němž v kuchyni referoval Hasdrubal a Jasmine dostala nápad.

O tragédii, která doutnala pod povrchem odevzdanosti na farmě Elihu a Jeremyho Leckliderů, nevěděl tedy nikdo — kromě podomního obchodníka Jacka Higginse, jenž objížděl farmy po celém kraji a nabízel patentní léky pro lidi i pro zvířata. Ten večer, když na mule přijel k Leckliderově farmě, otevřeným oknem skoro hodinu naslouchal hádce otce se synem. Nakonec usoudil, že chvíle není vhodná pro obchodní nabídky a že není ještě pozdě dorazit k sousední farmě za světla. Druhý den se k Leckliderům vrátil a v domě bylo ticho. Higgins zaklepal. Věděl, že mladý Lecklider bude patrně na poli, ale starý určitě doma: chodil už jen s největší námahou, o dvou berlích, které mu syn vyrobil. Na zaklepání nikdo neodpověděl. Higgins otevřel dveře a vešel dovnitř. Mladý Lecklider byl doma. Ležel na zemi na zádech a v místech, kde měl mít hlavu, byla krvavá louže, v níž plavaly střepiny lebky a chuchvalce šedivých vlasů. V křesle nad mrtvolou seděl starý Lecklider s brokovnicí na klíně a zíral do prázdna.

3.

Prokurátor státu Indiana požádal Clementa Vallandighama, aby vedl žalobu. Právník — mezi dámami se mu říkalo "Krásný Kléma" — přijal: nikdy nepohrdl příležitostí předvést se na veřejnosti. "Proto jsem se zasmála, Humphreyi," obrátila jsem se na svého manžela. "Vallandigham je zcela jistě vynikající právník, ale idealista? Dostane člověka na šibenici stejně šikovně, jako druhého vytáhne katovi z oprátky podle toho, co se mu právě hodí do krámu."

"Slyšel jsem o tom případu," řekl Ambrose. "Vallandigham vyhrál."

"Ano," řekl Humphrey. A ke mně: "Nezdá se ti, Lorraine, že taková snad až obsesívní oddanost povinnosti je známkou jistého druhu —"

"Vallandigham, chce za každých okolností být hrdinou dne." řekla jsem. "Je hotov jít přes mrtvoly a občas přes ně i doslova jde. Starého Lecklidera dal pověsit."

"Protože Elihu Jeremyho zavraždil."

"Myslíš, že to je to správné slovo?"

Ve starém článku v *Cincinnati Daily Gazette* jsem na Vallandighamovo jméno narazila v souvislosti s Johnem Brownem. Článek vyšel hned po Harper's Ferry a ještě před tím, než Browna oběsili. Už ho ovšem měli. Ležel zraněný v šatlavě a trčela nad ním šibenice. Bez ohledu na její stín vystoupil, tehdy už kongresman, Vallandigham z vlaku v Harper's Ferry, ačkoliv spěchal na volební schůzi do Daytonu, a rovnou z nádraží šel do věznice.

"Chtěl Browna vidět na vlastní oči," řekl Humphrey. "Zajímal ho. Vallandigham je jedním z nejrozhodnějších odpůrců emancipace."

"Kdyby ho chtěl jenom vidět, byla by to řekněme nevkusná zvědavost. Na chudáka se už cenila zubatá. Ale on se z něho pokusil dostat informace, které by mu pomohly ve volbách."

"Brown přece nebyl politik," řekl Ambrose.

"Jenže někteří jeho lidé pocházeli z Ohia. Brown sám strávil jednou pár dní v ashtabulském okrese a to byl volební obvod Joshuy Giddingse, kterého Vallandigham nemohl ani cítit."

"Myslel si, že Giddings měl prsty v Brownově povstání?" zeptal se Ambrose. Snažil se zorientovat ve vosím hnízdě promírového Středozápadu.

"Myslel si, že by na Giddingse mohl vrhnout stín takového podezření. Věděl, že spiknutí republikánských kongresmanů, opatrných na svou kariéru, s náboženským šílencem je čirá fantazie, ale byl mistr v umění jak z podezření vykouzlit iluzi faktu. Doufal, že Brown připustí, že se v ashtabulském okrese setkal s Giddingsem. Jenže Brown nebyl hlupák, nic takového nepřiznal. A to je můj argument, Humphreyi," obrátila jsem se na manžela. "Vallandighamovi nejde o Unii, o emancipaci a už vůbec ne o pravdu. Jde mu čistě a jedině o kariéru Klementa Valandighama. Jestli to je idealismus, pak je Kléma nejidealističtější politik v téhle zemi."

"Trochu moc je vidět, že ho nemáš ráda, Lorraine," pravil můj objektivní manžel a měl pravdu. Ne, neměla jsem Klému ráda. Řekněte tomu ženský instinkt, ale ráda jsem ho prostě neměla. "Nejsi k němu trochu nespravedlivá?"

Do jídelny vešla Jasmine. Mile se usmála na Ambrosa a postavila na stůl karafu s koňakem. Ambrose si prohrábl hustý rám obličeje. Byl to obličej briganta z románů pro školou povinné hochy.

4.

Hasdrubalovo hlášení o debatě u večeře vyslechli všichni, ale jenom Jasmině nasadilo brouka do hlavy. Debata skončila nepěkným prohlášením Beate Morrisové, jaké si její věru nijak zásadový otec nezasloužil: "Zítra odjedu a nevrátím se, dokud všichni hnusní otrokáři, jako seš ty, papá, nebudou viset!" "Beate!" zvolal britsky její manžel. "A ty sem dřív taky nepáchneš!" usadila ho přes rameno a práskla dveřmi. Pan Carmichael, bledý jako smrt, chvíli strnule seděl, pan Morris se nutil k britskému klidu. Potom otrokář proklatý vlastní dcerou ukázal k likérníku, Hasdrubal a jeho kolega beze slov pochopili a dlouho přes půlnoc pak oběma gentlemanům dolévali bourbonskou whisku. Gentlemani pokračovali v debatě. Pan Carmichael se hájil, ačkoliv pan Morris ho z žádné nelidskosti nevinil, že je na své otroky laskavý a co by si počali, kdyby jim teď dal svobodu a vyhodil je do světa, který je k černochům krutý a tak dále. Pan Morris ho ujišťoval, že v jeho vlastním postoji není nic osobního, jenom je principiálním odpůrcem zvláštní instituce. Pan Carmichael prohlásil, že v zásadě je proti zvláštní instituci i on, takže oběma přestalo být jasné, oč se vlastně přou, a pokračovali v ujišťování jeden druhého, že se vlastně nehádají. Bourbonu podlehl dřív pan Morris, který byl zvyklý na skotskou, a pan Carmichael ho za necelou čtvrthodinku následoval. Do pokojů je museli oba lokajové odnést.

Ráno si Jasmine vyměnila službu s pokojskou Lukrecií a odnesla Beate snídani do pokoje. Tam:

"Madam," pípla na továrnici, která se nabručeně rozvalovala na polštářích.

"Co je, dítě?"

"Madam, vy dnes budete slavit pětadvacáté narozeniny," pravila Jasmine vypočítavě a nezmýlila se.

"Osmnadvacáté," rozjasnila se továrnice. "A slavit? To, dítě, tedy vlastně nevím."

"Myslíte po včerejšku?"

"Vida vida!" madame se posadila na posteli. "Co ty víš o včerejšku?"

"Totiž ten mladší komorník je můj snoubenec."

"Gratuluju, dítě," pravila továrnice znalecky.

"Ale já si ho nechci vzít, dokud nebudu svobodná. A on mě taky ne," Jasmine propukla v dobře vykalkulovaný srdcervoucí pláč.

Beate ji objala a JasMiny slzy se lily do žlábku ve výstřihu noční košile.

"Já jsem doufala," štkala Jasmine, "— ale to vám nemůžu říct!"

"Jen mi to řekni, holčičko!"

"Je to hrozná troufalost —"

"Troufalosti já ráda," řekla továrnice. "Čím hroznější tím víc."

"Já jsem si myslela, když vy jste přítelkyně nás negrů —" Jasmine se promyšleně odmlčela.

"To víš že jsem. Co sis myslela?"

"Že — kdybyste si řekla o mě a o Hasdrubala k narozeninám — Hasdrubal je tu stejně navíc, massa ho nepotřebuje —"

"Kriste pane!" užasla továrnice.

"My bysme pak pro vás pracovali, až bysme se vykoupili," řekla rychle Jasmine. "Když vy jste přítelkyně nás negrů..."

"To je nápad!" zvolala Beate. "Nojo. Jenže po včerejšku —"

"Já vím," pípla Jasmine zoufale.

Jako všichni nadšenci byla Beate ochotna třeba se i ponížit, jen aby dosáhla svého. Role osvoboditelky mladého párku roznítila její abolicionistické srdce. Rychle se vykoupala a silně navoněna, v roli kajícnice, vešla do ložnice pana Carmichaela, který se zředěným bourbonem zotavoval z kocoviny. Udobřit si ho nebylo v tomhle stavu pro Beate vlastně obtížné. Sotva dovolil, aby ho políbila na tvář, spustila:

"Papá, jistě pro mě máš nějaký dárek k narozeninám."

"Měl jsem," pravil pan Carmichael. "Sice jsem ti odpustil, ale nějak vytrestat bys zasloužila."

"Správně. Vytrestáš mě tím, že mi ho dáš až za rok —"

"No — " pravil pan Carmichael.

"— a letos mi dáš něco jiného. Nebude tě to stát zdaleka tolik jako ten šperk, co mi schováš napřesrok."

"Jak víš, že to je šperk?"

"Zatím sis, papá, nikdy nic jiného nevymyslel."

Pan Carmichael se zamračil.

"Nejsi trochu moc mazaná, Beate? Silně mi připomínáš nebožku."

"Vždyť jsem jí vypadla z oka. Sám to říkáš."

Pan Carmichael poněkud potemněl.

"Hm. Oč ti jde, Beate?"

"V říjnu se stěhujeme do nového domu. Mimochodem, musíš přijet na otevření," řekla Beate, která věděla, že papá není zvědav na jankejskou kuchyň a nebezpečí tedy nehrozí. "Budeme potřebovat mnohem víc služebnictva než ve starém domě, ten nový je dvakrát tak veliký. A já bych tam ze sentimentálních důvodů chtěla mít párek pravých jižanských negrů."

"Hm," pravil pan Carmichael. "Podle toho, jaks včera jančila, řekl bych, žes zatracená abolicionistka."

"Dala bych jim samozřejmě svobodu. Až Tony a Billy odrostou."

"A já ti je mám věnovat jako dáreček k narozeninám."

"Věnuješ, viď?"

"Hm," pravil pan Carmichael potřetí. "A kdo je vybere? Ty nebo já?"

"Myslela jsem si že já. Já vím přesně, co potřebuju."

"A kdo to teda má být?"

"Myslela jsem," řekla Beate a dělala, že přemýšlí, "— na tu pomocnici z kuchyně Jasmínu a na toho druhého komorníka Hasdrubala. Dohromady by to byl hezký párek. A stejně: k čemu potřebuješ dva komorníky?"

"K ničemu," řekl pan Carmichael. "Jasmine, no dobrá. Ale Hasdrubal mě stál patnáct set."

"Papá! To mi chceš dát jenom dárek, který tě nic nestál?"

"Jasmine jsem sedmnáct let šatil a živil. A dnes by mi vynesla nejmíň tolik co Hasdrubal. Umí vařit —"

"Ale papá —"

"Ovšem," pan Carmichael se potutelně usmál, "jestli bude tvůj manžel souhlasit, Hasdrubala mu prodám."

Pak si vzpomněl na uhranutí a rychle dodal:

"Za tři tisíce."

"Dals za něj patnáct set!"

"Jenže pět tisíc jsem dal za jeho matku. Musím se zahojit."

Dál se o tom s dcerou bavit odmítl.

A dceřin manžel se vzpříčil. Nejde o peníze, ale je ze zásady proti kupování lidí. Zásada je zásada.

"Vždyť bys mu dal svobodu, jen co přijedeme do Clevelandu."

"Ale nejdřív bych ho musel koupit."

Beate se pátravě podívala manželovi do očí, až zrakem uhnul. "Morrisi," řekla, "a kdyby ti ho nechal za stovku?"

"Well —" pravil manžel.

"Zásada je zásada," řekla Beate.

Jenže pan Carmichael měl v živé paměti čarodějné schopnosti komorníka a z obchodu sešlo. Druhý den si Morrisovi odvezli Jasminu, a s ní Beate umluvila plán. Otec dal před hádkou k lepšímu historku o Gospelině uhranutí a Beate se rozhodla, že využije svých abolicionistických kontaktů a posadí Hasdrubala na podzemní železnici. S Jasmine pak Hasdrubal v Clevelandu našetří na výkupné pro matku, které ostatně nebude vysoké, neboť zafunguje Hasdrubalovo zlé kouzlo.

Byl to ďábelský plán. Snad proto se týden po návratu do Clevelandu pan Morris, Beate a oba jejich synkové utopili za bouře na Huronském jezeře a Jasmine u mě přijala místo.

Hned nato vypukla válka.

Proto Jasminina touha po vítězství Unie nebyl jen přirozený zájem její rasy.

5.

Předmět hádky, kterou podomní prodavač léků slyšel otevřeným oknem Leckliderova obydlí, byl vlastně metafyzický. Higgins sám mu dobře nerozuměl a porota přijala Vallandighamův výklad debaty o diabolickém zlu, jež prosakovalo vleklým sporem, až se proměnilo v neodvolatelný výstřel z brokovnice.

Kromě podomního obchodníka byla jsem možná jediný člověk, který už před vraždou nahlédl pod povrch klidného soužití prastarého otce a stárnoucího syna. Moje svědectví však sotva mohlo změnit osud ubohého starce. Ten měl ve svých schopných rukou Vallandigham.

Jednou, když Jeremy přijel s vejci a s kuřaty, všimla jsem si, že má v klopě hrubého farmářského kabátce něco na způsob černé kokardy. Položil na stůl ošatku s vejci a zdálo se mi, že jeho scvrklá tvář je zachmuřenější než obvykle.

"Někdo vám umřel, Jeremy?"

Zavrtěl hlavou, nepodíval se na mě.

"Dneskon je to deset roků, co se zabila Mary. A mladej Jeremy."

Takový příběh. Bryčka vjela do výmolu, zlomila se náprava, vozík se převrátil, padal ze stráně k řece, ještě několikrát se překotil, strhl s sebou i koně, ale přetrhly se popruhy, kůň jediný přežil katastrofu, ani nohu si nezlomil. Pětatřicetiletá farmářka si srazila vaz, její desetiletý syn se utopil v řece, kam spadl patrně už v bezvědomí.

Co říct na takový příběh? Zamumlala jsem něco o Pánu Bohu a o jeho nevyzpytatelné vůli. Tichý Jeremy mi před očima metamorfózoval v rouhače přetékajícího metafyzickou nenávistí.

"Bůh?" řekl. "Bandita to je. Vrahoun vrahounská."

To mi vzalo dech.

"Nevyzpytatelnej?" pokračoval Jeremy. "Dyž nám dal rozum, proč mu nemáme rozumět?"

"Jeremy —"

Ale farmář se nedal přerušit.

"Jenomže já mu rozumim," oči teď řeřavě upřené do mého zraku, neúhybné. "Vrahoun vrahounská!"

"Jeremy! Já chápu, že —"

"Horší než vrahoun!" vykřikl farmář. "Je všemocnej! Co mu Mary udělala? Co mu udělal mladej Jeremy?"

Radši jsem mlčela a čekala, až se uklidní. To se stalo stejně náhle, jako zničehož nic nad sebou ztratil vládu. Šílenost, která mu skoro hmatatelná vyhlédla z očí, zase v nich zmizela a zůstal jen smutek.

"Vodpusťte, paní Tracyová," pravil opět svým skoro pokorným hlasem. "Ale je to dneskon těch deset roků."

Dalo mi to látku k úvahám. Před tím, co na okamžik zacloumalo farmářem, moje románky o lásce jaksi — zfiligránštěly. Za jeho strašnou nenávistí musela být stejně veliká láska. Proč se už neoženil? Když se žena zabila, bylo mu teprve čtyřicet. Prostí lidé z venkova berou přece tyhle věci — farma potřebuje hospodyni. Inu, taková je ovšem formule, podle níž se píšou romány. V životě jsou z formule vždycky výjimky.

A to jsem ještě nevěděla nic o starém Elihu Leckliderovi. Toho jsem poznala až při procesu.

Higginsova svědecká výpověď byla zmatená. Ti dva se přeli, jako kdyby šlo o milión dolarů, kdežto ono šlo pouze — oč vlastně? Higgins to dobře nepochopil. Ale z jeho svědectví se dala vyčíst metafyzická podstata sporu. Smrt ženy a syna Jeremy nepřijal s křesťanskou pokorou. Radikálně překročil hranice zděděné víry a prastarému otci Ho označil za vraha, jako mně v překvapujícím rozhovoru v naší kuchyni. Vůbec mu však nevstoupilo na mysl, že Bůh s jeho tragédií nemá co dělat, protože —

Protože neexistuje. Není, říkal řezavým hlasem polochromý jednaosmdesátiletý Elihu Lecklider. Ve všehomíru se prostě žádný Bůh nevyskytuje a Mary a mladého Jeremyho nezabil žádný Bůh, ale prasklá náprava. Jestli něčí, tak tvoje vina to je, Jeremy. Měls bryčku držet v lepším pořádku. Vrah, jestli někdo, tak ty. Ale ani ty ne. Nikdo není vrah. Vesmír je slepý, krutý, lhostejný, nikde není žádná naděje, je jenom smrt, a jestli přijde teď nebo za sto let, co je v tom za rozdíl, když ona vždycky přijde. Takový je vesmír.

Tohle všechno se přetřásalo u soudu. Mně připadalo, že Bůh, který neexistuje, není představa tak blasfemická jako Bůh, jenž je vlastně Satanáš. Teologicky vzato — protože soudní spor vplynul do teologie — co je nepřijatelnější? Bůh-iluze, anebo Bůh-vrah?

Vallandigham si zmučené filozofování dvou starců, kteří přišli o smysl života, přeložil do dychotomie dobře zpracovatelné ve velkou řeč. Oběť byl křesťan, který se rouhal z pochopitelné bolesti. Jednaosmdesátiletý vrah je ateista, v křesťanské společnosti anatéma, neznaboh, člověk bez hodnot, nehodný polehčujících okolností.

Stařec očividně trpěl. Nezapíral, přiznával se, zřejmě si přál umřít. Jenom jestli na šibenici, to nevím. Snad mu Vallandigham dokonce udělal laskavost. Jenže to nevím.

Zničený činem, který spáchal, by starý Lecklider stejně už nežil dlouho. K šibenici ho donesli na nosítkách.

"Kráčí přes mrtvoly," řekla jsem. "Myslím doslova."

6.

Z naší jídelny se dalo jít na malý balkón, kde stála tři proutěná křesla a stoleček s kulatou deskou. Byl teprve poslední týden dubna, ale večer už vlahý, májový. Usadili jsme se a muži se oddali doutníkům. Naštěstí to byly dobré doutníky.

"I přes mrtvolu Spojených Států," pravil Ambrose. "Já nejsem žádný filozof, pane Tracy, ani politik. Ale mír teď rovnal by se porážce Unie."

Na balkón vešla Jasmine s novým koňakem. Viděla jsem, že napjatě poslouchá. Skleničky na táce slabounce drnčely.

"Mír by byl možný jen za cenu kapitulace," řekl Ambrose. "Buď my, nebo oni. A my —"

"My to samozřejmě neuděláme," skočil mu do řeči můj muž. "Protože by to nebyla jenom porážka Unie. Byla by to porážka devatenáctého století."

Jasmine před něho postavila sklenku s krásnou tekutinou.

"My máme nesrovnatelně víc továren," pokračoval můj muž. "Na bojišti můžeme postavit mnohem víc vojáků. A konec konců, i když, bohužel, mnohým uším na Severu zní tohle jako nejslabší argument, my bojujeme za osvobození, ne za zotročení lidské rasy. Jediná výhoda, kterou proti nám Konfederace zatím má, je, že její generálové —" zarazil se, viděla jsem, že trochu potemněl, pak řekl, " že jim zatím víc přálo válečné štěstí."

Nechtěl mluvit o provaze v přítomnosti oběšencově. V pohárcích jiskřilo, houpaly se v nich odlesky svícnu. Krásná indianská noc, souhvězdí v přesném facsimile na Ambrosových holinkách.

Humphrey pozdvihl číši k měsíci. Zdálo se mi, že není nic krásnějšího než sklenice s koňakem, v ní modré a jantarové plamínky, takový klid. "Tady na Středozápadě," pokračoval můj učený manžel," mnoho lidí postihlo zhroucení říčního obchodu. Dělový člun Unie, který dává pozor, aby řeka nesloužila rebelům a jejich dodavatelům ze Severu, reprezentuje tu pro leckoho násilí, usurpaci, omezení svobody, bankrot, bídu. Těžce vysvětlit, proč tady mají pro vítězství Unie přicházet na buben, kdežto jankejští fabrikanti na Východě si mastí kapsu. Teď k tomu Lincoln ještě přidal emancipaci. Dělníci mají strach, že mzdy půjdou rapidně dolů, jestli Středozápad zaplaví černoši, kteří dobře nevědí, co je mzda, a budou proto svolni pracovat za karikaturu mzdy."

"Je válka!" řekl Ambrose. Mračil se a kroužil jiskřivým obsahem své číše. "Vojáci obětují mnohem víc. Po válce zas všechno pojede po starých kolejích. I říční obchod na Mississippi."

Manžel řekl:

"Inu, jestli se na Sever přistěhuje příliš mnoho osvobozených otroků, problém to bude. Ale hlavní problém, pokud jde o přítomnost, vidím v tom, že naši mírotvorci v novinách takové obavy jenom přiživují. Čtete přece ty články, pane generále?"

Zamračený Ambrose přikývl.

"Na demokratické konvenci, kde se Vallandigham neúspěšně snažil dosáhnout nominace," řekl manžel, "objevil se třeba starý slogan Lincolnových politických nepřátel: Konstituce jaká je, Unie jaká byla. Vallandighamovi stoupenci jej doplnili o heslo: A negři kde jsou! To nelze interpretovat jinak než jednoznačně." Humphrey se trpce zasmál a přihnul si z číše. "Je tu všude spousta paradoxů. Tady se dělníci bojí černé konkurence. Mnozí podnikatelé na Východě se jí bojí taky. V některých továrnách na Jihu zavádějí otrockou opráci, a to může srazit ceny na mezinárodním trhu. Proto jsou na Východě pro emancipaci, na Středozápadě proti." Manžel se zamyslel, vzdychl. "O osud negrů nejde vlastně nikomu. Ani východním továrníkům ani mírotvorcům na Středozápadě. Nenávist k černé rase je vlastně umělá. Nebo spíš sekundérní."

Vstala jsem a ze stojánku na noviny, který stál u dveří na balkón, jsem vytáhla výtisk daytonského *Empire*. Některé články jsem měla zatržené červenou tužkou. Oba mí muži se na mě mlčky dívali. Začala jsem číst:

"Kongres trpí negromilstvím. Samý negr v projevech, negr v novinách. Negerský smrad je morální nákaza, která otupuje smysl pro respektování Ústavy a instinkt poslouchat zákon." Odložila jsem noviny. "Tak praví Vallandigham. Připadá vám to jako sekundérní nenávist? Nebo dokonce umělá? Že Vallandigham v Kongresu hlasoval proti emancipaci, to by se snad dalo vyložit podle tvé hypotézy, Humphreyi. Ale hlasoval taky proti uznání negerské republiky Haiti —"

"To navrhl Lincoln," přerušil mě manžel. "A domáhali se toho abolicionisti."

"Drahý," zeptala jsem se, "a o čem to svědčí?"

Manžel se zamyslel, pak se na mě usmál:

"Asi máš pravdu. Jeho nechuť bude mít hlubší kořeny. Protože jinak —" znova se zamyslel, "— jinak hlasoval pro potlačení krutého zacházení s námořníky, pro přiznání plných práv amerických občanů židům, dokonce aby se mormonům v Utahu povolilo mnohoženství. Dalo by se říct," manžel se znova ušklíbl, "že Vallandigham je advokát všech znevýhodněných, pokud nemají černou kůži. Ačkoliv vlastně v jistém smyslu by měl být černochům vděčný."

"Proč?" zeptal se Ambrose. "Zač ten má být vděčný černým?" řekl.

"Třikrát se marně snažil o zvolení do Kongresu," pravil můj manžel. "Čtvrtý pokus mu taky nevyšel. Porazil ho tenkrát Lewis Campbell. Jenže Vallandigham zjistil, že leckde v Ohiu hlasovali pro Campbella negři, ačkoliv jim to místní zákon zakazoval. Podal proti tomu rozklad a nakonec, asi o dva hlasy, vyhrál. Důvěru voličů tedy nezískal, ale zákon byl na jeho straně."

Teď jsem se zamyslela já.

"Humphreyi," řekla jsem. "Ty jsi profesor filozofie. Jak se jmenuje ta klasická řecká hra, kde sestra chce pohřbít zabitého bratra a —"

Hledala jsem v paměti.

"Jaká hra?" zeptal se Ambrose.

7.

Když jsme se ten večer loučili a Ambrose, ve své krásné uniformě, se v záři lucerny nad vchodem naposled zatřpytil, měla jsem dojem, že se k něčemu rozhodl. Vyhoupl se na koně a odcválal do světélkující tmy. Ta krásná uniforma. Vojáci si ji zaslouží. Jejich úděl ve válce je hrozný.

Humphrey odešel do ložnice a už dávno tvrdě spal, zatím co já pořád seděla v salóně a myšlenky se mi honily hlavou jako nezvedené děti.

Byla jsem k Vallandighamovi nespravedlivá? Jedno se mu upřít nedá: je proti téhle válce už dávno a co mu to vlastně vyneslo? Jednou se pokusil vykládat své názory ve vojenském táboře ve Washingtonu, nějaký seržant mu dal facku a málem ho zlynčovali. Hokynář v Daytonu, u něhož leta kupoval, ho odmítl obsloužit, že od zrádců peníze nebere. Když s ním Kléma chtěl o věci diskutovat, hokynář vytáhl pistoli, Vallandigham ucouvl, zakopl o práh, upadl na všechny čtyři a po chodníku dolezl k sousednímu krámu, kde se před hokynářem schoval. Naneštěstí pro něho to bylo módní kloboučnictví a pohled na kongresmana vstupujícího do prodejny jako čtvernožec byla událost příliš pikantní, aby o ní přítomné dámy pomlčely.

Ovšem, válka až dosud byla jedna jediná katastrofa: Bull Run, Antietam, Chickamauga, Fredericksburg, pouze s občasným jepičím příslibem vítězství. Copperheadi, míroví demokrati jsou čím dál silnější, a pokud se válečné štěstí radikálně neobrátí, vyhraje v presidentských volbách příští rok jejich kandidát. Vsadil Vallandigham na tuhle kartu? Buď jak buď, zatím mu vychází.

Jednou u Eunice Jarrettové, kam ho pozvali jako zlatý hřeb večera, vysvětloval nám svou teorii války. Vůbec nejde o černé otroctví, říkal. Jde o takové věci, jako jsou třeba dovozní tarify, které Sever požaduje a Jih odmítá, protože Sever se brání dovozu laciného průmyslového zboží z Evropy, kdežto Jih jej vítá. Jde o transkontinentální železnici, kterou Sever chce vést z Chicaga do San Franciska a Jih přes Texas do Nového Mexika. Severní kapitalisti potřebovali vyvolat válečnou náladu. Jenomže kdo by šel dobrovolně bojovat za celní tarif nebo kvůli trase železnic. Tady přišel kapitalistům vhod abolicionismus. O otroctví se nedá uvažovat s chladnou myslí, a abolicionismus dodal spravedlivý hněv, který zatemňuje mozky. Jenže válka se nedaří, hlavy chladnou, vojáci přišli do styku s negry, otevírají se jim oči. Vidí hrůzy krvavých obětí... Vy tedy nejste proti otroctví, pane Vallandigham? zeptala se Eunice a hlas se jí třásl. Nedávno tu hostila Harrietu Beecher Stoweovou a uvažovala, že pozve tu druhou Harrietu, Tubmanovou. Jistěže jsem, pravil Kléma, byl jsem však vždycky proti tomu, aby se kvůli fantaziím abolicionistů rozpoutala tahle strašná válka. Ale — řekla Eunice, a Vallandigham ji nepustil ke slovu. Všechny předměty sporu se dají vyřešit jednáním. Všechny! pravil s hlubokým přesvědčením. I otrokářství. Ale — zkusila znovu Eunice, a Vallandigham mluvil, mluvil, dámy v Eunicině salóně naň zíraly jako uštknuté.

Přišel mi na mysl had s krásnou měděnou hlavičkou, to zvířátko synonymické s hlavou na měďáku, kterou si bojovníci za mír dávali do klopy. Na rozdíl od pompézního chřestýše, který šelestivým rámusem varuje, tenhle pohledný plaz bez varování —

Bavorské pendlovky odbily půlnoc. Vzdychla jsem, protože jsem nic nevykoumala. Jenom jsem chtěla být spravedlivá.

A Ambrose se k něčemu rozhodl. Provede nějakou hloupost.

Do pokoje tiše vstoupila Jasmine. Co tu dělá tak pozdě? Přece jsem ji poslala spát.

Nerozhodně se zastavila, ruce sepnuté v klíně.

"Je ti něco, Jasmino?"

"Nemůžu spát," řekla. "Pořád musím —"

"Co, děvenko?"

V očích dobře viditelný strach.

"Paní Tracyová — vy si myslíte —"

"Ano?"

Teď už neklamná hrůza.

"Že — bude mír?"

Ach!

"Kdes přišla na takovou hloupost, Jasmino?" vykřikla jsem a vzala jsem svou půvabnou služebnici do náručí. "Samozřejmě nebude žádný mír! To bychom se museli vzdát! Vidělas přece pana generála Burnsida? Takoví muži se nevzdávají!"

8.

Chodívala jsem číst noviny do čítárny manželovy koleje. Měli tam slušný výběr demokratických i republikánských plátků z Illinois, z Indiany a z Ohia a velké deníky z New Yorku a z Bostonu. Zábavné čtení, pokud člověku příliš nezáleželo na tom, aby válka dopadla ve prospěch Jasminy a jejího líného lokaje.

Noviny protiválečných demokratů hlásaly mír a krášlily jej všelijak: "čestný", "oběma stranám přijatelný", "rozumný" a tak. Ale vyskytovaly se i články, jež mír vůbec neomlouvaly a žádaly jej "za každou cenu". Představovala jsem si Ambrosa, jak těžkopádně přemítá, jaká je to cena, ta "každá", a vraští čelo nad řádky určenými

Lincolnově vládě: *Bojujte si své bitvy sami. Demokratický tisk této země odmítá už jakkoliv podporovat zájmy abolicionistických zrádců. Tento tisk použije veškeré své moci, aby odrazil vlnu zpustošení, která ohrožuje zemi!* Halleck si ve své washingtonské kanceláři možná říká: Slova, sice silná, ale pouze slova. Jenomže lidé jim naslouchají jako hypnotickým litaniím.

Byla jsem u nemocné tety v Daytonu, když tam s čerstvými vavříny z Kongresu vítězně vtáhl Vallandigham.

"Ovace, říkáš?" zeptal se Ambrose s trpkostí v hlase. Potkal mě, když jsem šla na procházku podél řeky.

"Triumfální vjezd hrdiny do rodného města," řekla jsem. "Pokud lidská paměť sahá, takhle nevítali v Ohiu nikoho. Před hotelem stříleli z kanónu na počest Vallandighamovi. Chvíli jsem ty rány počítala, ale nechala jsem toho, protože nevěděli, kdy přestat."

"Měli prý alegorický vůz," pravil se zřejmou nechutí.

"No to měli."

"Běloch v okovech," řekl, "a negr s bičem nad ním?"

"Nebylo to nic originálního. Takový živý obraz, který měl ilustrovat Vallandighamův slogan, že válka se vede za osvobození negrů a za zotročení bílého člověka. Ale velký efekt to nemělo," řekla jsem. "Nad vozem visel nápis EMANCIPACE NA JIHU — HLADOVÉ MZDY NA SEVERU. Negr byl skutečný. Naneštěstí na něm bylo příliš vidět, že má strach. Doslova se třásl. Důtky mu visely splihle u boku a běloch v okovech ho musel pokaždé kopnout, aby ho přiměl k činnosti. Zvedl pak ty důtky a na oko jimi vedle běloucha švihl a běloch na oko bolestně vykřikl. Jenomže kdo nebyl slepý, viděl, že se negr nikdy netrefí, a mnohé asi napadlo co mně: že dohližitelé na plantážích sotva budou taková nemehla."

"Že se k tomu ten člověk propůjčil," zavrtěl Ambrose hlavou. "Z hlouposti? Nebo se tak bál?"

"Nedá se říct propůjčil. Nějaký redaktor z daytonského *Journalu* u tety říkal, že manželku toho negra drželi v redakci *Empire* jako rukojmí, dokud nebude po parádě. Ten negr prý už jednou měl malér s mírumilovníky na jedné farmě v Daytonu —"

Zastavili jsme se u kovového zábradlí, odkud byl hezký výhled na Cincinnati. Dubnový vítr cloumal zlatým střapcem Ambrosovy šavle. O maléru alegorického černocha jsem věděla od Jasminy.

Byl to kontraband. Utekl z plantáže v Georgii i se ženou, pomohli mu abolicionisti a jejich podzemní železnice, po níž měl přijet i Jasminin lokaj, ale už to nestihl. Abolicionisti dohodili uprchlíkovi práci u farmáře Palmera, který byl jejich přesvědčení; tedy v Ohiu bílá vrána. Zpráva o černém nádeníkovi se rozlétla po okrese a pár dní poté, co dostal první mzdu, srotil se na Palmerově poli dav — pár bílých dělníků, hodně bílých rváčů — a Palmerův argument, že negrovi platí stejně jako svým bílým zaměstnancům, spíš přilil olej do ohně: nádeníci, kteří přišli protestovat proti domněle dumpingovému platu bývalého otroka, nyní takové mzdové egalitářství vzali jako urážku bílé rasy. Tak se zajímavě střetly dvě různé nepřijatelnosti, ale střetnutí nevedlo k zamyšlení, právě naopak. Nádeníci vyhnali černocha z farmy, rváči se pokusili poprat s farmářem, jenže ten na ně vytáhl brokovnici. Negr a jeho žena se pak v Daytonu přiživovali příležitostnými pracemi, které jim provokativně poskytovali místní militantní republikáni. Sem tam taky symbolickým štípáním dřeva v domech militantních demokratů, což mělo obyvatelstvu připomenout devátou kapitolu knihy Jozue. Nakonec, k větší slávě Klémy Vallandighama, donutili negra, aby zafungoval i v jinak symbolickém významu, a dokonce prý mu za to zaplatili. Ovšem míň než bílému vandrákovi, jenž symbolizoval zotročené bělošství.

"Na tom voze," pravil Ambrose, "někdo taky představoval Lincolna. Prý to bylo vyloženě urážlivé."

"Spíš to mělo ještě menší efekt než negr s důtkami. Lincoln stál za ním a jako s potěšením se díval, jak dává do těla bílému vagabundovi. Snad mají v Daytonu nedostatek urostlých mužů, nevím. Z těch tří na voze byl daytonský Lincoln nejmenší. Dali mu sice na hlavu přehnaně vysoký cylindr, jenomže ten se mu zlomil, no zkrátka —"

"A prezidenta prý napadali," přerušil mě Ambrose." Řečník po řečníku. 'Usurpátor , Tyran , Demagog , Blázen' —"

"Mně se nejlíp líbilo 'Nejšerednější hlava státu na světě'. V tom měli možná i pravdu."

Ambrose se ke mně prudce otočil. Brigantský klobouk na pozadí Cincinnati patřil do války, kam jiné věci nepatřily. "Lorraine," pravil Ambrose naléhavě a jal se citovat z trpce zapamatovaného článku: *"Prezidentské křeslo nyní znešvařuje křivohubý kolohnát, imbecilní pitomec!"* Narůžovělou pletí prosákl nach hněvu. "Tohle o Lincolnovi! O muži, na jehož bedrech leží ta nadlidská odpovědnost! O vrchním veliteli naší statečné armády, která krvácí!"

Mluvil v generálských frázích, jenže co je fráze? Pravda možná tak pravdivá, že samozřejmá. Ovšem těm, kteří na krví skutečně zbrocené stráni pod Marye's Heights nebyli, asi nic neříkající.

"Je to přinejmenším nevkusné," řekla jsem.

9.

Jednou u mě na čaji mi ukázal pár lesklých manžetových knoflíčků. Na jednom byla hlavička bohyně svobody ze starodávného měďáku, na druhém, hádek, který vypadal sice spíš jako žížala, ale měl neomylně trojúhelníkový rypáček, v němž, jak každý ví, se skrývají jedovaté zoubky. Vzpomněla jsem si na večírek u Eunice Jarretové, na uštknutí synonymem. Inspirovalo zřejmě nějakého podnikavce, protože Ambrose mi podal také inzerát vystřižený z indianopolského *Daily Sentinelu,* kde bylo možno tu divnou věc objednat: *Nechť se každý bílý muž veřejně zná k této "urážce" a nosí staroslavný emblém svobody.*

"Od kdy patří jedovatý had k symbolům svobody?" zeptala jsem se. "Náš holohlavý americký orel takovéhle potvůrky chytá."

Ambrose měl v kaštanovém rámu kruhy nevyspání. Zasmál se:

"Ty bys měla být novinářem, Lorraine! Mně by tohle nenapadlo. Škoda že nejsi muž."

Udělala jsem na něho tázavé oči: "Opravdu?" a on se zarděl jako před lety.

"Přece víš, jak to myslím," řekl, příjemně zrudlý.

"Asi ano, ačkoliv jsem žena," řekla jsem. "A tu perlu duchaplnosti si můžeš klidně vypůjčit. Třeba se ti bude hodit pro nějakou dámu do památníku nebo snad i do rozkazu —"

Pokýval hlavou. Věděla jsem, že má vojenské starosti. Předevčírem se vrátil z Kentucky, kam odjel na naléhavou žádost generála Rosenkranse, tou dobou u Murfreesboro v Tennessee, který potřeboval Ambrosovy oddíly v postaveních podél řeky Cumberland až hodně na jihu v Kentucky. To všechno jsem se dozvěděla z tisku. Jenom jsem doufala, že severní noviny docházejí na Jih s co největším zpožděním.

"Zrovna jsem jeden rozkaz vydal," pravil ponuře Ambrose. "Osmatřicet. Škoda že jsem za tebou nepřišel dřív."

Znala jsem ten rozkaz. Vyprovokoval jej paličským projevem v Hamiltonu Vallandigham, kerý se rozhodl stát se guvernérem a začal pracovat na svém zatčení. Mučedníka nemohla guvernérská nominace minout. Můj

211

manžel komentoval rozkaz slovem: "Au!" a citoval: *Každý, kdo se na území tohoto departementu dopustí činů, z nichž bude mít užitek nepřítel, bude jako zrádce postaven před soud, a shledán-li prokazatelně vinným, popraven."*

"Trošku možná moc krvelačné," řela jsem. "Ovšem zrada — "

Manžel mě nepustil ke slovu a četl dál: *"Stejně tak každý, kdo veřejně projeví sympatie k nepříteli, bude zatčen a postaven před soud, a shledán-li vinným, bude rovněž zastřelen nebo vypovězen z území Federace na,* v uvozovkách, *území svých přátel."*

10.

Čtvrtého května večer jsem šla kolem cincinnatské centrální telegrafní kanceláře a všimla jsem si, že mezi koňmi uvázanými u zábradlí stojí i Ambrosův hněďák, jenž se lesklou srstí hodil ke generálovým licousům. Přistoupila jsem ke dveřím, měly horní polovici ze skla a na ní nápis WESTERN UNION. Vevnitř stál Ambrose s pobočníkem, oba sehnuti nad telegrafistův stolek. Řekla jsem si, že na něho počkám, prohodím s ním pár slov, ale vtom se oba prudce vztyčili a už se hnali ke dveřím. Ambrose kolem mě přelétl s očima navrch hlavy a vůbec si mě nevšiml. To se mi zatím nikdy nestalo. Vyšvihli se na koně a odcválali směrem k velitelství.

Něco se děje.

O tři hodiny později jsem se procházela po nástupišti, neboť v jedenáct patnáct měl přijet Humphrey z Indianopolisu. Krátce před jedenáctou připochodoval na perón silný oddíl vojáků s kapitánem, jehož jsem znala z nějakého večírku: jmenoval se Hutton. Po chvilce vyšel z kanceláře přednosty Ambrose a pobočník a dali se s Huttonem do řeči. Stála jsem ve stínu, pod stříškou perónu, takže si mě Ambrose zase nevšiml. Vypadalo to, že dává Huttonovi naléhavé instrukce.

Před oddíl na peroně předjela lokomotiva se dvěma vagóny a vojáci nastoupili. Hutton zůstal stát na zadní plošině a vlak se rozjel. Na peróně salutovali pobočník Learned a Ambrose.

Vyšla jsem ze stínu stříšky, vesele jsem zavolala: "Ambrosi!" a vztyčila jsem nad hlavu ruku se zkříženými prsty. "Aby vám ptáček neulít!" Ale do zpěvu mi nebylo.

Ambrose a pobočník na mě zděšeně pohlédli. Do nádraží vjel vlak z Indianopolisu a já se dívala po Humphreym a jenom koutkem oka jsem pozorovala, jak ti dva muži na mě civí, ale ne proto, proč to dělají obvykle.

Věděla jsem, že jsem svědkem historického okamžiku.

Tu noc Hutton zatkl Vallandighama.

11.

"Myslíš, že Ambrose dá Klému zastřelit?" zeptala jsem se manžela den nato. Vallandigham bezpečně seděl v chládku hlídaného pokoje v nejslavnějším hotelu na středozápadě Bennet House, kam ho gentleman Ambrose dal převézt z cely v Kempských kasárnách, do nichž ho předtím dopravil Hutton. V luxusním chládku tedy, nicméně pod zámkem.

"U prchlivců jako ten tvůj Ambrose člověk nikdy neví," pravil manžel.

"Dáš ho zastřelit?" zeptala jsem se Ambrose druhý den večer, kdy jsem ho tak zvaně náhodou potkala na ulici.

Hlasem, v němž zazněla nenávist, na jakou jsem u něho nebyla zvyklá, pravil: "Krysy jako Vallandigham se nestřílí. Ty se věší. A rozhodne to tribunál. Ne já." Pak nenávist vystřídala lítost. "Trest smrti to ale nebude. Vsadíme ho do pevnosti. Do konce války."

"To je škoda," řekla jsem.

"Taky myslím," řekl Ambrose.

"Bylo by elegantnější poslat ho přes frontu k jeho přátelům. Kléma by měl mít něco jako Kainovo znamení."

"Pro tebe by to bylo Kainovo znamení, Lorraine. Ale copperheadi? Vidělas přece, jak oslavovali Hookerovu porážku u Chancellorsvillu. Oslavovali, Lorraine!"

Za necelé dva měsíce porazil generál Meade Leeovu armádu u Gettysburgu a Grant skoncoval s Vicksburgem. Copperheadi zmlkli, ukázalo se že nadobro. Ale to jsme tehdy v Cincinnati nemohli vědět. Řekla jsem:

"Bylo to hrozné. Ale aspoň jednu dobrou stránku to mělo: zabásnutí nevyneslo Vallandighamovi zdaleka tolik palcových titulků, jak se dalo čekat, kdyby Lee s Chancellorsvillem o týden počkal."

12.

Ten večer měl můj manžel mluvit v Daytonu v republikánském klubu, ale z projevu sešlo, protože se všichni běželi podívat na oheň. Byl to další doklad realismu Janova Evangelia. Redaktor Logan vyčerpal v daytonském mírotvorném *Empire* celou existující zásobu anglických kleteb, aspoň pokud já je jako dáma znám (ale jsem konec konců spisovatelka), aby odsoudil "pekelnou urážku" Vallandighamova zatčení, proklel "zbabělé abolicionistické rošťáky" a vyzval stoupence míru k obraně občanských práv ohrožených generálem, třeba "za cenu krve a masakru". Storey, redaktor chicagských *Timesů*, k tomu dodal: "Za každou cenu."

Tím vším se spor přenesl do ulic a "potenciální zrada", jak Ambrose pojmenoval, co pouze cítil, ale nedovedl logicky definovat, se proměnila v cosi, co vypadalo na povstání. Právnické knihy tomu ovšem asi neříkají zrada, nýbrž pouze občanská neposlušnost, jak svůj truc dávno před válkou pojmenoval Thoreau, a mířil tím na zcela jiné cíle. Jenže ——

Pohlédla jsem k oknu, kde mlčky stála Jasmine, připravená jako vždy nalévat, a řekla jsem:

"Ambrose jednou, dost nesouvisle, mluvil o nepsaných zákonech."

"Bývají nebezpečné," řekl manžel.

"Nebezpečnější než psané?"

Na tu řečnickou otázku mi neodpověděl.

Loganova filipika daytonský dav rozplamenila a do metaforických plamenů copperheadi přilévali whisku z mnoha kořalen na Hlavní ulici. Stála tam na jedné straně budova *Empire*, hlavní stan demokratů, a na druhé redakce *Journalu*, shromaždiště "republikánských negrofilů". Několik zcela namazaných obránců míru vyrobilo z papíru a dehtu terpentýnové koule a vyskočily skutečné plameny. Bylo už skoro tma, ve tmě začaly hořící koule létat přes ulici, odrážely se neškodně ode zdi *Journalu* a kutálely se po chodníku jako na zem spadlé vlasatice, až jedna rozbitým oknem zmizela v domě. V nadpřirozeně krátké době okna vzplála jako průhled do skutečného pekla a vzápětí vyšlehly plameny ze střechy.

"Dílo doslova ďábelské," řekla jsem.

"A neobešlo se bez krve," řekl Ambrose. "Nějaký rošťák se pokusil hasičům přeříznout hadici a seržant Liversidge ho střelil."

"Zabil ho?" zeptala jsem se.

"Ne," pravil Ambrose. "Střelil ho do — hm — do hyždí."

13.

Usmála jsem se na Jasminu, ale ta jenom sklonila hlavu a nalila manželovi koňak. Potom se stáhla k oknu, za nímž svítily májové hvězdy, smutná silueta, zlomená zvěstí o Chancellorsvillu. Za necelé dva měsíce se měla napřímit. A dva roky nato:

"Nejdřív mu napiš, Jasmino."

"On neumí číst, paní Tracyová."

"Tak počkej. Určitě už jede za tebou. Ví přece, kde jsi."

"Neví. Šla jsem k vám do služby až po Fort Sumteru. Nestihla jsem mu to vzkázat."

"Počkej, požádám Ambrosa," pravila jsem pošetile. "On to zařídí."

"Pan generál Burnside má jistě svých starostí dost," řekla Jasmine. "Ne, paní Tracyová. Vy jsme mi dobře platila, našetřila jsem si na cestu. Pojedu vlakem."

Tehdy nalévala Ambrosovi, hleděla na něho jako dítě na svatého Mikuláše a polila mu krásné kalhoty koňakem. *" Proto šlapu na rozkazy generála Burnsida, proto na ně pliju! "* citoval Ambrose Vallandighama podle zápisu svých zvědů. "Patrně mě chtěl osobně urazit," řekl. "Zřejmě mě nezná. Já vím, jsem prchlivec. Ale naši věc se soukromými záležitostmi si nepletu." S úsměvem odmítl Jasminiíny zahanbené omluvy — stála nad ním bezradně, protože mu kalhoty polila, kde mu je nemohla utírat. Učinil to sám servítkem, a pravil po generálsku: "Vedeme občanskou válku a máme na krku krizi, která vyžaduje, aby se věci chopila nějaká síla, která může jednat rychleji než civilní moc." Jako dítě na svatého Mikuláše. "Zatím nikdo žádnou válku nevyhrál, když v takové situaci váhal použít takovou sílu."

14.

Srdce mi tlouklo pro mého generála, ale mozek, vždycky spíš skeptický než na dlouho zamlžitelný emocí, mě v noci probudil. Ambrose, ačkoliv nepsaný a tedy zneužitelný zákon je na jeho straně, bezpochyby pochoduje vstříc dalšímu ze svých malérů, tentokráte ke konfliktu se zákonem psaným. Nemohla jsem spát. Opravdu na záležitosti mužů, jako je válka a její pravidla, ženský mozek nestačí? Proti tomu se ve mně bouřilo dlouholeté přátelství s Margaret Fullerovou, ničím nikdy nezkalené asi proto, že jsem ji v životě nepotkala. Kdybych ji potkala... Na to jsem nechtěla myslet. Hřeším přece proti našemu přátelství svými příběhy, jaké jsem kdysi dávno rozhodně psát nechtěla — v podstatě cukerinovými, i když pod cukerinem je vždycky kapka utrejchu. Jenom kapička. Leckteří recenzenti si, pravda, všimli, že moje hrdinky jsou všechny "chytré", kdežto hrdinové "hezcí" a zápletky se zaplétají podle toho. Žádný z toho však nevyvodil radikální závěry. Mluvili o "autorčině rozkošné ironii" a podobně. Asi proto, že díky nevysvětlitelnému talentu, jímž mě obdařil Stvořitel nebo Příroda, byly moje románky dost velká legrace, následkem toho je nikdo nebral moc vážně a příliš je nerozebíral.

Zmocnila se mě úzkost. Humphrey vedle spokojeně oddychoval, a protože já jsem spát nemohla, vstala jsem a šla jsem do jídelny, kde na servírovacím stolku stála karafa s krásnou tekutinou. Nalila jsem si do koňakové sklenky, postavila jsem se k oknu místo Jasminy a pohlédla jsem na oblohu nad Cincinnati. Hvězdné nebe nade mnou — krásné hvězdné nebe nad Cincinnati v mé rodné zemi. Kde jsem to slyšela? Byla to slova koňakumilovného vzdělance, co ho mám za muže: citoval nějakého zaoceánského mudrce. Byla jsem Američanka. Co je podstatou toho stavu lidského bytí, než že svět a život měří světem a životem spíš než rozkazem číslo Jedna, jestliže se ho dovolává Clement Vallandigham? Byť jej světila autorita velkých mrtvých, velkých možná proto, že mrtvých. Je to nebezpečné? Všechno je nebezpečné. A v srdci toho tvora nazvaného Američan je, že se nebezpečí nevyhýbá. Všichni ti mrtví vojáci. Nevyhledává nebezpečí, ale když tu je, neuhne před ním.

Tak jsem filozofovala, přihýbala jsem si krásné tekutiny, myslela jsem na Ambrosa, jak vydává rozkazy a zase ho dostanou do maléru, ale on je vydává, protože se bojí, možná bláhově, aby do maléru nepřišla tahle naše země.

V poschodí nade mnou někdo rozsvítil, na jarní listí jilmu před domem dopadlo světlo. Jasmine asi taky nemůže spát.

Hvězdné nebe nade mnou.

Šla jsem do hajan.

Kapitola třetí

HOŘÍCÍ LESY

Hořely terpentýnové lesy. Jako kdyby hučel vodopád. Ležely na Severní Karolíně jako tlustý zelený koberec na knížecím zámku. Z kmenů prýštěla terpentýnová pryskyřice, kterou zapalovali bamři, daleko předsunuté drzé čelo velké Shermanovy armády. Krajina se měnila v divokou estetiku. Seržant si vzpomněl na veliký obraz bitvy nad krbem v jídelně zámku, kam kdysi pomáhal stěhovat nové fortepiáno. Malíř jako by se na kraj díval z balónu. Tenkrát ale neměli balóny. To až tahle válka, jako žádná jiná. Poručík Williams hleděl na hořící lesy dalekohledem. Do daleka, až k horizontu, explodovaly na zeleném koberci černé koule dýmu, který se nejdřív musel prodrat houštím hustých korun, pak na vzduchu vybuchl. Všude, do dálky, černé, veliké, rychle šednoucí hřiby z kouře řídly a dým stoupal k zatažené obloze. Dlouhá, nekonečná, modrá čára velké Shermanovy armády.

Vybuchující kouř ji zakrýval a odkrýval. Objevovala se jako ve výsečích zámecké malby, nezámecká. Na obraze slunce, překryté mřížovím mračen, kladlo na zem světlé a tmavé tůně, v nich zápolili vojáci v bílém s četami červených vojsk, po celé daleké zemi až k obzoru. Tam, utopen v modři nebes, snad se tím bavil Bůh. Tady však jenom kouř, v kotoučích při zemi i kouř jako uragán do výše několika mil, až k nízké obloze z olověných plátů, jako hořící katedrála. Hořely terpentýnové lesy.

Z kouře se vynořila tyč Šestadvacátého wisconsinského, na plošině veverka se šiškou v packách. Dým se roztrhl, seržant spatřil čtveřici mužů kráčejících dlouhými kroky, jako by se houpali za zvuků taneční kapely. Vrzaly nápravy kol, muniční vozy, bučela volská spřežení. Veliká karavana vozů se vinula až k obzoru, za ním doutnala Kolumbie. Hořela katedrála Severní Karolíny. Poručík Williams namířil dalekohled k okraji lesa. Kouřem prolétávaly sovy, veliké noční oči rozevřené jakoby hrůzou Armagedonu. K tomu divná hudba, plechový tlukot polních lahví. Veliká Shermanova armáda se valila na sever.

"Válka je krásná," řekl polohlasem, snad pro sebe, poručík Williams.

Seržant k němu vzhlédl. Je? Není? Na zámeckém obraze byla. I tady z návrší, odkud se na armádu dívá jeho generál. Seržantovi mihla hlavou vzpomínka na klukovské odpoledne, líné, dlouhé, na pokraji smrkového lesa nad vesnicí, krajina protáhlá do červencové dálky, mezi dvěma smrky napnul pavouk překrásné dílo, jež se ve slunci lesklo jako vyrobené ze stříbra. Ležel, byl kluk, čekal. A s ním čekal pavouk v skrytém srdci krásné sítě, oba čekali. Konečně přiletěla, byla ze zelené mosazi, lesklá, síť ji objala, hlasitý bzukot, pavouk přiběhl a už ji láskyplně zamotával do rubášku. Krásná příroda kolem bzučela hlasy včel, brouků, vážek, zpěvem ptáků, šumotem stromů. Byla to marná volání o pomoc. Válečný jek pavouků. Proč ne válka?

Nekonečná modrá čára mužů kráčejících houpavým krokem, v cárech, z nichž modř vyšisovala skoro do šedi, ale odsud z návrší se šeď slévala v nekonečnou modrou čáru, v tlukot polních lahví. Černým kouřem blýskl bajonet, veverka odhodila šišku, šiška udeřila do zadku Jeffersona Davise, který zachrochtal: selátko srdnatě hopkající po boku modré čáry. Hučením vodopádu zněla píseň:

Za mořem, v kráse lilií, narodil se Kristus,
v jeho hrudi krásné srdce pověřuje mě i tebe:
Jako on z lidí dělal světce,
my z otroků uděláme lidi.
Bůh s námi kráčí dál...

Je to krásná válka, pomyslel si seržant. Píseň zaznívala z vozů, které na úpatí návrší skřípěly nápravami. Byly to sanitní vozy, jely s velkou Shermanovou armádou, v nich lehce ranění, kteří odmítli zůstat vzadu v plantážních sídlech proměněných v lazarety, chtěli táhnout s generálem. Kodrcali v praštících ambulancích, nohy v obvazech přes postranice, hlavy ve špinavých turbanech kymácející se do rytmu kol. Krásná válka. Z jednoho vozu zahlédli kouřem generála. Ať žije Sherman! Seržant na něho pohlédl. Generálův kůň zaržál, pohodil hlavou. Rezavým vousem svitly generálovy zuby. Zasalutoval. Zafačované paže jako les —

— vůz drkotal uličkou Starého města, kde před chvílí koule vypadlá z fasády zabila mladého kněze. Klopýtali, jablíčka na čepicích, flinty, které budou večer čistit, bylo po bitvě. Vpředu hejtman von Hanzlitschek. Minuli vůz a na něm zkrvavení študenti z barikády rozstřílené Windischgraetzovou artilérií. Jeden už mrtvý, příšerně, neuvěřitelně rozevřená ústa, hlava visela nazad přes postranici. Za ním si hokynář kapesníkem utíral krev z lebky, kterou mu částečně oholila koule. Toho pak viděl, když ho vyslýchal von Hanzlitschek. Minuli jiný strašidelný vůz, vzadu klimbaly dvě nohy, jedna ustřelená v kotníku, zabalená do prosakující košile, zjitřeným zrakem zahlédl na košili národní výšivku, krev z pahýlu kapala na kočičí hlavy, kap, tečka, tečka za —

— a další vůz. Generál jim zase neušel. Hurá jako na dávném začátku války, které se pak už neozývalo. Po Shilohu. Po Antientamu. Po Chancellorsvillu. Až po dlouhé době teď, na samém konci krásné války. Ranění, kteří odmítli zůstat vzadu, vezli se s velkou Shermanovou armádou na Bentonville. Zpívali:

Mé oči spatřily slávu přicházejícího Pána,
zašlapává vinice, kde rostou hrozny hněvu.
Rozpoutal děsivý blesk svého strašlivého meče,
jeho pravda kráčí dál...

Veliká Shermanova armáda se valila k Bentonvillu. Bumerský předvoj zapaloval smolu, plameny vyšlehávaly, kouř se dral propleteným větvovím, vybuchoval, velké, černé, rychle šednoucí hřiby, sovy se široce rozevřenýma očima, cinkot polních lahví, v kouři kapela Šestadvacátého wisconsinského hrála "Bitevní hymnu republiky." Velká Shermanova armáda se valila k Bentonvillu.

Dinah přejela prstem, vespod růžovým, nahoře barvy čajové růže, Cyrilovi po tváři.

"Koupíš si mě, kluku bílej?" řekla. "Ale přijdu tě draho. Osm, devět stovek," položila mu ukazováček růžovou stranou na rty, "možná tisíc."

Políbil ji na růžovou kůži. "Jestli na mě budeš hodná..." řekl. "Zatím si na tebe šetřím."

"To seš tak chudej?" pravila zklamaně. "To nemáš ani tisíc baků?"

"Jestli se rozjede ten podnik s olejem — "

"Třeba ti na mě daj slevu. Teď když..." odmlčela se. Otevřeným oknem stodoly se na ně lilo měsíční světlo. Seděli na voňavém seně a měsíc se zrcadlil v saténových šatech, pověšených na nemístném ramínku, které Dinah přivázala k stropnímu trámu špagátem. Pod šaty byly na hromadě jeho svršky.

"Co když?"

Na ňadra dosedla Dinah svatojánská muška. Odmlčeli se oba, sledovali broučka, jak svítící čarou obtahuje tvar její kozičky, jak skáče na břicho a šněruje si to k lesíku.

"Huš!" Dinah cvrnkla do broučka. Vznesl se, krásná chladná jiskra, letěl stodolou, jiné jiskérky se k němu přidaly.

"Co když?" opakoval.

"Co?"

"Řeklas: Teď když..."

"Teď když tvoje sestra učarovala Etiennovi. Třeba ti mě daj se slevou."

Pro něho to byla novinka. Byl sám očarovaný.

"Myslel jsem," začal naivně, tak ho zpráva vyvedla z míry, "že sem chodí malovat—" Protože chodila, jenomže jeho nenapadlo, že by se mladý aristokrat mohl zamilovat do holky s ostudou. Věděl jen, že se mu líbily malůvky na okenicích jejich chalupy, stejné jako srdíčka na Debořině kolíbce, žhavým hřebíkem, protože o tom mluvil. Sám omámen, nepomyslil na nic, když bílé sloupy panského sídla začaly obtáčet moravské vzorečky, v barvách, srdíčka, čtyřlístek, holubička. Malířskou fantazií Linda neoplývala. Na Moravě by s ní vyběhli, ale tohle byla jiná země. Jednou se mezi srdíčka, čtyřlístky a holubičky připletla bizóní hlava, jenže vypadala jako čert. Ale byla to jiná země. Nevadilo to.

"Chodí sem," řekla Dinah, "aby ho omotala čárymáry a už jí neutek. A já jí budu vadit, až se to doví. Ona není opravdová jižanská dáma," pokrčila čajovými rameny. "Některým jižanským dámám to vadí taky. Většinou všem."

"Mně to taky vadí."

"Ty taky nejseš skutečnej jižanskej bílej massa."

"Jsem bílej jak sejra."

Rozesmála se. Bylo to přirovnání z jiné země.

"Sejra není bílej," řekla. "Spíš já jsem jako sejra."

"Ty seš jako růže."

Dinah ukázala dlaně a tázavě na něho pohlédla.

"Já myslím čajovou růži," řekl a políbil ji na ňadro. "A žárlím. Toho kripla zabiju!"

"To si radši nastřádej a kup si mě."

"Vod kripla vomilovanou?" řekl trpce.

"Však on už přestává," řekla, "teď když je celej žhavej do tvý sestry."

"Jak to myslíš: přestává?"

"Mě milovat."

"Jak to myslíš?"

"Von mě vopravdu miloval, víš, bílej kluku? Nebyla jsem pro něj jenom negr do postele. Já bych ti mohla povídat! Ó jé!"

"Nic mi nepovídej!" skoro vykřikl.

"Ach ty můj milej bílej kluku," vzdychla. *"Koukni, ber to tak, že ho podvádím s tebou. Hned ti bude líp. Nebo je u vás doma zvyk žárlit na manžely, co je podvádíte s jejich manželkama?"*

"Já nevím," řekl. *"Nikdy jsem to nedělal."*

"Ta je pěkně mazaná, ta tvoje Dinah!" zasmál se seržant.

"Byla," řekl Cyril s bezednou trpkostí v hlase. "A nebyla mazaná. Byla moudrá. Mně to doopravdy pomohlo. Ach Bože!" zvedl hlavu k měsíci, který byl stejný jako v Texasu. Seděli na stráni, pod nima táhla Osmá iowská jako pochodňový průvod, pochodně měli napuštěné terpentýnem, mířili k Fayetteville.

"Tak teď to děláš," pravila Dinah. *"Patřím jemu a ty mě kradeš. Máš mě, a nezaplatils."*

"To mám!" vydechl blaženě.

"Protože tebe miluju a jemu jenom patřím. Miluješ mě?"

"Miluju, Dinah!"

"Vidíš, jaká jsem pitomá negerka? Já ti věřím!"

"Nejseš pitomá negerka. A já tě miluju!"

"Come to Mamma!" *řekla, jak to říkali negři.*

Potom pravila:

"A třeba ti mě dá za míň. Světležlutý holky jsou lacinější."

"To není pravda."

"Je to pravda. Jsou."

"Proč?"

"A nejlacinější jsou skoro bílý. Jako Pompejus."

Pompejus byl bílý stín v domě pana de Ribordeaux. Leštil stříbro a servíroval v bílých rukavicích. Vypadal jako lokaj na knížecím zámku ve Dvorcích.

"Ale proč?"

"Protože lehčejc utečou. Ve městě nikdo nepozná, že jsou to negři," pravila a Cyrilovi došla ta logika nelogika trhu. *"Pokud je neznaj,"* řekla Dinah.

A déšť se lil, déšť se lil, ale lesy hořely dál. Dosud byli v Jižní Karolíně, ženisti pokládali koberce z nařezaných kmenů přes rozbahněné cesty, jinak by bahno zastavilo karavanu vozů, sedmimílového hada s ocasem ještě v Kolumbii. Co viděl kousek na sever od Kolumbie, překrylo sežantovi Cyrilovy vzpomínky. Pod nimi tekla hořící řeka Osmdesátého ohijského s terpentýnovými pochodněmi, tam i tady se lil déšť. Cválal se Shermanovými důstojníky, kteří kleli pod vousy, ve věčně kyvadlovém pohybu dopředu, přitáhnout otěže, aby stačili generálovi na obrovském koni. Najednou se generál zastavil: seržant zadržel koně, málem spadl ze sedla. Generál zdvihl k očím dalekohled, zaklel. Rozjeli se přes promoklou louku k plantážnímu domu uprostřed zahrady. Uviděl to taky.

Na silných nejnižších větvích mohutného jilmu se houpalo, počítal, sedm umrlců v hadrech, z tlustých černošských rtů vyhřezly opuchlé jazyky. Největší mrtvola měla v koleni useknutou nohu, z pahýlu dosud kapala krev smíšená s deštěm, růžová. Snad tu byli ještě před chvílí, anebo možná déšť, který stékal po mrtvolách, zabránil krvi ssednout. Ne, rána byla příliš veliká. Obrovský viselec měl na prsou kolem krku pověšený kus prkna a na něm polosmytý nápis uhlíkem: JENOM TAKO-VOUHLE EMANCIPACI! Generál zahučel rozkaz, poručík Williams, abolicionista, seskočil s koně, seržant taky. Bílý dům trčel do deště jako domov duchů. Vydali se k hlavnímu vchodu dokořán, seržant s připravenou enfieldkou, poručík s taseným revolverem. V prostorné hale s obvyklými portréty gentlemanů a divně nekrásných krásek leželi sem tam krutě zbičovaní černoši, někteří buď mrtví, nebo v bezvědomí. Na *chaise longue*, pod obrazem Milosrdného Samaritána a jeho činu, seděla mladá černoška v hedvábných šatech komorné. Měla kulatý žlutý obličej, mongolsky daleko od sebe posazené oči, seržantovi blesklo hlavou, že vypadá jako Aninka, Aninka s hezkou džingischánskou tváří, krásný následek nějakého tatarského znásilnění před stoletími. Černošce však líčko rozťal bič a krev potřísnila bílou zástěrku. Vytřeštěné oči viděly asi ještě pořád, co kolem ní už nebylo. Jektala zuby, třásla se. Poručík Williams k ní přistoupil, oči pohlédly na přítomnost a spatřily revolver. Dívka se rozječela. Poručík rychle strčil revolver do pouzdra a uchopil ji za ramena. Nepřestávala ječet. "Co se tu stalo?" zeptal se poručík. Nepřestávala ječet.

Za *chaise longue* se vztyčil stařec s bílýma kudrnama.

"Byla to Chisholmova kavalérie, pane," řekl. "Divize generála Cheathama. Poznal jsem mladýho pána Burdicka. Jeho otec, starý pán Burdick, má plantáž pět mil odsuď, pane."

"Ale co se tu stalo?" opakoval poručík Williams. Protože něco se stát muselo. Rebelové neničili vlastní majetek."

"A třeba si mě koupíš a svobodu mi stejně nedáš," řekla Dinah a soukala se do bílého korzetu. Otočila se k němu zády, začal ji neobratně šněrovat.

"To nedám," řekl. "Vezmu si tě."

"Povídali, že mu hráli," pravila.

"Odjedem na Sever."

"Povídali, že mu hráli."

Pevně utáhl tkanice. Mezi kozičkami se udělala krásná rýha.

"Auč!" pravila Dinah. "Budeš na mě jako děti tetky Bramwellový."

"Znám je?"

"Jak bys moh," řekla a opatrně sundala šaty z ramínka. "To bylo ještě v Louisianě. Měla jich pět, tři kluky a dvě holky. A uměla krásně vyšívat. To ji naučila paní Bramwellová, než umřela."

*Zmizela v šatech, pak se z nich vynořila, čajová růže,
měsíc se rozdvojil a sedl si jí do očí.*

"A co její děti? Co udělaly?"

"Nic neudělaly," řekla Dinah. "Ale když umřela paní
Bramwellová, starej pan Bramwell se znova oženil a vzal
si paní Flaši Bourbonovou. Byla to svatba z lásky, bílej
kluku. Já bych jen chtěla, abys mě tak miloval jako starej
pan Bramwell paní Flaši."

"Miluju tě víc!"

"Povídali, že mu hráli!" Bílý chrup čajové růže se
zaleskl perletí, měsíc se rozdělil na dvaatřicet měsíčků.
"Oni neměli děti," řekla Dinah, "a starýmu panu Bram-
wellovi začlo bejt všechno šumafuk. On vlastně ani nebyl
tak starej. Než umřela paní Bramwellová, slavili teprve
desátý výročí svatby a byli od sebe deset let. Panu Bram-
wellovi bylo čtyřicet. Well," řekla Dinah. "Musím jít, bílej
kluku. Koupíš si mě? Na mou duši?"

"Na mou duši. Jestli budeš ovšem na prodej. Jinak tě
unesu," řekl Cyril.

"To si piš, že budu na prodej."

"Jen jestli."

"Piš si to," řekla Dinah. "O to se postará tvoje sestřič-
ka."

Pochodňový průvod pod kopcem táhl na Fayetteville.
Za ním hořely terpentýnové lesy. Protože byla noc, vidě-
li, že vybuchující šedivé hřiby jsou uvnitř z ohně. Oheň
hučel v hustých lesích jak Meluzína a nízké mraky, ze-
spoda ozářené, vypadaly jako převrácená Niagara, růžo-
vé a oranžové víry visící hlavou dolů nad překoceným
světem. Kdyby seržant dosud věřil, připomínalo by mu
to peklo. Jenže bylo to krásné peklo, a seržant už v Pána
Boha panpáterů nevěřil. Věřil v generála. Ten černochy
nemiloval, ale s pomocí spravedlivého pekla obratně
rozehrál tuhle krásnou a velikou hru války. Ohni terpen-
týnových lesů svářel rozlomenou Unii a Unie se krvavě
zbavovala logiky nelogiky, s níž si lámal hlavu Cyril,
okouzlený nepochopitelně svobodným duchem v těle za

229

osm set, možná za tisíc dolarů. To vše teď krásné peklo sírou a ohněm vypalovalo z ošklivého světa.

Seržant vzpomínal. Jel s depeší pro generála Slocuma a před Winnsboro, velikou vesnicí asi čtyřicet mil na sever od Kolumbie, dohonil k večeru harcovní oddíl četaře Metcalfa. Zahlédl čahouna Stejskala s novou kanárkově žlutou hedvábnou záplatou na zádech, Paidra, Shaka a Housku, vstoupili do Winnsboro spolu a poznali, že tam nejsou první. Už tam byli bamři, tulácké sbory velké Shermanovy armády, a na Hlavní ulici se koulovali něčím, co vypadalo na nedodělané knedle. Na cestě se válely naříznuté pytle, z nich vysypaná mouka, na rohu před episkopálním kostelem ji otrhanec s porculánovým nočníkem na hlavě zadělával v neckách. Jako pominutí nabírali bamři plné hrsti, mouka lítala vzduchem. Kolem dokola hořely domy jako třicet vánočních stromečků a odněkud — ne z kostela — znělo harmonium.

"Nemaj v tomhle městečku ústav pro duševně choré?" řekl Shake. "Starej Slocum tady patrně namísto zdejších negrů osvobodil místní cvoky."

Bamr nabílený moukou na augusta přivalil odněkud obrovský sud melasy, za ním utíkal druhý se sudem octa. Ulice se svažovala k jihu. Za chvíli tekl korytem potok divného cocktailu a bamři pouštěli po proudu suchary jako lodičky.

Pořád znělo harmonium. Došli ke kostelnímu nároží, právě když ze střechy vytryskly plameny. Kolem rohu se přihnali tři s terpentýnovými pochodněmi. K harmoniu se přidal vojenský mnohohlas:

> *Hurá! Hurá!*
> *Nesem vám v pochodu*
> *prapor, co značí svobodu!*
> *To sme si zpívali*
> *z Atlanty k moři,*
> *na pochodu Georgií.*

Za rohem konečně uviděli harmonium. Stálo kousek od kostela, z jedné strany pyramida narovnaných šunkových kýt, politá terpentýnem. Bamr přiložil pochodeň k té vlevo, vzňala se, přeběhl na druhou stranu a z druhé pyramidy byla fagule. Pronikavě zavoněla pečená šunka. Zády k nim seděl u harmonia maličký bamr a hrál. Sbor jako křivolací čerti zpíval čelem k harmoniu, uprostřed dva drželi něco, co vypadalo na rakev postavenou užším koncem na zem. Obešli pekelnický sbor a viděli, že to rakev je, celá ještě od hlíny, čerstvě vykopaná na hřbitově za kostelem. Bamři vypáčili víko, uvnitř se objevil čerstvý nebožtík v nové uniformě do hrobu. Rebelský kapitán. V mrtvolném šklebu cenil chrup na hořící šunky. Jedno oko mu zatlačili špatně, vypadal, jako když čtveráci mhouří druhé, dobře zatlačené. Šunka pronikavě voněla. V kostele zahučela Meluzína požáru. Varhaník se přehmatával, šlapadla měchů vrzala, čertovský mnohohlas.

"Cvoci?" pravil Stejskal. "Nebezpečný šílenci."

Zinkule se ozval:

"Upsal se Ďáblu! Já vám to řikal!"

Tentokrát se Houska nezeptal, jestli má posloužit jednou do zubů. Vyjeveně zíral na zubatého kapitána v rakvi. Rukou si promnul zrak. Shake řekl:

"Uzená apokalypsa."

"Já vám to řikal!" pravil temně Zinkule.

Ďábel však je pouhý sluha boží, pomyslel si seržant. Pacholek na špinavou práci. Zařval:

"Stop it!"

Ale šílení pěvci hned nepřestali. Mnohohlas:

> *Téráci se radovali,*
> *jak sme jim to zazpívali.*
> *Krocani se rozkvokali,*
> *co sme jim je zabavili.*
> *Sladký brambory ze země vyskakovaly,*
> *když sme táhli k moři,*
> *dolů k moři přes Georgii.*

"*Stop it!*" zařval znova seržant. To vzpamatovalo seržanta Metcalfa. Rozkaz, napřáhli pušky. Harmonium zmlklo, zakviknutí.

"Co blbnete?" pravil varhaník.

"Palte odsuď!" zařval Metcalfe.

Za půl hodiny vyčistili Hlavní ulici od bamrů. Samozřejmě bylo pozdě. Když Zinkule s Paidrem spustili rakev s víkem převázaným kusem špagátu do hrobu, tkvěla nad hřbitovem vlezlá vůně připálené šunky. Zinkule nad rakví udělal kříž a tempem vesnického dříče naházel do hrobu čerstvě vykopanou hlínu. Ještě z dálky, když se ohlédl, viděl pak seržant dohořívající Winnsboro. Ale líto mu ničeho nebylo. V téhle válce bylo všechno možné. Byla to válka o všechno.

A Dinah řekla:

"*Jako nevděčný děti tetky Bramwellový.*"

"*Ale co udělaly tak strašného?*" *zeptal se Cyril.*

"*Udělaly to nejstrašnější na světě,*" *pravila Dinah.* "*Nedaly jí svobodu.*"

"*Copak mohly?*"

"*Právě,*" *řekla Dinah.* "*Tetku pronajímali, aby šila mladejm dámám z plantáží, ještě když byla paní Bramwellová naživu. Tím spíš, když umřela. Vdovec pan Bramwell nebyl žádnej lakomec a taky mu to možná bylo jedno, když měl to šťastný manželství z lásky s paní Flaší Bourbonovou. Tetce dovolil, že si mohla nechávat polovinu, co za ní platili, někdy i víc, když si mu řekla. A tak střádala. Nejdřív si koupila nejstaršího syna Boba a dala mu svobodu. To byl tesař, hned pálil na Sever.*"

Najednou Dinah uskočila za keř.

"*Pst!*"

Schoval se k ní. Z bílého domu s moravskými malůvkami vykulhal jednonohý a pod paží si vedl sestřičku. Kráčeli pod měsícem k přístřešku pro kočáry. Tam čekal podkoní se zapřaženým koněm. Kočárek se leskl v měsíčním světle.

"Vidíš? Říkala jsem ti to. Starej pan de Ribordeaux je dneska v Austinu," zašeptala Dinah. "Zatím co já jsem podváděla mladýho pána s tebou, bílej kluku, mladej pán se činil s vaší Lindou."

V Cyrilovi se praly pomatené pocity. Skrze ně se však dralo něco, čemu začínal rozumět. Zděsilo ho to. Sestřička se vyšvihla na kozlík, vztáhla ruce k jednonohému. Podkoní ho oběma rukama opřenýma o zadnici vysadil vedle sestřičky.

"Neříkej mi bílej kluku," zašeptal Cyril.

"Proč? Seš můj bílej kluk."

"Co kdybych já ti říkal černá holko?"

"To bys nemoh. Jsem světle žlutá."

"Já taky nejsem bílej. Jsem tmavší než ty."

Položil ruku vedle její a vysoukal si rukáv. Dinah hleděla na obě ruce užasle, jako kdyby to viděla poprvé. Pak se rozesmála. Texaské slunce Cyrila zhnědlo: z moravského sluníčka byl nejvýš jako rak.

Byla to pravda, nebyla to pravda. Ač hnědý, byl bílý. Bleděžlutá dívka byla černá.

"Nastřádala si na ně na všechny?" zeptal se.

"Nastřádala," pravila Dinah. "Po Bobovi vypálil na Sever Tom, pak Beulah, ta uměla vyšívat jako tetka, po ní Clothie, ta zas krásně zpívala, a nakonec Jim. Ten neuměl nic. Taky mu bylo teprv patnáct. Vlastně," řekla, "ten byl nevinej. Na Severu ho zavřeli, ani se tam neohřál, ale už stih vybrat kurník na metodistický faře. Prej dostal deset let. Ten za to nemoh."

"Jakto nemoh? Byl přece poberta."

"Nebyl," zavrtěla hlavou Dinah. "Bral bílejm. To není krádež."

Kočárek se rozjel, jednonohý u otěží. Hlava krásné sestřičky zazářila jako ze stříbra. K čemu se to rozhodla? K čemu? K tomuhle? Láska to nebyla. Láska zůstala v Ambeřicích. Najednou bylo všechno jasné.

"Ale ty ostatní," řekla Dinah. "Tom s Bobem si zařídili truhlárnu v Bostonu. Beulah dostala místo v módním salóně ve Filadelfii a Clothie se vdala za pastora v Buffalu. Byl to prej lepší zpěvák než kazatel. Prej je dokonce s jinejma svobodnejma černochama najímali na bílý svatby. No," vzdychla Dinah, "krátce a dobře, vedlo se jim. A na tetku zapomněli." Měsíce v dívčiných očích se zúžily na dvě stříbrné čárky. "Dovedeš si to představit, bílej kluku?"

"Neříkej mi bílej kluku!"

"Tak hnědej kluku. Nejdřív samozřejmě, že budou strádat a na tetku se složej. Jenže Boba i Toma, sotva přičuchli ke svobodě, posed ženskej běs a samozřejmě to musely bejt otrocký žáby, takový dvě navoněný fiflenky ve velkým domě pana Carrutherse v Louisianě. Ten nevěděl, co za ně má chtít. Tak se tetka odložila a strádalo se na Filipu a Brigitu. Ke všemu to byly sestry. Pak se zas muselo strádat na pěknej rodinnej dům pro Boba a na stejně pěknej pro Toma. Clothie začala rodit děti a Beulah už dvě měla, ještě na plantáži starýho pana Bramwella, tak se strádalo na ně. Tetka Bramwellová jim dokonce všem na ty freje přispívala ze svýho vejdělku. S plantáží to šlo z kopce, protože starej pan Bramwell se staral jen o paní Flaši a tý na majetku nezáleželo. Negři se váleli v bavlně, koukali Pánbu Bohu do oken, protože nejkrutáčtější dozorce pan McDrummond, když viděl, jak jde všechno šejdrem, dal vejpověď. Druhý dva dozorci už byli starý a taky oženěný jako pan Bramwell, nakonec se taky váleli s negrama v bavlně a tloukli celej den špačky. Úroda se zkazila, na starýho pana Bramwella se hrnuly dluhy a tak se na chvilku vzpamatoval, nechal paní Flaši v salóně a odjel na pole, kde dozorci s negrama mazali poker."

V měsíčné noci zapráskal bič, stříbrozlatý květ zmizel za houštinami v ohybu cesty, drkot kočárku odezníval směrem, kde o pět mil dál stál jejich farmovní dům. Pro tátu bude čajová růže příliš fajnové stvoření, napadlo ho, máma jí bude patrně říkat milostslečinko, protože Dinah vypadala jako komtesa ze zámku, pouze byla hezčí. Najednou se lekl. "Cože?" řekl.

"Nač myslíš, bílej kluku? Že mě neposloucháš!"

"Jak pojedem na Sever," řekl. *"Tady bych si tě vzít asi nemoh."*

"Jo na Sever," vzdychla růžička. *"Jenom jestli sliby nejsou chyby a ty nebudeš jako nehodný děti tetky Bramwellový,"* zamračila se. *"Kromě Jima. Ten bručel, tak střádat nemoh."*

"Ať mě Pán Bůh na místě ztrestá, jestli budu jako nehodný děti tetky Bramwellový!"

"To on taky udělá. Však to udělal i těm vypečenejm svobodnejm, ale nevděčnejm negrům, Bobovi a Tomovi."

"Přišli o truhlářskej business?"

"Přišli o Filipu a Brigitu. Ty, sotva jim dali svobodu, aby si je mohli vzít, frnkly do Chicaga. Prej tam dělaj v nějakým nóbl domě buď štětky, nebo bony k dětem. To nevím jistě."

"Jistě si to vymejšlíš," řekl. *"A co nevděčná Beulah a nevděčná Clothie?"*

"Ty nic, přirozeně. Jižanskej Pán Bůh je gentleman. Zato ale odměnil Jima."

"Pobertu Jima?"

"Jim v životě nic neukrad!" Zdálo se mu, že se rozzlobila doopravdy. *"Ale poštěstilo se mu taky frnknout. Jako Filipě a Brigitě. Zamilovala se do něj ošklivá klíčníkova dcera a v noci mu odemkla."*

"Bože! Takhle si vymejšlet! Kam na to chodíš?"

"Čtu romány, co tu nechala slečna de Ribordeaux, než se vdala do Louisiany," pravila Dinah. *"Ale Jim opravdu frnk a nezastavil se až v Kanadě. Ale úplně až nahoře na severu, kde prej žijou negři, který dojej velryby. Stal se tam pasákem velryb."*

"To máš taky z těch románů."

"Ne, to mi tak napadlo."

A Cyrila napadlo:

"Jak ses vlastně naučila číst?"

"Slečna de Ribordeaux, když byla malá holka, tak si nechtěla hrát s nikým než se mnou. A měla preceptorku,

Mademoiselle Seulac, ta ji učila. A protože slečna de Ribordeaux byla natvrdlá, všecko se jí muselo opakovat desetkrát. Mně stačilo poslouchat."

"Ale to bylo přece francouzsky? Mademoiselle Seulac."

"Bylo. Ty romány jsou taky francouzský. Anglicky já moc číst neumím. Všechno se píše tak legračně."

Cyril žasl.

"Musím si na tebe sáhnout!"

"Proč?"

Sáhl si. Nebyla vymyšlená. Jenom o ní nikdo nevěděl. Pouze on.

Hořely terpentýnové lesy.

"To je Brutus," řekl černý stařec v lokajské livreji. "Jak mu věšeli na krk tu ceduli, kop mladýho pána Burdicka, tak mladej pán Burdick vytasil šavli a usek mu nohu." Černý prst ukázal na pahýl, z něhož pořád odkapávaly růžové kapky. Jako vodní hodiny odměřovaly čas na kříži. "Pak ho vytáhli."

"A to všecko bylo z jeho hlavy?" zeptal se poručík Williams.

"Byl to vždycky zlej negr," řekl stařec. "Uměl takovej trik, pane plukovníku." Poručík ho neopravil. "Doved si vyhodit ruku z ramene a nosil ji v šátku kolem krku a nemusel do práce. Byl to zlej negr. Taky vykládal o Natu Turnerovi."

"Co se stalo s vaším pánem? A s jeho rodinou?" zeptal se rychle poručík Williams.

"Nic, pane plukovníku. Zabít on je nechtěl. Říkal, že to už není potřebí, když nám massa Lincum dal svobodu. Jenom bílejm pánům řek, že plantáž teď patří nám, a vyhnal je."

Poručík Williams pohlédl na generála. Generál se mračil, mlčel.

"Já mu říkal, že nám nepatří," pravil stařec. "Že jsme jenom svobodný, protože přijeli vojáci pana Lincuma. Pověděli nám to. Byla tu kavalérie pana generála Kilpat-

236

ricka. Jenomže hned zas odjeli. K Brutusovi se přidal Cato," černý prst ukázal na nepoškozeného viselce po pravici mrtvého s useknutou nohou a nato je jmenoval všechny, jako litánii: Caligula, Marcus Aurelius, Cicero, Catilina a poslední, černý jako uhel, se strašlivou postmortální erekcí, Hannibal. Patřili vzdělanému plantážníkovi. "Dělal jsem, co jsem moh," říkal stařec. "Jenom svobodu. Svoboda není majetek. Ale Brutus ani slyšet. My tu dřeli, říkal. Přitom on ani nedřel. Uměl ten trik, a jiný podobný. Na pole ani moc nechodil. Zametal, podělkoval, spravoval giny, pomáhal v kuchyni —"

Zavanul horký vítr z hořících lesů. Viselci se začali pomalu otáčet.

"Odřízněte je!" zavelel generál. Zbičovaný černý hloučekk se hnul, sundavali ubohé viselce jednoho po druhém.

"Tak je vyhnali," řekl stařec. "Brutus jim ani nedovolil vzít kočár. Ani koně. Museli pěšky. Šli rovnou na Burdickových plantáž. Já to věděl," stařec vzlykl. "Já Bruta varoval. Ale ani slyšet. Rozdělili si pokoje ve velkým domě, Brutus si do svýho hned odved Claudii, ta se, chudák, asi pomátla." Starý černoch se ohlédl. Dívka seděla na schodech, zády opřená o sloup, už neječela, jenom zatínala zuby. "Došlo na mý slova," řekl stařec. "Ráno přijeli. Chisholmova kavalérie, divize pana generála Cheathamna, páni plukovníci. Mladý pán Burdick s nima." Stařec se rozplakal.

Černoši odnášeli sejmuté z kříže. Generál Sherman řekl: "Nechte tu stráž. Pošlete oddíl na Burdickovu plantáž."

Žhavý vítr od terpentýnových lesů hnal proti nim kotouče černého kouře. Generál prudce otočil koně na zadních nohách a cvalem vyrazil k dlouhé, modré, houpající se čáře své velké armády.

Přebrodili říčku, voda v ní téměř vřela, koně se drali vodou ze všech sil, opařeni se drásali na protější břeh. Na obloze hučely gigantické katedrály. Mene tekel.

Jeho krásná dívka Dinah pravila:

"Vůbec jim nevynadal. Jenom povídal, že se válej jako prasata v močále a bavlna zatím shnila. Musel jsem se zadlužit. Tak buď budete makat a vyděláte mi na dluh, nebo vás prodám na rejžový plantáže, zaplatím dluh a odstěhuju se do New Orleansu. A nic. Otočil se, všichni se lekli, velkej Wellington zařval: Do práce!, zatleskal, měl dlaně pětkrát pět stop —"

"Nevymejšlej si, světležlutá holko!" řekl.

"Inčů, chci říct. Jediný, kdo zůstali ležet v bavlně, byli ty dva dozorci. Nebyli zapotřebí. Negři šrotili, až se z nich kouřilo. Víš, hnědej kluku, na rejžovejch plantážích negři odcházej na věčnost jak mouchy. Než starej pan Bramwell umřel, to bylo tři roky nato, nebylo mu ještě pětačtyřicet, měl v Louisianě nejvýnosnější plantáž."

"Strach je nejlepší dozorce," řekl Cyril.

"Snad," řekla Dinah. "On jim taky řek, že v závěti jim všem dal svobodu, protože děti nemá. Jenže jestli nebudou makat, závěť změní a prodá je na ty rejžový plantáže, poněvadž nechce na starý kolena na žebráckou hůl. A když budou jednou prodaný, už jim svobodu dát nebude moct, i kdyby nakrásně chtěl."

"Strach nebo touha po svobodě?" řekl Cyril.

"Strach, aby o ni nepřišli," pravila Dinah. "A víš, kluku bílej nebo hnědej nebo jakej, ani tetka Bramwellová nakonec nepotřebovala svý nehodný děti. Když starej pan Bramwell umřel, dostala svobodu jako všichni ostatní a za zbytek úspor, co nerozdala svejm nehodnejm dětem, si koupila lístek na vlak a odjela do Kanady. Ale až úplně nahoru na sever, co žijou negři, co dojej velryby, protože tam pás velryby její jedinej hodnej syn. Tetka Bramwellová se mu pak až do smrti starala o velrybí štěňata."

"Velryby nemaj štěňata, bleděžlutá holko," řekl Cyril. "A jestli řekneš, že maj, budu si na tebe zas muset sáhnout."

"Maj," řekla Dinah.

Odhodlával se k poslednímu kroku. Nemohl, nemohl. Nebýt orla nad vchodem, byl by se dávno obrátil a šel Broadwayí dolů, ulicí, kde stálo kasíno, do Lower East Side, kde by se ztratil, zemřel, zmizel. Ale jenom světu lze zmizet, sobě ne. Kde by se tedy oběsil.

Orel byl jiný. Ale jak, proč, čím tenkrát ještě dobře nevěděl. Na toho druhého, divná věc, pamatoval se po tak krátkém čase už jenom nejasně. Nade dveřmi do kamenného domku visela cedule U.S. ARMY RECRUITING OFFICE, ale k poslednímu kroku se donutit nemohl. Nebýt toho orla, protože byl jiný, byl by se obrátil, oběsil. Co jiného? Brooklynská cihelna? Proč?

Proč?

"Jo, Senna bere lidi furt. A jenom Čechy. Zakázek má víc, než cihelna pořídí stihnout. Bude jí prej rozšiřovat."

"Ale za čtvrťák na den? Za čtrnáct hodin?"

"Nojo, málo to je. Ale von nepropouští. Longšórmeni maj dvakrát i třikrát tolik, jenomže ráno nikdá nevědí, jestli ten den bude práce. Kolikrát neni."

"Když mu to tak jde, proč vám nepřidá?"

"De mu to, ponivač málo platí. Může prodávat lacinějc než konkurence. Proto nemusí lidi dávat na lejof. A herberk máme erární."

Rozhlédl se. V herberku jich právě bylo osm. Někteří už zalehli. Kolem průčelní stěny měli dlouhou vojenskou palandu pro deset lidí. Bylo jich dvanáct. Nad palandou nakřivo visel barvotisk Washingtona. Od stolu, kde seděl s jedním z těch dvanácti, jenž se jmenoval Zrůbek, bylo otevřenými dveřmi vidět na cihelnu, která žhnula do přicházející noci, kouřila. Otvírala se tam dvířka pecí a kolem nich se míhaly černé stíny jak čerti.

"Za noční je štyřicet," pravil Zrůbek. Na stole stálo několik hliněných kalíšků, kameninový džbán a svíčka. Zrůbek vypadal jako z cihel. Ostatní taky. Spečený cihelný prach k nevymytí. Jestli se vůbec myli.

"Kde je Šálek?" zeptal se.

"Tomu to tu nevonělo. Zdrh předevčírem. Prej měl namířeno do Chicaga."

"Vám se to nezajídá? Ušetříte něco?"

Zrůbek pokrčil rameny, vzal džbán a nalil si. Pivo. Džbán byl už skoro prázdný.

"Dyby se nemuselo tolik pít. V cihelně je teďkon v létě pekelný vedro. Ale práce je to jistá. Ňákej ten—" zaváhal, " — rok to vydržim, našetřim si —"

"A pak?"

Zrůbek se napil.

"Pak se uvidí. Snad ňákou lepší práci, až krapet pochytim angličinu. Doutníkaření prej neni špatný, ale musej bejt ňáký prachy do začátku. A tady má člověk svý jistý."

"Kde tady pochytíš angličinu?"

Zrůbek opět pokrčil rameny.

"Sem tady teprvá ani né rok —"

"A co už umíš?"

"Cenk jů," řekl jeden z těch, co seděli na palandách. "A bír plís."

Čerti tančili kolem otevřených dvířek pecí. Proč?

"Tak vám přeju štěstí," řekl a vstal. Rozhodl se. Za noc, za dlouhé předchozí dopoledne a odpoledne rozhodnutí několikrát změnil, ale večer, před branami toho snesitelného — jenže proč? — pekla se konečně rozhodl. "Sbohem."

Zrůbek vyšel před herberk s ním. Odněkud páchlo moře. Cihelna na něho dýchala nepravidelným horkým dechem. Zrůbek pohlédl na nebe, hvězdy jen nejasně, načervenale prosakovaly kouřem z cihelny.

"Dyž chce člověk žít, muší se narodit a nesmí umřít," řekl Zrůbek.

A proč? Zchvácen únavou těla i duše, nebyl s to domyslet tuhle filozofii. Jenom: proč?

"Tak s Pánem Bohem, krajane."

Vykročil k Manhattanu.

240

Na lodi jeli s Eduardem Frkačem — už si ovšem říkal a do kapitánovy listiny se zapsal jako Ed Fircut — v kabině ještě s dvěma jinými velmoži, z nichž jeden byl Němec a druhý Angličan, James Smithie. Byl to nesmyslný luxus, jenže stejně jako hotel v Amsterodamu a láhev koňaku, proč? Proč ne? Burani, už předem najatí do Sennyho cihelny, cestovali v podpalubí. I po zaplacení kajutního lístku měl pořád ještě přes polovinu Hanzlitschkova pokladu — a pod košilí etuji se skleněnými vajíčky, s tou se však rozloučit nehodlal. Teď, když Uršula je mrtvá, protože věděl, že je. V odstupu času viděl, jaká to byla fušeřina, zátylek na kameni v mechu — a co tam měl dělat von Hanzlitschek, štamgast důstojnického kasina a chodec po korze? A služtička se jistě polekala. Věděl, že Uršula je mrtvá, i když možná někde v kriminále ještě žije, a tou dobou už nad ním Eddy Fircut měl nevysvětlitelnou, čarodějnickou moc. "V podpalubí? Mysli, člověče! Prachy na to máš a je to investice. Stokrát se vyplatí. Pasažér z kajuty je něco jiného než ňákej smradem nasáklej vystěhovalec z podpalubí. Taky —" to už věděli, kdo budou jejich spolupasažéři, "— za ty tři, čtyři neděle se od toho Anglána přiučíš řeč a to je ještě lepší investice."

V tom měl pravdu. Angličan byl užvaněnec, náfuka s uhýbavýma očima, samozřejmě jimi pohrdal, ale lichotila mu role učitele. Byl to syn velkoobchodníka s vínem a s whiskou, té si s sebou vezl několik soudků, které mu kapitán dovolil uskladnit ve špižírně za privilegium volného přístupu k nápoji. Smithie jel daleko, až do Kalifornie. Za zlatem. Náfuka, žvanil, ale nikoli lakomec. Čtyři týdny, večer co večer s hlavou plnou skotské, aby z ní vyhnal jinak neodbytnou vidinu šibenice. Přes den ty lekce, v New Yorku už se domluvil.

Smithieho táhlo do Kalifornie možná zlato, ale taky ho možná z Anglie hnalo svědomí. Uvěřil mu, ačkoliv: byla to pravda? Nebo pomstychtivá Smithieho fantazie? Syn obchodníka s whiskou nebyl abstinent: patřil však k lidem, kteří rádi překročí první práh alkoholické cesty a ze světa sebekontroly vkročí do oblasti rakontérské volnosti, ale nikdy nepřekročí práh druhý, do zprkenění, kdy alkohol do paměti vytluče černé díry. Fircut vlastně nepil, jenom kdykoliv na něho seržant pohlédl, měl sklenici s whiskou pod nosem a sklenice jako hrnečku vař, oči nad okrajem sledovaly a viděly všechno. Měl si proto všimnout, jenže jak mohl? Seržant podvědomě doufal, že tvrdý nápoj vytluče mu do paměti černou díru, a v ní, jako zvíře v černé noře, zmizí strach o Uršulu. Jenomže takové díry alkohol neumí, plavba byla bouřlivá, protahovala se a nakonec trvala šest neděl: Fircut začal vyprávět lokajské historky. Nejdřív opatrné, o vyhrnování sukní, zatímco pokojské stlaly panské postele, o rychlovkách zezadu: protože seržant byl vesničan, nikoli neznalý stohů slámy, ale domnívající se, že způsob psů je způsob psů, jenom naslouchal a pil. Smithie mlčel, upíjel a žádal další, a tak je Fircut dodával: o francouzské komorné na zámku Oberhausen-Waldmuehle a o hraběti von Selsen zu Huelle, jenž, když už všichni spali, pořádal na jevišti zámeckého divadla půlnoční představení bez diváků. Za zavřenými dveřmi, ale v plném osvětlení stříbrných svícnů komorná Danielle v něm byla nahou krasojezdkyní a Fircut ochočeným hřebcem a hrabě von Selsen zu Huelle se ve tmě pod svícny spokojeně ukájel sám. "To máš odněkud vyčtené? Z Boccacia?" zasmál se Smithie a oba podrželi sklenice whisky pod nosem, Smithiemu hladina klesla, Fircutovi hrnečku vař. Všechno za obzorem vesnice a stohů slámy a Fircut od opatrných lokajských historek k odvážnějším, o hrabátku vypadlém z oka nosatému lokajovi, ale žádná scéna, žádný skandál, naopak povýšení a nakonec košatý doporučující dopis vévodovi, jenž rovněž chtěl jakéhokoliv dědice a za každou cenu. V tom novém, lepším místě španělská vévodkyně chtivice omrzená bonbóny, žádající zajímavější pokroutky, zejména když pro rozměrný buben šlo to pouze po způsobu psů. Seržant

242

překročil třetí práh a štafetu převzal Smithie a z košilaček a prasečinek přímo do anglické romantiky. Evelyna.

"Krasavice," říkal Smithie. "Zchudlá, ale k nedobytí. Otec čtvrtý syn. V sezóně jedli jen jednou denně, večer. Samozřejmě nikdy doma. Jméno mělo dobrý zvuk, jen peníze v něm nezvonily žádné. A Evelyna byla vyhlášená kráska, pozvání vždycky roztržený pytel. Přes léto na tom byli líp. Tři měsíce v Derbyshire, kde stálo rodinné sídlo a Sir Andrew měl silné vědomí krve a nebyl hamižník. Dva měsíce u druhého bratra, který se přiženil do rodiny Visconta Sussex-Fleury. Měsíc u sestry, hraběnky Fitzhumové. Strava, byt a venkovské radovánky. V sezóně za sebou, třebaže chudička, táhla konvoj. Hrabata, knížata, dědici, prvorození synové. Já neměl šanci. Oni voněli koňskou stájí, já smrděl whiskou."

"Nejsi žádný násavka," řekl Fircut. Zapálil si doutník ve stříbrné špičce, kolem níž se plazil hádek ze slonové kosti.

"Obrazně jsem smrděl," pravil mrzutě Smithie, "Moje pozvání na večeři by odmítla. Ona i její papá. To jsem věděl, proto jsem se ani nepokoušel. Přes den jsem jí byl dobrý. Lunche na Strandu. Večer ona samozřejmě, kam mě nikdo nezval. Ale protože jako každá mladá holka potřebovala výživu, zejména na vrcholu sezóny, kdy šla z bálu do bálu, byl jsem jí dobrý, když ji zrovna nevzal na lunch některý hrabě, kníže nebo prvorozený syn."

Za okénkem kajuty valil Atlantik pod měsícem zpěněné čepice a přes měsíc divoké mraky. Loď se houpala, hladina klesla. Dolil ji z demižónu.

"Jinak ovšem," říkal Smithie, "tamty stavěla na váhy, ale srdce jí svou kanonádou nezasáhli nikdy. To zranil můj šíp, třebaže na váhách — kdyby mě na ně vůbec postavila — byl bych shledán jako peříčko."

"Obrazně řečeno dosáhls svého," řekl Fircut.

"Svého?" pravil Smithie. "Najal jsem byt v Holbornu a tam někdy, mezi lunchem a five o clockem—"

"Rychlovky?" řekl Fircut.

Smithie pravil upjatě:

"Neměl jsem nikdy služebnické zvyky. A Evelynu by odpudily. Bylo to ovšem úžasné. Nechci budit dojem, že jsem o to nestál. Chtěl jsem však na váhu a tam mi byl přístup zakázán." Seržantovi se zdálo, že do klidného anglického hlasu prosákla vášeň. "Věřila prostě, že krev není pouze obarvená voda."

Nalil si, v útrobách lodi praštělo, jak Atlantik hnal pod příď vlny čím dál větší. Bouřlivá noc. Fircut se ušklíbl:

"Nebo se nechtěla vzdát královských bálů?"

Smithie pokrčil rameny.

"Nebyla prostě schopná mezaliance. Navrhoval jsem: odjedem do Austrálie. Patří mi tam tisícihektarové vinice. Nikdo tě tam nezná, hučel jsem do ní. Budem prostě pan a paní Smithieovi. Ji to rozesmálo. Řekla: Mně přece nejde o londýnské snoby, Jime. Já to prostě nemůžu udělat. Jestli mě miluješ jako já tebe, pochopíš to. Tohle — položila mi ruku na srdce, levicí mě vzala za pravičku a dala mou dlaň na srdce sobě — můžem mít pořád a pořád. Až do smrti. Nezáleží na tom, jestli si někoho vezmu nebo že si někoho vezmu."

Fircut se rozesmál.

"Slíbila ti prostě doživotní prostocviky."

"Měj si svou redukci," pravil Smithie pohrdavě. "Miloval jsem ji a pochopil jsem to. Tím víc mě láska trýznila. Co udělala potom, když si vzala starého hraběte Vickery-Blenheima, se ovšem pochopení vymykalo. Ostatně, ani už o ně nežádala."

"Jak starý byl starý hrabě Vickery-Blenheim? Uslintaný dědek nad hrobem?"

"Její sňatek jsem nemyslel," řekl Smithie. "Ten nebylo těžké pochopit. Hrabě Vickery-Blenheim byl pětašedesátník, krésus, dělal všecko, co takové panstvo dělá pro své zdraví, golf, koně, zima v Itálii, a nedělal nic, čím si panstvo jako on ukracuje život: port, whiska, doutníčky, vysedávání po klubech. Ke všem ostatním tradicím přistupovala v jeho rodě dlouhověkost. Otec mu zesnul v

244

sedmaosmdesáti, dědeček v dvaaosmdesáti, hrabě Vicke-
ry-Blenheim mohl počítat, že se ve zdraví dožije devade-
sátky." Smithie se ušklíbl. "Proto se nedožil."

"Ha!" zvolal Fircut. "Jako vdově jí tvoje plebejství
nemělo vadit?"

Smithie pravil zvysoka:

"Myslíš, že znáš ženy, protože ses s nimi předváděl
nahý na jevišti. Já nepoznal takové, které si žádají zají-
mavějších pokroutek. Přesto znám ženy líp než ty. Tys
poznal jenom Venušinu svatyňku. Já taky srdce."

"Na Venušinu svatyňku se dá sáhnout," řekl Fircut.
"Na srdce ne. Jenom na to, co je u ženských před srdcem,
a to má blíž k Venušině svatyňce než k tvému básnickému
obrazu."

"Vulgární mysli je obrazné vyjádření cizí," pravil pře-
zíravě Smithie. "Prostě —"

—terpve teď seržatovi došlo, co Firuct pochopil hned.
Někde v Smithieho příběhu byla smrt. Dopil do dna,
Uršula, kalich strachu přetekl. Když na to mnohem po-
zději, a často, vzpomínal v garnizonách v Kentucky, v
Nevadě už to nebylo vyprávění povýšeného plebejce Smit-
hieho, ale scéna ze hry: ani to ne — ze života. Smithie
seděl u pultu v apatyce Williama Huntera na rohu Tra-
falgar Square, pil Hunterův žaludeční likér a zžírán ne-
štěstím, urážkou, láskou, jež jako pervertovaný motýl se
změnila v ošklivou housenku touhy po pomstě, hleděl na
vyřezávané průčelí obrovského Hunterova regálu s řada-
mi porcelánových kelímků, jejichž latinské nápisy se mu
slévaly v jediné jméno jedu, který však, to i na dně
nenávisti věděl, nikdy nepoužije. Evelyna existovala mi-
mo pomstu.

A rozehrála se zvonkohra a do apatyky vešlo růžolící
cockneyské děvče Victorie Henderly, Evelynina komor-
ná. Přikryl se Timesy *a poslouchal. Když Hunter z papír-*
ku předčítal seznam Evelyniných přání, vyslovil i to —
mezi vazelínou, všemožnými pudry a parfémy, solemi do
koupele a mastmi na pleť — co nějakou jasnozřivou

záhadou podvědomí vlastně čekal, protože prognóza předpovídala dlouhověkost a srdce nyní nebylo v konfliktu s krví. Ale čekal, skryt za Timesy, až Hunter vše snese na pult a zabalí do úhledného apatykářského balíčku. Pak spustil Timesy a zatvářil se udiveně:

"Victorie! Jak se ti daří?"

Děvče udělalo pukrle, zasmálo se, odpovědělo jenom se slaboučkým názvukem cockneyštiny:

"Mám se výborně, pane Smithie."

"Vy se samozřejmě znáte," otočil se k Hunterovi a věděl, že už vlastně jedná dle plánu.

"Nemám to potěšení," pravil Hunter.

"Tohle je Victoria, komorná paní hraběnky Vickery-Blenheimové," pravil Smithie. "Takže teď to potěšení máš. A —" pohlédl na komornou mlsně, až se zapýřila, "— to v tomhle případě není jenom fráze."

"Věru není," pravil Hunter. "Těší mě, slečno."

Nové pukrle.

"A jak se daří paní hraběnce?"

"Výborně se jí daří."

"Není trochu unavená? Plesová sezóna vrcholí —"

Předtucha, jasnozřivost, prostě věděl, co se brzy stane. Proto řekl:

"A pan hrabě? Zdraví slouží? V jeho věku se hodí spíš tahle otázka, není-liž pravda?"

Do odpovědi se komorné vloudila cockneještina: "Ten je zdravej jako buk." Pak se ovládla. "Pan hrabě co živ nezastonal."

"Však taky v objednávce nebyly žádné léky," pravil Hunter. "Až na ty žaludeční kapky, ale to je teď v sezóně běžná věc. Zlepšuje to trávení," zasmál se. "V sezóně je potřebuje každý. I je-li zdravý jako buk."

Plácali ještě nějakou chvíli, Smithie ji schválně prodlužoval. Pak se komorná odporoučela, zvonkohra. Otočil se k Hunterovi:

"Doopravdy tu nikdy nebyla?"

"Ne. Takovou žabku bych si pamatoval." Hunter zamrkal na Smithieho a přihladil si knírek.

"Vlastně to není nic divného," řekl rozvážně Smithie a pekelnou jistotou mysli věděl, proč to říká. "Mají dům až v Holbornu. Proč by měli nakupovat u tebe?"

Hunter přikývl:

"Hm, je to zvláštní," a Smithie vše obrátil v žert:

"Leda žes jí někde pad do oka."

Jak očekával, s jistotou, která, to už věděl, neplynula z jasnozřivosti, ale z dedukce, hrabě Vickery-Blenheim žaludeční kapky brzo potřeboval. Brzo potřeboval víc než pouhé žaludeční kapky. Brzo přestal chodit na plesy. Pak začal odmítat pozvání na večeře. Svedlo se to na zkažené ústřice. Do velkého domu v Holbornu přijížděly kočáry z Hartley Street. Specialisti si podávali kliku.

Trvalo rok, než prognóza selhala. Hrabě Vickery-Blenheim zesnul stár pouhých osmašedesát let na zánět střev. Zanechal po sobě pětadvacetiletou vdovu, jež nyní držela tradiční rok hlubokého smutku. Smithie věděl, že to opravdu bude rok, ani o den víc.

Doby, kdy Vickery-Blenheim chořel, využil Smithie k navazování divných známostí, a zatímco hrabě chřadl, Smithie rozkvétal. Byly to však květy zla. Získal nového nejlepšího přítele, inspektora Whichera ze Scotland Yardu. "Není pozoruhodné, že zdravím kypící pořízek jako hrabě Vickery-Blenheim tak náhle zemřel?" "Nezemřel náhle," řekl Whicher. "Ústřice jsou nebezpečná věc. Já sám jednou —" vyprávěl dlouhou historku o zkažených ústřicích, které požil v Bathu, jež Smithieho nezajímala, zdvořile ji však vyslechl. "Ale nezemřel jste," pravil potom, "kdežto Vickery-Blenheim, hráč golfu, lovec, sportovec zaklepal bačkorama."

Téměř měsíc potom kroužil kolem detektivovy hlavy, vychutnával metodu sotva vyslovených náznaků, rozkvétal. Konečně v hlavě muže z Yardu vyrostlo podezření.

Vzal ho do Hunterovy apotéky. Hunter na Victorii naštěstí nezapomněl. Nejen proto, že lékárník, jako většina čtyřicátníků, si hezké holky dobře pamatoval, ale v paměti mu uvízlo i dlouhé plácání toho odpoledne, i když neměl tušení, že Smithie hovor úmyslně protahoval.

Upamatoval se také na divnou — tenkrát nikterak divnou — položku na seznamu Evelyniných balzámů a solí do koupele.

Smithie pak zjistil, kdy má Victoria volný večer. Sledovali ji s Whicherem do hospody v Soho. A tam:

"Victorie! Jak se ti daří?"

"Výborně se mi daří, pane Smithie."

Znala ho ještě z dob, kdy občas Evelynu provázel z najatého bytu ke dveřím hraběte Vickery-Blenheima. Jenom zřídkakdy, velice zřídkakdy, aby si toho někdo nevšiml. Jako většina komorných byla Victoria naštěstí všímavá.

"Kdypak my jsme se viděli naposled?" řekl. "To už bude víc než rok. Jak ten čas letí. V Hunterově apatyce, pamatuješ se?"

Pamatovala se.

"Co všechno se za ten rok seběhlo," řekl. "Ten smutný konec hraběte Vickery-Blenheima... "

Z povinnosti se zatvářila smutně.

"Ještě vás sužují krysy?" ozval se z ničehož nic detektiv.

"Krysy?" podivila se. "Ne. Proč?"

Najednou zbledla. Byla, jak komorné bývají, všímavá. Smithie věděl, nač si vzpomněla.

"Proč jste vlastně šla nakupovat až na Trafalgar Square?" zeptal se Whicher, už neklamně tónem vyslýchajícího. "Cestou z Holbornu na Trafalgar Square musí být přece nejmín deset lékáren?"

"Paní hraběnka," řekla, polkla a věděla už všechno. Ten dlouhý pochod však vysvětlit musela a nenapadlo jí nic než pravda. "Paní hraběnka řekla, že ji Hunterovu apatyku někdo doporučil. Je prej v Londýně nejlepší.""Asi není," pravil detektiv ledově, "když vás tam paní hraběnka pak už nikdy neposlala."

Zrudla, opět zbledla, měli ji.

Smithie se šel podívat na obě popravy. Mladý lord Kimberley se držel, ačkoliv byl jak z doverského vápence. Nepromluvil, jenom se zhoupnul. Nemusel se zhoupnout, uvědomoval si hořce Smithie, nebýt toho, že Evelynino srdce bylo mělké, hořlavé a snadno zhasitelné. Kdyby nebylo, prognóza se mohla splnit, protože se Smithiem stejně nikdy nemohlo jít o víc než o prostocviky v najatém bytě. Po svatbě však prostocviky vydržely jen několik měsíců. Objevil se mladý lord Kimberley, srdce vyhaslo a opět se rozhořelo. Kde byl druhý najatý byt, se Smithie nedozvěděl. Jenže v případě lorda Kimberleyho nemuselo zůstat u najatého bytu. To byl konec hraběte Vickery-Blenheima, prognóz a tradice. Smithie rozkvetl ve smolný květ zla.

Ani s mladým lordem Kimberleym to nebyla láska až za hrob. Sotva jí začalo jít o život, Evelynu opustily všechny lásky. Když se pokusila zachránit si krk příběhem o zlém očarování, v němž ji Kimberley pomalu a rafinovaně donutil k tomu, že nevěděla, co dělá, lord Kimberley, taky aby si zachránil život, příběh prostě obrátil na ruby. Z velké lásky tedy krutý zápas o život, prohraný nakonec na obou stranách. Sešli se na šibenici. Když Evelynu přivedli, třásla se, jako by měla tanec sv. Víta, z rámu černých vlasů bíle svítil obličej strašidla. Na propadlo ji museli kati vynést, tam se rozječela. Smithie se na to díval, černý květ v něm povadl; dokonce zalitoval, už se však nedalo nic dělat. Vrzlo propadlo, jek ustal. Smithie se rozjel do Kalifornie, buď za zlatem, nebo aby utekl strašidlu.

V garnizonách v Nevadě, v Kansasu, v Kalifornii pak seržant zapomněl, že to bylo jen vyprávění. Věděl pouze, že Uršulu na šibenici nést nemuseli. Tenkrát na lodi do sebe zvrhl pátou, šestou sklenici, octl se v reji kostlivců, v paměti utkvěla jen bouře na moři, studený vítr Severního Atlantiku, bílé čepice vln s jiskrami blesků jako na černočerné skluzavce, ruce, které ho držely ve vzduchu nad vodami. Letěl, nedoletěl, propadl se do tmy.

Když se vzbudil, stál nad ním Fircut a bánil doutník ze stříbrné špičky. Potom seděl u stolu, jedl, ani nevěděl co, a Fircut řekl:

"Co blbneš, člověče? Seš jednou nohou v Americe. Tady na tebe c. a k. spravedlnost nemůže." Ušklíbl se a dodal: "Leda že by tě někdo prásknul rakouskýmu konzulovi."

Polil ho smrtelný pot. Povídal snad v opici? Ví Fircut o Uršule? Bude ho vydírat? Proč? Jak?

Fircut ho trochu uklidnil.

"I pak můžeš zmizet," řekl. "V Americe na tobě nikdo nebude chtít papíry. Změň si jméno," odmlčel se. "Ale tohle si líp schovej. Nebejt mě, bylo to v nějakým žraločím žaludku. A ty taky."

Vytáhl z kapsy jeho etuji. Rychle po ní sáhl a Fircut se s ním netahal, podal mu ji. Odklopil víčko, hnízdo skleněných vajíček bylo v modrém plyši netknuté. Děs ho opustil. Na rozdíl od Smithieho Fircut jasnozřivou dedukcí nevládl. Ani Smithieho nepochopil. Pro Fircuta byly ženské jen snadno znesvětitelné svatyňky pohanské bohyně.

"Takže tys svýho plukase odkrouh, jo? Nejenom okrad. Přistih tě při činu, co? Bál ses šibenice. Nejenom galejí."

Seržant Fircutovi mylnou verzi nevyvracel. Oddychl si.

V New Yorku ho pak Fircut pod maskou podnikavosti skutečně vydíral.

Hleděl na orla nad vchodem do kamenného baráčku, který v pařátech svíral svazek šípů. Jiný než orel na čepici von Hanzlitschka, na práporech, jež zavlály nad dobytou barikádou, co ji kanonýr Šálek, černý jak ďábel, rozboural dobře mířenými ranami z Windischgraetzových těžkých kusů. Váhal.

Déšť, sníh, ledové kroupy. Tři dny stavěli ženisti pontónový most přes Pee Dee River na hranicích obou Karolín a Kakuška znova uviděl malého Kila v noční košili. Tentokrát se nenadmula, Kakuška však už věděl a jenom se šklebil pod vousy, když po bitvě v táboře u Solomon's Grove se žárlivý poručík Jamison rozhořčoval, co na paskřivci s čelem nízkým jak opice vidí kolumbijská kráska, již si Kil naložil do zabraného kočáru. V přestávkách mezi divokými nájezdy do krajiny za roztroušenou švadronou generála Wade Hamptona krmil krásku voňavými entreés, jež připravoval jeho francouzský kuchař. Když se nakrmila, zatahoval potrhané záclonky, takže dovnitř Kakuška neviděl, ale lépe než jiní věděl, čím tam generál okouzluje svou nóbl kurvičku.

Překročili Pee Dee River a všechno se pomíchalo. Wade Hampton rozdělil své jezdce do malých oddílů, které v ledovém lijáku šněrovaly krajinu, zaútočily, stáhly se, opět zaútočily: čtyři válečné roky je proměnily ve virtuózy. Veliké mračno veteránů Kilovy kavalérie táhlo na Fayetteville, ale sršní přepady je brzdily, iritovaly, nutily k protiútokům. Při jednom zajali opěšalého kavaleristu, jenž nyní klusal přivázán za kočárkem, v němž se vezla kurvička a kde na kozlíku, vedle černého kočího, trůnil francouzský kuchař a hulil ruskou papirosu, souvenir od spřízněných duší, který zabavili zajatci, stejně jako jezdecké botičky z rukavičkové kůže, dovezené rovněž z Ruska: dar carovy armády spravedlivé věci Konfederace. Zajatec nyní klusal v irských bufách z nevydělané kůže a proklínal Kila, kurvičku i kuchaře.

Než ho však zapřáhli, aby pomohl strkat kočár z bláta, dozvěděli se od něho, že hlavní Wade Hamptonův sbor mají v zádech. Malý Kil dostal nápad: uvědomil si, že se mu nabízí možnost Wade Hamptona obklíčit, odříznout mu cestu do Fayettevillu, donutit ho k bitvě a jeho sbor zničit. Rozdělil vlastní jízdu na tři brigády a ty roztáhl do vějíře široko po krajině s rozkazem střežit všechny přístupové cesty k Fayettevillu, a jakmile někde velký Hamptonův sbor vejde v dotyk s rozptýlenými Kilovými jezdci, vějíř sklapnout jako past. Jenže Wade Hampton jeho úmysl buď prokoukl a změnil směr, nebo se ztratil v mlze, která k večeru, když Kilova velitelská jednotka i s kočárem dorazily k vesničce Salomon' Grove, ze tří stran uzavřené močály, vystřídala déšť a kroupy a tábor, jejž v Solomon's Grove rozbili, zahalila šedomodrou vatou, brzo nasáklou soumrakem.

Pro Solomon's Grove se Kill rozhodl, protože stačilo postavit stráže na západní konec vesnice; východ, jih a sever hlídaly močály.

Močály rovněž vypouštěly mlhu. Toho ihned využil opěšalý kavalerista, ve tmě přehryzal špagát, jímž byl uvázaný ke kočáru, a vypařil se do mlhy. Zůstaly po něm jen zakrvácené irské bufy, jenže polovina konfederační armády byla zvyklá bojovat bosa.

Za hlavní stan a současně ložnici (spíš ložnici) si malý Kil vybral kamenný domek v srdci vesničky a kolem domku se do kruhu rozložili kavaleristi. Očekávali klidnou, třebaže sychravou noc a poprvné po několika dnech se svlékli do spodního prádla (pokud nějaké měli), zachumlali se do koňských houní a zakrátko byli v limbu.

Kakuška si vlezl do opuštěného kočáru.

Rozhostila se noc, skutečně klidná, močály dýmaly mlhou, karolínské hvězdičky v ní zmizely i s měsícem.

Snad to byl bosý uprchlík, spíš ale nějaká tykadla generála Wade Hamptona. Svítání se tomu ani nedalo říct. Slunce se sice nezřetelně objevilo, zafačované mlhou, ale první světla byly ohýnky, které s kašláním a prděním rozdělávali hladovci lační snídaně. Kakuška blaženě spal. Z mlhy se vynořil malý oddíl stráže, kterou právě vystřídali a jež se rychle rozsadila kolem sotva zažehnutých ohňů. Pod kočárem někdo kýchl a Kakuška se vzbudil. I tak byl spíš ještě ve Wisconsinu, v teplém Boženčině náručí. Kus od kočáru však spatřil trubače

Kilova velitelského oddílu, jak si olizuje rty, pak k nim přikládá pomačkanou polnici, jenže místo budíčku vyšel z polnice ryk "Do útoku! Do útoku!" Kakuška se vymrštil a vzápětí sebou sekl zpátky na sametové čalounění kočáru, protože hned za zvukem polnice následoval rámus z pekla, kam se otevřely brány: válečný rebelský řev. Kakuška sáhnul po své spencerovce.

Ze západu a z jihu se mlhou řítili koně. Sem tam zablýskla šavle, práskl výstřel z pistole a pořád rebelský řev. Kakuškovi se naskytl známý pohled. Z domku, kde ještě před chvilkou — tím si byl Kakuška závistivě jist — šoustal po ránu jeho velitel, vyběhla noční košile a utíkala k uvázaným koním, které ržáním odpovídali svým rebelským protějškům. Jezdci odkvapili, košile se vyšvihla na koně a ujížděla ne sever, k močálu.

Až po bitce se Kakuška dozvěděl o hloupém omylu Wheelerových jezdců, kteří se z jihu přebrodili močálem údajně nepřebroditelným. Snad je omluvila mlha. Muže v košili pokládali za obyvatele vesničky, protože mlha zakamuflovala Kilův raťafák. "Kde nocuje generál Kilpatrick?" zařval jeden ze tří na generála. Malý Kil zvolal: "Jeďte touhle cestou! Je to slabá půl míle odsud!" Potom se vyšvihl na koně a skryl se v severním močálu.

Sem tam v mlze se pod Kakuškou míhali Wheelerovi jezdci. Ve světle ohňů se mezi nimi vymotávaly z dek postavy v podvlékačkách, některé už s rukama nad hlavou. Hlavní chumáč jezdců prolétl táborem, obrátil se a jel zpátky. Za ním běželi osvobození rebelští zajatci. Z kamenného domku se vynořila jiná noční košile. Mezitím se někteří muži v podvlékačkách vzpamatovali a chopili se zbraní. Přísvětlím mlhy zasvištěly kulky. Noční košile byla hedvábná, v ní kličkovala mezi kulemi ke kočáru Kilova maitressa. Snad si myslela, že s kočárem odjede do bezpečí, Kakuška se jí však nedočkal. Uviděla, že koně na noc vypřáhli, otočila se, vyrazila zpátky, opět se zarazila, kolem ní se přehnala skupinka rebů pálících za jízdy. K dívce v košili přiskočil rebelský důstojník, strhl ji k zemi a odtáhl ji do příkopu. Pak odběhl zpátky ke koni, rozjel se za ostatními, rozhodil ruce, svezl se z koně na zem a zůstal ležet. Jiná střílející švadrona přejela opačným směrem. Kakuška přiložil spencerovku k rameni a třemi výstřely rychle po sobě sundal dva jezdce z koní. Všiml si, že z příkopu opatrně vyhlédla blonďatá hlava. Ženská zvědavá, pomyslel si, ale hned ho zaměstnali noví rebelští jezdci, kteří přicválali od jihu. Půl hodiny potom pilně pracoval se spencerovkou a na zvědavou dívčinu zapomněl.

Mlha zhoustla, tentokrát střelným prachem. Wheelerovi kavaleristi projížděli táborem jak čerti. Ve světle ohňů však vzdor mlze Kakuška i mnozí jeho druhové, už dokonale probuzení ze spánku, uviděli, že jezdci nadělají rámusu víc, než by se dalo soudit podle jejich počtu. Taky měli jen karabiny, ne spencerovky, a ty v jízdě těžko mohli nabíjet. Kakuška, schovaný v kočáře, pálil jako na střelnici. Slunce se vymotalo z fáčů a najednou se od západu ozvala polnice: "K útoku! K útoku!"

Vyprávění u bentonvillského táboráku převzal seržant, protože za tou polnicí a za malým Kilem v burnusu, zpod něhož pořád koukala noční košile, klusal tenkrát on. Přiběhli s křížkem po funuse. Spencerovky vykonaly své. Seržant spatřil muže v podvlékačkách, jak přískoky postupují na jih, k močálu. Někteří byli už oblečení, jiní se sem tam po táboře spěšně soukali do uniforem, rozbíhali se a v řídnoucí mlze klopýtali o mrtvé. Seržant překročil jednoho nebožtíka a v záblesku ohně zahlédl generálské hvězdy. Vyhnuli se stádečku splašených koní, jeden za sebou vlekl kavaleristu s nohou uvízlou ve třmeni, a klusali na jih. Tam museli zalehnout, protože od bažiny lítaly minnie. Čára šedých uniforem kladla odpor, spencerovky je však snímaly jako karty a polykal je močál. Seržant zaslechl něčí výkřik z bažiny: "To není fér!" Muž, který to vykřikl, vstal, odhodil karabinu, skočil do močálu, a ještě než se ponořil, v zátylku mu vykvetla růže. Spencerovky praskaly. Za chvilku leželo na břehu močálu zkrvavené klubko Wheelerových jezdců, místo rebelského řevu zaznívalo sténání. Nad ostatními se zavíralo bahno.

Kakuška vyskočil z kočáru. Spatřil, jak děvka vylézá z příkopu, peláší ke kamennému pelechu a hedvábná košile se jí lepí na tělo. Výstřely umlkly, od ohňů dokonce zaslechl sprosťárnu na adresu utíkající kurvičky. Přeživším už otrnulo. Od močálu rázoval Kil v burnuse až na paty, zpod něho mu vykukovala košile jak spodnička.

Nakonec spočítali sto třicet mrtvých rebelů, šedesát v tom krvavém chumáči u močálu; kolik dalších močál spolykal, nešlo zjistit. Sto tři Kilovy kavaleristy odehnali před sebou do zajetí jezdci Humesovy brigády, která ustoupila na západ. Generál Humes sám zůstal s prostřelenou hlavou před kamenným domkem. Našli ještě dva mrtvé generály, Hannona a Hagana. Pak spočítali padlé důstojníky a vyšlo jim, že rebelská brigáda musela ustoupit bez velitelů.

Strategický úspěch však bitka nebyla. Kilův košilatý čardáš — tak utkání pokřtila pěchota, jež přišla s křížkem po funuse, a tak vešla bitka do dějin — otevřel generálu Wade Hamptonovi cestu k ústupu na Fayetteville. Vějíř nesklapl. Wade Hampton přesunul své síly, počkal na ně ve Fayettevillu a nakonec se stáhl k Bentonvillu.

Déšť, sníh a kroupy brzo vystřídal požár terpentýnových lesů.

A pochodňový průvod pod úpatím kopce, kudy velká Shermanova armáda táhla na Bentonville. Vůně terpentýnové smůly, horizont krásně hořících lesů.

"Nebylo to pro mě lehký," říkal Cyril. "Z domova jsem nic takovýho neznal. Co my tam věděli!" vzdychl. "Takovej nalinýrovaný život. Na holku ze statku jsem nemoh ani pomyslet. Přeci víš, jak dopadla Lída. Tady?"

Cinkot ešálků na tornistrách. Z dálky, ze severovýchodu, kde se pochodňový průvod sléval v tenčící se zlatou čáru, ozvěna zpěvu:

> *'Shermanovi frajeři se nedostanou k pobřeží!'*
> *zpívali si rebelové. Nikdo vám to nevěří!*
> *Neznali nás, vejtahové,*
> *když jsme táhli Georgií...*

"Tady je to jiný," Cyrilův hlas z přítmí a z terpentýnové vůně. "Vůbec teda nenalinýrovaný. A se mnou a s Lídou je to navopak. Co ta poznala doma, já až tady. Ale taky je to nenalinýrovaný."

"Snad," řekl seržant a pomyslel si, jak stará vlast byla zemí jistot, v téhle nové nejsou žádné ukazatele. Jistoty byly skoro všechny — možná všechny — pro kočku. Tady? Žádná notová osnova, nic. Všecko neznámá. Ale ne všechno — ani skoro všechno — pro kočku. Škatule, hejbejte se! Řekl: "Rozmarýnkus teda nemiloval?"

"Teďka už vím že ne," řekl Cyril. "A je to divný. Mám ji teď vlastně radši než tenkrát. Jenže —" Cyril si dal hlavu do dlaní, "— čert se v tom vyznej!"

Bryčka drkotala po cestě k Austinu. Bavlníkové žhavé slunce, mlčení. Rosemary na kozlíku, koně měli na chomoutech uvázané barevné fábory jako na Mikově statku o posvícení. Vyšila je před měsícem sestřička, dáreček k Rozmarýnčiným narozeninám, austinský okres se připodobňoval Moravě. Rosemary se ofáborované klisničky líbily, vyprávěl jí o zemi, kde chomout byl úděl, tak je aspoň pentlili. V Texasu bylo všechno holé, ale jen koně měli chomouty. A negři, samozřejmě. Ve voňavém zátiší buganvilií mu Rosemary položila teplou dlaň na hřbet ruky, otočil se k ní, tvář inteligentního koníčka. Políbil ji. A teď mlčení, bryčka drkotala.

"Nač myslíš?" zeptala se Rozmarýnka.

"Na — černochy." Lhal. Myslel, jak ho na tohle doma vůbec nic nepřipravilo. Holka ze statku. Byla to vlastně

holka ze statku. Jenže on už nebyl chalupník. Láska to však nebyla. Láska byla až — Rosemary byla veselá, štíhlá, žádná cimprlinka. Hezký koníček, měla krásné červené šaty. Jediná dcera. To už byl společník výrobny oleje a najednou — všechny krásy černého a bílého světa. "Vyprávěl jsem ti někdy o Esmeraldě?" zeptal se.

"Ne," řekl seržant.

"To se nestalo mně," Cyril se zasmál. "Nebo možná se mi to stalo, ale až tady. Doma —" rozesmál se, hořký smích nad pochodňovým průvodem, který se jako zlatá nit táhl přes Severní Karolínu a mířil k Bentonvillu, ke konci velké války. "Venca byl pro smích. Ale jedinej syn. Pak už jen sestra. Statek měli v Klukovicích, v sousední vesnici. Velikej sedlák. A Venca koktal. Vůbec to byl blbec. Blbej, ale hodnej. Akorát uměl chodit po rukách a metat kozelce, dopředu, dozadu. Stačilo říct: 'Venco, hop!' a už se vznes a ve vzduchu se dokázal dvakrát otočit. Zasnoubili ho s Mařenou Záběhlickou ze Všebořa, pantátové si na to plácli. Mařena měla velký věno, počítám největší v kraji. Svatba měla bejt po masopustě. Jenže o masopustu přijel do městyse cirkus," Cyril se znova zasmál, "a s cirkusem Esmeralda."

Krasojezdkyně a tanečnice na laně: cirkusová královnička jako z kalendáře. Dominovala jediné manéži s jediným šaškem, s tátou, který přes prsa ohýbal železné traverzy, s bratrem, jenž předváděl cvičeného medvěda, s nímž komicky zápasil šašek, a po přestávce, převlečen do fraku, tahal táta z cylindru králíky a šesti rapíry propichoval Esmeraldu zavřenou v malované truhle. Dvě mladší sestry dělaly hadí ženy a jasnovidná matka hádala se zavázanýma očima karty rozdané publiku. Rodinný podniček, jaký se odvažoval nejvýš do městysů. Esmeralda však byla na divoko našminkovaná, v nadýchané sukničce odhalovala lýtka, hopkala z bělouše na vraníka a zpátky, se slunečníkem nad hlavou balancovala na laně. Jiný svět. Cizí. Ale bez chomoutu. V městysu zůstali týden, obecenstvo měli vděčné, nezhýčkané zábavou.

Nejvděčnější Venca Tobiášů. Nebyl zdaleka sám, kdo šest večerů masopustního týdne strávil v cirkuse. Několik chasníků ze Všenoře utratilo na vstupném polovinu úspor. Třikrát se dokonce objevil pan farář a každý večer s výjímkou čtvrtka, kdy hrál se starostou žolíky, taky kancelista z obecního úřadu. Ostatní nejmíň dvakrát. Venca tedy nebyl sám, nakonec však podlehl jen on jediný.

"Mělo je trknout, že ve středu si Venca nabil, když zkoušel jezdit ve stoje na Tobiášovic kobyle Plešce, která nebyla zvyklá, aby se na ní někdo vozil," řekl Cyril. "Jenže netrklo. V neděli zůstaly po cirkuse jen piliny na náměstí a po Vencovi opuštěná nevěsta." Znova se zasmál. "Co to bylo, člověče? Co to bylo zač? Všeho nechal. Sedmdesátikorcovej statek, nevěstu s věnem, tátu, mámu, sestru, domov. Všechno, co měl jistý."

"Sáms říkal, že to byl blb," pravil seržant.

"Byl, anebo nebyl. Bůhví," řekl Cyril. "Dali ho hledat. Ale slehla se po něm země. Po cirkuse taky, po Esmeraldě. Nikoho nenapadlo, že svět se neskládá jenom z českýho království. Teprve za pět let se domů vrátil Pepík Nejezchleb, z vojny. Naposled byl posádkou v Jižních Tyrolích. Tam se šel podívat do cirkusu."

Muž ve flitrem pošívaných šponovkách, jenž metal kozelce z plochého sedla na bělouši na ploché sedlo na vraníkovi, kaprálu Nejezchlebovi někoho připomínal. Rozkročen na obou koních zdvihal krasojezdkyni k plátěnému baldachýnu nad publikem, krasojezdkyně se mu v ruce otáčela. Seskočil s koně trojitým saltem, krasojezdkyně objela manéž a svezla se mu do náručí. Kaprál ho poznal. Venca Hop. Potom muž ve flitru žongloval s koulemi, s kužely, dokonce s hořícími fagulemi. Po představení na něho kaprál počkal před maringotkou "Zdař Bůh, Venco!" Artista však kaprála nepoznal. "Vodmysli si kníry," řekl kaprál a sundal čepici. "Pepíku!" zvolal radostně artista. "Kde se tu bereš? A co —" nedořekl. "Co doma?" řekl za něj kaprál. "Myslej, že seš mrtvej." "Nejsem," pravil radostně artista. "A sem ženatej!"

"A ani nekoktal, člověče," řekl Cyril. "Všechno tam nechal, statek, nevěstu, tátu. Sestra si vzala druhorozeného syna Krále z Vambeřic, tak statek zůstal po přeslici v rodě. Nevěsta se taky vdala. Poněvadž ani nevěsta, ani sestra nezažily co Venca. A já — až tady."

"Na černochy?" otázala se Rosemary. Cyril se rychle vrátil do světa pravděpodobnějšího, než byl svět tanečnice na laně i svět jeho vlastní světležluté Esmeraldy. V pravděpodobnějším světě, na bryčce, pod bavlníkovým sluncem, po boku urostlé dívky v červených šatech to náhle pochopil: ne síla, která jako kolibřík v pavoučí síti zpřetrhá všechno a uletí. Hezká jako koníček, žádná cimprlinka, ale —"Mluvili jsme o nich včera s tvým otcem, Rosemary."

Za lisovnou oleje, na vršíčku, pod nímž se do dálky vlnil krásný Texas, lány bavlny, moře konifer, trsy kaktusů, bílé košile černochů pana Carsona a jejich zpěv:

Když Izrael byl v Egyptě

basový hlas obra Goliáše, a chorál:

Propusť hned lid můj!

"Krásné, že ano?" slyšel vedle sebe pana Carsona, chycen do lasa písní, jež se mu líbily vždycky, ale když se mu teď stalo to, co se mu předtím nestalo nikdy (jenom sestřičce), chtělo se mu brečet, po tváři se mu skutálela slza. Otřel ji ukazovákem. "Instrumentum vocale," *slyšel pana Carsona.* "V Cambridgi jsem poslouchal římské právo. Nástroje, pluhy, vozy, to bylo* instrumentum mutum, *němé nářadí. Koně, krávy, ovce, osli,* instrumentum semivocale. Servi *byli* instrumentum vocale. Pan Carson se zaposlouchal do chorálu, bronzový hlas:*

To hrozné utrpení nelidské,

a chorál:

Propusť hned lid můj!

"Jenomže," pravil pan Carson, "je-li něco vocale, *může to ještě být* instrumentum?*"*

Jdi, Mojžíši, jdi v zemi egyptskou,
řekni faraónovi:
Propusť hned lid můj!

"Proto jste na ně tak hodný?" zeptal se Cyril.
"Nejsem na ně vůbec hodný," řekl pan Carson. "Pojď-
te."
Vykročili po pěšině k lánům bavlny. Za chvíli šli podél
řady česáčů, bílé chrupy chudých v černých tvářích —
šťastných? Nikoli zoufalých. Na kraji řady pracovali
vedle sebe vysoký mladík a okatá mouřenínka s vyšpule-
nou zadničkou, jakou měla i jeho Esmeralda. Zavrtěl
hlavou:
"Vy na ně jste hodný!"Protože byl při té audienci, kdy
vysoký mladík prosil pana Carsona a pan Carson se
dvakrát prosit nedal. Nevěsta ho stála šest stovek. Měl už
víc černochů, než potřeboval.
"Nejsem. Kdybych byl, dám jim svobodu. Jednou to
udělám. Teď však —" odmlčel se, vzal Cyrila pod paží.
"Bude válka, hochu."
"Myslíte?"
"Co jiného?" řekl pan Carson. "V Louisianě jsem je
poznal. Jsou to berani. Když nebude po jejich, rozbijou
Unii. A pak bude válka. A pro ně —" máchl levičkou přes
lány, kde pracovali jeho černoši; bylo jich moc; nedřeli
se, ale pracovali. " — pro ně bude, myslím, lepší, nebo
jistější, když zatím zůstanou u mě."

"Ale jestli bude válka, co když oni —" uvědomil si, že většině svých nových krajanů říká oni jako pan Carson, který byl Angličan, " — co když oni Jankejce porazí?"

Pan Carson se usmál:

"Stěží, hochu. Mají jen bavlnu, Jankejci mají továrny. V továrnách se dají vyrábět zbraně. Ale to by možná nebylo tak důležité, jako že oni," řekl, "musí bibli kroutit, jako když ždímáš prádlo, aby z ní ukápla jejich pravda. A není to pravda, jenom sebeklam. Pravda je na Severu a nakonec je důležitější než továrny. Totiž," pan Carson utrhl bavlníkový květ a strčil si ho do knoflíkové dírky, "bez těch tóváren by byla dost akademická. Důležité je, že jejich sebeklam továrny nemá."

"A vy si myslíte, že Jankejcům na těchhle," mávl rukou k pracujícím černochům, jako předtím jeho společník, "tolik záleží? Že by kvůli nim —"

"Ne kvůli nim," přerušil ho pan Carson. "Lidé nemusejí znát pravdu, aby mohli být pravda. Promiňte, mluví ze mě Cambridge. Vy jste neměl příležitost chodit na univerzitu."

"Teď už vím, co tím pan Carson myslel," řekl Cyril, ukázal na zlatou čáru veliké Shermanovy armády tekoucí k Bentonvillu. Terpentýnové lesy hořely.

"Byl to moudrej člověk. A všímavej. Nic mu neušlo. Mně je dodnes hanba."

"Copak si člověk může pomoct?" řekl seržant a medailonek s Uršulinou tváří jako by ozářily pochodně velké Shermanovy armády. Teď už věděl jistě, že je živá. "Moh si Venca pomoct?"

"Bůhví," řekl Cyril. "Snad má člověk mít ohled na druhý. Obzvlášť když pro ně znamená, co pro něj —" zmlkl. V polosvětle seržant viděl vlhkou stopu mezi strniskem. "A kde je Dinah konec? Prej Jamajka. Ani pořádně nevím, kde to je."

"Však se to dovíš," řekl seržant. "Už je málem po válce."

Velká Shermanova armáda táhla na severovýchod. V dálce, ne už v nedostupné dálce, byl Washington.

"To je v bibli ta nejhloupější pasáž," řekl Cyril. "Láska nehledá svých věcí. Hledá," řekl. "Není trpělivá. Vzpouzí se. Možná i obmýšlí zlého."

Nebyla už jen vybledlý medajlónek v tornistře. Po všech těch letech vstala z mrtvých a bolela.

Kolem padal hořící sníh a paní Sosniowská řekla: "Uršula? Samozřejmě že jsem ji znala. Když se jí zabil manžel, vzala si barona von Hofburg-Ebbe. Diplomata. Myslím, nevím to jistě, je teď konzulem kdesi na Severu."

"Na Severu?" vydechl. "Jak to myslíte, na Severu?"

"V Unii. V Americe," řekla paní Sosniowská. "V New Yorku. Nebo snad, počkejte, v Chicagu myslím. Nevím to jistě. Někde."

Na Kolumbii padal hořící sníh.

"Bůhví, jak se to v bibli myslí," řekl Cyril. "Ale v jednom má bible pravdu: co jsem bez ní? Nic nejsem. Ale já obmýšlím zlého. Kdyby to nebyla moje sestra, já bych Lídu snad uškrtil. Však ji Pánbůh potrestá."

"Už jí potrestal," řekl seržant. "Vítka nedostala."

Cyril se zarazil. "Vítka?" řekl. Přemýšlel. "Leda že by ve svý vševědoucnosti — ale ty na něj přeci nevěříš?"

"Na páterskýho Boha? Ne."

"Za co ji moh tenkrát trestat? To ještě nic neprovedla. Až teď'."

Černoši zpívali. Vesele zoufalou píseň.

"Není ovšem vyloučeno," říkal pan Carson, "že si pouze ospravedlňuju zlou praxi. Stejně jako mí kolegové, pokud vůbec přemýšlí. V hloubi duše, hochu, se ze mě možná stal otrokář."

"Nestal," řekl Cyril.

"Mám obavy, že stal," pravil pan Carson. "Někdy se přistihnu, že o nich přemýšlím jako o svých dětech. Dětech! Tak se o nich přece vyjadřují oni!"

"To je něco jiného, však to víte. Vy je máte rád. Víte, že jednou vyrostou. Pro ně jsou to děti, zakrslíci, kteří nevyrostou nikdy."

Pan Carson mu stiskl paži. "Všechny je rád nemám," *zasmál se.* "Vezměte si Amandu. Ta už je těhotná — *počítal na prstech,* "dvanáct měsíců. Od minulé sklizně kvůli tomu nemusí na pole." *Znova se zasmál.* "Co si o mně vlastně myslí? Pokládá mě za hlupáka?"

"Pokládá vás za to, co jste," řekl Cyril.

"A v tom se vlastně mýlí," řekl pan Carson. "Kdybych v hloubi duše nebyl otrokář, dal jsem jim svobodu, hned jak mi starý Whigam prozradil —" *Zmlkl. Bronzový hlas:*

> Ezekiel viděl kolo,
> kolo veprostředku kola -

Mlčel a mlčel. Vraceli se ke Carsonovu domu. Stál tichý, lákavý, krásný na šmolkovém nebi severního Texasu.

"Prozradil vám co?" zeptal se konečně Cyril.

Pan Carson se zastavil.

"Z čeho myslíš, že tohle všechno je?" objel vztyčenou paží dům, hospodářské budovy, lány bavlny.

"Zdědil jste to," řekl Cyril.

"Ale v čem to vzalo počátek?"

"Váš —" Cyril zaváhal.

"Prastrýc."

"Odjel do Ameriky a zbohatl. Jako mnoho jiných," řekl Cyril. "Můj táta, když se to porovná s chalupou ve Lhotě, je taky boháč. Farmář. Amerika je taková země. A syn vašeho prastrýce neměl děti, tak odkázal plantáž v Louisianě vám —"

Pan Carson mu skočil do řeči.

"Ano. Starý Whigam byl v Americe prastrýcův partner. Taky se domohl jmění. Jenom je neinvestoval do půdy a do otroků, ale do obchodu s tabákem. Můj prastrýc si

koupil plantáž. Ale víte, jak se ti dva výtečníci jmění domohli?"

Cyril zavrtěl hlavou, ale už věděl. Ale snad to byli piráti, nebo v Londýně vyloupili banku a zmizeli za mořem. Snad ne to, co už věděl —

"Měli nákladní plachetník a v něm vozili zboží," řekl pan Carson. "Z Afriky do New Orleansu. Skoro dvě třetiny se cestou pokaždé zkazily, takže je museli vyházet do moře. Třetina stačila, aby zisk byl enormní. Vozili, hochu, instrumenta vocale."

"Na mě nemyslíš?" zeptala se tiše dívka v červených šatech.

"Myslím," řekl. Vlastně nelhal. Přemýšlel, jak s ní skoncovat, i když v duchu tomu tak neříkal. Dovyprávěl o rozhovoru s jejím otcem, ale viděl, že Rosemary to nezajímá. Ne proto, že je bezcitná. Láska však hledá svých věcí. Dovyprávěl a jiné téma neměl. Bryčka drkotala. V Austinu nakoupili svíčky, sůl, cukr, ocet, nitě, všechno podle seznamu paní Carsonové. Mlčení. Rosemaryiny příkazy kupcům, tři libry soli, hanba, červ svědomí. A jako koktavý Venca věděl, že musí, jinak nelze —
— vraceli se k bryčce. Šli kolem obchodu, kde prodávali květiny.

"Počkej chvilku, Rosemary."

Vrátil se s trsem nějakých kytek.

Bryčka ujížděla vstříc nebi, kam prosakovala noc. Mlčeli. Koně pohazovali hlavami, veselé fábory smutně třepetaly v chladnoucím vánku večera. Hleděl na opálené paže, na ruce třímající otěže, na hezká ňadra pod veselou látkou šatů. Tvář pěkného koníčka, vítr si hrál s ofinkou nad čelem. Seskočil s kozlíku, podal jí ruku, nepotřebovala ji, ale přijala, seskočila na zem, v šeru se zabělala krajková spodnička. Pak se otočila, sebrala s kozlíku

kytky. Tvář hezkého koníčka a v očích slzy. Nejradši by
zkameněl na místě. Podala mu kytici.

"Cyrilku," řekla, "nevím, kdo to je, ale tohle dej jí."

A šla, rovná jako svíce, ve veselých červených šatech
k bílému domu.

"Láska," řekl Cyril. "Uteče jí někdo? Splní se něko-
mu?"

Uršula.

Komu se splnila?

"Ale jaks vyprávěl," pravil seržant, "ten Etienne —"

"Taky," řekl Cyril. "A dopad jak sedláci u Chlumce."

Pod úpatím kopce zazněla kapela. Saxhorny, trubky,
basy. Disparita světa, kde všechno simultánně existuje.
Hořící terpentýnové lesy. Aninka, která poslušně nepoč-
kala. Uršula. Generál. Jeho milovaný generál, jeho velká
armáda. Proměnila se v pravdu, její spencerovky. Vever-
ka na tyči. Dinah. Lincoln ve Washingtoně, který se
přibližoval. Všechno, všechno.

Růže v trnové koruně, na trnech napapaní brouci,
směšně veslující nožičkama.

Shake:

"Já se přihlásil do armády, to ještě ani nebyla."

"Armáda byla pořád," řekl seržant.

"Nemyslím tebe. Ty seš z povolání. Myslím, co se dali
nalejt na Lincolnovou výzvu. Jako Franta Stejskal. Joska
Paidr je tu jen proto, že když ho odvedli, neměl prachy
na substituta."

"Nepomlouvej," ohradil se Paidr. "Prachy bych byl
sehnal. Já šel konat svou povinost."

"Proč ses teda nepřihlásil na Lincolnovou výzvu?"
zeptal se Houska.

"To nebylo povinný," řekl Shake. "To by pak nekonal
povinnost. Já se hlásil už na podzim v šedesátým. K
slavnejm Lincolnovejm slovanskejm střelcům v Chica-
gu."

"Jo ty znám," řekl Kakuška. "Moc slavný nebyli."

"Ale mohli bejt," řekl Shake. "V každým případě byli mezi prvníma."

"Na podzim v šedesátym ešte nebyla válka," řekl Kakuška. "To se vám to hlásilo. V míru si každej posera umí hrát na vojáčky."

"Co myslíš, že dělám tady?" řekl Shake. "Hraju si na vojáčky?"

"A nezaložil von vás ňákej lokaj?" pravil Kakuška. "Ňákej Maďar? Slavný Lincolnový slovanský střelce?"

"Slovák," řekl Shake. "To máš jako Čech a naopak. Miháloczy. Byl to asi takovej Maďar jako major Tonda Pokorný od Osmýho newyorskýho nebo podplukovník Honza Fiala od Sedmýho. Asi jako ty seš, Kakuschko, Rakušák. Ve skutečnosti se jmenoval, řek bych, Mihálik. Pomaďarštili ho až v armádě."

"Tam by z něj udělali Mitchella, ne Miháloczyho," řekl Kakuška.

"Myslím v uherský armádě. Géza Miháloczy. Moc se činil v maléru v devětačtyřicátým, proto se musel dekovat do Ameriky."

"A tady dělal lokaje."

"Cos tu dělal ty, šlejško?" zeptal se Paidr.

"To samý co doma," pravil Kakuška. "Makal."

Seržant věděl, že Kakušku přivezli, když mu bylo dvanáct. Jeho táta makal, doma, tady, pořád jenom makal. V seržantově paměti uvízl kamarád Kakuška v trsu vzpomínky ne vždycky dobré, když se vypravil do Chicaga (byl tenkrát garnizonou v Ohiu), protože ho zastihl kostrbatý dopis podepsaný Andrew Cup.

Na podpis se podíval nejdřív, neboť dopisy nedostával, a jméno vysvětlila douška: alias Ondřej Šálek, méno sem si zangličtěl, kunčafti mám beztak věčinou Amerikáni, vlastnim grocerní krám na rohu Clinton a Randolph, taxem teďko Cup, aspoň mi to na mysl nepřináší Rakousko a co sem tam zkusil. Ze vzpomínky vyskočil dlouhán s nabijákem, černý jak čert, v kouři Windischgraetzových kanónů lámajících barikády. A pak v neděli odpoledne na

Broadwayi, tu neděli, co mu paní McCormicková, Fircutova bytná, řekla: "That rascal! Kde je?" "Já nevím," řekl. "Včera večer jsme se měli sejít v Bohemian Casinu a on se neobjevil. Myslel jsem, že ho najdu tady." "Co ukrad vám?" vyjela na něho stará Irčanka. Zasáhlo ho to jako blesk. Než zaklepal, snažil se sám sebe přesvědčit, že je Fircut jenom nemocný. "Mně stříbrnej krucifix, kterej si nebožtík přivez ještě z Kilkenny a opatroval ho jak oko v hlavě, ani za nejhorší bídy ho neprodal. Ať ho Bůh ztrestá! Podívejte se," ukázala na truhlici, pobitou plechovými ztužovadly, zela v ní čerstvě vysekaná díra. "To udělal včera odpoledne, když jsem byla v kostele. On věděl, že každou sobotu chodím na růženec. Dvě stě dolarů na hotovosti a ten krucifix! Co ukrad vám?" "Nic," zalhal a viděl, že naděje je ta tam a proč s Tůmou čekali v Casinu marně. "Jenom si vypůjčil pár dolarů," aby Irčance nepřišlo líto, že jeho neokradl. Vypotácel se na ulici, šel, nevěděl kam a proč, na rohu Třetí avenue a Dvacáté narazil na Šálka. "To sem rád, že tě vidim, Honzo! Tady prej ve vokolí je česká hospoda, bohemiánský kasíno, neznáš to tam?" "Co tam chceš?" skoro se na Šálka utrhl, protože svět byl najednou jedno podezření. "Hochu, mně už se dělá zle ze samejch těch amerikánskejch blafů. Prej tam vyvařujou po našem. Já jesli nedostanu něco českýho k jídlu, pojdu snad hlady!"

Z doušky přeskočil na začátek dopisu. Že ses dal nalejt, vim vod Frkače. Taxem si myslel, že Ti napíšu dybys měl náhodou cestu do Chicaga seš u nás vítanej. Mám grocerní krám na rohu Clinton a Randolph a s ňákym Frantou Řeháčkem sme si votevřeli pekárnu. Rovněž sem se voženil ale hochu nikdá si neber vdovu. To bych Ti všecko pověděl jestli budeš mít čírou náhodou cestu do Chicaga, je toho moc k povídání a já vod péra dvakrát nejsem. *Fircut je tedy v Chicagu! Z Carlington Barracks je to půl dne vlakem, vyžádal si dovolenku. Dopis ho ovšem hledal půl roku. Měl adresu jenom U.S. Army, armáda však fungovala: pomalu ale spolehlivě. Nebyla ostatně nijak obrovská, ani ne osmnáct tisíc mužů. Co jestli Fircut mezitím všechny v Chicagu okradl a je teď bůhvíkde? Byla to ale stopa, kterou nemohl nechat být. Uvědomil si, že si na něm nic nevezme. Na nic neměl doklady. Snad ho zmlátit? V armádě se zase dostal do formy. Snad. Spíš ale se jenom zpříma podívat do lokajské tváře, chytit očima uhýbavé lokajské oči, říct: "Frkači, seš lotr!"Musel do Chicaga. "Jo," řekl tenkrát Ondrovi Šálkovi. "Kousek dál po týhle ulici a tam to za rohem uvidíš. Maj na štítě českýho lva, ale nápis je anglickej. BOHEMIAN CASINO." "A vařej po našem?" "Vařej." "Poď se mnou!" řekl Ondra. Zavrtěl hlavou, zalhal, "Právě du votamtud'," a ještě chvíli mluvili. Máš práci? Zrovna teď ne, řekl. No, dyž bude nejhůř, v cihelně berou furt. Ale vopravdu jen dyž bude nejhůř, řekl Šálek. Senna je vydřiduch. Já už ho prokouk. Asi pudu do přístavu k vykládačum. Eště nevim. Ale dlouho už v cihelně nezůstanu. Tak jen, dyž bude nejhůř, Honzo. Zmizel směrem k české stravě, seržant se otočil, kráčel, nevěděl kam. Sám, v neděli odpoledne v New Yorku, sám. Trochu se vzpamatoval. Týden? Nebo snad čtrnáct dní? Už nevěděl. Hledal Fircuta, ačkoliv mu to už vlastně bylo jedno. Denně se stavoval v Casinu, Tůma jenom vrtěl hlavou. Brzo si uvědomil, že je to nelogická hloupost. Díra prosekaná do truhly matky McCormickové mluvila jasnou řečí. Přesto hledal, po hospodách, nebo spíš chodil městem, vlastně to bylo jedno, křížem krážem, jednou minul patrové kamenné stavení s americkým orlem v průčelí. Zezačátku se mu bránil. Armáda dosud byla černé rakouské prokletí. Jednou ráno, v kapse jenom pár centů, protivně slunné ráno v noclehárně na Bowery. Město bzučelo přičinlivým životem, protivně jásající slunce. Uvědomil si, že je to tedy jeho osud. Vstal, pomalu se ubíral ulicemi plnými toho života k budově s orlem. Byl jiný, ačkoliv měl rovněž pařáty a hrdý, ostrý, zahnutý zobák. Jeho osud. Domov? Domov už neměl. Ztratil jej ve veliké dálce několika let, uličky v Helldorfu, zakrvácená lavice, Uršula už mrtvá,*

hrozným způsobem zahynulá. V bouřích severního Atlan-
tiku.

Ještě jednou se vzepřel. Cihelna. Nejhůř? A proč?
Vrátil se tedy pod jeho křídla a za týden byl v kasárnách
a v mundůru.

Koloniál na rohu Clinton a Randolph měl veliká okna
z malých skleněných tabulí zarámovaných červeně nala-
kovaným dřevem, pytle brambor, mouky, bobů a cibule
pod dřevěným přístřeškem na červených sloupech kolem
nároží, na pultech vyložené bohatství iowských zelinář-
ských zahrad, ale taky trsy banánů, pyramidy z pomeran-
čů. Za deset let se Šálek vypracoval, nebo mu přálo štěstí,
nebo to bylo obojí. Amerika. Na dlouhém štítě na přístřeš-
ku žlutý nápis ANDREW CUP — Groceries, Fruits, Ve-
getables. Z vchodu do krámu, překrytého červenobílým
korálkových závěsem, se zrovna vynořil dlouhán v čer-
ných šatech s kanárkovou vestou, na níž, až na zlatý lesk,
se ztrácel masivní zlatý řetěz vedoucí ke kapsičce pro
hodinky. Šálek, nyní Cup, do všech stran, ne mnoho, nyní
rozšířený, pod nosem knír, jenž se táhl kolem dokola tváří
a mizel v hustých černých vlasech, na něž si podnikatel
právě nasazoval žlutý klobouk. Pod paží paničku v bílé
krajkoslávě: jak vykročili do sluncem zalité ulice, roztáh-
la slunečník. Na tvář jí padl stín, ale ze stínu zvědavé oči.
To už ho Šálek zahlédl.

"Honzo! To sou k nám hosti!"

Zasalutoval. "Seržant Kapsa." Panička mu podala ru-
ku v sítěné rukavičce, a známá výzva očí. Věděl, o čem
bude to dlouhé povídání. A že k němu třeba přidá kapito-
lu, snad tajnou.

Drnčeli ulicemi velkého města, panička vzadu v kočá-
ře, on vedle Šálka-Cupa na kozlíku. Naslouchal jeho
úspěšnému příběhu, přerušovanému ciceronskými infor-
macemi, Fircuta zatím odložil. Blížili se k okraji města,

kde domy řídly a rozestavěná ulice náhle končila a změnila se v cestu. Podle ní roztroušené domky, napravo hladina velkého jezera jako moře, Šálek přestal mapovat historii svého úspěchu v Americe a jal se vyprávět o Kakuškových, protože jeli na křtiny děťátka Anny, prvorozené dcery Bartoloměje Kakušky. Prkenný domek natřený na bílo, daleko od neukončené ulice, kolem něho záhonky červených a bílých karafiátů, nade dveřmi na prkně nápis THERESA KAKUSHKA, MID-WIFE. Drnčeli k domku, "Teďkon se jim už vede," říkal Cup-Šálek. "Ale to hlavně její zásluhou. Starej Kakuška je pracant, jenže nekňuba. Deset let už dělá v Calwellový rámečkárně. Pravda, je tam teď foremanem. Ale příjem je hlavně vod ní. První česká porodní bába v Chicagu. Kunčaftů má ale fůru i mezi Amerikánkama. Proto si taky jejich nejstarší, Jakub, moh zakoupit pozemek ve Wisconsinu. Máma ho založila. Už druhym rokem farmaří. Však prej taky přijede na křtiny."

Domek jak lovosice, jako housenka, nastavovaná kaše. Svědectví amerikánského vzestupu. Přední část vlastně jen prkenná chatrč, za ní kus ze solidních klád s okny a vzadu cihlové vyvrcholení s verandou na západ.

V přední prkenné chajdě stála hospodyně, porodní bába a matka robátka, které, nachystáno na křtiny, leželo podobno vánočce v bílém povijanu s bleděmodrým šněrováním a spinkalo. Kolem něho rodinný portrét: přihrblý okoralec, avšak otec, Bartoloměj, pohledná dcera Marie v kalikových šatech s hejskem, z něhož se vyklubal snoubenec Petr Kouba, mladší syn Vavřinec (říkal si už Larry), právě vyučený puškař, a novopečený farmář Jakub Kakuška, jenž dodržel slib a přijel až od Manitowoc ve Wisconsinu na křtiny prvorozené sestřičky Anny. Proč prvorozené, když tu přece byla dospělá Marie, se hned vysvětlilo. V centru portrétu, před stolkem s žijící vánočkou, matka, hospodyně a úspěšná porodní bába Terezie Kakušková gestem ceremoniáře ukázala na robátko:

"Tohle je naše Amerikánka!"

První dítě narozené v Americe. Prvorozená Amerikán-
ka Anna. Předtím sice přišlo na svět ještě jiné děťátko,
ale to za dva dny ze světa zase odešlo. Chlapeček, matka
ho pokřtila sama, nebyl čas. Matěj. "Tenkrát řádila v
Chicagu cholera," řekl Bartoloměj Kakuška. "Matěj ale
neumřel na choleru. Nevíme, nač umřel. Na co takový
děťátka umíraj, počítám." Šli kolem nastavovaného do-
mu, Jakub Kakuška se zasmál, ukázal na přední část
podivného stavení. "Todle sme s tátou stloukli první. Co
je dnes Šestá strýta. Podlahu jako teď to nemělo. Tu sme
přidělali až tady. Jenom to tak sedělo na zemi, jako
nedodělaná psí bouda. Taková kukaň. Ale pro nás to bylo
doma, pane seržant (za dva roky si ovšem tykali, to už
Jakub Kakuška cinkal ostruhama). Střecha nad hlavou.
Byli sme šťastný. Jenže štěstí. Nikdy nemá dlouhý trvání."

Mnohem později, šest let nato, si seržant vzpomněl na
Kakuškovu filozofii. We Wisconsinu, pár mil od Manito-
woc, zaťukal na dveře farmářského stavení, kde si malý
hošík hrál s koťátkem, a otevřela mu —

"My do Chicaga přijeli úplně vožebračený," vyprávěl
Bartoloměj Kakuška. "Měli sme jenom stříbrnej půldolar
a papírovej dvoudolar, co sem je skovával na nahym těle,
pro strejčka Příhodu. Přes oceán nám cesta trvala tři
měsíce a zakusili sme hladu, a hlavně žízně. Ta žízeň,
pane seržant! Nebejt Barcala, to byl kurážnej, nebojácnej
člověk, snad bysme tou žízní pošli. To von vymoh na
kapitánovi větší příděl vody. A co čert nechtěl, akorát dyž
sme konečně přistáli v New Yorku, vypukla na lodi nakaž-
livá nemoc, lidi se vosypali, fůra jich pomřela už vlastně
v Americe a loď dali do karantény. Deset dní, pane
seržant, a někerý vydechli naposled Ameriku před nosem.
Manhattan. Chudáci ubohý. My, chvála Bohu, sme to
přežili. Jenže zřízenci přeplavní společnosti nám řekli, že
přeplavbu a stravu máme zaplacenou jen do New Yorku,
a teď sme v New Yorku a za stravu musíme platit extra, i
za přístřeší. My peněz neměli, jen ty, co sem měl na nahym
těle, a těch sem se vzdát za žádnou cenu nechtěl. Lístky

na vlak sme měli až do Chicaga, a jakpak bysme přežili první dny v Chicagu? Tak nám za stravu vzali do zástavy peřiny, co sme si je vezli z domova, že prej je můžem vyplatit, až budem vydělávat. No, byli sme zelenáči, pane seržant, peřiny už sme neviděli a za ně sme deset dní dostávali jednoho slanečka na osobu a kus chleba. Ale trpělivost přináší růže."

V Chicagu nejdřív spali v ratejně, kterou dal pro české přistěhovalce postavit nějaký lidumil. Jedna veliká světnice, uprostřed kamna na vaření. Podél stěn široké palandy, na nich se jedlo, spalo a sedělo. Bylo tam s nima ještě šest vystěhovaleckých rodin, ale měli střechu nad hlavou. *"Do smrti budu tomu lidumilovi dobrořečit,"* říkala Terezie Kakušková. *"Měli sme kde bejt, kde spát. Hned druhej den šel táta do přístavu, dal se najmout na vykládání lodních nákladů. Velká dřina, pane seržant. Já mu tenkrát vejdělečně eště pomoct nemohla. Jednak sem neměla eště nadělaný známostě potřebný pro živnost midvajfky, jednak sem pod srdcem nosila Matěje, počatýho eště v Čechách. Táta vydělal moc málo, ale i z toho sme uškudlili na prkna a z těch s Jakubem sbili tuhle chajdu,"* Terezie Kakušková rozpřáhla ruce, ukázala na nabílené stěny, na dvě okna, proražená stěnou dodatečně, jimiž sluneční světlo dopadalo na Amerikánku v povijanu. *"Postavili jí na prérii, kousek vod toho domu, co ho zbudoval ten lidumil, dej mu Pámbů věčnou slávu. Do ní sme koupili malý kamínka, ale postel velkou, se šupletem, v šupleti spala Mařenka, my s tátou a s Jakubem na posteli. A byli sme šťastný, byli sme v Americe a věděli sme, že tohle je teprvá začátek."*

Nikdy nemá dlouhý trvání. Odpoledne bouchání na dveře, Terezie Kakušková v osmém měsíci otevřela, za dveřmi dva šviháci v knickerbockerech a v tweedových čepicích.

"We want to talk to Bartholomew Kakushka," řekl jeden komisním hlasem, skoro jako se pamatovala ze staré vlasti. Lekla se, sáhla si na břicho.

272

"Hý iznt houm. Hý vork."

"What time do you expect him home?"

"Vot?"

"What — time — will — he — come — home?" *říkal švihák pomalu a zřetelně a pohrdavým pohledem se rozhlédl po sednici. Zastavil se na portrétu prezidenta Washingtona, opatrně vystřiženém z kalendáře, opatrně přitlučeném hřebíčky na průčelní stěnu pod krucifix s plechovým a barevně vymalovaným Kristuspánem, ještě z Čech. Přihladil si knír, ztratil pohrdlivý výraz. Do sednice vstoupila patnáctiletá Marie, která venku okopávala zeleninový záhonek.*

"Mařenko, řekni jim, že táta se vrátí až za soumraku."

"Co chtěj?"

"Já nevim. Mluvit s tátou. Proboha, snad něco neproved!"

"My father comes home after sunset," *řekla Marie. Amerikánka nebyla, ale po amerikánsku se domluvila už slušně. Seržant pohlédl na jejího snoubence, taky švihák s knírkem. Tenkrát seržant ještě nevěděl, že švihák zahyne v Andersonvillu, protože se půjde bít za tenhle teprve začátek, za Ameriku. A nemohl vědět, že přijdou ještě jiné války a jiná vystěhovalectví a zase se půjdou bít, protože tahle země všem dává začátek, mnozí si staví domy jako lovosice, jako nastavovaná kaše na cestě za štěstím, které je vlastně jenom možnost, a tahle země dává tu možnost, tohle štěstí. Mnohdy krátké, ale to proto, že lidský život nemá trvání.*

"O.K., Miss," *pravil švihák.* "We'll wait for him." *Sedli si na postel, rozhlíželi se. Terezie Kakušková vařila brambory.*

"What's your name, Miss?" *zeptal se švihák.*

"Mary Kakushka."

"You're Pollacks?"

"No, Bohemians," *řekla Marie.*

"Ach so!" *pravil švihák.* "Tschechen! Sprechen sie deutsch?"

"Ich spreche deutsch ein bisl," *řekla Terezie Kakuško-*
vá.

"Freut mich," *pravil švihák.* "Ich heisse Hans Schroe-
der. Der da," *ukázal na svého druha,* "der ist ein Yankee.
Bill Trevellyan."

Když se po slunce západu vrátili Bartoloměj Kakuška
s Jakubem z přístavu, věděly už obě Kakuškovy ženské o
švihácích všechno. Předkové Billa Trevellyana se přistě-
hovali už před dvěma sty lety a usadili se v Salemu, ale
tam pověsili prababičku jako čarodějnici a stigmatizova-
ná rodina odtáhla ze Salemu hustými lesy panenské země
na Západ, ženili se s Indiánkami, s dcerami francouz-
ských důstojníků, až se usadili na jižním cípu jezera
Michigan, kde vyrostla vesnice, pak městečko, pak město
a švihák Trevellyan měl hrdý siouxský nebo snad pawne-
eský nos a vyprávěl rodinnou historii anglicky a pro
matku Kakuškovou ji Marie překládala do češtiny. Pak
Schroeder vyprávěl o sobě, byl to jednoduše Bavorák,
lajtnant, osmačtyřicátník a po prohrané revoluci ujel s
Fritzem Sigelem, velitelem povstaleckých vojsk, jemuž šlo
o kejhák, do Ameriky, kde přežívala naděje. Tam mu
přišlo vhod zákopnické vyškolení, takže byl teď zeměmě-
řičem v Chicagu a strašně nerad, jenže musel, vysvětlil
Bartoloměji Kakuškovi, že jeho prkenný hrad štěstí stojí
právě uprostřed projektované Šesté ulice, podél níž se
vesnice, městečko, město, metropole Chicago protáhne
na západ. A že tedy není zbytí, prkenný hrad štěstí stojí v
cestě a do tří dnů musí z prostředku Šesté ulice zmizet.

Nic nemá dlouhého trvání. Domek stloukli po večerech
za týden, a když Schroeder Bartoloměji Kakuškovi roz-
mluvil úmysl pojatý v prvním leknutí — obrátit se na
úřady se žádostí, zda by ulici nemohli vést jinudy (tak
vysoce si Kakuška cenil svého sídla, anebo měl tak nezří-
zený pojem o možnostech americké demokracie, že mu
jeho uhozený nápad nepřipadal jako pokus romantického
selátka vznést se k nebi za hejnem divokých husí za
pomoci uší, jimiž by se naučilo mávat jako křidélky) — a

když mu matka Kakušková rozmluvila i druhou myšlenku, totiž navrhnout, aby ulici v tom místě rozšířili a vedli ji po obou stranách jeho domku, takže by se proměnil v ostrůvek štěstí v řece provozu (protože představa domu oblévaného neustálým tokem dostavníků a kočárů, nákladních vozů a bryček a utopeného proto v nekončícím randálu, vyděsila matku Kaku̇škovou víc než koncept pracného rozmontování obydlí a jeho znovupostavení dál na prérii) — rozhodl se Bartoloměj Kakuška s těžkým srdcem podniknout demolici a hrad vybudovat znovu. Seděli pak dlouho do noci a snažili se spočítat, jak dlouho to potrvá. Protože domek nehodlali — nemohli — jednoduše zbourat a vystavět si někde jiný z nového matriálu: to by znamenalo dalších pár měsíců šetření na prkna, oddálilo by to, patrně o několik měsíců, sen Terezie Kakuškové o nákupu almary a taky by to znamenalo návrat, na bůhvíkolik měsíců, pod přístřeší zbudované lidumilem. Třebaže Terezie Kakušková na toho dobrodince svolávala požehnání nebes, vrátit se do cikánského tábora teď, když okusili slast vlastní střechy nad hlavou ve svobodné zemi, a začínat v té zemi podruhé vlastně od piky, bylo pomyšlení příliš monstrózní a Terezie Kakušková počala fantazírovat: "Moclipak by stál takovej — stan?" To však Bartoloměj Kakuška rázně zamítl. Zkušenost člověka, jenž si nikdy nedovedl vydělat jinak, než že ve staré i v nové vlasti nepřetržitě makal, naučila ho myslet skrznaskrz prakticky, takže řekl vztekle: "Moclipak nemoclipak! K čemu nám bude stan dobrej, až zas budem mít chalupu?" a špačkem tesařské tužky se vrátil ke svým kalkulacím. Vyšlo mu, že za tři večery to s Jakubem nestihnou. Domek se musí rozebrat opatrně, aby se vzácná prkna nepoškodila, hřebíky je nutno pečlivě vytahat a narovnat, aby se daly znovu zatlouct, vše je třeba rozmontovat jako stavebnici a znova složit: mysli ubožáckého praktika se příčilo plýtvat čímkoli kromě vlastní síly. Za tři večery — přes den musejí vydělávat — to nestrhnou.

Vydali se tedy do Slavíkovy hospody na Van Buren Street požádat o pomoc krajany.

V hospodě sedělo krajanů pět: Barcal, Hejduk, Krištůvek a Pádecký a ještě jeden, kterého Kakuškové neznali. Byl to černovlasý střízlík s kulatým obličejem mazaného podvodníka (Bartoloměj Kakuška se zprvu lekl, že je to pan kaplan Zdeborský z děkanského kostela v Práchni, jehož nadpřirozeně zbožný a proto rozhořčený děkan Kuráž pohnal k budějovickému biskupovi a biskup jej potom z trestu přeložil na faru ve vyhlášeném vystrkově Svinná Lada na Šumavě, kde faráři třeli bídu s nouzí, neboť obec věřících sestávala výhradně z poněmčelých Skotů, kteří se tam před staletími uchýlili před nějakým náboženským pronásledováním a ztratili řeč, ale nikoliv národní vlastnosti. Neboť kaplan Zdeborský byl domácí kutil s obchodním nadáním, vyrobil si krucifix s Kristus-pánem, jenž po vhození mince do kasičky, na níž stála jeho Golgata, ronil nebo neronil krvavé slzy podle toho, jaká to byla mince. Protože zbožné babky toužily po zázraku, utrhovaly si od úst, aby mohly na vlastní oči spatřit Krista naříkajícího za peníze, a ohromeny tím divem, házely groše do Golgaty, dokud jim kapsa nevyschla a celá rodina šla spát o hladu. Samozřejmě si nevšimly, že žehnající kaplan Zdeborský tiskne nebo netiskne palcem měchuřinku upevněnou zezadu na ceduli na kříži, hlásající vpředu že, IESUS EST HOMINUM SALVATOR. Rozhořčený děkan Kuráž požadoval exkomunikaci, ale rovněž zbožný, avšak odpouštějící budějovický biskup se spokojil zničením krádežné, možná svatokrádežné pomůcky a vyhnáním podnikavého kaplana na Vystrkov. Zdeborský si tam sice zhotovil nový krucifix, ale při premiéře se mu stal malér: měchuřinka praskla, obarvená voda mu stříkla do očí a skeptičtí Skoti ani nesáhli po měšcích. Ale střízlík s tváří podvodníka nebyl kaplan

*Zdeborský), říkal si nyní Shake a rozpřádal před nedůvě-
řivými krajany utopický plán na založení čtenářského
spolku, jenž by si předplácel časopis* Čech, *který v Paříži
začal právě vydávat osmačtyřicátník J.V. Frič, když po
debaklu českého povstání musel před rakouskou sprave-
dlností uprchnout do exilu. Ostatní čtyři byli však nedáv-
ní příchozí — stejně tak ovšem Shake — a měli zatím jiné
starosti, takže vůči Shakovu opětovnému tvrzení, že bez
literatury není národa, zůstávali imunní. Zato starost
Kakušků se ukázala být jejich srdcím blízká, a třebaže se
schylovalo k půlnoci, vydali se k ohroženému hradu štěs-
tí. Shake, protože nechtěl zůstat v hospodě sám, šel s nimi.*

*Byla tmavá noc a na stavení si museli svítit loučí. V
jejím světle zkoumali hlavičky hřebíků, které nádenická
ruka Bartoloměje Kakušky zatloukla příliš bytelně.*

*"To bude těžký, todlento vytahat," řekl Barcal, ačkoliv
proslul neohrožeností.*

*"Bude se to muset kolem dokola hlaviček vobrejp-
nout," řekl Pádecký.*

*"Čim?" zeptala se Terezie Kakušková, jež jim držela
louči. Mařenka byla uvnitř v chajdě a snad už spala.*

"Kudlou? To nevim, jesli to pude," pravil Krištůvek.

*"Tesaři na to maj takovej vercajk," řekl Hejduk. "Ta-
kový jako malý dlátko, ale vostrý."*

"To by se dalo udělat," pravil Barcal. "Stejně ale —"

*Shake mezitím obešel domek a vlezl dovnitř. Rokovali
rozvážně o tesařském dlátku, potom jak nejlíp rovnat
hřebíky. "Stejně ale — za tři večery?" dumal Barcal. Z
chajdy se ozvalo dost hlasité plesknutí, nikdo mu však
nevěnoval pozornost.*

*"To máš —" Barcal ohmatával stěnu chajdy, "— z
každý strany štyry trámy?"*

"Jo, štyry," řekl Bartoloměj Kakuška.

*Shake se vynořil z chalupy a připojil se k nim. Poslou-
chal. Rokovali o počtu hřebů, jež bude nutno obrejpnout,
pak vytahat, aby se neohnuly, nebo jen málo, potom
rozebrat střechu z dřevěných tříslic, Kakuškou rovněž*

bytelně přibitých. Z chajdy vyšla Mařenka v košili, přes níž měla přehozený rozlehlý vlňák. Rozhlédla se, rokovali o tom, že prkna by se měla očíslovat a zapsat a právě tak trámy, aby se všechno dalo spasovat dohromady. Mařenka přistoupila k matce a šeptala jí do ucha. Louč v Terezině ruce se zakymácela. Shake se ohlédl a přikrčil. Barcal vysvětloval, že vnitřní trámy se ale budou muset otočit, protože hřebíky se sice dají prostrčit děrami v prknech a vypodložit, aby držely, ale do trámů se musí zatlouct z druhé strany, kde nejsou po nich díry, protože jinak by nebyly dost fest. Terezie Kakušková přistoupila k Shakovi a otevřela ústa a Shake pravil: "Proč to dělat jednoduše, když to jde složitě?" Terezie Kakušková se zarazila.

"Jak to myslíš?" zeptal se Barcal.

"Kolik to může vážit?" řekl Shake.

"Co?"

"Celý stavení?"

"Co je ti do toho?" pravil samonáserný Pádecký.

"Nic," pravil Shake. "Když myslíte, že složitě je to lepší než jednoduše —"

"Kdo si tu myslí takovou volovinu?" utrhl se Pádecký. "Ledaže ty!"

"Nemyslím si to," pravil Shake. "Jsem toliko znalec lidových rčení. Ve starý vlasti jsem je sbíral."

"Tak si je strč za klobouk a rači si namáhej hlavu jak pomoct Kakuškovejm!" zvolal Pádecký.

"Chalupa nemá sklep," řekl Shake.

"Ty bys toho chtěl!" zařval Pádecký.

"Protože nemá podlahu," řekl Shake.

"Věž s hodinama na střeše by sis nepřál?" rozzuřil se Pádecký.

"Nezbyly prkna," pravil Kakuška.

"Sedí na zemi jako psí bouda," pravil Shake.

"Neposmívej se poctivýmu dílu!" zařval Pádecký. "Nebo ti jí líznu!"

"Obyčejně se říká 'trhnu' nebo 'střelím'," řekl Shake. *"To si musím zapsat."*

"Nežádej si mě!" zahrozil Pádecký. *"Sic ti jí na mou duši střelím!"*

"Byly by někde k sehnání dva dlouhý trámy?" zeptal se Shake.

"Jo, ty myslíš —" pravil pozorně Barcal a zamyslel se.

"Pane Švejk," řekla Terezie Kakušková. *"Vy nám podruhý nesmíte do stavení nohou vkročit!"*

"Krajanko," pravil Shake. *"Člověk je slabá nátura. Já se hanbím. "*

"Kolik to může vážit? Metrák? Dva?" dumal Barcal.

"Co kolik může vážit?" vztekal se Pádecký s rozkoší.

"Dyby tři," řekl Barcal a otočil se k Shakovi.

"Jen to nezamlouvejte," pravila Terezie Kakušková. *"Ste nemrava, krajane, a k nám už nesmíte přes práh!"*

"Kolik chlapů bys řek, že na to bude zapotřebí?" zeptal se Barcal.

Druhý den, ještě před svítáním, než hlavy rodin odešly vykládat lodi a vozit kolečka, oběhly obě Kakuškové, Hejduková a Barcalová (Shake byl svobodný mládenec a s Pádeckým mladá žena vydržela jen dva roky a pak mu umřela na mrtvici) sedm jiných krajanských domácností, ale matka Kakušková splnila výhrůžku: Shake nesměl přes práh. Ten večer, půl míle dál v prérii, kam domeček dosedl jak slepice do kurníku a napůl zapadl do sága, oslavovali v jeho jediné sednici dobré dílo dvěma láhvemi šnapsu, jež donesl zákopník Schroeder, udivený českou vynalézavostí. Potrestaný Shake seděl v ságu vedle smíchem hlaholícího domu štěstí a utěšoval se třetí lahví šnapsu od štědrého Schroedera, kterou si však zasloužil.

"Co vlastně proved?" zeptal se na křtinách seržant Jakuba Kakušky.

"To vám, pane seržant, tady přede všema nemůžu povědít. Až někdy pozdějc někde jinde," řekl Kakuška.

Nepověděl mu to nikdy. Mnohem později, po velké bitvě u Bentonvillu, mu to pověděl sám Jan Ámos Shake, čerstvě označený metálem.

Když Schroeder druhý den po poradě ve světle louče přišel večer ke Kakuškovu hradu, puzen soucitem nad těžkým údělem pracovitého vystěhovalce, ale taky vzpomínkou na vystěhovalcovu dceru, spatřil věc, jež byla vlastně předehrou k hudbě daleké budoucnosti. Dvanáct krajanů, ozbrojených kladivy a palicemi, zatloukalo velké zednické kramle do dvou trámů delších než Kakuškův domek a pak přibíjeli trámy po obou stranách k prkenným stěnám stavení. Nato se, šest po každé straně, seřadili a na povel Gejzy Miháloczyho, jenž byl původním povoláním feldvébl uprchlý po karambólu devětačtyřicátého roku z Páloczyho regimentu v Budapešti, se sehnuli, na další rozkaz, jako dvanáct vzpěračů, vzepřeli Kakuškův hrad štěstí do výše, na třetí povel si jej hodili na ramena a na befél "Marschieren marsch!" vykročili levou nohou. Prérií, ozářenou zapadajícím sluncem a jeho odrazem v jezeře michiganském, sunula se housenka o čtyřiadvaceti nohách zvolna k západu, dál do prérie, pryč od zkázonosně vyměřené Šesté ulice a za ní kráčel užaslý Schroeder, Kakuškovy ženské v čele manželek mužů, kteří nesli na ramenou hrad štěstí (mezi nimi, jako původce nápadu omilostněný Shake) a mladý Larry Kakuška, jemuž zatím nedostatečný vzrůst zabránil stát se součástí housenky.

České kasino na Dvanácté ulici nebyla herna, jenom hospoda. Hrál se tam nejvýš mariáš a spíš o sirky než o peníze, protože peníze obvykle vystačily právě tak na večeři a na tři, čtyři, deset, nejvýš patnáct piv. Nad nálevním pultem visel portrét Otce vlasti Františka Palackého, po jeho pravici český lev, po levici moravská

*orlice a pod ním, zkříženy, dva hvězdnaté prapory. Na
konci pultu ležela hromada Havlíčkových* Národních no-
vin, *neboť hospodský Tůma byl Havlíčkův dopisovatel,
pod pseudonymem ovšem, protože to byl seržant c. a k.
armády a vojenský zběh, který se na Rakousko vykašlal
už před osmačtyřicátým rokem naděje a zmizel s plukovní
kasou, z níž vzešlo české kasino. U některých stolů seděli
čtenáři novin s pivem, u jiných karbaníci s pivem a
seržant v rohu s Fircutem pili whisku a Fircut mu ďábel-
sky mluvil do svědomí. Od barpultu na ně občas pohlédl
Tůma.*

"Prosím. Když myslíš, že tě chci okrást — a ty si to
zřejmě myslíš — jdi si ho zastavit nebo prodat sám. Co s
ním chceš jinak dělat?"

"Nic," řekl a vztekle dodal: "Zatím."

"A co chceš teda dělat? Jít makat do cihelny jako ty
hňupi?"

*Na lodi si seržant příliš zvykl na Smithieho whisku, na
pevnině si ji nedokázal odvyknout. Zbýval mu už jen
žalostný zbytek Hanzlitschkových dukátů. Když je Fircu-
tovi svěřil na investici, zůstalo mu v kapse dvanáct dola-
rů. Whiska pomáhala zahánět šibenici, spoutávala mo-
zek, takže přes uzle klopýtal.*

"Chceš ho s sebou tahat pro štěstí?" *dorážel Fircut.*
"Bez peněz štěstí nedojdeš."

"Chci," *řekl.* "A jakýpak štěstí."

*Žlutou mlhou skotské viděl, že Fircut se zamyslil. Ná-
hle se mu proměnil ve Smithieho.*

"Poslyš — ten plukas měl manželku, žejo?"

"Nevím, o čem mluvíš."

"Ale víš. Měl manželku, že? Sekandu."

"Neměl!" *skoro vykřikl.*

"Plukas bez manželky?" *řekl Fircut.* "Vdovec, jo?"

"No, vdovec."

"Polechtej mě!" *řekl Fircut.*

Napil se whisky, ale nepomáhala.

"A tys mu nasazoval parohy," *řekl Fircut.*

"Byl to vdovec!" zase skoro vykřikl.

"Nebyl. Z ní ale je vdova," řekl Fircut. *"Tvým přičiněním."*

"Drž hubu!" Šlápl si na jazyk, nebylo mu rozumět.

"Tak tak to je!" pravil Fircut. *"Tohle ovšem —"*

Přisedl si k nim Tůma.

"Jak ste se rozhodli, krajani?" zeptal se.

"Už jsme skoro dohodnutý," řekl Fircut. *"Jenom ještě musím na rakouskej konzulát, vyřídit jednu maličkost."*

"Výborně," pravil Tůma. *"Barák vedle je za pakatel. Krz stěnu se prorazej dvéře a z magacínu se udělá taneční sál, možná i dívadlo. Teď dou do módy ty* minstrel shows. *Viděli ste to?"*

"Jo," pravil Fircut. *"Jak říkám — jenom si ještě potřebuju vyřídit tu maličkost u rakouského konzula."*

"Tam bych, čoveče, nelez," řekl Tůma. *"Ten pro vystěhovalce nehne prstem. Obzvlášť teď, po osmačtyřicátym. Jemu je přeci jasný, že Rakousko nemiluješ, dyžs odešel do Ameriky."*

Tůmovi zatajili, že jsou zbězi jako on. Fircut si přidělil roli zbohatlíka, který už přerostl malé rakouské poměry, seržanta donutil přijmout roli dědice po zámožné tetě. Pravděpodobnost vyprávěnky podtrhával častými zmínkami o kapitánské kajutě, v níž se pohodlně přepravili přes Atlantik, obtěžováni smradem z útrob lodi toliko na procházkách po palubě.

"To máš pravdu," řekl Fircut. *"Ale vzpomněl jsem si na jednu nevyřízenou záležitost. Týká se jedný dámy a jejího nebožtíka muže. Tady přítel Kapsa je oba dobře znal,"* položil mu jidášskou ruku na rameno. *"Dluží mi —"* Kdo? Dáma? Přítel Kapsa? *"— no, dost slušnou sumičku. Ale teprve tady kamarád Kapsa mě inspiroval jak na to. V takový záležitosti mě rakouskej konzul odmítnout nemůže. Sumičku mi samozřejmě v Rakousku zdaněj, ale i tak."*

"Well," Tůma pohlédl na Fircuta pátravým, nedůvěřivým pohledem. *"Takovejm věcem já nerozumím. Já jenom*

zabavil plukovní kasu. Ale jak říkám: barák vedle je za babku, lokaci máme dobrou, bude z toho zlatej důl a já potřebuju investory. Krajany přednostně."

Zvedl se, odešel k barpultu.

"Well," řekl Fircut. "Tak co myslíš? Mám napsat líbesbríf rakouskýmu konzulovi?" Zazubil se. "Ty seš samozřejmě — nebo celkem snadno můžeš bejt — mimo c. a k. pravomoc. Ale ona? Jak se jmenuje? Ne že by se to nedalo snadno zjistit."

"Já tě zabiju!" zavrčel.

"To by pak byla dvojnásobná vražda," usmál se Fircut. "Neřekneš? Nevadí. Jak povídám, nebude problém to zjistit."

Dopil sklenici a dolil zbytek láhve.

Vzdal se.

Potom se pamatoval jenom na lavičku na okraji nějakého parčíku. Zdvojené zlaté koule nad krámem. To bylo v pátek odpoledne. Smithie — ne, Fircut. Nebo Smithie? Fircut-Smithie přistoupil k lavičce, za ním dozníval zvonek nade dveřmi krámu."Tady máš lístek," řekl. "Tady ti ho dávám do šrajtofle, vidíš?" Zaznamenal nějaký papírek, který nedokázal přečíst, stejně se mu jen mihnul před očima. Fircut-Smithie mu jej nacpal do náprsní tašky."Vidíš? Tady ti ho dávám do šrajtofle." Nato cesta, snad drožkou, nesli ho, Fircut ho nesl? Tma. Vzbudil se v noclehárně.

Večer čekali s Tůmou v kasinu. Fircut se neobjevil.

Měl však lístek. Dosud se na něj ani nepodíval.

Uvědomil si, že už má jen dvanáct dolarů. Vlastně deset. V kasinu si dal večeři a láhev whisky.

Potom díra vysekaná v truhlici matky McCormickové. Pořád měl ten lístek. Pořád se na něj nepodíval.

V pondělí ráno — to už měl jenom šest dolarů, dva utopil ve whisce po setkání se Šálkem lačným české stravy, pak ještě dva dolary, ne v českém kasinu, v jiné knajpě, už v osm stál pod zlatými koulemi na Šesté ulici, před výkladem se zlatým nápisem PAWNSHOP — COHEN

AND SON, *kde v paprscích nevyspalého slunce ležely zaprášené housle, budíky, mandolíny a šedočerný frak na opotřebovaném manekýnovi se skutečným monoklem v dřevěném oku. V osm otevřel Cohen krám. Vběhl za ním dovnitř, skoro do něho zezadu vrazil. Podal mu lístek, dosud se naň nepodíval. Cohem zmizel kdesi vzadu za krámkem, vrátil se. "Dva dolary plus čtyřicet procent,"* řekl, *"to máme osmdesát centů. Zastavil jste to v pátek večer, sobota, neděle, pondělí počítám taky, to máte desetinu měsíce, osm centů, počítám pátek. To máme deset centů. Dva dolary deset."*

Položil na pult stříbrnou doutníkovou špičku obtočenou hádkem ze slonové kosti.

Seržant vysázel dva dolary a deset centů a špičku strčil do kapsy.

Déšť zase déšť jako v Jižní Karolíně, vlahý, ale mokrý, konečně uhasil terpentýnové lesy, už jen doutnaly, hořely pouze terpentýnové pece, o to se postarali bamři. Ráz krajiny se změnil. Nekonečná karavana vozů velké Shermanovy armády se plazila mezi borovými hájky, po koberci z poražených kmenů, které položili zákopníci tam, kde se cesta měnila v bařinu, jinak by se karavana přetrhla; po čerstvě opravených můstcích přes rozvodněné potoky, mezi loukami, jež se už začínaly zelenat, na sever ke Goldsboro. Seržant cválal s depeší pro generála Davise od generála, jenž na svém velikém koni Samovi jel s generálem Slocumem v řadách Howardova Dvacátého sboru. Davisův Čtrnáctý sbor a divize generála Morgana v jeho čele se jako had zavrtávaly hlouběji a hlouběji do Severní Karolíny. Toho rána dorazil seržant do domu, kde generál Davis hovořil s majorem Belknapem. Majorovi pícovníci narazili na muže na mezku, jenž se spěšně ubíral do Springfieldu a byl víc než ochoten mluvit, protože vlastnil malou farmu na jih od Raleigh a doufal, že válka skončí dřív, než do jeho vesnice dorazí Shermanovi bamři. Muž potvrdil, že početné sbory generála Joe Johnstona se shromažďují u Bentonvillu a podle všech známek se chystají k bitvě.

Jeho generál však už nevěřil v žádné početné sbory, jimiž by vládl generál Johnston nebo jeho podřízení velitelé. Od Kennesaw Mountain, od krutých bojů o Atlantu dělily jeho velkou armádu, pronikající Severní Karolínou třemi dlouhými kolonami, Slocumovým sborem na severu, Howardovým jižněji a Schofieldovým blíž k pobřeží (pochodovaly daleko od sebe, takže to byla spíš tři samostatná vojska než jediná armáda) stovky mil a tři měsíce, vyplněné jen potyčkami s Hamptonovou a Wheelerovou kavalérií. Zvědové a zajatci shodně vyprávěli o šířící se epidemii dezercí, jež zle postihovala pěší pluky a vyhýbala se jen divokým Hamptonovým harcovníkům, kavalírské smetánce na okrajích rebelské armády. Její pěší střed zmíral na úbytě.

Generál se vždycky vyhýbal velkým bitvám: ty přenechával Grantovi, vězícímu v Divočině, kde se desetitisícové pluky převalovaly jeden přes druhý, pouštěly si žílou na pracně vybudovaných palisádách a v sítích zákopů napouštěly žíly čerstvou krví jednotek kvačících k frontě kolem mrtvol, jež neměli čas pořádně zahrabat do země nebo je pochovali do hrobů tak mělkých, že je jarní lijáky vyplavily a napůl setlelé lebky se posmívaly usilovně pochodujícím nováčkům: Tohle z vás bude taky, krasavci!

Jeho generál už nevěřil na hromostroj obrovských a pomalých vojsk, na gigantické bitvy, jež, summa summarum, končily nerozhodně. U táboráku, kam si generál rád přisedával, slyšel ho filozofovat o válce a viděl poručíka Williamse potají črtajícího poznámky do knížečky v kůži. "Pyrrhos — všechna čest," říkal generál. "Velký voják, statečný vojevůdce. Jenže generál, který každých pět stop postupu — a pět stop je výška menšího vojáka — zaplatí jedním vojákem zabitým nebo zmrzačeným? Válka je umění. Strašné umění, které by vůbec nemělo existovat. Ale když už existuje, má se brát jako umění. Ne jako masová poprava, co ji vyhraje ten, kdo má víc odsouzenců a víc katů, kteří jsou ovšem zároveň odsouzenci na smrt. Pro mě byl chudák Pyrrhos takový kat," řekl generál, doprostřed zbrázděné tváře vložil doutník a zahalil žebráckou hlavu do dýmu. Z dýmu slyšeli: "Umělec byl Caesar. Jeho vojáci byli především báječní chodci. Pak teprv vojáci."

A přece, uvažoval seržant nad novinami, které je dostihly na sever od Savanny, generál měl pověst riskujícího dobrodruha, vlastně šílence. V rozporu s pravidly válečnického řemesla ponořil se do dálek Georgie, odřízl se od přísunových cest, od komunikací a hnal své vojáky dlouhými denními pochody na jih. Plundroval krajinu a ožebračoval farmáře, aby se nezdržoval čekáním na těžkopádný přísun a na neinformované polorozkazy stratégů v bezpečných a velikých vzdálenostech od kolon pochodujících územím nepřítele. Aby nedopřál kličkujícím rebelům čas k soustředění, k proměně umění v katovnu dřepící na nějakém nehybném poli slávy a velkosmrti. Před čelem jeho velké armády ujížděli Kilovi harcovníci, ozbrojeni tuláci bamříchs sborů, malé bojové skupiny, jež šněrovaly krajinu, a veliká, ale nikoli těžkopádná armáda se rychle zařezávala do dálav Georgie, Jižní Karolíny a dál, na sever. Generál se vyhýbal velkým bitvám. Ne proto, že se jich bál, ale protože byl umělec v oboru, který sice neměl existovat, jenže když už existoval, vyžadoval umělce, nikoli zakrvácené fušéry. Generál nebyl fušér.

Někdy seržanta přepadly vzpomínky na dávný čas ve škamnách jednotřídky, kde jim vlastenecký učitel Erazim Kozel zaníceně vyprávěl o jiném velkém vojevůdci, jenž se jmenoval Jan Žižka z Trocnova. Pod hvězdami Georgie si seržant představoval Žižkovy válečné vozy, jak se naplněny kamením řítí ze stráně a prolamují do oplechovaného hromostroje sevřených křižáckých šiků úzké uličky smrti. Kdyby měl jeho generál takové vozy, kdyby

Georgie a obě Karolíny byly jediná svažující se stráň — kdyby místo volských potahů měl generál lehké kočárky, snad na páru jako dělové čluny na Mississippi, a ty by jezdily samy od sebe po cestách Karolín a na nich pěchota naježená spencerovkami — seržant zatřásl hlavou, vyhnal z ní utopii, ale vidina Shermanových ozbrojených kočárků, rozdělených — jako Kilova kavalérie — na malé bojové skupiny, pronikajících jako blesk mnoha směry dálavou hořících Karolín — zatřásl hlavou. Ale věděl, že Shermanův skok po hlavě do neznáma Georgie byl vlastně menší riziko než obezřelý, pomalý, vším možným zajištěný válec potomacké armády.

Teď, v soumraku války, generál tím míň věřil v nějakou velikou bitvu. Mávl jen rukou a poslal seržanta ke generálu Davisovi s radou, aby měl prostě oči na stopkách.

Seržant zastihl generála Davise u oběda ve výstavném farmářském domě asi dvacet mil od Bentonvillu, ve společnosti generála Carlina a vystrašeného farmáře, jenž nestál o to, aby se jeho pozemky proměnily v pole slávy.

"Ne kavalérii," říkal farmář. "Tedy: kavalérii taky. Ale taky pěchotu. Nejmíň tři pluky, pánové. Včera se stahovali k Bentonvillu."

"Morgan narazil pouze na kavaleristy," řekl generál Carlin.

"Ti mi dnes ráno zapálili stodolu u Pete's Bend," pravil farmář. "Ale to bylo dnes ráno. Kryli tu pěchotu. Viděl jsem je už včera. Vrátili se, aby pěšákům dali čas na soustředění u Bentonvillu. Dejte na má slova, pánové, strhne se tu bitva. A jestli strhne — jako že strhne — bude mě to stát mnohem víc než jenom jednu starou stodolu."

Na zpáteční cestě k Shermanovi provázel seržant generála Davise a jeho pobočníka. Generál vyslechl zprávu o rozhovoru s farmářem, major Belknap připomněl vlastní zkušenost s mužem na mezku, usilovně ujíždějícím do Raleigh.

Jenže generál na velké bitvy nevěřil, zejména teď, v soumraku války, a byl přesvědčen, že na ně nevěří ani ti na druhé straně. Nebyl Bůh, i když ho mnozí zbožňovali, jenom člověk.

"Ne, Jeffe," řekl Davisovi. "Johnston nebude riskovat bitvu, když má v zádech rozvodněnou Neuse a přes ni, pokud mohu věřit zvědům, jenom jeden most. Žádná pěchota, Jeffe. Je tam jen pár švadron jízdy. Odklid' je z cesty a bud' zdráv. Zítra se uvidíme v Cox's Bridge.

"Kdybys mi měl vyprávět!" seržant otráveně oklepal doutník do plechového popelníku ve tvaru srdce; z jedné strany měla nádobka přiletovanou hlavici šípu, z druhé opeření, takže celkově to bylo srdce proklaté šípem. "Pořád: Kdybych ti měl vyprávět... Tak vyprávěj!"

Šálek tedy vyprávěl. Hospoda byla velká, nárožní dům na křižovatce Randolph Street a Desplaines, hospodský Josef Těhle skrytý v oblacích tabákového dýmu za nálevním pultem, jenom hlava s knírem jako turecká šavle a něco níž v obláčku ruka na pípě, pivo z pípy se ve skleněných dvoupintovkách rozlévalo po sále a na pódiu muzika, rovněž v oblacích, křídlovka, klarinet, tuba, housle, buben, tahací harmonika: Chadimova tlupa. Před kapelou na prknech uprostřed hostěnice rozháněly kouř trdlující páry. Česká neděle v Chicagu. První dějství Šálkovy chicagské epopeje však nebylo české, české byly jen oči jeho pěkné ženy Vlasty, která nevycházela z kola a českýma očima střílela imaginární šípy po seržantovi, oklepávajícím popel do prostřeleného srdce. První dějství se jmenovalo Deirdre. "Ta dyby mi nebyla bejvala umřela!" říkal plačtivě Šálek nad dvoupintovkou, toho odpoledne asi pátou, do každé zazdil prcka z ginu. Otevřela mu domovní dveře v pět ráno, rozespalá, ale už v šedivé sukni a seprané zelené haleně, stál na ulici s dvěma šiškami chleba ještě teplého, který měl do toho velkého a žravého domu na Dearborn Street dovážet obden, podle objednávky, již smluvil partner Řeháček, který teď vyspával noční šichtu v pekárně. Za ním na ulici kára se stařičkým mezkem a před ním, v ránu kalném jako Vltava po dešti, pihovatý nos rozespalé služtičky a zelené irčanské oči. Řekl Gut mornink, vzala od něho chleby, široce zívla, otočila se a on, uhranutý, zíral na dva nazrzlé copánky, zdřevěnělý uhranutím ještě chvíli poté, co za služtičkou zaklaply zeleně lakované dveře s vycíděným klepadlem z lesklé mosazi. Seržanta se dotkly šedivé oči paní Vlasty, mlhou dýmu se mihlo její lýtko v černé punčoše, polka hrála. "Dyby mi neumřela!" Dva dny nato, když od něho vzala dva ještě teplé bochníky, všiml si, že má zafačovaný paleček a vytasil se s voňavou makovou houskou, kterou pro ni v noci upletl. Ale ona zavrtěla hlavou a řekla něco, čemu nerozuměl. Anglicky znal tehdy jenom pár slov a ona navíc mluvila dialektem. Zavrtěl rovněž hlavou, ukázal na ni a řekl: "Fór jů!" Zarazila se, hned se však usmála, vzala od něho krásně upletenou housku. "Thank you!" zaváhala; stál zase jako stlučený z prken, anglicky ho nic nenapadlo, s češtinou na ni nemohl, tak se jen znova usmála, otočila se, dva nazrzlé copánky měla ovázané zelenou tkaničkou, zelené dveře, mosazné klepadlo. Dva dni nato: "Voz gut?", to už ji další krásná houska nezarazila a usmála se, sotva otevřela dveře. "Oh, I liked it very much!" Ukázal si na prsa — už to měl předem promyšleno — řekl: "Ajm Ondra." "I'm Deirdre," začervenala se, čekala, řekl — i to měl předem promyšlené, jako tahy na šachovnici: "Aj brink egejn, jes?" "You're very kind," řekla. Šachový mistr nebyl, třetí tah už nepromyslel, ale když se otočila, viděl, že tkaničky na zrzavých copáncích nahradily leskle zelené mašle. Dva dny nato přinesl veliký makový koláč.

Jenže mu umřela, ani ne rok po svatbě. Svatba pozdě večer, při jediné lojové svíčce v zastrčeném ajrišáckém kostelíku, tma, z níž kromě svíčky svítil už jen farářův nabobtnalý nos. Na lepší svatbu s lepší iluminací nebo dokonce ve dne Šálek neměl. Nevěsta plakala zklamáním, ale zůstala ve službě. Střádali na pekařský krám, kde by pak hezká Deirdre se zrzavými vlásky, s pihama kolem irského nosíku, prodávala. Ten rok, ne ani celý, vídali se jen jednou týdně, Deirdre pořád bydlela u pánů na Dearborn Street, on s Řeháčkem v pronajmuté světnici, střádali. "Zůstala mi po ní jenom Aninka," vzlykl Šálek, další gin žbluňkl do dvoupintovky. "Nebejt toho, že je Vlastina na Aninku tak hodná ..."

Seržant už neřekl otráveně: "Tak dál!" Řekl: "S Vlastou nemáte děti?"

"Zaplaťpámbu ne," řekl Šálek. "Víš, vo Anince vim, že je moje. Dybysme s Vlastou — teda dyby Vlasta měla děti — " Kouřem se opět mihlo lýtko v černé punčoše, šedivé oči, české, trochu tmavší než dým. Šlehly po seržantovi. Najednou Šálek skoro vykřikl, hněvivě:

"Já se vod ní dám rozvíst!" Pak sklesle. "Jenže je tu Aninka."

Seržant se vrátil k ohni, pár mil od Bentonvillu, neboť Šálkův plačtivý hlas mu překryl vysoký tenorek Shakův a zopakoval, o čem už se skoro před šesti lety seržant dozvěděl z groceristova nitra nasáklého ginem, plného trampot.

"Nahlas to nikdo nevyslovil," zněl Shakův tenorek, "ale v duchu se všichni divili, že Šálek s náma zůstal. Zejména Miháloczy. Šálek byl tou dobou zazobanější než Honza Talafous a nad tím se nepozastavoval nikdo, že ho najednou popadla starost o rodinu. Měl pěkný uzenářství na Randolph ulici. Anebo Kabrna, když tomu šly doutníky na odbyt tak, že vlastnil už dílnu s dvaceti dělníkama. Dokonce se některý nedivili, ani že se Kabrna šel zasichrovat ke konzulovi. Konečně, to nebyl sám, kdo tímhle způsobem v Chicagu proslavil český jméno."

"A co ty?" zeptal se Paidr.

"Já? Já byl přirozeně středem největšího obdivu."

"Podivu," opravil ho Kakuška v náhlé jazykové inspiraci.

"Správně," pravil Shake. "Jenomže já věděl, že se budou divit, a chtěl jsem, aby se divili. Jsem rád středem pozornosti. Mimoto, oni věděli, že jsem si koupil brnění, takže jsem nemusel mít strach."

"U Perrivilus ho prej nosil vobráceně. Na zádech," pravil jedovatě Kakuška.

"Nevěděl jsem, jak se správně obléká," řekl Shake. "Zapínalo se vzádu na takovou přesku a já tam nemoh došáhnout."

"Pročs někomu neřek?" zeptal se Fišer.

"Nechtěl jsem být terčen posměchu," řekl Shake. "Tak jsem si ho otočil kolem těla, přesku jsem vpředu zapnul a chtěl jsem si brnění zas pošoupnout kolem dokola kolem těla, aby mi krylo hruď, jenže to nešlo. Byl bych musel přesku zase rozepnout. Ale stejně mi zachránilo život."

"Jo? A kde?"

"Při útoku u Perrivillu. Dostal jsem přímej zásah, brnění však vydrželo."

"Jaks moh při útoku dostat přímej zásah do brnění, dyžs ho měl na zádech?" otázal se Houska; implikace byly zřejmé. "Jestli řekneš, že po tobě vomylem střelili naši, tak máš vode mě přímej zásah pěstěj do nosu."

"Ve chvíli zásahu jsem se právě otočil, abych povzbudil k větší odvaze ostatní," pravil Shake s ledovým klidem. "A dostal jsem petardu do zad — *solid shot,* kamarádi. Zůstal jsem ležet omráčenej."

"Ale neprostřelenej," pravil Kakuška.

"Čuchni si!" řekl Houska a nastavil Shakovi zaťatou pěst k nosu.

"A že už ho nenosíš, dyž ti zachránilo život?" zeptal se Paidr.

"Už ho nemám," pravil Shake. "Jak byla v třiašedesátým ta vlhká zima, zrezivělo mi a nadělaly se v něm díry."

"Tak si čuchni!" vyzval ho znovu Houska.

"Jak to bylo se Šálkem?" přerušil nit počínajícího konfliktu seržant.

"Byl prakticky bohatec," pravil Shake. "Snad si nemyslíte, že to velkohokynářství na rohu Clinton a Randolph měl z poctivý práce?"

Seržant se vrátil do Chicaga, odpoledne před tancovačkou, kdy se mu Cup-Šálek ještě chlubil podnikem a ukázal mu pekárnu.

"Trochu musíš mít kliku a trochu musíš mít fištrón. Mně se to vobojí v tom šťastnym momentě sešlo." Ráno před pekárničkou — byla to ještě jenom pekárnička, krcálek — zarazilo pět vozů vrchovatě naložených pytli s moukou. Co se děje? zeptal se závozníka. Vobjednal ste si mouku, ne? Vobjednal. Tak vám jí vezu, řekl závozník a podal mu objednací list. Stálo tam: 2,000 sacks of flour, poslední dvě nuly namačkané před slovo sacks a čárka mezi dvojkou a první nulou vklíněná do nepatrné mezery. "Ten rok byla velká ouroda," vyprávěl Šálek-Cup. "Mouku dávali za babku, ale já měl doma pranostyku, eště z domova." Neřekl tedy nic, poručil mouku nanosit do pekárničky, kam se nevešla, narychlo najal ještě prázdný krám vedle. Pak se odebral do velkoobchodu, ale vlezl dovnitř zadem, takže se agentovi nepodařilo zmizet. Agent byl mrňous s tikem a obrovský Šálek se před ním výhrůžně rozkročil. "Von věděl, že já platim poctivě, nikdy neberu nic na dluh, tak si myslel, že sem slaboduchej." Položil objednací lístek před agenta a řekl: "Přepsal ste se." Agent zbledl a Šálek pokračoval:"Já chtěl dvacet tisíc pytlů, ne dva tisíce." "To — tolik přeci nepotřebujete," pípl agent. "To máte recht," řekl Šálek. "Krapet sem to přehnal. Tak zaplatim jen ty dodaný dva tisíce. Ale diskaunt mi počítejte jako za dvacet tisíc. Přeci ste se přepsal vy, koukněte se!" a položil prst na spresované nulky a na čárku vraženou mezi číslice jako vosí žihadlo.

Agent si oddychl a dal potenciálnímu trablmejkrovi takovou slevu, že mu pytel přišel na pár centů. A pranostyka měla pravdu: rok nato byla úroda mizerná, mouka stoupla o dvě stě procent a Šálek přestěhoval podnik z krcálku na Goat Street na roh Clinton a Randolph.

"Co na tom bylo nepoctivýho?" řekl Fišer. "Nepoctivej byl jedině ten agent."

"Ale nebyla to poctivá práce," pravil Shake. "Nýbrž mazanost."

"Bejt mazanej je nepoctivý?" otázal se Paidr. "To bys ty musel bejt dávno za katrem."

"Máš pravdu," řekl Shake. "V armádě jsem duševně zchátral. Občas může bejt i duševní práce poctivá a nahrabat se dá spíš z ní než rukama."

"Mazanost neni duševní práce," pravil Paidr.

"Co podle tebe je?"

"Třeba kantořina, " řekl Paidr. "Nebo faráři. Ty pracujou duševně."

"Otázka ovšem je," pravil Shake, "jestli poctivě."

"Neřek sem ti, aby sis čuchnul?" vmísil se do řeči zbožný Houska. Farmácká pěst se zastavila na palec od Shakova nosu.

Seržant opět zachránil situaci. Řekl:

"Proč teda Šálek z Lincolnovejch střelců nevystoupil, když se začalo střílet? Byl přeci podle tebe větší zazobanec než Kabrna nebo ten řezník."

"Právě tomu se všichni divili," pravil Shake. "Jak se říkalo mezi mírovejma: Bohatci válku vedou, chuďasové v ní bojujou."

"Ne dycky," ozval se Zinkule. "Vobzvlášť ty vodjakživa bohatý. Ty bojujou taky. Vemte si generála Millgata. Vyzbrojil a vystrojil celej pluk ze svýho, žoldu se zřek a pak eště přišel u Shilohu o nohu. Ulejvaj se jen ty, co vydělali teprvá na válce. A nejvíc se ulejvaj substitůti a to sou bamove, žádný bohatci. Vyberou vodškodný, pak nafasujou prémii, jak to de, prásknou do bot a daj se za vodškodný a za prémii nalejt znova. Někerý prej až desetkrát."

"Máš pravdu," pravil Shake. "Odjakživa bohatý maj vojenskou čest v krvi. Co se však bohatství domohli duševní prací a mazaností, ty si bohatství víc vážej a tím pádem chtěj zůstat naživu."

"Chudý snad nechtěj?" zabručel Houska.

"Bohatý maj víc co ztratit," řekl Shake. "Chudý leda život a s tím se nedá kšeftovat. Proto se chudý ženou do armády."

"Chudý sou blbý," pravil Zinkule.

"Chceš říct, že já sem blbej?" otočil se k němu Houska výhrůžně.

"Ty ne," řekl rychle Shake. "Ty seš výjimka. Zrovna tak byl Šálek. Jenže proč?" rozhlédl se po svých blbých druzích a seržanta napadlo, co by byla Amerika bez takové blbosti? "To víte, že Šálek byl první amerikánskej Čech, kterej se dal rozvíst od manželky?" řekl Shake.

"Copak to de?" zeptal se Houska.

"Církevně ne. Rozvedli je na úřadě. Z toho aspoň vidíte, že Šálek, takovej křesťan, měl pro rozvod důvody, který potlačily i strach z věčného zatracení."

"To měl," řekl Kakuška. "Vošoustala mu celý český Chicago."

"Taková vlastenka nebyla," pravil Shake. "Dávala i Polákům, a dokonce ženatým mužům neslovanské krve."

Seržant mlčel. Věděl o tom víc než Kakuška. Aspoň možná.

A věděl, proč generál tak lehkomyslně smetl ze stolu možnost, že na Slocumův sbor nečeká u Bentonvillu pouze pár oddílů Wheelerovy jízdy, ale Jonhstonovy pěší divize. Za necelý rok poté, co si ho generál vybral pro svůj štáb, pochopil dvě tváře války, z nichž za předchozích patnáct let vojančiny — nejdřív pod Windischgraet-

294

zem a jeho biřicem von Hanzlitschkem, potom v mrňavých postech malinkaté pravidelné armády Spojených Států — znal jenom jednu: tu otočenou k vojclovi bez šarže a k zupákovi, na něhož v armádě Spojených Států z vojcla povýšil. Protože jeden vklad do americké budoucnosti mu c. a k. armáda dala: *drill,* hanzlitschkovsky zuřivý a krutý, který v Americe stačilo zaměnit prostou disciplínou, i když taky s četařskou řvavostí, a brzo z něho byl *drill sergeant.* Když přišla válka, uměl už vesnické romantiky a velkoměstské dobrodruhy předělávat na vojáky, kteří vojenský rozkaz přestali pokládat za útok na americkou svobodu a vzpurně docházeli k názoru, že statečnost přinese vítězství mnohem spíš, není-li na vlastní pěst, ale podřídí-li se někdejší c. a k. zupácké subordinaci. Aby z tváře světa nezmizela americká svoboda.

Tvář války obrácená k vojclovi a k zupákovi byla tvář zmatku, pochodů sem tam, aniž kdo věděl proč, stavění a rozebírání palisád, harcování, kde smrt byla v bezprostředním dohledu a vítězství v nedohlednu a všechno se podobalo píchání slona špendlíkem. Tuhle tvář války znal seržant dobře, ale v nové americké válce musel často zapomínat, neboť ne všechno, co uměl od Hanzlitschka, ještě platilo. Pušky tu nesly dál než na pražských barikádách, zasahovaly přesněji, pracovaly rychleji. Útočný pochod, který se v evropských armádách teprve sto yardů před klečícím nepřítelem — a tady nepřítel už neklečel, ležel v zákopě, kryl se za palisádou — měnil v těžkopádný útočný klus, hustý útočný šik, loket na lokti, tady —

V americké válce se na bojišti objevily nové nástroje. Jednou, u Yazoo River, přivezli ke generálovu stanu cosi, co na první pohled vypadalo jako neúsporný žert. Na dvoukolém podvozku polního děla byla namontovaná hlaveň obyčejné zadovky. V místech, kde měla zbraň ládovací uzávěr, trčel však do výše plechový kornout, zakončený čtverhrannou krabicí. Zbraň se podobala předimenzovanému mlýnku na kávu. Odjeli s tím z tábora do údolíčka, jehož svažující se protější stráň tvořila přirozenou střelnici. Dělostřelecký poručík, který přijel vynález demonstrovat, nařídil postavit na stráň do řady prázdné soudky od sucharů a zaujal pozici za přístrojem. Vzadu trčelo z věci krátké ráhno jako kormidlo a po straně klika, opět jako z předimenzovaného kafemlejnku. Poručík uchopil ráhno, ke klice se postavil dělostřelecký seržant. Generálův štáb se rozestavil kolem nich, generál sám hned vedle muže s klikou a pokynul, že se může začít. "Pal!" vydal poručík rozkaz sám sobě a pak se všichni, třebaže válkou otrlí, lekli, neboť jak poručíkův pomocník počal otáčet klikou — v té chvíli byla iluze kafemlejnku pro obří kuchyň úplná — věc počala rachotit jako kompletní střelecká rota, z hlavně se blýskalo v téměř nepostřehnutelných intervalech, vycházel z ní kouř jako z komína, dělostřelecký poručík pomalu kormidloval a na protější stráni jeden soudek za druhým rychle bral za své. Poručík štěkl nový rozkaz, pomocník přestal točit klikou. "Pane generále," otočil se poručík tázavě ke generálovi. "Hm," pravil generál. "Mít při každé dělostřelecké baterii dvě takovéhle opakovačky, hm — " zamyslel se, seržant přemýšlel s ním, nahradilo by to — "Můžu to zkusit?" řekl generál. Poručík mu uvolnil místo u kormidla, ale generál vzal za kliku. Dělostřelecký četař ustoupil, poručík se znovu chopil řídícího ráhna a generál se opřel do kafemlejnku. Báječný rachot, jako obzvláštní silou vybavený telegraf vysílající jen samé tečky, kouř z hlavně, stakatové záblesky a na protější stráni rupaly nové soudky, jež tam zatím rozestavěli žasnoucí značkaři. Pak se něco stalo. Z hlavně vylétlo cosi našikmo, generál heknul, pustil kliku, rachot rázem ustal a jim se naskytl pohled na generála Shermana hopkajícího po jedné noze kolem stroje a držícího se oběma rukama za koleno druhé, pokrčené nohy. Místo hromové telegrafie zněly generálovy kletby.

Ještě tři dny po demonstraci generál zle kulhal. Vynález se nestal součástí výzbroje velké Shermanovy armády.

To už byl seržant ve štábu a poznával tvář, již válka obracela ke generálovi. V noci přijížděli do tábora civilisti na koních, mizeli v generálově stanu, a když vítr pootevřel volné plachty ve vchodu, zahlédl seržant občas generálovu nazrzlou hlavu ve světle svíčky nad mapou, po níž prstem jezdil civilista. Pak se pochodovalo, velikou oklikou, zbytečně dlouho, velké nadávání. Ale seržant už věděl, že oklika není zbytečná, i když někdy nakonec byla. Věděl, že dává smysl, i když mnohdy nakonec smysl nedala. Pomalu se i on přiučoval umění, které studoval generál, metodou zkoušky a omylu plnícího sanitní vozy, z jejichž dna crčela krev. Pořád ještě zmatek. Občas se však zmatek srovnával do vzorců, jimž bylo možno porozumět. Někdy až *post factum*, a třebaže jim porozuměl, zhusta se zase rozpadly do chaosu. Mapy nebyly přesné, zprávy mužů přicházejících v noci plné děr. Mazanost mátla umění, pozorování mátlo zprávy. Palisáda se ježila kanóny, a když ji pak zfrustrovaný generál vzal riskantním útokem, kanóny byly ze dřeva a na poručíka McLarena, jenž vztekle kopl do jedné takové nesmrtonosné hlavně, vyřítil se z jejího dutého nitra roj sršňů a zřídil ho tak, že zemřel hrdinnou smrtí. Po bitvě našli na bojišti vyčerpaného rebelského bashornistu a ten vypověděl, jak generál Beauregard štval svou jedinou kapelu usilovnými pochody podél celé dlouhé a křivolaké fronty a každou čtvrt míli museli fortissimem zahrát pokaždé jinou písničku, aby vznikl zvukový klam, který generál Breckenridge, pozorně naslouchající za federační palisádou, překládal do součtu plukovních kapel a tedy do součtu pluků stojících proti jeho dosti prořídlému sboru. Vyšlo číslo, jež generálovi nahnalo strach a on v noci, poražen jedinou utrmácenou kapelou, stáhl svou divizi z fronty. V lazaretu, kam se seržant uchýlil, když se byl čtrnáct dní marně snažil oddychnout si od kansaského quickstepu, jak Shake říkal tvrdošíjné sračce, poučil ho bajonetem nabodnutý, ale už se zotavující vojín Votroubek — který u generála Rosencranse dělal kuchaře, ale když šlo u Chickamaugy do tuhého, chopil se pušky, špatně upevnil bajonet a divoký rebel ho napíchl — o jiném učedlníkovi toho pořád ještě naivního umění, jenž nervózně přešlapoval po boku pozorně naslouchající babice, která stála před stavením z neoloupaných klád na vršku nad Chickamaugou, natahovala uši, a když houklo dělo odněkud z lesů v údolí, říkala: "Todlencto, to by mohlo bejt někde u Reedovic mostu," a generál Rosenkrans nervózně hledal a na své špatné mapě Reedův most nenalézal. Houklo nové dělo z lesů, babice: "Todlenc — to bude asi tak majli vod Kellyovic farmy." Jenže ani farma na mapě nebyla, zato v místech, kde měla být, našel generál Reedův most, a sotva naň položil prst, houklo třetí dělo, baba vzala bradu s dvěma bradavicemi mezi palec a ukazovák a zavrtěla hlavou: "Todlencto, to teda nevim. Že by u Connollyho hájku?" Ten měl generál Rosencrans už najitý, ovšem definitivně jinde, než odkud houklo třetí dělo. Začal ztrácet důvěru v babici, houkla tři děla rychle po sobě a baba s jistotou: "Todlenc ale musí bejt vod Intishovýho mlejna!" a generála Rosencranse polilo horko, neboť si uvědomil, že babice jim předtím prozradila, že má syna v Hookově divizi, a třebaže se zapřísahala unionistickou vírou, možná ho — asi určitě — informuje mylně. Opustil babu, ale neopustil metodu, jenom naslouchal sám. Jednotlivé basy děl se slily v nepřetržité brumendo, které tu a tam protrhl třeskot pušek, a generál Rosencrans čím dál rychleji přecházel sem tam před srubem, odkud se z okna šklebila zahnaná babice, a vykřikoval: "To útočí Brownlow!" A za chvilku: "Ne! Teď teprve jde Brownlow do útoku!" A pak: "Tohle je Negley! Trochu se opozdil." Nakonec metoda selhala na celé čáře, nejhoršímu zabránila obyčejná statečnost a řezničina a bitvu u Chickamaugy vyhrál, nepříliš slavně, Braxton Bragg.

Z učedníků se však pomalu stávali, když ne mistři, aspoň tovaryši. Seržant chápal generálovu jistotu, když ujistil generála Davise: "Žádná pěchota, Jeffe. Je tam jen pár jízdních švadron. Odkliď je z cesty a buď zdráv. Zítra se uvidíme v Cox's Bridge."

Několik dní předtím, poblíž Cheraw, v domě, jejž si vybral pro nocleh, našel generál stopy pobytu generála Hardeeho a jenom několik dní starou *New York Tribune*. Rozčilil se stejně jako u Vicksburgu. "Ten padouch Greeley, ať ho Bůh ztrestá!" proklínal vydavatele, jak četl úvodník. "Pakáž žurnalistická!"

Neboť noc předtím spal v domku Hardee a noviny si nepochybně přečetl. Generálův umělecký tah to zbavilo efektu. Tím, že Slocumův sbor poslal ve směru na Raleigh, hodlal v Hardeem a Johnstonovi vzbudit zdání, že je chce donutit k bitvě o hlavní město Severní Karolíny. Tím by je přiměl stáhnout proděravělé pluky k Raleigh a uvolnit cestu na Goldsboro a tím i k přístavu Morehead City, kde se hodlal sejít se zásobovací flotilou ze Savanny, obléct své otrhance do nových uniforem a s nově vystrojenými a vyzbrojenými divizemi posledním a rozhodujícím úderem války rozbít Konfederaci na padrť. Jenže stratég Greeley si — bohužel přesně — zaprorokoval: *Co nejdřív uslyšíme o Shermanovi z Goldsboro, protože jsme se dozvěděli, že loďstvo vypravené se zásobami ze Savanny se má setkat se Shermanovými voji v Morehead City.*

Generál běsnil tím víc, když příští den mu přinesl důkaz, že Hardee si úvodník přečetl a dobře mu porozuměl. Šest mil jižně od vesnice Averasborough, v místě, kde se obě řeky ohraničující pochod Slocumova sboru, Cape Fear River a Black River, k sobě přibližovaly na pouhé čtyři míle, postavil Hardee do cesty průzkumným skupinám Kilpatrickovy kavalérie pěší divizi generála Taliaferra a donutil tak generála k bitvě, jíž se chtěl vyhnout.

Proklatec Greeley!

Generál se v bitvě zachoval, jak nepamatovali. Zatím co Kakuška se potil, když na Kilův rozkaz horečně stavěli barikády, aby zastavili příval Taliaferrových pěšáků, zatím co ve Dvacátém sboru se potil strachem Shake, protože se chtěl dožít nesporně už blízkého konce války, a pandemonium — pro Dvacátý sbor první od bitvy o Atlantu před skoro devíti měsíci — pokračovalo dlouho do noci a začalo znova brzo ráno, seděli generál a jeho štáb daleko z dostřelu, generál se mračil a seržantovi se zdálo, že je v tranzu. Věděl proč. V hrdle láhve, mezi řekami Cape Fear a Black, ničili vinou ctižádostivého novináře jeho umělecké dílo a jeho vojáci za ten sólokapr platili krví.

Hlavním důvodem, proč se Hardee u Averasborough postavil Shermanovi, bylo zjistit, jestli má Greeley pravdu a pochod jednoznačně směřující k hlavnímu městu není jen válečná lest. Když dal Hardee povel k ústupu a do lesa, kde se uprostřed svého zmateného štábu generál užíral, jal se proudit pramínek zvědů a zajatců, vynořovala se z jejich vyprávění čím dál víc překvapující pravda: vítězný odpor Slocumova sboru Hardeeho přesvědčil, že Greeley pravdu nemá. Z testu u Averasborough Hardee vyčetl, že Sherman nesměřuje na Goldsboro ale do oblasti Raleigh, kde má dojít k rozhodující bitvě.

Dopadlo to tedy dobře. Kontrapunkt válečného umění se však všichni pořád ještě učili.

V poledne 12. května, na den sv. Patricka, obrátil generál čelo Slocumova sboru k Bentonvillu a ke Cox's Bridge a podle původního plánu se pustil na severovýchod, zatímco Hardeeho a Johnstonovy pluky — domníval se generál — se stahovaly na severozápad, aby zachránily nikým neohrožovaný Raleigh. Umělecké dílo se opět dařilo a velká Shermanova armáda se v proudech jarního deště — pluky, setniny, baterie děl a kolony vozů oddělené od sebe stále většími odstupy — drala k Bentonvillu.

Přestávalo pršet, objevil se měsíc, v jeho světle rozkvétající jabloně a v dálce několik světýlek z Bentonvillu, a Shake vyprávěl, jak s knihama neměl štěstí.

Svých pět knížek rozpůjčoval, jenže v Čechách se dostala do módy latinka, a když s pomocí Máničky Kakuškové konečně dal dohromady čtenářský vínek, hlavně díky tomu, že se čtenáři měli scházet u Slavíka, řekl mu Pádecký: "Čoveče, dyk se to nedá číst!" "Jak to nedá?" urazil se. "Takovej krásnej příběh, jímavej! To tě nedojmulo, to o tý Viktorce? Seš ňákej nelida nebo co?" "Hovno nelida. Já to nemůžu přečíst!" řekl Pádecký a nasadil si na nos brejle. "Vyčisti si okuláry," poradil mu Shake a Pádecký se namích: "Herdekfix, mrkni na to, Máňo!" podal knížku Máničce Kakuškové, na niž knihy zatím nevybyly, přesto že byla duší čtenářského vínku. Lačně sáhla po svazku, ale koukala naň jako telátko na nový vrátka, pravil jemně Shake u Bentonvillu. "Pane Švejk," řekla. "Dyť to neni česky! Je to asi německy." "Jakto německy?" namíchl se i Shake a knížku Máničce skoro vyškubl z ruky.

"Počkej," přerušil ho seržant. "Přeces k nim nesměl přes práh?"

"To nesměl," řekl Shake. "Já ovšem nemusel. Jedním jediným chvatem jsem ji vyděsil, ale zároveň očaroval, takže se ke mně chodila radit."

"Chvatem?" pravil s podezřením Houska. "Copak seš zápasník? Ty?"

Armáda muže zesprosťačí, válka tím spíš. Seržant se konečně dozvěděl, proč matka Kakušková vyhlásila interdikt a Shake nesměl přes práh a taky nemusel. Do hradu štěstí svítil měsíc a krajané se venku radili, jak obrejpnout hřebíky. Shake už měl nápad rozmyšlený, hodlal se *jenom přesvědčit, jestli má domek podlahu a tedy snad nějaké základy, jež by zkomplikovaly futuristické dílo. Obešel domek a vstoupil. V měsíčním světle spatřil pevnou dívčí kozičku, snad z alabastru, ale když na ni sáhl, neboť nebylo lze odolat, byla teplá a pružná. Mánička vzdychla, otevřela oči a lekla se. Shake vypadal jako chlípný jezuita, ačkoliv byl jenom obyčejný páter Vyklouz a nebyl chlípný, jenom mladý a nadržený. Pleskla ho přes ruku, kozičku schovala do košile, dala Shakovi hlasitou facku, takže zahanbeně vypadl z hradu štěstí a Mánička si šla stěžovat matce Kakuškové.*

Jenže dotyk, v jejím životě první — třebaže se jí Shake nelíbil — probudil v ní ženskou, a tak když provinilce náhodou potkala na rohu Van Buren a Canal, nezdvihla nos, ale řekla: "Pozdrav Pán Bůh, pane Švejk." Shake se rozhořel, ačkoliv Rebece nebyla vůbec podobná, a začli se scházet. Nic mu ovšem nepovolila, protože to už v duchu řešila životní otázku Kouba-Schroeder; jenom mu pomáhala s čtenářským sdružením, neboť Shake, když chtěl, uměl krásně mluvit. Ve společnosti Máničky Kakuškové chtěl vždycky, třebaže brzy poznal, že to k ničemu nepovede.

"Jak to německy?" otázal se zoufale.

"Poněvač se to nedá přečíst!"

Tak Shake zjistil, že jeho krajané jsou gramotní pouze ve švabachu. V Čechách, odkud mu knihy poslala sestra-vlastenka, přišla mezitím do módy latinka.

Vymyslel si noviny.

Nápad byl pedagogický, vlastenecký a kulturní: noviny o dvou sloupcích, levý sázený švabachem, pravý latinkou, oba stejného obsahu, aby se jeho krajané, jako Champollion, naučili číst Betty Němcovou.

Sehnal stádečko na novou schůzi u Slavíků. Noviny? Moclipak by to stálo? Co vlastně činit nejdřív? Na jaký způsob ty noviny založit? Jakého obsahu by to mělo být? Jak vysoké předplatné? Peníze opatřit sbírkou?

Věděl, že ať odpoví jak odpoví, autorita nebude. Živil se jako posluha v bankovním domě Sullivan a Brake, což mělo tu výhodu, že zvládl anglický jazyk líp než většina jeho krajanů, ale autorita nebyl.

Potom v Arbeiterhalle, *za kostelem Petra a Pavla, padly mu do ruky* Milwaukee Flugblaetter *a v nich švabachem jméno Náprstek.*

Vojta Fingerhut! Debatér v husté doutníkové mlze u Čutů, liberál. Naposled ho viděl ládovat flintu na barikádě v Dušní, odkud sám v panice utekl, přes čelo měl zakrvácený kapesník. Po letech, už v semináři, se dozvěděl, že Vojta je někde v Americe. Teď, sám v Americe, četl jméno starého přítele švabachem v tiráži Milwaukee Flugblaetter.

U Sullivana a Braka si vyžádal neplacené volno a vydal se pěšky do Milwaukee.

Šel čtyři dny. Main Streetem foukal od jezera studený vítr, ale našel dům, zabušil klepadlem, jež v tlamě držel mosazný lev, otevřela mu kočka. Squaw. Náprstsquaw.

Takže sehnal krajany na novou schůzi, z ní vzešel dopis: Velevážený vlastenče náš, pane Náprstek: My v městě Chicagu bydlící Čechoslované... *A dál:* Na jaký způsob ty noviny založit, jakého obsahu mají být, jak vysoké předplatné...

Starý kamarád přijel, na všecko odpověděl v hospodě u Slavíků: akcie po dvou dolarech, aby se sešlo minimum osm set doláčů. Squaw seděla vedle pódia, unylýma očima každému pátravě pohlédla do žaludku, oslovovali ji milospani, ačkoliv věděli, že je to nesezdaná maitressa, a cenzurováni jejím hypnotickým zrakem kupovali akcie. Squaw měla ve vlasech tiáru, byla v hedvábných šatech krásně vyšponovaná, a Máníčka Kakušková řekla:"Je nastrojená jak povětrnice!" Ale za úspory našetřené po centech se taky stala akcionářkou.

"Jenomže nakonec noviny nebyly," řekl Shake. *"Sejde z očí, sejde z mysli. A co je krásná ženská proti červenejm kalhotám?"*

Přes červená světýlka palíren terpentýnu pohlédl seržant na sever. Někde tam nocovala armáda generála Howarda, ale žádné táboráky nebylo vidět. Vzdálenost mezi Howardem a armádou generála Slocuma se přes den musela dál zvětšit. Oba sbory se plazily jako dvě obrovitá chapadla na severovýchod, aby sevřely Goldsboro. Slocum pochodoval po jediné cestě, vpředu Čtrnáctý sbor generála Davise, jehož Sherman sice uklidnil, ale který nemohl vyhnat z hlavy slova farmáře tvrdošíjně stojícího na svém, že u Bentonvillu soustřeďuje Johnston pěší divize. Davis proto zpomaloval, jeho oddíly váhavě táhly po úzké cestě k východnímu obzoru, mezi borovicovými hájky, z nichž co chvíli vyrazila švadrona Wheelerových jezdců, divoce přicválali na dostřel, vypálili na Davisův předvoj, a rychle zmizeli v jiném borovicovém hájku. Davis a velitel předvoje Morgan se nemohli shodnout, co to znamená: jsou to jenom nájezdy desperátní kavalérie, za níž nic není a kterou prostě postačí "odklidit z cesty", anebo mají ty manévry odlákat pozornost od přesunů pěších jednotek krytých lesy, kouřem, deštěm a divokým podrostem černých doubků, jež krajinou prorůstaly jako téměř neproniknutelné živé ploty?

A zatímco Morgan s Davisem mudrovali o smyslu Wheelerových přepadů, Dvacátý sbor na chvostu Slocumovy armády a v něm Šestadvacátý wisconsinský pod generálem Coggswellem nádeničil na rozbahněné cestě: kulatinou zacpávali nesjízdné díry v bahně a kmeny čerstvě poražených stromů šprajcovali prasklé mosty, prolamující se pod vozy s municí a proviantem a večer u táboráku Shake mazal stržené mozoly lojem a nepřestával klít. Na přetřes přišlo zase jeho brnění, které, tvrdil, u Perryvillu zachránilo národu jeho život: prasklo sice, ale kuli zadrželo, takže jen ostré hrany puklého plechu zanechaly nesmazatelný zarudlý odznak odvahy, bohužel mezi hrdinovými lopatkami. Shake vyhrnul košili a skutečně, ve světle táboráku se na páteři objevily stopy jako po trnové koruně.

"Taky jsem, krajani, málem ohluch," dodal Shake. "Máte ponětí, jakou to dá ránu, když minnie narazí na krunýř?"

"Řikals, že tě trefili dělovou koulí," pravil Paidr.

"To jsem se přeřek," odpověděl Shake. "Měl jsem na mysli minnii."

"Měls na mysli, že sme blbí," řekl Houska.

"Čeněk Pechlát dovopravdy vohluch," ozval se Javorský. "Ve vobrněnym člunu před Fort Donelson. Strefovaly se do nich děla z pevnosti. Nic se nikomu nestalo, jedině že vohluchli. Pechlát řikal, že ten rámus se nedá vylíčit, ledaže by si člověk představil, že je zavřenej v plechovym bubínku, na kterej se ňákej rošťák učí hrát."

"To by musel bejt plechovej nejmíň tureckej buben," řekl Houska, "a takový nedělaj."

"Tak si představ, že je dělaj," pravil Javorský. "To snad umíš. Pechlát z toho vohluch jak poleno."

"Disčárdžovali ho?" zeptal se Fišer.

"Nechtěl," řekl Javorský. "Řikal, že teďkon, dyž ten pekelnej rámus neslyší, cejtí se ve vobrněným člunu jako doma. Von pozdějc sloužil ve Farragutový flotile, co chtěla ve Vicksburgu prokopat kanál, aby mohli město vobeplout. Dyž sem ho viděl naposled, řikal, že v Charlestonu vymyslel ňákej rebelskej inžinýr člun, kerej se umí potápět, takže prej až něco podobnýho budou mít naši, von se dobrovolně přihlásí, protože takovou psinu si nedá ujít."

"Přihlásil se?" zeptal se Paidr.

"Jo," řekl Javorský. "Jenže než ho vzali, člun se potopil a už nevyplaval. Prej ale stavěj novej a Pechlát, co já vim, čeká na další příležitost."

Přikrmovali táborák a opět přišla řeč na Shakovo brnění a na slavnou bitvu u Perryville.

"Z těch chytrejch," pravil Shake, "se zas stali rakouský poddaný a my pitomci Američani jsme jak dvanáct apoštolů vytáhli do pole," počítal na prstech, "Ferda Filip, pozdějc Miháloczyho poručík, Joska Neuman, Franta Kouba, Lojza Uher, Franta Kukla, Pepík Dvořáček, Prokop Hudek, Franta Smola, Eda Kafka, Šálek-Cup, Joska Jurka a já. *Lincoln's Slavonic Rifles.* Ovšem už ne *Slavonic.* V setnině bylo pětkrát víc Němců než nás, nějaký Maďaři, jeden Wasrpolák, no a velitel, kapitán Gejza Miháloczy. Ten, zwhiskován u Slavíků, klejmoval národnost českou, v kocovině se hlásil ke Slovákům, a střízlivý říkal, že je Amerikán uherského jazyka, původně od Sedmatřicátýho regimentu infantérie, posádkou v Nagyvarád. Tak jsme *Slavonic* museli dropnout, setninu strčili k Čtyřiadvacátýmu illinoiskýmu, Miháloczy avancoval na podplukovníka a v září 1862 jsme vyrazili na pochod, abychom prodělali křest ohněm jako součást divize generálmajora Charlese C. Gilberta v proslulý Ohijský armádě generála Buella, kterej u Perryvillu vyniknul slavným pádem z koně den před bitvou, což snad by mohlo vysvětlit ten candrbál."

Shake se napil z dřevěné polní láhve, do níž vyryl český nápis WODA, zakuckal se a pach loje z mozolů přehlušila vůně whisky.

"Vpřed nás hnalo jednak vlastenecké nadšení," pravil, "jednak žízeň."

"Tos už tenkrát tak chlastal?" zeptal se Fišer. "Já měl za to, že pijana z tebe udělaly teprve útrapy války."

"Měl jsem na mysli žízeň v původním slova smyslu," pravil Shake. "V Kentucky ten rok snad nesprchlo. Studně prázdný, řeky vyschlý, anebo nanejvejš čůrek vody, která vypadala jako močůvka a chutnala podobně. Navíc proviantní nesehnal pro naši divizi nic než herynky, takže jsme taky trpěli hladem. Po sedmi dnech tažení naprosto suchou krajinou měl jazyk vyhřezlej už i generálmajor Gilbert, nemluvě o nás, prostých bojovnících. A tehdy konečně zvědové přinesli radostnou zprávu: u vesničky Perryville je dosud tekoucí Doktorův potok. Generál Buell — vezli ho vzadu na voze, protože, jak jsem uved, spad z koně a pro choulostivé zranění byl další jízdy koňmo neschopen — se tedy rozhodl, že s celou armádou udeří na Perryville. Zvědové ovšem rovněž nahlásili, že Doktorův potok hájí jednotky generála biskupa Polka."

"Toho samýho, co ho pak pozdějc u Kennesaw dělová koule prostřelila krz levej bok až do pravýho?" zeptal se Stejskal.

"Právě toho," řekl Shake. "Vzdor jemu se však Buellova divize bez reptání valila na Perryville. Vpředu osamocená Gilbertova divize, jako předvoj Čtyřiadvacátej illinoiskej a úplně na špici s flintama v ponosu pádili slavní Lincolnovi kdysi slovanští střelci. Kus před nima, s bajonetama nasazenýma a s Gejzou Miháloczym v čele, se hnalo nás dvanáct českejch dobrovolců."

"Za vodou?" řekl Houska.

"I toho jsou Čechové schopni," pravil Shake.

Seržant vytáhl z kapsy špičku a nasadil do ní krátký doutník. Stříbro bylo zašlé a slonová kost zežloutla, ale hádek se pořád vinul kolem doutníčku —

— oklepal popel do nádobky ve tvaru srdce propíchnutého šípem. Z kouře a z muziky, tou pokročilou dobou už dost rozladěné, přilétl k němu nový šedivý signál. Pohlédl na Šálka slzícího pro mrtvou Irčanku Deirdre do amerického piva vyspraveného ginem.

"Heleď," oslovil ho. "Ty už jsi v Chicagu nějakej ten tejden. Neznáš tu nějakýho Frkače?"

Šálek na něho obrátil zarudlé oči. Zavrtěl hlavou.

"Vysokej, počítám elegantní. Asi už pěkně zazobanej," řekl seržant.

Na Šálkově tváři soustředění.

"Taky si možná říká Fircut."

"Ta kurva!" zařval Šálek. "Já bych ti moh povídat!"

"Tak —" seržant zachytil nový signál a přimhouřil oči, aby ho šedivé světlo neoslepilo, " — povídej."

Měl za sebou sedm měsíců půstu v pevnostní službě a opilé stížnosti parohatého kamaráda mu představily Vlastu ve světle pro jeho potřebu nejlepším.

"Doběhli jsme na vršek terénní vlny nad Perryville," vyprávěl Shake, "přeběhli jsme přes hřeben a na druhý straně prudkej sráz a dole, v krásně čistejch kalužinkách po obou stranách jinak vyschlýho Doktorova potoka — voda! A vypadalo to, že pitná! Jenže kolem vody, flinty napřažené, husto rebelů. Sotva nás spatřili, začli si naschvál nabírat ešálkama."

V dálce na severovýchodě houklo dělo.

"Co to?" podivil se seržant.

"Někde se ubzdil čert," pravil Shake. *"Well, gentlemen,* my se nezalekli. Taky jsme nemohli, žízeň nás zbavila soudnosti. Aniž jsme vyčkali povelu, řítili jsme se z tý stráně rovnou na rebely a na jejich vodu. Ta stráň," Shake zatáhl z pěnovky a pokynul Paidrovi, aby mu ji znova zapálil, "byla tak příkrá, že nešlo udržet rovnováhu. Éda Kafka se převážil, a jak chtěl nabýt ztracenou balanc, odrazil se a letěl, dělaje čest svému jménu, nám nad hlavama, rozplác se v jedný tý kalužině a hned začal pít. Jak se ukázalo, byl jediný, kdo se ten večer napil. Taky ho zajali, ale jen na hodinu. Při druhým útoku ho naši osvobodili."

"Jak vás mohli zastavit, dyž ste byli ze stráně tak rozběhnutý?" zeptal se Houska.

"Byli v přesile a ve výhodnějším postavení. Museli jsme ustoupit," vzdychl Shake.

"Jak ste se zastavili, hergot?" namíchl se Houska. "Podle tvejch řečí museli ste na tý stráni upadnout v původním slova smyslu do zajetí všichni!"

"Sedli jsme si na zadek, obrátili se a vylezli po čtyřech zpátky přes hřeben terénní vlny," pravil klidně Shake. "Řeknu vám, styděl jsem se za naše Lincolnovy původně slovanský střelce. Proto jsem se taky otočil, abych je povzbudil k větší odvaze."

"Na tý prudký stráni, řikáš?" pravil výhrůžně Houska. "Ses votočil, jo? Nezdá se ti, že se přeřikáváš? Jak to, žes sebou nesek na záda?"

Ale Shake pravil klidně:

"Vybalancovala mě ta minnie. Byl bych se hnal dál útokem, jenže náraz do brnění mi vyrazil dech, a jak jsem lapal po vzduchu, mimovolně jsem utíkal do kopce, hnán setrvačnou silou jako koule na kulečníku. Nahoře jsem se překotil na druhou stranu a zůstal jsem bez dechu ležet, takže druhýho útoku, k němuž nás opět dohnala žízeň, jsem se nemoh zúčastnit."

"A celou dobu lapals po dechu," řekl Fišer.

"Lapal," přikývl Shake. "Teprve druhý den v poledne byl jsem opět s to zasáhnout do bitvy a málem jsem přitom zajal generála pana biskupa Polka."

"Pěkný přeřeknutí," pravil Javorský.

Nezklamala ho. Šálkův raport o Fircutově činnosti v Chicagu poznamenali zazdění prcci příliš výrazně, nevyrozuměl, než že šlo o nějaké peníze, snad o pět set dolarů. Gin rozpuštěný v chmelu zatemnil povahu podvodu, teprve Vlasta vnesla do záležitosti trochu světla. Šálka podpírali oba, soumrak nad roztrhaným horizontem Chicaga už šafránověl, ze Slavíkovy hospody se rozcházely podobné trojice s vrávoravým středem. Dovlekli Šálka k červeným žaluziím, které v neděli byly stažené, zabušili na dveře, otevřela jim služka a zvolala: "Oh, not again! Poor massa Cup!" (byla to pasažérka podzemní železnice, ale slovníku plantáže se dosud neodnaučila), uložili Cupa do postele v manželské ložnici a přenechali jej péči služebné, jejíž černé oči kratičce zavadily o seržanta a všechno jim bylo jasné.

V pokoji pro hosty, po souloži, mu Vlasta, podílející se na doutníku, řekla: "Ne že bych ti nevěřila, seržante. To vůbec ne. Věřím. Ale v tomhle pádu je Fircut jako lilium. Byla to poctivá investice do poctivýho dýlu —"

"Poctivá? Fircut?"

"Každej musí nějak sehnat kapitál. Některý — jako Cup — zčásti dřou a zčásti maj kliku. Jiný — jako Fircut — na dřinu nejsou dělaný, spoléhaj jenom na štěstí. Říkáš lokaj? Viděls někdy lokaje dřít? Ty si musí ke kapitálku

pomoct jinak. Jako Fircut. Já nevím, co ti ukrad nebo kdes to vlastně splašil — ty, c. a k. vojcl, miláčku."

Obrátila naň neskutečně šedivé oči. Trochu se mu posmívaly.

"Never mind," *řekl.* "Jak to bylo?"

Šálek, utápějící nového prcka v novém americkém pivu: "Kdo na mě příde s takovou, já mu neumim říct Ne. Možná že to byla koule zrovna z mýho kanónu. Mám strašně špatný svědomí. I dyž, copak sem moh dělat, ne? Pod Windischgraetzem?"

"Fircut? Na barikádách? Ani tenkrát nebyl v Praze. Nalejval port generálu Uhlmannovi v Mohuči," *řekl seržant.*

"Ondra, když se napije, vždycky láduje to svoje podělaný dělo," *řekla Vlasta.* "S Fircutem se samosebou napili. Ládoval dělo a Fircut se mu postavil na barikádu jako terč. Koule mu přerazila nohu."

"Vždyť nekulhá," *řekl.*

"Asi ho c. a k.. vězeňskej špitál tak dobře vyhojil," *řekla Vlasta.* "Anebo ti nic nedošlo, stejně jako Ondrovi. Vyber si, co je víc pravdě podobný. Anyway, *Ondra* mu dal šek na pět stováků."

Vlasta natáhla nahou paži k seržantovi a zatřepala prsty. Na obloze mezi letní hvězdoslávou, přejel nad Chicagem klikatý blesk. Vložil jí do prstů doutníček. Řekl:

"Proč to Ondrovi děláš?"

Nasála kouř, mezi rty vystrčila špičku růžového jazyka, a věšela šedivé kroužky na hvězdy.

"Pročs to Ondrovi udělal ty?"

Sedm měsíců půstu.

Ale řekl:

"Asi jsem grázl."

"A já?"

Otočil se k ní. Ležela na posteli, podepřená naditými polštáři. Měla drobná ňadra se vztyčenými cecíčky. Vzal jedno do zupácké dlaně, ani ji nevyplnilo.

"Takový kozičky maličký," *řekl.*

"To proto, že nejsem kráva."

"Co seš?"

"Ženská prostě," vzdychla. "Bezdětná. Ani můj nebožtík, ani Cup. Ani všecky ostatní. Ani ty. Tak mám jen Ondrovu Aninku. Ale chtěla bych — " oklepala doutník do popelníčku na židli vedle postele. "Pojď sem!" řekla. Seržanta, chyceného v měkkém klínu, napadlo, jak vydrží dalších sedm měsíců —

— a rekonstrukce. "Takovýmu neumím říct Ne. Mám strašně špatný svědomí. A všechno vypadalo solidně. Ukázal mi diplóm. Bona fídovej, z Doctor's College. Výsledky se dostaví do měsíce, nejdéle do šesti neděl. Jo, do šesti neděl. Dostavily se druhýho dne!" zařval Cup a praštil pěstí do stolu, až se popelník ve tvaru proklálého srdce vysypal. "První holohlavej tlouk na dveře už v šest ráno. V pytlíku vlasy. V devět byl před Fircut and Company celej dav, jeden jak druhej samý biliárový koule, jen do nich šťouchnout. A jeden už šíboval káru s roztavenym dehtem a jinej nes péřovou duchnu a nůž, a štyry holohlavý vlekli trám. Jenže Fircut zmizel zadem. Jesli se tu vobjeví, já ho —"

Později — to už seržant cvičil nováčky u znova zformovaného Třináctého pluku pravidelné armády pod plukovníkem Shermanem — se Fircut objevil. Nic se mu nestalo. Ukázalo se, že depilační efekt měl účinek hnojiva: à la longue vzrůst vlasů skutečně povzbudil.

Šálek, rozhodnutý buď dostat zpátky svých pět stovek, nebo rozbít Fircutovi hubu, neudělal jedno ani druhé, dokonce investoval do nově založené kompanie Fircut, Sanders and Company, Undertakers, která pak za války zařizovala přepohřbení padlých hrdinů v rakvích tří cenových kategorií. Dividendy ovšem Cup v životě neviděl. Byl tou dobou už vojínem Unie.

Brzo po té noci s blesky se od Vlasty opravdu rozvedl.

"O.K.," připustil Shake. "Nezajal jsem generála pana biskupa Polka málem já, ale byl jsem u toho, když o vlásek unikl zajetí panem plukovníkem Shryockem, jehož nám poslali místo pana plukovníka Zimmermanna-Schillinga, neb toho jal generál pan biskup Polk, když se mu podle rozkazu hlásil s celou brigádou pod komando."

"Meleš pátý přes devátý," řekl Javorský, "a v jednom kuse se přeříkáváš."

"Jenom vám věrně popisuju slavnou bitvu u Perryvillu. Ani ta neměla hlavu, tím méně patu," řekl Shake. " Jak si kupříkladu vysvětlíte, že Lincolnovi střelci, součást Čtyřiadvacátýho illinoiskýho ve sboru generála Gilberta, bojovali druhý den, když došlo k všeobecný bitvě, v řadách Sedmaosmdesátýho indianskýho ve sboru generála McCooka?"

"Jak si to vysvětlíš ty?" zeptal se Fišer.

"Nemám pro to vysvětlení."

"Já jo," pravil Houska. "Vzali ste do zaječích i s práporem a Indianskejm ste se připletli do cesty, takže dál ste utíkat nemohli."

"Špatněs mě poslouchal," řekl Shake. "Nás dvanáct, my jsme byli jediný udatný z těch původních dvaaosmdesáti Lincolnovejch slovanskejch střelců a —"

"Včetně tebe, co?" řekl Javorský. "V brnění."

"Mě, připouštím, k udatenství dohnala zbabělost," řekl Shake. "Ale za perryvillské zmatky mohly jednak velitelský schopnosti našich tří velitelů, jednak klimatický podmínky, jednak a především prach."

"Navlh vám?" pravil Houska. "Dyťs řikal, jaký bylo sucho?"

"Pokryl nás," řekl Shake, "protože bylo takový sucho."

Pokryl je. Když se druhý den z ospalého lesa vyřítili Cheatham a Buckner a jejich veteráni rebelským řevem probudili k smrti žíznící nováčky dvou divizí generála McCooka, zvedla se ze země mračna prachu a odbarvila modré i šedivé uniformy do žlutošeda. Zaprášené oddíly se pomíchaly, vybíhaly z prašné mlhy a opět do ní mizely, Jackson a po něm senior jeho důstojnického sboru generál Terrill uprostřed zmatených vojáků brzo padli a nešlo ani říct, jestli smrtí hrdinskou nebo omylem, když některý poděšený nováček vypálil na uprášené stíny a náhodou se trefil. Ale Sheridan, tehdy ještě dělostřelecký velitel, ne kavalerista, přece jen rozeznal, že čelo Konfederačních, promíšené zelenými vojáčky Unie, zatlačuje dvě McCookovy divize z bojiště a k porážce, zamířil tedy své kanóny na zadní voj rebelské armády a provedl dělostřelecký přepad jak z učebnice. Z boku, odkud to nečekali. Přispěl ke zmatku, ale taky zabránil porážce.

"Pochroumaný pan generál Buell na voze daleko od těch jatek," vyprávěl Shake, "neměl ponětí, co se děje a kde se co děje. Protože navíc k prachu udělaly se na bojišti bubliny, kterýma se nešířil zvuk."

"Bubliny? Z čeho?" užasl Zinkule.

"Z myslivecký latiny," řekl Houska.

"Nevím z čeho," pravil Shake. "Jednu chvíli moh člověk ohluchnout z rebelskýho jekotu, pak udělal krok, a rebové vypadali jako rybí sbor. Buell v kočáře byl právě veprostřed jedný takový bubliny a čekal, až bitva začne. Ta už zuřila hodinu a on ji pořád neslyšel. Velice se divil, když ho o počátku operací informovaly spojky."

A v bitvě nezahynul jenom Jackson a Terrill, ale čtrnáct set jiných z obou armád, a skoro šest tisíc jich pak zkomíralo a hynulo v lazaretech, bez nohou, bez rukou, snětí, žízní, bolestí. U táboráku se však hrůzy měnily v komedii. Byl to rub barvotiskových obrázků, jaké se tiskly, aspoň na začátku války, v dámských magazínech a na nichž jeden, dva symbolicky padlí leželi malebně rozloženi v brčálové trávě.

Shake:

"My Lincolnovi střelci jsme v průběhu bitvy zaujali pozici ve zbořeništi nějaký farmy a tam vyčkávali vhodný okamžik, kdy bychom nepříteli zasadili rozhodující ránu. Ve sklepě byl schován farmák s rodinou, chvěli se tam strachy, ale měli zásobu studniční vody. Protože to byli věrní Unionisti, poslali nám ji nahoru po dceři, která pak zůstala s náma a dívala se na válku. Tak jsme konečně uhasili žízeň a vyčkávali jsme dál na okamžik vhodný k úderu. Pak jsme pomalu začínali dostávat žízeň."

"Řikals, že ste jí uhasili," pravil Houska.

"Dostávali tu v přeneseným smyslu," řekl Javorský.

"Přesně tak," pravil Shake. "Na ni byl ten farmák ve sklepě taky zařízenej. Po synovi nám poslal demižóm, kluk ho postavil vedle padacích dvířek a hned zas zapad do bezpečí. Zaháněli jsme žízeň a k večeru — "

"Co ta holka?" zeptal se Houska zamračeně."Tu ste sváděli k pití, žejo?"

"K pití ne, a stejně marně. Ji zajímal jen boj," pravil Shake. "Zrovna když nám začalo připadat, že nastává okamžik vhodný k úderu, vynořila se z oblaku prachu úplně čerstvá brigáda s plukovníkem O'Sellem v čele. Jali jsme se jásat a plukovník O'Sell přistoupí ke Gejzovi Miháloczymu a ptá se ho, jestli je v dotyku s nepřítelem. Miháloczy nechtěl připustit, že jsme zatím pouze v dotyku s civilama ve sklepě a to ještě přátelskýma, tak O'Sellovi řek, že v bitevní vřavě se mu zatím nepodařilo nepřítele identifikovat. Vtom se k nám přikutálela jedna ta bublina, co nepřenášely zvuk, roztrhla mračno prachu a na vyvýšenině před náma se objevil vysokej důstojník v tmavý uniformě, kterej se po údolí rozhlížel dalekohledem, ačkoliv moc toho vidět nemoh. 'Není to pan generál Jackson?' zeptal se plukovník O'Sell. Gejza Miháloczy si z rozpaků sáh prstem pod límec a pohnul hlavou, plukovník O'Sell si to vyložil jako přitakání a rozběh se k důstojníkovi v tmavý uniformě. Vtom bublina praskla a my jasně slyšíme, jak se O'Sell hlásí: 'Pane generále, přišel jsem na váš rozkaz s jednou pěší brigádou.' Generál si ho prohlíd od paty k hlavě, což bylo v tý bojový situaci zvláštní, a pak se zeptal, která že brigáda to má být. 'Druhá brigáda první divize sboru generála Gilberta,' zahlásil plukovník O'Sell. 'Prosím o upřesnění, kterak mám brigádu rozmístit v poli.' Generál si ho znova, jakoby udiveně, prohlíd a povídá: 'Zde muselo dojít k omylu, Jste mým zajatcem, pane plukovníku.' A my viděli, jak

O'Sell rudne, odepíná si šavli a podává ji generálovi. Byl to generál pan biskup Polk. Jak byl uprášenej, vypadala jeho uniforma modře."

"Proč ste O'Sellovi nešli na pomoc?" zeptal se Fišer.

"Hodlali jsme zahájit palbu, ale vzniklo nebezpečí, že bychom zasáhli právě plukovníka O'Sella. Tak jsme toliko bezmocně přihlíželi, jak ho generál pan biskup Polk eskrotuje do blízký bubliny."

"Tak proč ste neprovedli ten úder, co vo ňom furt mluvíš?" řekl jízlivě Houska.

"Chvíle se nám nezdála dosud vhodná," řekl Shake. "Když brzo nato vhodná chvíle konečně nadešla, generál pan biskup Polk byl i se zajatým plukovníkem O'Sellem ten tam."

V dálce houklo opět několik děl. Shake obrátil láhev s nápisem WODA hrdlem dolů, nastavil prst a slízl z něho poslední kapku. Vzdychl.

"Situace se neustále komplikovala," pravil. "Šero houstlo, na severní straně údolí lezlo po křivolakým horizontu zelený slunce, na jihu vyšel měsíc a — "

" — a byl puntíkovanej," napověděl Stejskal.

"Bezmála," pravil Shake. "Byl tyrkysovej, ale měl na sobě divný oranžový skvrny. Po bojišti se kutálely sem tam bubliny a ukázalo se, že zvuk nejen nepropouštěj, ale taky ho v sobě uzavíraj. Když pak některá praskla, stalo se, že se z ní třeba ozval rozkaz půl hodiny starej a původně vydanej na úplně jiným konci bojiště, což přispívalo ke zmatku. Z jedný prasklý bubliny taky zaznělo vpravdě nevybíravé klení pana generála Braxtona Bragga, ale přerušil ho generál pan biskup Polk slovy: 'Pane generále, takové výrazy se na mém bojišti používat nebudou!'"

"Přiznej se," pravil Houska. "Tys v tý rozbořený farmě ze samýho hašení žízně bitvu prospal, a zdálo se ti vo bublinách."

"Je s podivem, že mi někteří nevěříte," pravil Shake. " V týhle válce je přeci možný úplně všecko."

Klábosili okolo táboráku. Kolem nich, v uctivé vzdálenosti, kruh černochů, které posbírali cestou. Vypadali jako zchudlí hastrmani. Přes černé hrudi, lesknoucí se potem ve světle ohně, visely rozedrané cáry snad bývalé košile, svalnaté nohy čouhaly z někdejších kalhot. Ale zubili se do plamenů, byli svobodní. Jeden vstal, vedle druhý. Jejich odění se zdálo zachovalejší. Na bílé košili prvního, flekaté bahnem a špínou Severní Karolíny, u výstřihu vyšívaný ornament. Seržant měl dojem, že má vidění. Přece nepil. Moravské holubičky? Nesmysl. Oba černoši přistoupili k ohni a očividně naslouchali klábosení. Přitahovaly je divné zvuky neznámé řeči? "Pámbů dobrej večír," řekl první. Seržant se k němu prudce otočil, bílé zuby rámovaly tlusté rty. Dostal strach, jestli nemá malárii. Halucinace? Zavřel oči, otevřel je, na zaflákané košili byly pořád holubičky. "Ty seš Čech?" zeptal se černocha. "Ne, já su Moravec," pravil černoch. "Tadyhle Břéťa taky," ukázal na druhého mouřenína a českou souhlásku vyslovil bez obtíží. Seržant si promnul oči. "Massa byl Moravec. Paňmáma taky," pravil černoch. "Jak se menuješ?" "MacHane," řekl černoch. "Taky nás naučil číst a psát." Z karolínské hloubky, v níž dohořívaly terpentýnové lesy, dotkla se seržanta stopa krajanského osudu. Pozval je k ohni. Stejskal je podělil pečeným masem, jedli hladově. Pomalu, z odpovědí na užaslé otázky, rostla ta story, ta legenda nebo co to bylo. Jistě pravda. Oba mluvili česky. Matka jim zemřela mladá, massa MacHane je koupil v dražbě v Charlestonu jako usmrkance. Měl jenom pět otroků, samé chlapy, pracovali na jeho parní pile na řece Charleston. Černoušky koupil pro svou hodnou paňmámu; neměli děti. Vyšívané holubičky. "Jak se jmenovala?" "Růžena. Umřela, je to pět let. Ten rok před válkou." "Ale to jméno — MacHane? A kde je massa?" "Musel narukovat. Je plukovníkem u massy generála Braxtona Bragga." "Ale to jméno! "Tak vy umíte psát?" Oba přikývli. Podal jim zápisník a tužku. "Napište, jak se massa jmenoval. Taky křestní jméno." Velkým školáckým písmem černoch psal: *Jindřich Machánĕ*. Machánĕ! "Všichni mu řikali MacHane," pravil černoch. "Tak my taky. V nedĕli nám čet z bible. Massa byl *Moravian Brother*."

Z hloubi Karolíny orámované hořícím terpentýnem taková story. Narodil se už v Karolínĕ. Snad jeho pantáta přijel ze staré zemĕ. Černoši nevĕdĕli. A teď — ve sboru Braxtona Bragga. Seržant pohlédl na severovýchodní horizont. Tam nĕkde — Colonel Henry MacHane. Ale proč? A tahle válka. Pohlédl na černochy, zdravými zuby chudých se živili ze štĕdrých kusů opečeného masa ukradeného plantážníkům. Svoboda. Uctivý černý kruh v černé tmĕ, prozářené plameny ohnĕ, vzdáleným přísvĕtlím doutnajících lesů z terpentýnu, pianissimo:

> *Svobodo, ach svobodo, bez tebe nechci žít!*
> *A než zůstat votrokem,*
> *radši hnít pod černou zem...*

Z karolínské tmy se vynořila Uršulina tvář. Svoboda. Žádní Hanzlitschkové.

> *Každej každýmu tam pane říká,*
> *řeky sou z medu a z mlíka...*

Zatřásl hlavou. Baron Prášil s vyhaslou gypsovkou končil svůj divoký sen:

"Mračna prachu, dřív žlutohnĕdého, zmodrala, jak se nad bojištĕm objevil ten puntíkovanej mĕsíc, a najednou z jednoho vyrazí útočnej roj, úplnĕ zřetelnĕ ve svĕtlezelených uniformách. To byl ovšem optický klam, ale poznali jsme je podle klobouků. Takový pokrývky hlavy nenosili ani newyorští zuávové, a to byli nĕjaký maškary. Byli to rebelové. Plukovník Shryock, jenž nastoupil na místo zajatého plukovníka O'Sella, vydal tedy rozkaz k palbĕ a my, Lincolnovi střelci, jej uposlechli do posledního muže."

"Jak velkej to byl demižón?" zeptal se Javorský, Shake se však nedal vyrušit.

"Rebi v kloboucích zalehli za kamennou zídku, která tam rozdělovala polnosti, a palbu opětovali. A vtom se z mračna vpravo vynoří zase nějaký důstojník v tmavý generálský uniformě, rozhlédne se, a když spatřil plukovníka Shryocka, kryjícího se za božíma mukama — "

"Nesplet sis to s bitvou u Sadový?" otázal se Stejskal.

"V Perryvillu boží muka?"

"Místní farmák byl z Moravy, ne?" pravil klidně Shake. "Generál tedy vykročil k plukovníku Shryockovi, kryjícímu se za božíma mukama, a zařval: 'Co to má znamenat, pane plukovníku? Nevidíte, že střílíte do vlastních lidí?' Plukovník Shryock se lekl, znejistěl, pohlédl na kamennou zídku a za ní vykukovaly ty neomylné pokrývky hlavy.'Domnívám se, že zde není žádného omylu, pane generále,' pravil služebním hlasem. 'Jsem si naprosto jist, že tito vojíni jsou nepřátelští!'"

"Mluvil ňák jako kniha," řekl Houska.

"Protože Shake lže, jako dyž tiskne," pravil Javorský. Shake jen pokrčil rameny:

"'Nepřátelští vojíni!' zvolal popuzeně generál. 'Co je to za nesmysl, pane plukovníku? Okamžitě zastavíte palbu? A jak se jmenujete?' Vedle mě se nadzvednul Pepek Dvořáček a zavolal na pana plukovníka Shryocka: 'Ser! Ser! Ic — ic — ' a nemoh se vymáčknout. On byl s angličtinou na štíru, jako výčepní u Slavíků ji taky nepotřeboval. 'Co mu chceš, Pepku?' zeptal jsem se. Ale byl tak bez sebe vzrušením, že jenom opakoval: 'Ser! Ser! Ic — ic — Ser!' a já slyšel, jak se pan plukovník Shryock hlásí: 'Plukovník Shryock, Sedmaosmdesátý indiánský pluk. A smím-li se otázat, pane generále, kdo jste vy?' 'Ser! Ser!' volal pořád Pepek Dvořáček. Generál spočinul pohledem na nás, Lincolnových střelcích, a zamračil se. Pak popojel na koni k panu plukovníkovi Shryockovi, zahrozil mu pěstí a zvolal: ' Vy mě neznáte! Ale až vy mě poznáte!' Otočil koně a zvolna cválal podél našeho palebného postavení volaje: 'Dostřílet! Okamžitě dostřílet!' Poslechli jsme, a zvláštní věc, poslechli i ti pod kloboukama za zídkou. 'Ser! Ser!' sípal pořád Pepek Dvořáček, ale na víc se nezmoh. Generál se zvolna ponořil do mračna prachu, odtamtud zaznělo zaržání a pak kopyta prudce tryskajícího koně. Generál zřejmě nasadil ostruhy. A Pepek Dvořáček se vzdal a zavolal na pana plukovníka Shryocka česky: 'Pane plukovníku! To byl vomylem pan generál Braxton Bragg! Já ho znám. Von jednou před válkou přišel ke Slavíkum, taky vomylem.' "

"A praskla bublina a přeložila to do angličtiny, žejo?" řekl Fišer.

"Omyl," řekl Shake. "Přeložil jsem to já. Pan plukovník Shryock vydal okamžitě rozkaz k znovuzahájení palby, jenže zídku právě skryla bublina plná prachu, a když praskla, klobouky už tam nebyly. Pan generál Bragg vydal rozkaz k taktickému ústupu."

Shake zmlkl, seržant pohlédl na táboráky, které jako plamenné ukazovátko mířily k Bentonvillu. Válka končila. Ve tmě za špičkou ohnivého ukazovátka osnoval sice chytrý Johnston ještě nějakou zoufalost, cválali tam divocí Wheelerovi jezdci, nervózní Braxton Bragg počítal stavy svého sboru, rozpuštěného v zakrváceném blátě Karolín.

Po cestě z kopce k panskému domu pádil Benjamin: "Už jedou! Už jedou!" Postavili se tedy pod schodištěm do řady, ona jako nejmladší domácí černoška na konci, nové černé hedvábné šaty, nová naškrobená bílá náprsenka, zvědavá na mladého massu. Naposled ho viděla před čtyřma lety, to jí bylo dvanáct, ještě nestála v řadě domácích černochů, kteří mávali na rozloučenou. Čekala v chumlu dětí u cesty, mladý massa pyšně na koni, šedivý cylindr, šedivé boty s červeným přeložením, za ním na koni Gideon, šťastný že vybraný do Paříže — a teď

Gideon skleslý, vzadu na sedačce a mladý massa v kočáře, zapadlý v polštářích, zamračený. Gideon seskočil, ještě než kočár zastavil, sklopil stupačku, taky měl jezdecké boty z měkké kůže, červenou livrej. Kočár zůstal stát, mladý massa se vztyčil a už byl u stupačky Moses, který předtím seděl vedle kočího, mladý massa ho objal levačkou kolem krku, pravou nohu v šedivé botě s červeným přeložením postavil na stupačku, opřel se Mosesovi o ramena, svezl se na zem. Byla to tedy pravda. Viděla, že levá noha chybí. Moses a Gideon, každý z jedné strany, objímal je kolem krku a kráčel pomalu po jedné noze, za ním starý massa, taky zamračený. Nevěděli, jestli mají jásat, mlčeli, tvářili se vážně, starý Abe se uklonil: "Vítejte domů, massa!", ale mladý massa sotva pokynul, prošel středem špalíru a vstoupil do dveří. Všimla si, že levou nohavici bílých jezdeckých kalhot má vzadu přišpendlenou na stehno. Zmizel, starý massa za ním.

Osudný hon. Bylo jí ho líto. Představovala si, jak padá s koněm, který si skokem přes živý plot zlomil nohu a svalí se dřív, než massa stačí vyprostit vlastní nohu z třmene, zvířecí tělo nohu rozdrtí tak, že ji ani pařížští chirurgové nedají dohromady, musí se amputovat. Jenže Gideon nedokázal držet jazyk za zuby; už den po návratu věděli, že to byl souboj. Proč? Kvůli ženské, samozřejmě. Představovala si, že by někdo kvůli ní — znala takové věci z francouzských románů slečny de Ribordeaux, teď čerstvě provdané v Louisianě. Hrabě Lissex, řekl Gideon. Lissieux, opravila mu výslovnost, a Gideon zvolal: "Heleď! Bylas v Paříži ty nebo já?" Prohlížel si ji očima, jakýma se na ni před čtyřma lety nedíval. "A jak se vlastně menuješ?" "Dinah. V Paříži sem nebyla, ale vyslovuje se to Lissieux. Vybojoval tři souboje," počítala na prstech: "S knížetem Fleury, s princem Jean-Paulem de la Roche, a se Španělem donem Carlosem." "Co to meleš?" přerušil ji. "Massa měl jen jeden souboj a vo žádným Jean-Paulovi sem neslyšel!" "Ale já to četla!" "Cos četla? V novinách? Od kdy tu máme pařížský noviny?" "Ne, v románě,

*co měla slečna de Ribordeaux —" "V románě!" zvolal
Gideon."Vidíte ji, husu hloupou!" Mladý massa ležel na
široké posteli s nebesy, kouřil tenká cigára z Paříže,
otevřeným oknem hleděl na teskné stromy s řízami mechu.
K večeři nepřišel, vezl mu ji na vozíčku Gideon do pokoje.
Starý massa seděl u veliké tabule sám, mezi dvěma svícny,
pořád zamračený. Když vešla s kávou, viděla, jak se
Gideon narovnává od massova ucha a massa ji sledoval
pohledem ode dveří až ke stolu, že málem zakopla o
koberec.*

"Ty umíš francouzsky?" vyštěkl náhle otázku.

*Lekla se. Měla si takovou znalost nechat pro sebe. Kdo
ví —*

"Ne, prosím, massa."

"Lže," řekl Gideon. "Mě opravila."

"Nelži, petite," pravil massa a pořád na ni hleděl.

"Já nelžu, prosím," *a rozklepanou rukou nalévala ká-
vu.*

"Fais tomber une goutte de cognac dans mon café,"
*pravil massa. Odešla k likérníku, otevřela jej. Potom jí to
došlo.*

"Lžeš, petite," řekl massa. "Jak ses naučila francouz-
sky?"

Pomalu, jak z chlupaté deky.

"Víš, Cyrilku, je na to zákon. Černoši se nesmí učit číst
a psát. Náš massa zákon nedodržuje, jenže naučit se číst
a psát a mluvit francouzsky, to mu třeba, myslela jsem si,
nepude pod fousy," *vyprávěl Cyril, seržant si vyprávění
sestavoval do scén, do dialogů, do evokací noci a toho,
co se dělo.*

*Po večeři jí řekla Beulah, kuchařka která ve velkém
domě dozírala na holky, jako byla ona, služky, panské,
pokojské:*

"Budeš vošetřovat mladýho massu. Nosit mu jídlo,
pití," *ušklíbla se,* "a vynášet mu nočník."

"Já?"

"Kdo jinej? Seš nejmladší."

"Hlavně máš nejpěknější prsa," řekl sprosťák Benjamin.

"To taky," pravil Gideon. *"Ale hlavně umí francouzsky. Mladej massa si bude míň připadat jako v Texasu."*

"V Texasu nepřišel vo nohu."

"V Paříži přišel hlavně vo srdce. Dinah mu bude předčítat zamilovaný romány."

"Předčítat?" ušklíbla se Sarah. *"Chtěla bych vidět to předčítání."*

Benjamin si olízl rty.

"Já taky!"

Nočník skutečně vynášela, ale v knihách si massa četl sám. Dost málo. Většinou seděl v křesle a civěl z okna, hodně pil. Přinášela koňak, odnášela prázdné lahve. Jednou za týden přijížděl Dr.Webber z Austinu podívat se na pahýl. Pořád trochu hnisal. Dvakrát denně měnila obvazy, koupala pahýl v nějakém roztoku, mazala ránu mastí, bylo jí mladého massy líto, ale mlčela, protože na ni nemluvil. Jenom na ni hleděl, díval se, jak mu ošetřuje ránu, jak chodí po pokoji, mlčel. Věděla, že na ni civí, když odnáší zašpiněné obvazy, že na ni civí z okna, když jde mezi stromy s košíkem meruněk ze sadu a sama stála u okna v jídelně a hleděla za ním, jak se jako kyvadlo prochází o berlách po trávníku, tenký francouzský doutník v sevřených rtech. Potom přestal používat nočník. Bylo to zvláštní, protože starý massa si doň v noci ulevoval, a nohy měl obě. Nebyl ani moc starý. Bylo to zvláštní, ale nepřemýšlela o tom. Taková věc ji ani nenapadla, teprve když se to stalo, když na ni začal mluvit. Věděla, že to tedy je, jak to je a vždycky bylo. Přišla s koňakem a přistihla ho, jak upřeně hledí na nějaký obrázek. Rychle jej schoval do šuplete nočního stolku a vzal si koňak. Sbírala kávový servis a viděla, že se na ni dívá jako předtím na obrázek. Druhý den ráno přišla přestlat postel, kouřil na trávníku dole, otevřela tedy šuplátko. Obrázek v ebenovém rámečku ležel obličejem dolů. Obrátila jej a lekla se. Na obrázku byla ona sama. Jenom místo černých šatů a naškrobené náprsenky byla ve velké toaletě, jaké viděla na dámách, když de Ribordeauxovi pořádali ples. Kůže v dekoltu byla světlejší, ne moc. Hleděla na obrázek a čas se zrychlil.

"To nejsi ty," ozvalo se ode dveří. Vlastně se ani nelekla.

"Promiňte, massa Etienne. Šuple bylo otevřený —"

"Nelži," řekl a na berlách se vhoupl do ložnice.

"Já ne — " nedořekla. Sklopila oči, obrázek uložila do šuplátka, ale než je stačila zavřít, řekl:

"Dej mi ho."

Sedl si do křesla, berle opřel o opěradla a zadíval se na podobiznu.

"Pojď sem!"

Přistoupila ke křeslu.

"Blíž!" řekl. "Sehni se."

Sehnula se a on jí obrázek přidržel vedle obličeje.

"Byla bys to ty, kdybys nebyla černá," řekl. "Ani moc nejsi. Ona možná taky nebyla úplně bílá. Do Texasu bych si ji přivézt nemoh."

Teprve mnohem později jí řekl, že se jmenovala Dona Jorge de Castiello a byla snědá ne od slunce — od svých pěti let žila v Paříži, kde byl otec v diplomatické službě — ale protože jí v žilách kolovala maurská krev. Texaskou manželkou by teda asi sotva mohla být. Když přišel o nohu, stejně ztratila zájem, přestože to bylo kvůli ní.

"Ona je šlechtična?" zeptala se.

"Hraběnka."

"V Evropě můžou bejt černošky hraběnkama?"

Neodpověděl. Pochopila, že černá hraběnka ruší hypotézy předkládané jako pravdy v kouři doutníků nad bourbonem. Ale to bylo až později. Teď řekl:

"Přijď po večeři."

Věděla samozřejmě, co to znamená.

Předčítání francouzských románů.

Večer visel nad rozkvetlou bavlnou měsíc jak z rytin ve francouzských románech, které slečna de Ribordeaux *v slzách slabikovala a ona jí je četla přes rameno a potom, bez dovolení vypůjčené, na trávníku ve světle, jež padalo na trávu velkými okny pánského pokoje, kde si četl starý massa, ne ovšem francouzské romány.*

Věděla, že dělat nemůže nic. Tak to prostě je. Černé hraběnky existují jen v Evropě. Ale bylo jí šestnáct, vytrénována na těch francouzských románech rozhodla se, že při tom bude francouzskou hraběnkou.

On však ležel na posteli už nahý a řekl:

"Svlíkni se."

Románový měsíc nad bavlnou svítil na mohutné tělo mladého muže jenom s jednou nohou. Z druhé zbýval sotva zahojený pahýl, který den předtím poměřil nábytkář z Galvestonu, jenž také vyráběl protézy. Mezi pahýlem a celou nohou ležel na prostěradle massův velký úd.

Přetáhla si šaty přes hlavu, a jak potom odkládala korzet a stahovala si kalhotky, úd se vztyčil a massa řekl:

"Pojď sem. Sedni si."

Silnýma rukama ji uchopil za boky, nasadil si ji, sykla bolestí, protože byla panna. Massa se začal svíjet, dlaně jí položil na prsa, pracoval.

Svítil bílý měsíc z románů, odněkud volal noční pták, bavlna šuměla. V románech to nepopisovali, ale takhle určitě ne. Tu noc nebyla černá hraběnka. On měl při tom zavřené oči. Asi teda, vlastně, řekla si v duchu, jsem černá hraběnka. Dost trpěla, věděla, že u některých holek to jinak nejde. Později se jí to s ním líbilo. Než tu noc odešla, převlékla ještě postel. Máma Terrill, pradlena, to samozřejmě dala k lepšímu.

"Ten ti dal!" chechtal se Benjamin.

Ušklíbla se na něho.

"Já mu dala. Spustila se mu krev z pahejlu."

Později by už takovou věc neřekla. Ale poté, co použil svého práva, byla ještě cynická a taky to bylo jen utrpení, nic víc. Nedělali to nikdy opačně — bylo by to šlo, jenže pahýl by se mu příliš připomínal. Objímal ji a tiskl ji k sobě, začal ji i líbat. Líbilo se jí to, ale zamilovávat se začal on. Jí se to líbilo.

Nikdy ji samozřejmě nenapadlo, že by to mohlo být něco jiného; něco, co mohlo být se skutečnou černou hraběnkou v Evropě, s tou za zavřenýma očima. Brzy přestal oči zavírat. Až se ožení — pahýl nebude na překážku, plantáž je druhá největší v Texasu a on jediný syn — zbudou jen tři možnosti, od nejlepší k nejhorší. Buď si ji schová v domečku, který koupí někde v Austinu nebo možná dál, v Galvestonu, pod nějakou záminkou tam za ní bude jezdit, jednou, dvakrát za měsíc a manželka bude buď dost hloupá, aby mu věřila, nebo příliš chytrá, aby se snažila zjistit, co dělá v Galvestonu doopravdy, protože to bude vědět, když bude chytrá a z Jihu. Nebo druhá možnost: pro manželku nebude prostě existovat, bude jen majetek, který si massa drží pro uklidnění nervů v některé z černošských chajd na plantáži, jako ze stejného důvodu chová francouzské doutníky v humidoru. Anebo nejhorší možnost: Etienne se do manželky zamiluje, ji degraduje do statutu pokojské, která skutečně jenom stele postele a servíruje koňak — a zase bude vynášet nočník. Až přeletí čas a smyje půvab, jenž mu teď připomíná krásu maurské hraběnky, skončí ona s ostatními v chaloupce na plantáži, možná jako matka několika jeho aplégrů, promíchaných s aplégry nějakého černocha, možná s dětmi černého manžela.

Jinou možnost — naštěstí — neviděla.

A začal to on. Vlastně dopis, poslaný starému massovi z Louisiany. Historka, hrůza, krvavý a draze zaplacený triumf rozletěl se po plantáži z jednoho zdroje, jímž byl Gideon, který přečtený dopis nesl mladému massovi do altánku v parku, kde Etienne kouřil nad tlustou knihou a vypisoval si z ní na arch papíru. Tak se dozvěděli o té hrůze, o krátkém a krvavě zaplaceném triumfu. Ona pak všechno slyšela ještě jednou, pozdě večer. Nebyla svlečená a Etienne neležel nahý na posteli, seděl v křesle, kouřil. A začal. Že na plantáži bratrance pana de Ribordeaux v Lousianě se vzbouřili černoši. Ne všichni, jenom osm. Zajali massu a jeho dva dozorce a massa, s nožem na krku, všem osmi dal písemně svobodu. Nebyli tak hloupí, aby si mysleli, že to stačí. Měla to být spíš pojistka pro případ, že by je někde zastavili cestou dřív, než se to rozkřikne, a mělo se to rozkřiknout až ráno, až se nezasvěcení černoši z velkého domu začnou divit, proč massa nejde k snídani, a černoši na poli si budou myslet, že dozorci si večer přihnuli a teď vyspávají. Chtěli ukradnout koně, jet celou noc a potom, v lesích, celý den a nakonec naskočit na podzemní vlak. Věděli kde: potulný abolicionistický kazatel jim to pověděl. Vybrali si večer, kdy mladý massa odvezl sestru a plantážníkovu ženu na návštěvu k příbuzným do New Orleansu. Massu a oba dozorce svázali, zaroubíkovali, zahrabali do sena, z massova pokoje vzali několik pistolí a vyrazili. Zradila je potřeba být v houfu. Pistole sice schovali pod košilemi, ale osm černých jezdců ne sice otrhaných — stejně jako pan de Ribordeaux ani jeho bratranec nevěřil na krutost a na otrockou bídu — jenže na krásných panských koních, trčelo v lousianské krajině jako vykřičník. Brzo ráno — plantážník a jeho dva dozorci leželi pořád ještě svázáni v seně — zastavili je tři jezdci. Použili pojistky manumisních papírů, jezdci je zamračeně zkoumali, podezření tuhlo. Všech osm? A propuštěni v týž den? Osm evidentně ušlechtilých koní, spíš na dostihy než pod černošské zadky? "Hm," odplivl se jeden z jezdců. "Ribordeaux je sice blázen a svoje negry rozmazluje, to se všeobecně ví. Ale že by byl takhle kříslý?" Tři jezdci se dorozuměli očima, nejstarší, s plukovnickými kníry, se otočil k uprchlíkům. "O.K. Pojedete hezky před náma zpátky. Zeptáme se pana de Ribordeaux, kolik toho včera vypil. Protože jestli hodně, tohle —" zamával jim před očima papíry naděje, " — jsou jenom cáry papíru, to je vám jasné."

Krásný plán se tedy nepodařil. Zbývaly ještě pistole. Dva, Jim a Luke, je vytáhli, zabili jezdce s plukovnickým knírem, druzí dva jezdci uměli pistole tasit rychleji než uprchlíci, zastřelili Jima a Luka, další dva uprchlí váhavě sáhli po zbraních, jeden se svalil z koně s kulí v hlavě, druhý se otočil a ujížděl pryč. Čtyři zbylí se vzdali. Uprchlého chytila ještě ten večer plantážnická posse. Bránil se, ale vystřelili mu pistoli z ruky a sedí teď se čtveřicí, která se vzdala, jenom v oddělené cele. Co ho čeká, je bez ptaní. Jeden z těch ostatních čtyř bude mu na šibenici dělat společnost.

Začal on.

"Co to je?" zeptala se. Na heroickou story nereagovala, ostatně už ji znala a nemohla mu vykládat, o čem si šeptali v kuchyni. Zeptala se proto jenom na význam slova, jímž všechno vysvětloval. A potom řekla a neubránila se nedůvěřivému tónu: "Nemoc?"

"Ano," pravil váhavě. "Je o tom kniha, kterou napsal lékař. Dr. Samuel W. Cartwright. Duševní nemoc. Drapetomania. Neměli přece důvod."

Neřekla nic. Dívala se z okna na krásné stromořadí a na lány bavlny za ním, na kraj, zvolna se zvedající k horizontu lemovanému krásnými lesy. Za nimi ležel ještě krásnější svět, na konci podzemní železnice.

"Nebo měli?"

"Já nevím, massa."

"Strýc Jean-Jacques přece není pitomec. Dávno zakázal dozorcům tělesné tresty. Šest z těch osmi umělo psát. Tři dal vyučit řemeslu," říkal mladý massa čím dál nejistěji.

Zase mlčela.

"Co jim scházelo?"

Pokrčila rameny.

"Schází tobě něco?"

To řekl už bez jakékoliv naděje, že bude sám sobě věřit. Protože bude vědět, že můžu být černou hraběnkou, jenom když zavřu oči. Že nemůžu mít, co černá hraběnka v Evropě má. Ne krásné šaty, šperky, kočár. Že — že — že třeba může říct Ne!

"Ne," řekla tiše.

"Tak vidíš," pravil, ale věděl, že vidí houby.

"Zatraceně!" zaklel a vstal. Měl už umělou nohu, z krásného leštěného dřeva, dokonce umělecky vyřezanou, jenže umělou. Obrátil se k oknu, zapálil doutník.

Zeptala se:

"Nemám se svlíknout?"

Nic.

"Massa?" zašeptala.

Otočil se.

"Chceš?"

"Jestli chcete, massa — "

"Chceš ty?"

Ach, co chci? Mít, co černá hraběnka, třeba úplně zchudlá. Ale v chytrém mozku věděla, že Etienne prožívá něco, co jeho knihy nevysvětlují, vůbec nepředpokládají, o čem se nad bourbonskou whiskou nemluví a co se v dýmu doutníků nepřipouští, o čem ani klevetivé dámy nekleveti. Pitomá negerko! řekla si v duchu, ale nemohla si pomoct — Taková hloupost! — zželelo se jí ho. Temná, úplně poražená silueta proti texaskému nebi. Přes tu hrůzu se jí ho zželelo. Blbá negerko!

Kývla.

Pak si přetáhla šaty přes hlavu, rozepjala korzet, on ze sebe serval šaty, odepjal protézu, vlezla na postel, sedla si na paty a čekala, až se položí na záda. Klekl si však vedle ní na koleno, a podepřen pahýlem, položil na záda ji, něžně, něžně jí roztáhl nohy, objala ho nohama.

Otrokem byl té noci on.

Nemilovala ho. Jenom jí ho bylo líto.

"Bylas pitomá negerka," řekl Cyril.

"Ty bys byl taky," řekla jeho černá dívka. "Copak jsem mohla vědět, že se v Texasu objeví tvá povedená sestřička?"

Tu noc jí řekl všechno. Jak padl na zem s koulí v holenní kosti, jenže Lissieux se taky svalil a bylo po něm. Musel odjet z Paříže, nohu narychlo ošetřil lékař, který se pro takové příležitosti bere s sebou. Čekal pak v

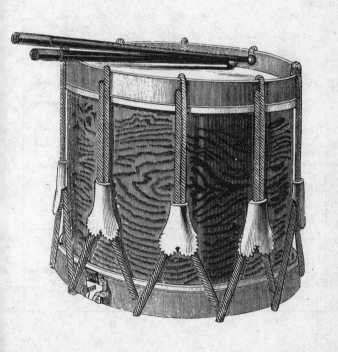

Chicago Feb 4ᵗʰ 1861

To the Hon A. Lincoln

Dear Sir

We have organized a company of Militia in this city, composed of men of Hungarian, Bohemian & Sclavonic origin. Being the first company formed in the United States of said nationalities, we respectfully ask leave of your Excellency to entitle ourselves "Lincoln Riflemen" of Sclavonic Origin

If you will kindly sanction our use of your name, we will endeavor to do honor to it, whenever we may be called to perform active service.

Respectfully in behalf of the Company.

Goza Mihalotzy, Capt.

I cheerfully grant the request above made

A. Lincoln

Spisovatelčino intermezzo III.

1.

Seděla jsem v salóně nad dopisy, když přišla Jasmine se šedivou vizitkou.

"Tahle dáma s vámi chce mluvit, paní Tracyová. O-mlouvá se, že přichází neohlášená, ale byly jste prý kamarádky před lety v Liberty."

Na vizitce stálo:

Mrs. L.A. BRUMBLE
217 Main Street
Sanderstown, Rhode Island

Obrátila jsem šedivou kartu a na rubu návštěvnice připsala rukou:

Maggie Rogersová, pamatuješ přeci, ty šťastlivče?

Aby ne! "Ty krávo!", poté, co jsem se zachovala jako to příslovečně blbé zvíře. Takové věci se nezapomínají.

"Půjdu pro ni sama, Jasmino."

Co jsem spatřila, mě trochu zděsilo. V hale stála ženská jako tyčka v tmavozelených sametových šatech, tlustou černou kabelu v jedné, tlustou černou knihu v druhé ruce. Černé zřítelnice na mne hleděly jakoby ze sklepa. Takové kruhy pod očima jsem v životě neviděla. Maggie nebyla nikdy kráska, ale takováhle polednice —

"Maggie..." vydechla jsem. Nedá se to vyjádřit jinak než takhle: jak jsem to vždycky psala ve svých románech.

"Nojo, jsem to já," řekla moje stará kamarádka.

Druhý šok jsem zažila, když se posadila ke kávovému stolku a odložila naň svou tlustou knihu. Na hřbetě z růžové kůže — nebo z něčeho, co vypadalo jako růžová kůže — stálo zlatými písmeny... probůh!

"Ty — " zakoktala jsem, " — ty to čteš, tohle?"

Maggie se usmála. Zuby jí svítily pořád hezky, jenom v Liberty vypadaly hezčí. Měla tehdy snědou pleť, teď byla popelavá.

"Divíš se, co?"

"Já jen, že — tys na zamilovaný romány nikdy nebyla?"

"Protože jsem si myslela, že je mi příliš zhůry dáno. Život mě, jak to občas bývá, poučil."

A samozřejmě, hned si všimla jiné knihy na kávovém stolku, kterou jsem nestihla odstranit. Měla taky hřbet z růžové skorokůže, jenom byla ještě o poznání tlustší. Maggie pořimhouřila krátkozraké oči. Laura E. Lee stálo zlatými písmeny na růžovém hřbetě a KDO NA KOHO VYZRÁL? Maggie mi pohlédla do očí a řekla:

"Spíš nechápu tebe." Cítila jsem, že rudnu. "Inu víš—" začala jsem se hájit, ale Maggie mě nepustila ke slovu: "Čekala bych, že tu najdu Thackerayho nebo — nebo P.a. V Libertys ho měla přece permanentně u postele. Ale tohle?"

Poražena studem, vlastně nesmyslným — mluvila jsem sice o svých knihách vždycky jako o "románcích", ale jednak jsem si na nich zakládala, jednak jsem je psala ráda — užuž jsem začala lhát, ale Maggie mi zase skočila do řeči:

"Tenhle jsem ještě nečetla. Jaký to je?"

Identita Laury E. Lee byla tedy pro mou starou kamarádku tajemstvím. Spadl mi kámen ze srdce. Ještě že jsem nepodlehla přání nakladatele a k zveřejnění (na četné žádosti čtenářek) jsem mu dala daguerrotyp své nebožky tety Rosemary Waynové, jež se v devatenácti zabila na koni. To byla platinová blondýnka a dávala se zpodobňovat s cvikrem na očích, aby nebylo vidět, že šilhá — což byla jediná vada na kráse chudáka tetičky. Taky proto jsem si tu její podobenku vybrala.

"Ujde to," pravila jsem přezíravě. "Hrdinka je, mám dojem, o chlup inteligentnější než obvykle."

"Hrdina doufám ne."

Kritický postřeh mě zahřál u srdce. Řekla jsem:

"To by přeci nebyla Laura Lee."

"Musí to být asi pěkně nesnesitelná ženská," pravila Maggie. "Představuju si ji tlustou a šilhavou."

"Viděla jsem její podobenku v *Ladies' Companion,*" řekla jsem. "Je docela hezká a nevypadá tlustá."

"Ale šilhá."

Hraje si se mnou? Ví, že Laura Lee jsem já, a vybalí to na mě —

"To jsem si nevšimla," řekla jsem.

"Proč myslíš, že má cvikr? Já ten obrázek taky znám. Pravda, není na něm vidět níž než po dekolt, no ale — "

Upřela na mne své sklepní zřítelnice, a já nevěděla.

" — ale k tloušťce by se nehodilo to její pěkně aliterované jméno," řekla. "To by se hodilo spíš k tobě."

Zase jsem cítila, jak se mi krev hrne do tváří.

"Jenže ty seš zrzavá," dodala moje kamarádka.

Oddychla jsem si. Maggie přejela prstem po zlatých písmenech na hřbetě. "Bůhví, jestli se tak doopravdy jmenuje."

"Proč myslíš?"

"Asi to bude dáma ze společnosti. S těmahle ptákovinkama se nechlubí. I když — mně nepřipadají úplně marný. Tobě asi taky ne. Jinak bys tu měla Thackerayho."

Podlehla jsem autorské pýše.

"Thackeray to není, ale má to —"

"Koule," pravila moje kamarádka. Odjakživa byla mezi námi děvčaty odvážně vulgární. "I když je to — aspoň doufám — ženská," řekla.

Pořád jsem si nebyla jistá, na čem jsem, ale Maggie zničehož nic vzdychla a najednou nevypadala, že to na mě ví.

"Ohrnovala jsem nad takovýmhle čtivem nos, a pak mi zachránilo — no, život ne. Ale řekněme zdravej rozum."

"Neříkej!"

"Přišla jsem o dítě, víš?"

"Maggie!"

"Spontánní potrat," pravila moje kamarádka.

2.

V privilegovaném postavení přítelkyně velícího generála nebyla jsem závislá jenom na nespolehlivém tisku, a o Vallandighamově zatčení jsem vyslechla raport přímo z úst kapitána Huttona. Dověděla jsem se proto i o okolnostech veřejnosti neznámých, jako byla krinolina paní Vallandighamové, kterou nechala viset v hale a do níž se Hutton zamotal, když přišel jejího muže zatknout a jako jeho vojáci šmátral v temnotách, protože Krásný Kléma se schoval v ložnici a nikomu nenapadlo vzít s sebou lucernu. Ambrose u mne to odpoledne nebyl, psal si řeč pro soud, zato u kávového stolku seděli dva jiní kníráči, kteří k suchému hlášení kapitána Huttona připojovali svérázné komentáře, a mladistvý poručík Pettiford. Na jeho růžolící tváři visela při obědě pohledem moje Lorretka, což patrně signalizovalo začátek konce zřejmě dědičného holkoklukovského období v jejím životě. Jeden z vousáčů byl krásný muž s orlím nosem, generál Hascall, jehož černý knír efektně kontrastoval se stříbrem protkávanými vlasy a který, sotva vešel, viditelně si povšiml Jasminy. Druhý byla postava vlastně legendární: plukovník Jennison z Kentucky, který Hascallovi dobrovolně pomáhal chytat v Ohiu dezertéry. Před válkou jezdil s jednou z desperádských band Johna Browna, ale nikdy ho nedopadli. Říkalo se o něm, že trpí chronickým svěděním obou ukazováků.

"Slyším," pravil, když kapitán Hutton dovyprávěl, "že Burnside chystá s tím bídákem soud?"

Poručík Pettiford se zasmál. Ozýval se pravidelně, kdykoli někdo zažertoval nebo kdykoli si poručík myslel, že někdo zažertoval.

"Zítra zasedají," řekl generál Hascall. "Včera generál sestavil tribunál. Vesměs dobří muži." Zvedl prázdnou číši, Jasmine mu nalila koňak. "Děkuju, drahoušku!" pravil generál hlasem Casanovy a navinul si konec kníru na ukazováček. Jasmine se koketně usmála. To mě překvapilo, protože jsem ráno z okna viděla, jak rázně odmítla milostný pokus černého kočího soudce Parkera, který bydlel vedle. Neslyšela jsem, co jí kočí řekl, ale odmítnutí bylo jasné, neboť je učinila ručně.

"Ztráta času," pravil plukovník Jennison. "Měli jste ho pověsit na místě. Nebo nejpozdějc," otočil se ke kapitánu Huttonovi, "na dvoře v Kemperskejch kasárnách."

Hascall se zasmál. "To by bylo ne zrovna zákonné, ale za daných okolností ideální řešení." Poručík Pettiford zahýkal a začal se plácat do holínky. Na rozdíl od divocha z Kentucky ji měl jako zrcadlo. Generál Hascall si navinul na ukazováček konec druhého kníru a přimhouřil oči na Jasminu. Jasmine se opět usmála, otočila se a odešla pro kávu. Opět mě překvapila. Kroutila zadkem jako břišní tanečnice, ačkoliv zatím chodila vždycky spíš jako jeptiška.

3.

"Proboha, Maggie! Mně je tě tak líto!"

"Ty máš dvě děti, že?"

Přikývla jsem. Maggie se rozhlédla a sklepníma očima spočinula na vitrínce s portrétky Loretty a Jimmieho.

"Jak se jmenujou?"

Řekla jsem jí to.

"Moje se mělo jmenovat Lorraine. Nebo Ambrose, podle toho."

Dojalo mě to. Maggie kývla hlavou k Humphreyho podobizně.

"Manžel?

"Humphrey." Zazvonila jsem na Jasminu. "Můžu ti nabídnout kávu?"

"Ta nepomáhá," pravila Maggie. Opět se rozhlédla po salóně. Na stolečku u okna stála karafa s krásnou tekutinou. Chtěla něco říct, ale vešla Jasmine a zase odešla s objednávkou kávy a zákusků.

"Jsem na nejlepší cestě tam, kde skončil tvůj tatík," pravila Maggie. "Naštěstí teprve na začátku." Opět zvedla ze stolku moje dílo a řekla: "Ještě že ta Laura Lee je tak psavá."

"O psavé ženské není v Americe nouze."

"Pár jsem jich zkusila, ale vždycky se vrátím k Lauře Lee."

"Snad nechceš říct, že ta ženská snese druhý čtení?" pravila jsem, na oko pohrdavě.

"Podruhý je lepší. Některý jsem přečetla třikrát."

Zatetelilo se mi srdce blahem, ale zároveň jsem zas pojala podezření. Vešla Jasmine s kávou. "Děkuju, Jasmino."

"Prosím, paní Tracyová."

"Jako Thackeray," pravila Maggie.

"Cože?"

"Podruhý je lepší."

"Přeháníš, Maggie." Vstala jsem a přikročila jsem ke stolečku u okna. Přišla o děcko. V takové situaci ženská potřebuje nějaké opium jako Lauru Lee. Vrátila jsem se s karafou a nalila jsem jí do kávy tohle opium.

"Proč kazíš dobrou ohnivou vodu?" pravila Maggie. "Cvrnkni mi do sklenice!" Když jsem to učinila, řekla: "Cvrnkni říkám ze slušnosti." Napravila jsem cvrnknutí. Po — velice — kratičkém zaváhání jsem cvrnkla i sobě. Maggie objala tenkými prsty baňatou sklenku a opět pohlédla na Humphreyho portrét mezi oběma mými cherubínky.

"Takovej fešák jako tvůj vodhozenej není," pravila. "Jenže zas nemá tolik na svědomí."

"Ambrose —" spustila jsem popuzeně, ale Maggie jen mávla rukou.

"Já vím. Za nemrcouchství nikdo nemůže. A tvůj manžel ujde. Možná kdyby si dal narůst pejzy —"

"A co tvůj manžel?"

Proboha, co když je vdova! Ve válce — ale v zelených šatech? Jestli je, tak je to už dávno.

"Chceš ho vidět?"

"To víš že jo!"

Otevřela kabelu, vytáhla rámeček se zasklenou fotografií a podala mi ho. Nebyl to portrét žádného manžela, ale jedna z těch fotografií, které tak vyděsily společnost, zvyklou na rytiny, když je Matthew Brady vystavil v New Yorku. Louka, svah zakončený kamennou zídkou. Dole na louce hromada mrtvých vojáků. Nad nimi prázdný svah, těsně u zídky osamělá mrtvola v uniformě důstojníka armády Unie.

"Ten u zdi," řekla Maggie. "Jmenuje se to tam Marye's Heights."

4.

Opakovala jsem si strohá fakta. Oddíl armády Spojených Států, na rozkaz vojenského velitele a bez souhlasu civilního soudu, vnikne násilím do soukromého obydlí řádně zvoleného poslance Kongresu, zatkne ho bez zatykače, protože využíval práva daného mu Ústavou způsobem, na jaký mu Ústava dala plné právo, ale který nešel pod vousy velícímu generálovi. Všechno naprosto proti rozkazu č.1, vydaného před skoro třičtvrtěstoletím jiným a významnějším generálem. A já, inteligentní Američanka, dokonce spisovatelka, i když pouze — ale přece jen ženská od pera —

Probrala jsem se do skutečnosti kolem kávového stolku.

"Kamže?" děsil se právě plukovník Jennison.

"Do Burnettova hotelu," pravil generál Hascall.

"Toho bídáka? Do nejlepšího hotelu na Středozápadě?"

"Vallandigham je prominentní vězeň," řekl Hascall, "a generál Burnside —"

"Burnside je měkkej!" zařval plukovník Jennison. "Eště pro něj dá šibenici extra potáhnout sametem!"

Poručík Pettiford zahýkal. Rozhlédla jsem se po ostřílených mužích kolem sebe a bylo mi úzko.

5.

Za hodinu stála už karafa na stolku prázdná a já vnímala okolí prizmatem vzpomínek na Liberty, to dřevěné městečko. Objevila se Jasmine s konvicí čerstvé kávy a zase ji odnesla. Viděla, že dvě konvice plné kávy nepotřebujeme. Vrátila se s plnou karafou.

"Až po uši, Lorraine," říkala moje stará kamarádka. "Stalo se mi to přesně ve stejnou chvíli jako tobě. Šla jsem pár kroků za tebou, a co těch několik málo let vyčarovalo z Ambrose, mně taky položilo na lopatky. Jenže pan Jenkins mu představil tebe. Mě si nikdo nevšim. Ani pan Jenkins, ani ty. A přirozeně ze všech nejmíň krásně zmetamorfózovanej krejčík."

Chtěla jsem něco vhodného podotknout, ale nic mi nenapadlo.

"Naprostá normálka," řekla Maggie. "Tenkrát jsem s tím už uměla žít. Ale paks ty mu provedla to u oltáře a svět se mi zdál opravdu strašně nespravedlivej. Proto jsem tě oslovila tak nevybíravě."

"Oslovilas mě přiléhavě," řekla jsem.

"Co se vlastně stalo?"

Málem jsem jí vyklopila to o dopisu z Bostonu, ale ovládla jsem se. Srkla jsem si krásné tekutiny.

"Já nevím," řekla jsem. "Vždyť to znáš."

"Já to neznám. Ale asi ti otevřely oči ty rýmovačky, co si je bifloval a pak ti je předváděl v háječku."

"Jak to probůh víš?"

"Byla jsem tak vzatá. Sledovala jsem vás, tak říkajíc, z povzdálí a skrývala jsem se v roští. Tys byla vždycky na knížky. Já ne, ale i já jsem pochopila, oč jde, když na něj vyjela s Poem."

Té vzpomínce jsem se musela zasmát, ačkoliv tenkrát mi do smíchu nebylo. Jenže tak to bývá. *"Je tomu už dlouhých a dlouhých let řad, kdes v přímořském království —"* zarazila jsem se, nedorecitovala jsem. Ale Maggie jenom řekla:

"Tak nějak to bylo, že?"

"Tak nějak."

"Sotvas vypadla z Liberty — " Maggie se odmlčela, pak: "Utíkalas ostudě, co?"

"Tak nějak."

"No, a já, jak včela, rovnou čárou do St.Louisu. Dala jsem se tam pozvat od sestřenky Clary, která mi líčila, jak chodí každou sobotu večer tancovat s krásnými důstojníky z Jeffersonu. V Jeffersonu, jak ty určitě víš, byl poručík Burnside a lízal si rány."

6.

Nebylo mi dobře. Hýkání poručíka Pettiforda bylo snad ještě horší než řvavý hlas plukovníka Jennisona, jenž generálu Hascallovi nepřestával nabízet katovské služby. V Kentucky prý už všechny zrádce, jako je Vallandigham, pověsili, tak nemají co dělat a neradi by vyšli z cviku. Viděla jsem, že i Hascallovi krvelačný guerillero už leze krkem, a byla jsem mu vděčná, když zničehožnic vstal, řekl, že musí za neodkladnými povinnostmi, a tím zvedl k odchodu ostatní. Jasmine vyprovodila hosty k domovním dveřím, generál Hascall v nich dal přednost Jennisonovi a potom dokonce i poručíku Pettifordovi, který se ze zdvořilosti vzpouzel, až ho Hascall bez ceremonií vystrčil na ulici. Pootevřenými dveřmi salónu jsem viděla, jak krásný generál bere mou komornou za ruku, něco do ní hučí, komorná sklání hlavu. Potom generál povznesl Jasmininu ručku ke rtům ozdobeným knírem. Zamračila jsem se. V nejlepším případě se dalo říct, že generál aspoň černochy neopovrhuje, jako tak mnozí i na

Severu. Jenže svádění černých krásek nebylo nikdy tabu ani v jižanském kódu.

Když se Jasmine vrátila do salónu, zamračeně jsem jí nařídila odstranit z koberce památky na návštěvu plukovníka v nevycíděných botách.

7.

"V St.Louisu se na mě štěstí usmálo hned první sobotu," říkala Maggie. "Jenže štěstí má falešný úsměv. Ukázalo se, že Clara Burnsida zná a že má kuplířskou náturu. Tu sobotu mě vzala na veřejný bál saintlouiských demokratů, protože věděla, že tam Ambrose bude. Dostavil se s třemi poručíky, Clara se sice snažila kuplovat, ale Ambrose se mnou absolvoval jen jeden taneček, aby se neřeklo, a pak začal pilně roztáčet kuplířku."

"A já se kvůli němu užírala výčitkama svědomí!" řekla jsem s upřímným hněvem, už dost plná krásné tekutiny, neboť jsem si vzpomněla na smutnou železniční stanici a na Ambrosa na ní.

"Léčil se z tvý neodpovědný citový ukvapenosti, Lorrainko," usadila mě Maggie. Ale nechtěla jsem se dát:

"Úspěšně, podle toho, co říkáš."

"Dost," pravila Maggie. "Mě roztáčel poručík, na kterým hezký bylo jen jméno — přesně vzato půl jména: Leonidas Brumble. A najednou do sálu vešli čtyři jižanský kavalíři z Balíkova. Měli v hlavě to, co tam máme teď my, ale asi něco lacinějšího. Hned si povšimli Clary a jeden z nich, asi primus inter pares, oslovil Ambrosa: 'Pane poručíku, líbí se mi vaše dáma. Zatančím si s ní!' a sáhl po Claře. Ambrose ho chytil za ruku a pravil: 'Pane!' Můj tanečník Brumble mě přestal roztáčet a prodral se k Ambrosovi. Šla jsem za ním, ostatní poručíci taky, i jejich slečny v závěsu. Vypadalo to na rvačku. 'Pane!' zaopičil se Jižák. Chvíli se měřili pohledy, až Jižák přerušil mlčení: 'Slyšel jste mě, pane poručíku?' Tanec v sále ustal, napětí zhoustlo."

"Rozbili si nos?"

"Žádná taková vulgarita," pravila Maggie. "Ambrose nás oslovil tónem gentlemana, 'Dámy, prosím, následujte mě,' a proklestil nám cestu davem. Jižák za naším konvojem vykřikl: 'Armáda Spojených Států má strach?' Došli jsme ke schodišti, Ambrose galantně naznačil, že máme jít nahoru, a řekl Jižákovi hlasem jako z ledu: 'S takovými, jako jste vy, pane, naše dámy netančí!' Jeho jankejský přízvuk popudil nějakého hromotluka v kruhu okolostojících: 'Naši páni nejsou pro vaše dámy dost dobrý, Jankejče?' zeptal se výhrůžně. Ambrose si ho po westpointsku prohlédl od hlavy až k patě a naježil licousy. 'Takovíhle páni ne, pane!' Pak důstojně vystoupil po schodech k nám na balkón. Tam jsem se zbytek večera dívala, jak si ho Clara omotává kolem prstu, ačkoliv měla kuplit."

"Ale neomotala si ho."

Maggie na mě pohlédla zlomyslně. "Jenom ho vyléčila. A tak já —"

Mizera milý Ambrose.

"Co ty?"

"Vytratila jsem se s Brumblem."

"Kam?"

"To ti nepovím, protože to nevím. Vím jenom jedno."

"A to?"

"Že tu noc jsem přišla o panenství."

"Au!"

"A ještě něco."

"Co?"

"Co myslíš?"

8.

Z frází se původní smysl vytrácí, ale Ambrose v těch prvních májových dnech 1863 vrátil význam rčení "udělat s někým krátký proces", protože přesně to s Vallandighamem provedl. Soud trval všeho všudy tři dny a hned po rozsudku předložil Vallandighamův advokát u Federálního soudu distriktu Ohio podání soudci Humphreymu Leavittovi, aby jeho klientovi přiznal právo na uplatnění zásady *habeas corpus*. Kdyby mu soudce byl vyhověl, případ se musel postoupit civilnímu soudu státu Ohio, kde generál neměl vliv. Meč nad Vallandighamem visel tedy na vlásku rozhodnutí starého soudce Leavitta — dilema, které sudímu nikdo nezáviděl, protože po mnoha úvahách v novinách, na politických schůzích, v hospodách i v soukromých salónech vykrystalizovalo v otázku právní teorií patrně nezodpověditelnou: zda má či nemá Rozkaz č.1. — jak Vallandigham říkal Ústavě — platnost přírodních zákonů.

Ve světle okolností, které vyšly najevo později, neměl Ambrose ve výběru svých, dle Hascalla, "vesměs dobrých mužů" nejšťastnější ruku. Na to se ovšem naštěstí přišlo s křížkem po funuse: Kléma tou dobou už seděl v krásném hotelu Clifton House v kanadských Niagara Falls. Odtamtud jej ale brzo vyhodili, protože emisaři z Chicaga za ním přijížděli zwhiskovaní a hotelová klientela, většinou zámožné vdovy, si stěžovala. Musel se přestěhovat do poněkud ošuntělejšího hotelu Table Rock a teprve tam se dozvěděl podrobnosti o svém tribunálu.

První z Hascallových "dobrých mužů", kapitán Mayer, měl za sebou sice — z hlediska vojenské profese — úctyhodnou kariéru, neboť než nabídl služby armádě Unie, zúčastnil se v řadách několika evropských sborů potlačení celé řady jiných povstání: ale v Americe se zapomněl naturalizovat, takže jeho právo soudit občana Spojených Států bylo nesporně sporné. Jiný přísedící, plukovník Harred, byl sice rozený Američan, jenomže si těsně před válkou odseděl trest za "provozování domu prostituce" a byl tedy spíše bordelmamá než něčí ctihodnost. Ambrosově galérii vévodil ovšem vojenský prokurátor James M. Cutts; toho pár měsíců po Vallandighamově procesu přistihl podomek hotelu Burnett House, jak ve svém pokoji stojí na židli a světlíkem nahlíží do sousední suity, kde se tou dobou chystala na lože dcera senátora Hawkinse z Indiany.

Šťastnou ruku tedy Ambrose neměl, ale díky Bohu to neprasklo, než se vyjádřil soudce Leavitt. Soudce si lámal hlavu právnickým hlavolamem pět dní, až nakonec došel k závěru vlastně podobně americkému jako rozkaz č.1. Po letech můj vnuk (nebo pravnuk?), který studoval filosofii na Kolumbijské universitě, prohlásil, že Leavittovo rozhodnutí bylo v duchu teorie zvané pragmatismus, jež, slovy mého vnuka nebo pravnuka, spočívá v tom, že "moderní člověk se odvrací od abstrakcí, od řešení čistě verbálních a od předstíraných absolutností a hledá konkrétní fakta." To na mě bylo trochu učené, tak jsem řekla svému potomkovi, že Leavitt se prostě řídil selským rozumem. *Má-li být za platnou přijata doktrína, napsal ctihodný soudce, že každý, kdo je obžalován a usvědčen ze zlovolné neloajálnosti, již nepokrývá kriminální právo naší země, a nachází se ve vazbě z rozhodnutí vojenské autority, musí být na základě habeas corpus soudci a civilními soudy osvobozen, a že neexistuje síla, jež by jej dočasně směla umístit tam, kde nemůže tropit neplechu, potom není třeba argumentů, aby se dokázalo, že taková věc bude mít nedozírné následky a velice vážně ohrozí akce naší vlády. Já ve svém postavení soudce se neodvažuji vzít na sebe strašlivou odpovědnost, implikovanou souhlasem s takovou doktrínou.*

9.

Maggie vstala a začala se procházet po salóně. Druhá karafa už taky nebyla plná. Maggie se zastavila před mramorovou hlavou římské dívky s jedním modrým okem a dlouho na ni mlčky zírala. Pak přešla k oknu a zadívala se na cincinnatskou májovou noc. Objevila se Jasmine, ohlédla situaci a zmizela. Maggie se vrátila do křesla.

"Ten hromotluk, co ho Ambrose zpražil, byl novinář," řekla. "Druhý den napsal pro st.louiský *Dispatch* článek o bálu, *jehož důstojný průběh narušilo pouze nevhodné vystoupení jakéhosi grotéskně olicousovaného snoba v uniformě armády Spojených Států, jenž se zřejmě domnívá, že st.louiská společnost není pro jeho jankejské dámičky dost dobrá.*"

"Předpokládám, že ho Ambrose vyzval na souboj," řekla jsem.

"Svýho druhu souboj," pravila Maggie, "Objevil se v redakci st.louiského *Dispatche* s bejkovcem a vyšlo to na těžké ublížení na těle."

Podivila jsem se:

"Neměla jsem tušení, že Ambrose kdy seděl."

"Neseděl přirozeně nikdy. Švihák jako Ambrose měl v St.Louisu trochu moc přímluvkyň, aby si na něho nějaký buran dovoloval. Soudce rozhodl, že pan poručík jednal ve spravedlivém, i když trochu vleklém, rozhořčení nad urážkou svých dam, a hromotluk se tím natolik znemožnil, že musel zmizet z města. Dělal prej potom vyvolávače na otrockejch aukcích v New Orleansu."

Odmlčela se. Ve světle svíček neměla už tak popelavou pleť.

"Taky bych vlastně mohla psát romány," vzdychla. "Jenže kdo by čet tragédie?"

"Ty bys nepsala tragédie. Jsem ráda, že —" zaváhala jsem, ale pak jsem dokončila, co jsem načla, "— že přes všechno, co tě potkalo, seš pořád, jaks bývala."

"Jo. Směju se, abych nemusela brečet. Je teprv půl roku od Fredericksburgu, a ani nedržím smutek po Leonidasovi."

V očích už zase veselost veškerá žádná.

"Ale jako gentleman se tenkrát Leonidas nezachoval," řekla.

"Jak — to myslíš?"

"Jako gentleman se zachoval Ambrose."

"Já — ti nerozumím."

"Jak bys taky mohla, Lorrainko."

10.

Výprask, který Ambrose uštědřil buranovi ze St.Louis, byla legrace. Ten druhý výprask — vlastně jenom facka — charakter frašky neměl, ale to jen proto, že děťátko umřelo. Naše životy, zdá se mi, zabarvuje náš konec. Udává tóninu. Ne začátek. Svou odvrácenou smrt přežilo děťátko jenom o dva měsíce. Kdyby bylo zemřelo, kdy mělo zemřít, Maggie si ušetřila dvanáctiletou kalvárii, jež skončila teprve na Marye's Heights.

A dobré úmysly se někdy — často? — zvrací v nedobré následky a zlé — snad — v prospěch. Maggie dávno odešla — bydlela v Cincinnati u své bohaté a přesto neprovdané tety Hermiony Collinsové, kterou jsem znala, protože mi po smrti na jezeře dohodila Jasminu. Zůstala jsem sama ve velkém domě — můj muž přednášel v Chicagu — a v posteli jsem naslouchala smutné písni, jež ke mně doléhala z Jasmininy komůrky — *Jednou sem nahoře, pak zas dole, někdy až na dně, Bože můj!* — a věděla jsem, že pravdu měl mizera Leonidas, ale že Maggie se ubránila strašlivému hříchu a byla za to strašlivě potrestaná. Zachránil ji ne anděl strážce, nýbrž vidina pekla: pedagogika našeho nevyzpytatelného tvůrce, jehož cesty jsou opravdu podivné.

Dům stál u řeky a vypadal jako lebka. Bílé, vápnem natřené průčelí, dvě tmavá okna nahoře v poschodí, v přízemí uprostřed otevřené dveře a za nimi záře — skutečně narudlá — plápolajícího krbu vzadu v prostorné místnosti. Maggii se vzpříčily nohy, Leonidas ji dovnitř musel strkat. Před krbem stálo holé bílé lůžko, ne špinavé — doktor měl klientelu v nejlepších st.louiských kruzích — ale holé jako katafalk, za ním černá ježibaba. St.louiský doktor už ve vestě, rukávy bílé košile vyhrnuté, rudý plastrón ve výstřihu vesty a na malém stolečku před ním otevřená etuje, v ní na černém sametu rozložené nástroje.

Maggie se rozječela, Leonidas ji držel, doktor a ježibaba si vyměnili pohledy, čarodějnice přistoupila k Maggii a mazlivým hlasem kojných řekla: "No tak, zlatíčko, no tak," chtěla Maggii pohladit po tváři, ale Maggie ji odstrčila, řvala. Doktor se chvíli díval chladnýma očima zkušeného satanáše, potom sklapl etuji, nástroje zmizely, Maggie řvala. "Well, pane poručíku," řekl satanáš, "vaše dáma, jak vidím, nesouhlasí." Začal si shrnovat rukávy a Leonidas pravil vztekle: "Počkejte, já to zařídím —" "Ne tady, pane poručíku," řekl doktor, oblékl si sako a ukázal ke dveřím. "Zaplatil jsem předem!" vykřikl Leonidas. "Ale mylně jste mě informoval, že dáma je svolná." "Však ona bude!" "V tom případě mě navštivte a dohodneme nový termín. Ovšem —" satanáš spočinul zrakem na Maggii, "— nemáte mnoho času. Neměli jste zákrok tolik odkládat." Leonidas se podvolil Maggii, dal se táhnout ke dveřím. Ještě se otočil: "A ty peníze —" "Považujte je za náhradu ušlého času. Sbohem, pane poručíku."

"Odkládat," řekla Maggie. "Já prostě nechtěla. Uhasit plamínek života — souhlasila bys ty?"

Otřásla jsem se.

"Mělas ho aspoň trochu —"

"Nenáviděla jsem ho. Po bále v St.Louisu se neukázal a to mi vyhovovalo. Jenže pak jsem zjistila, co jsem zjistila, a napsala jsem mu dopis. Přijel a hned měl řeči o tom doktorovi. To jsem ho začla nenávidět."

Mlčela, chudák kamarádka. Spadla do odvěké ženské pasti a po útěku ze satanášovy kuchyně si Brumbla vzala. Jinak to v Liberty nešlo.

"Spadla jsem do pánský pasti," Maggie se křivě usmála.

"Já — ti zase nerozumím, Maggie —"

"Jak bys mohla," řekla jako prve. "Já byla rozhodnutá zůstat sama, svobodná s děťátkem. Asi bych odjela sem do Cincinnati, teta Hermione by mě vzala k sobě. Ona jako kdyby vypadla z oka slečně Marlowové, jestlis četla *Pýchu a pokoru*."

Zahořely mi tváře. V tom románku, jednom z mých prvních, se hodná tetička ujme proti lásce bezmocné Willifredy, která — byl to konec konců jeden z mých prvních opusů — nedosahuje ještě mého obvyklého standartu chytrosti. Zato mladý farmář ze Středozápadu Percy, s nímž se dívka z Los Angeles seznámí na návštěvě u příbuzných v New Yorku, je už hezký. Slíbí manželství, odjede vše přichystat na svou farmu, ale za měsíc, kdy si má pro Willifredu přijet do Los Angeles, se tam neobjeví. Energická slečna Marlowová na něho najme Pinkertonovy agenty — jasněji se naznačit nedalo, že následky setkání v New Yorku nebyly toliko citové. Nakonec se ukáže, že pouze hezký Percy si spletl Los Angeles se San Franciskem, kde Willifredu na adrese 12 Maple Street nenašel. Proto pojme podezření proti slečně Christieové, která bydlí v čísle 12 Maple Street, a jelikož mu farma hodně vynáší, uchýlí se rovněž k Pinkertonovi. Obě skupiny detektivů se úkolu zhostí s úspěchem, k němuž se ovšem musí propracovat řadou dějových zvratů. Milenci se ještě jednou nesejdou, neboť pinkertonovci z Los Angeles dopraví Willifredu do 12 Maple Street v San Francisku a jejich kolegové dovedou Percyho na touž adresu v Los Angeles. Na chvíli jsem se dokonce zabývala myšlenkou udělat ze staré slečny Christieové pana Christieho a zakončit příběh dvojsvatbou. Nakonec však hodná teta Marlowová zůstala na ocet a jenom se stala kmotrou holčičky vzešlé z mojí fantazie.

Hořely mi tváře. Proboha, jak může moje fraška Maggii v čemkoliv připomínat —

Rudá jako mák jsem řekla:

"Četla, ale opravdu nevím —"

"Jenže i kdyby život byl taková fraška, jako zaplať Pán Bůh je v románech Laury Lee," skočila mi do řeči Maggie, "tetě Hermione by taková hloupost ani nenapadla. Ta není z frašky, ale z Cincinnati. Napadlo to někoho jiného. A zavinila jsem to já."

Odmlčela se, pohladila růžový hřbet mého nejnovějšího dílka a já zas pocítila, jak se mi krev hrne do tváří. "Jenže co jsem prožila v tom domě jako z tvýho oblíbenýho básníka," řekla moje kamarádka, která asi četla víc, než přiznávala — ale proč potom Lauru Lee? — "to je snad polehčující okolnost. Ráda bych viděla tebe v tý situaci, Lorraine."

"Já bych omdlela," řekla jsem, abych Maggii udělala radost. Ona mě ale znala.

"Ty zrovna, náčelnice Šošónů! A já taky neomdlela. Jenom jsem se složila, a složená, vyklopila jsem všechno Claře. To jsem si vybrala tu pravou!"

11.

Když jsem si přečetla Leavittův verdikt, něco mě přitáhlo k Humphreyho knihovně a užuž jsem sahala po přihrádce, kde měl vyrovnané své oblíbené filosofy, ale vyrušily mě moje dvě ratolesti, které vtrhly do pokoje s náramným vřískotem. Jimmy si držel v hrsti zakrvácený nos a krev mu z něho tekla až na prsa, kde proměňovala nový obleček v oděv vhodný pro sbírku šatstva pro chudé děti. Loretta se pronikavým sopránkem hájila větou vskutku klasickou: "Mami, von začal!" Poručík Pettiford neměl tedy na dceřino chování ten dobrý vliv, jak jsem doufala.

Po knize z Humphreyho filosofické přihrádky jsem proto sáhla teprve po letech, kdy jsem se dozvěděla, jak krásný Kléma sešel se světa. Konec určuje tóninu.

Ambrose chtěl Vallandighama dát k ledu v nevlídné pevnosti Warren v bostonském přístavu, ale Lincoln rozkaz změnil a nařídil krále copperheadů dopravit do štábu generála Rosenkranse v Murfreesboro, který jej pod bílou vlajkou odeskortoval na území Konfederace. Tím vmanévroval Jeffa Davise do trapné situace. Pro Ambrosův politický fištrón byl však takový manévr příliš složitý a on se bránil: tribunál složený "z nejlepších důstojníků" (to bylo ještě před odhalením) vážil prý vhodnost deportace, rozhodl proti, a bude-li on nyní nucen rozhodnutí změnit, utrpí jeho prestiž. Nejde mu o ješitnost, ale prestiž bude potřebovat v nadcházejících týdnech, kdy je třeba očekávat řadu podobných procesů, konaných na základě precedentu *ex parte* Vallandigham. Lincoln však trval na svém, a tak Ambrose, jako vždy, přání prezidentovo bez dalších výmluv splnil. 22. května nalodil vězně v cincinnatském říčním přístavu na dělový člun *Exchange,* z toho jej vysadili v Louisville a odtud ho zvláštními vlaky dopravili do Murfreesboro a pak bryčkou k předním liniím. Po komplikacích s neochotnými jižanskými důstojníky, jimž Vallandigham spíš smrděl než voněl, jej konečně Rosenkransův major Wiles vnutil konfederačnímu plukovníku Webbovi, kterému se nepodařilo včas se domluvit s generálem Braxtonem Braggem. Krásný Kléma se změnil v horkou bramboru.

12.

Tečku za procesem s Vallandighamem udělal *Dayton's Weekly,* kde napsali, že Vallandigham se svým řečňováním rychle zahrabával do nejhlubšího politického hrobu, z něhož ho vzkřísil Burnside. Budoucnost ukázala, že takový divotvorce Ambrose nebyl. Zmrtvýchvstalý Kléma zdaleka nebyl už ten starý tribun z divokých dnů v květnu 1863, kdy zvedal hlavu hádek z mědi a Vallandigham se rozhodl vsadit na kartu mučednictví. Nevyšla mu: ve volbách v říjnu 1863 kandidoval *in absentia* z Kanady, kam odjel, ani se na Jihu neohřál, neboť samozřejmě pochopil Lincolnovu hru a nehodlal zkompromitovat své mírové stoupence na Severu tím, že by za věc míru bojoval z bezpečí pod křídly Jeffa Davise — a ten nebyl tak hloupý, aby ho zdržoval. Ale vzdor svatozáři mučedníka a šťavnatě protičernošským heslům své kampaně neuspěl. Vrátil se proto, ještě za války, do Illinois — Georgie Morton cestou z Indianopolis do Columbusu "zabloudil", aby ho nemusel zatknout — neprosadil se však ani na demokratické konvenci válečného roku 1864.

A po válce?

Rozhodl se vsadit na kartu, jak řekl můj moudrý muž, *panta rei*, ačkoliv dřív se rád a často dovolával posvátné minulosti, kterou stavěl do světla málem božího vnuknutí: *Na minulost je nutno zapomenout, co bylo, bylo. Je třeba nebrat to v úvahu.* Jenže nejen republikáni, ale i mnozí v jeho vlastní straně, snad proto, že neuměli řecky, používali pro Vallandighamovy proměny méně filozofického termínu o kabátu naruby a nepotřebovali vysvětlovat, že soustředěním na "nové úkoly" nemůže nikdo získat víc než Kléma. Jeho idealismus, zdálo se jim, je záhodno brát se špetkou soli a mučedník Ústavy je prostě — a vždycky asi byl — oportunista.

To mu možná křivdili, ale buď jak buď, šlo to s ním z kopce. Na srpnové konferenci demokratů v prvním poválečném roce 1866 jej Jewett a Campbell, jeho dlouholetí kolegové, obvinili, že "flirtoval s velezradou" a dali tak ex post za pravdu selskému rozumu soudce Leavitta a instinktům mého Ambrosa. Ucházel se pak o demokratické jmenování do senátních voleb, potom do guvernérských, ale všechny je prohrál. Vrátil se tedy k advokátní praxi.

A tam všechno vyhrál.

V roce 1871 se ujal obhajoby rváče, násilníka a vraha Thomase McGehana a zachránil ho před šibenicí. Ale sám —

Podrobné vylíčení jsem četla v daytonském *Daily Journal* v kolejní knihovně v Cincinnati. Citovali tam poslední Vallandighamova slova, než ztratil vědomí: *"Zatraceně! Takhle se seknout!"*

V kolejní knihovně bylo tou dobou jen několik studentů. Vstala jsem, šla jsem k policím a vytáhla jsem svazek, který jsem před časem chtěla vzít z přihrádky, kde své oblíbené knihy přechovával můj muž. S ním jsem přistoupila k oknu, jež se otevíralo do kolejní zahrady. Byla už

noc a na nebi červencové hvězdy, k nimž na mém balkóně
kdysi vzhlížel chybující generál.

Všichni se na ně dívají, protože svítí tak jasně. Jenom
málokteří se potom pokusí zahlédnout taky něco ve vlast-
ním nitru, neboť tam je většinou značná tma. V té tmě
něco důležitějšího než hvězdy.

13.

"Času moc nebylo a Leonidase strašila noční můra, co
mu provedu," říkala Maggie. "Přišel mě přemlouvat ještě
dvakrát a potřetí jsem mu řekla, že na něm nechci nic, než
aby mi dal pokoj. Bylo vidět, jak mu spad kámen ze srdce.
'Neboj se, Maggie,' pravil kavalírsky. 'O dítě se posta-
rám.' 'Jak? Chceš si mě vzít?' Lekl se. 'Vždyť's přece —'
'Neměj strach. Do chomoutu tě cpát nebudu.' Zašilhal po
mně, moc to z něj nelezlo, ale nakonec: 'Něco jsem zdědil
po strýci Bartovi. Jestli budeš potřebovat peníze —' 'To
víš, že budu,' řekla jsem. Váhal, ale nakonec mi dal tři
stovky. Bylo mi z něho už tak nanic, že jsem je vzala. To
byla má nějvětší chyba," vzdychla Maggie, "protože Cla-
ra mezitím zas kuplovala."

Totiž: Brumble byl přímým podřízeným poručíka
Burnsida a toho měla Clara přečteného. Do hry, jež se
mohla vyvinout v drama statečné a nezávislé mladé ženy,
vnesla tradiční gentlemanské prvky s úspěchem tak na-
prostým, že vedly k ukázkovému melodramatu s happy-
endem. Po happyendu následovala tragédie, jenže o těch
se v takových hrách nepíše.

Došlo k neohlášené návštěvě mladé dámy ze St.Louis
v Jeffersonských kasárnách. Z kočáru seskočil černý lo-
kaj, tiše promluvil s velitelem stráže, ten přistoupil k
vozidlu, otevřel dvířka místo lokaje a odeskortoval dámu
k poručíku Burnsidovi. Dáma s ním značně dlouhý čas
zůstala za zavřenými dveřmi jeho kanceláře a poručík ji
potom doprovodil zpátky ke kočáru, jehož dveře držel už
lokaj otevřené. Poručík byl ve tváři brunátný. Nato se v

kanceláři zavřel a posádkou se roznesla zpráva, že sukničkář Burnside má malér s dámou ze st.louiské lepší společnosti. Druhý den ráno se z dvoudenní dovolené vrátil podporučík Brumble a ve vrátnici ho očekával vzkaz, že s ním nutně potřebuje mluvit poručík Burnside Znovu dlouho zavřené dveře, zvuk, jejž zaslechl slídící četař a který zněl jako facka, pozdvižené hlasy. Zpráva se modifikovala. Den nato se v salóně Clařiných rodičů v St. Louis objevili dva důstojníci v parádních uniformách a podporučík Brumble požádal Maggii o ruku. Požádaná omdlela.

"Skutečně?" podivila jsem se. "Opravdus omdlela?"

"Neptej se tak hloupě, Lorraine. Potřebovala jsem získat čas, abych se rozmyslela. Nakonec, jak se říká, jsem vyřkla osudné Ano."

Maggie si všimla Humphreyho humidoru, otevřela jej a posloužila si viržinkou. Přidržela jsem jí svíčku.

"Prostě jsem spadla do gentlemanské pasti. Kdybych trvala na svém — a to jsem měla, možná — spoustu lidí by to ranilo. Mámu, tátu, konec konců i Claru. Myslela si, bůhvíco pro mě neudělala. A přála bych ti vidět Ambrosa — nahněvanej anděl strážce s naježenýma licousama. Nemohla jsem ho, po všem, co pro to udělal, no — shodit. To je asi to správný slovo." Maggie vyfoukla obláček dýmu a podívala se mi zpříma do očí. "Stačilo, cos mu provedla ty. Jenže to se do jeho obrazu světa ještě jakžtakž vešlo. Na tohle v mozku neměl šuplátko. A když mám být docela upřímná," řekla moje kamarádka, "vyhlídka na vdavky byla přece jen přijatelnější než ta druhá možnost. Protože to jsem ještě nevěděla, co vdavky můžou taky obnášet."

"Takže to byla ženská past," řekla jsem.

"Když myslíš," pravila Maggie. "Ale nastražili ji gentlemani. Byla snad někdy ostuda bejt nemanželským otcem?"

14.

Jako mnoho jiných věcí, nejlíp dilema těch bouřlivých dnů v květnu 1864 vyjádřil Lincoln. Po válce jsme všichni četli jeho slova z dopisu Corningovi, citovaná v mnoha knihách: *Musím opravdu dát zastřelit prostomyslného vojáčka, který dezertoval z armády, kdežto ani vlas na hlavě nesmím zkřivit podlému agitátorovi, jenž ho přiměl k zběhnutí? A je to stejné, jestliže se otec, bratr nebo přítel naláká na veřejnou schůzi a tam se tak dlouho apeluje na jejich city, až vojákovi napíší, že bojuje za špatnou věc, za zlotřilou administrativu opovrženíhodné vlády, která je příliš slabá, aby ho dala zatknout a potrestat, jestliže zběhne. Myslím si, že umlčet v takovém případě agitátora a zachránit vojáčka je nejen ústavní, ale nevíc je to čin velkého slitování.*

Právníci, po nich historici ovšem argumentovali, že neexistoval důkaz o přímém vlivu mírových orátorů na morálku armády. Nevím, co měl takový "přímý vliv" být, ale člověk prosté mysli jako Ambrose o zlém účinu protiválečné kampaně nepochyboval.

Tím míň pochyboval jeho podřízený, krásný generál Hascall: *Kdybych v městském centru soustředil v ošetřovnách pacienty postižené neštovicemi a potom trestal obyvatele, že od nich tu zlou nemoc chytli, jednal bych stejně, jako kdybych novinářským camralům dovolil vytrubovat do světa zrádcovské názory a potom lidem vyčítal, že je papouškujou.* Hascall byl ostrý hoch a šel rovnou na věc. Do týdne po Ambrosově krvežízníkvém rozkazu, jejž můj manžel komentoval slovem "Au!", zatkl redaktora *Weekly Democrat* D.E. Volkenburgha, protože si z ediktu dělal legraci, která ho pak přešla. Jiným listům ve svém distriktu dal na vybranou: buď přestat kritizovat válku, nebo přestat vycházet. Do hry se vložily velké deníky z lidnatých měst, především Storeyho chicagské *Timesy*, Hascall se zapletl do tištěných diskusí s redaktory, v nichž neměl velkou praxi, a Vallandigham se rozhodl k partii *va banque*.

Přímé důkazy pořád chyběly; naopak přibývalo indikací, že vojáci jednají jinak, než se obávali generálové. Jednotlivci i celé oddíly začali bojovníkům za mír věnovat čím dál rozhořčenější pozornost.

Na 20. května svolala Demokratická strana konvenci do Indianopolisu a Storey se ve svých novinách dal slyšet, že demokrati budou svá ústavní práva hájit "nenásilně, pokud to půjde, a když to nepůjde, tedy násilím."

Storey se, to je docela možné, dal unést rétorikou, jenže přímo se to dokázat nedá a Hascallovi někdo hlásil, že konvence je pouhý pláštík, jenž má skrýt vlastní účel mírového shromáždění: útok na indianopolský arzenál a vyzbrojení copperheadů ukořistěnými flintami. Ambrose sice Hascalla varoval před příliš násilnými akcemi, ale Hascall odpověděl pýticky: činí prý *opatření nutná k udržení klidu v den konvence*. V rámci těch opatření se městské centrum dvacátého května hemžilo nejen známými odznáčky, ale i vojskem. Pěšáci s nasazenými bajonety obsadili kruhové náměstí, arzenál obstoupila artilérie zesílená pěchotou a městem křížem krážem cválaly oddíly jízdy. Mimoto, jednotliví vojáci v davu dbali na to, aby z tribun nezaznělo nic, co by se dalo vyložit jako výzva ke zradě, a interpretaci vyhradili sobě. Neustále překřikováni ozbrojenci v uniformách, nemohli řečníci rozvést protiválečnou rétoriku a jednoho, s velmi lesklým odznakem na klopě, vyhnal dokonce jakýsi vojín z tribuny bajonetem.

Těžko říct, co k čemu vedlo. Ve čtyři odpoledne vystoupil na hlavní tribunu senátor Thomas A. Hendricks, ale než něco řekl, zase zmizel. K tribuně se blížil oddíl zamračených pěšáků s bodly napřaženými k akci.

Senátorův útěk dal povel k všeobecnému zmatku. Mezi shromážděné vjela švadrona na koních, dav se rozprchl a zanedlouho se z nádraží ozvala střelba. Z vlaku pálili ozbrojení civilisté, aby si vylili vztek, a proto jen Pánu

Bohu do oken. Hascall poručil vlak zastavit a lidé postávající podél trati s úžasem sledovali, jak do potoka Pogue's Run žbluňká pistole po pistoli — ozbrojenci se zbavovali *corpu delicti*. Ze všech podivných událostí dne vylíčil Hascall v hlášení Burnsidovi nejbarvitěji tenhle déšť pistolí a dal věci nadnesené jméno "Bitva o potok Pogue's Run."

Dalo se to vykládat jako pokus o ozbrojenou vzpouru proti vládě nebo jako pošlapání svobody, a taky se to oběma způsoby vykládalo. Ambrose však měl tou dobou navíc jiné a v jeho očích důležitější starosti. Dostal rozkaz sestavit Třiadvacátý armádní sbor, připojit se v jeho čele ke generálu Rosencransovi v Západním Tennessee a spolu s ním vypudit rebely z východního území státu. Přípravy 3. června zkomplikoval jiný rozkaz, podle něhož se Ambrose měl odebrat do Hickman's Bridge v Kentucky a tam organizovat přesun jednotek k Vicksburgu, kde se Grant se Shermanem chystali k rozhodné bitvě. Obtížen tak složitými problémy, vesměs v rámci vlastního řemesla, sotva mohl Ambrose věnovat příliš pozornosti distinkcím ústavního práva.

15.

Tomu zato čím dál větší pozornost věnoval Storey z *Timesů*. Měla jsem s ním tu čest osobně jenom jednou v životě. Storey byl vysoký, šedovlasý, do sebe uzavřený pán, posedlý vášní vybudovat velké noviny a ovládaný dvěma navzájem souvisejícími city: nenávistí k Lincolnovi a nechutí k černochům. Na večeři u děkana Stowella v Chicagu, kde jsem byla s Humphreyem, se nějaký metodistický duchovní z Virginie, jenž zřejmě neměl tušení, kdo je Storey, při kávě vytasil s peticí určenou Lincolnovi: zrušit otroctví jako výraz pokání z národního hříchu. Než ji mohl dát kolovat k podpisu, Storey ledově pravil: "Z národního hříchu, pane?", pohledem přibil velebníčka k židli a pokračoval: "Velký národní hřích, pro nějž nebesa trestají Ameriku, je, že zvolila Lincolna prezidentem. Trest za tento hřích, pane, je zcela na místě."

Nenávist k rebelům se ve Storeyho článcích, jak to komentoval můj muž, projevovala čistě a jedině jako formální *libatio* Federaci; nenávist k Lincolnovi a jeho "negrům a negromilům" nacházela výrazy prosáklé upřímným citem. Není se tedy co divit, že Ambrose, který prezidenta ctil, a pokud to u tak mužného muže vůbec jde, miloval, sledoval Storeyho výpady obzvlášť pozorně. Tím spíš, že na Storeyho si stěžoval i starý Ambrosův kamarád z Liberty Ollie Morton, indianský guvernér, a plně souhlasil se svým kolegou Yatesem, když ten už před časem telegrafoval do Washingtonu, aby se proti *Timesům* zakročilo, jinak že by "chicagští občané mohli vzít věc do vlastních rukou." Ambrose nebyl tedy zdaleka sám, kdo v Storeym viděl skrytého (ani ne moc skrytého) stoupence rebelů. Nakonec ho ovšem všichni, i Ollie Morton, nechali vařit se ve vlastní šťávě.

Timesy ho čím dál víc napadaly osobně, ale osobní urážky Ambrose uměl spolykat. Zprávu od "reportéra X", washingtonského dopisovatele Timesů, spolknout nedokázal. "Reportér X" vylíčil Lincolna jako trosku zžíranou z dobrého důvodu špatným svědomím, neboť to je obtěžkáno tak hroznými zločiny, jako je osvobození otroků. Lincoln není nic než služebný duch, tančící podle písničky svého kabinetu, jehož členové *rozhodují o osudu této kdysi svobodné republiky*.

Rozpor mezi hříchem a závěrem článku ani jeho autor, ani Ambrose neviděli: Ambrose proto, že ho novinářův portrét prezidenta rozlítil. Jednou nohou už ve vagóně, který ho měl odvézt k Třiadvacátému sboru do Kentucky, vydal rychle po sobě tři rozkazy, jimiž se zastavovala činnost *Timesů* a které formulovaly Ambrosovo možná zjednodušující, ale nezměnitelné přesvědčení: *Svoboda diskuze a kritiky, která v době míru je pro novináře a kritiky zcela na místě, stává se nejhorší velezradou v době války, jestliže oslabuje důvěru vojáka v jeho velitele a v jeho vládu. Za války jsou v jistém smyslu všichni občané vojáky, a jako vojáci musejí přinášet oběti; mezi těmi oběťmi je někdy i svoboda tisku,*

Potom Ambrose odjel do Kentucky, odkud měl zaútočit na Východní Tennessee. Jenže ve Washingtonu se mezitím rozmysleli jinak a v Hickman's Bridge už na Ambrosa čekal Halleckův telegram, který původní rozkaz měnil a nařizoval zorganizovat přesuny do oblasti Vicksburských operací.

Nebylo to ve zmatených dnech počátku června naposled, co ve Washingtonu změnili mínění a následky padly na Ambrosovu hlavu.

16.

Než ten večer odešla, vylíčila mi Maggie, co obnášely její vdavky. Posílilo mě to v přesvědčení, že kdyby Maggie sáhla k peru, kde bude Laura Lee? Jako každá tak zvaně šťastně vdaná žena vyslechla jsem svou dávku reportů o nepovedených manželstvích, jimiž mě zásobovaly postižené známé. Třebaže to byly příběhy ze života, formu měly ryze symbolickou: hrdinka byla utkána z lilií a její protihráč byl zloduch, od něhož by se Belzebub leccemus přiučil. Maggiina story byla prosta symbolů a jediné, co do ní vypravěčka vnesla zvnějšku, byly ironické akcenty.

Příběh začal ani ne tak svatbou jako smrtí děťátka, které dva měsíce předtím smrti uniklo — tím se postaralo o ironický úvod — a skončil smrtí plukovníka Brumbla na dosah kamenné zídky na Marye's Heights. Mezi oběma skony leta mlčení, povinností plněných jen pro vidinu jiného děťátka, které nepřišlo, nesnesitelné vzájemné přítomnosti, obapolného mučení: past. Nad ní absurdní anděl strážce s gigantickými licousy.

"V *Červáncích v Baltimore* je podobná historka," pravila Maggie. "Manželství Elviry a Henryho. Ten si ji ovšem vzal čistě na přání rodičů, ne že by utekla od andělíčkáře. Jenže kdo ví. To asi v románech napsat nejde."

"Ne v těch, co je píš —" zajíkla jsem se a včas jsem toho využila: "— e Laura Lee. A je to jenom vedlejší zápletka. Hlavní příběh v *Červáncích v Baltimore* je stejný jako ve všech —"další zajíknutí, "— ve všech ostatních románcích Laury Lee. Dá se to vyjádřit formulí: cesta k oltáři s humornými překážkami."

Maggie vstala a s viržinkou v ústech se vydala na obchůzku po salóně. Zastavila se opět před římskou modroočkou a zahalila hlavičku modravým kouřem.

"Proč Laura Lee někdy neudělá vedlejší příběh z cesty k oltáři s humornými překážkami?" zeptala se.

"Protože ten je lehčí na napsání. Aspoň myslím," dodala jsem honem. "Vylíčit život, jaký je doopravdy —

"Zkusilas to někdy?"

Zavrtěla jsem hlavou a prohlásila jsem jako udiveně: "Já přece nepíšu!"

Hlas mě zradil. Od římské hlavičky se Maggie otočila ke mně:

"Nekecej, Lauro!"

17.

V Detroitu mi jednou vyprávěli o redaktorovi, jehož Storey poslal napsat reportáž o vraždě demokratického úředníka na radnici. Reportér se přidržel jenom prokázaných fakt a z těch nevyplývalo, že zatčený barman, známý Lincolnovec, je vrahem. Odevzdal článek Storeymu a ten do něj připsal vymyšlené údaje, které na barmana jasně ukazovaly prstem. Článek vyšel, redaktor se namíchl a vjeli si se Storeym do vlasů. Nakonec Storey reportéra vyhodil se slovy, jaká by přišla vhod panu Bartlettovi: "Zapomínáte, pane Bendix," dal Storey na rozloučenou novináři poučení, "že nepracujete pro šerifa a neplatí vás město. Jste reportér *Detroit News* a platím vás já." Šerifovi muži po čase usvědčili skutečného vraha a barmana propustili, záležitost se však táhla několik měsíců a na vylepšený článek se zapomnělo. Pro Storeyho měla ta lež cenu několika dolarů za výtisky prodané díky senzaci. Větší cenu pro něho nemělo nic na světě.

V Chicagu si Storey nepotřeboval vymýšlet. Když po dvoudenní pauze, kdy na základě Ambrosova rozkazu *Timesy* nevyšly, Lincoln Ambrosovo rozhodnutí zrušil, kameloti zaplavili město křikem o "triumfu svobody" a Storey stržil svých pár dolarů navíc. Ministr námořnictva Gideon Welles později řekl, že Ambrosův edikt bylo přesně takové nařízení, jež "ničemům dává právo uvádět v potaz jednání poctivých mužů." Snad. Storeymu to přirozeně bylo jedno.

Přemýšlela jsem o těch událostech v salóně a dívala se na letní hvězdy za vysokým oknem. Pak jsem uvažovala o těch věcech důležitějších než hvězdy.

OLIVER O. HOWARD   WILLIAM B. HAZEN   JEFFERSON C. DAVIS   JOSEPH A. MOWER
JOHN A. LOGAN   WILLIAM T. SHERMAN   HENRY W. SLOCUM

Kapitola čtvrtá

BENTONVILLE

Po dnech a týdnech dešťů vyšlo nad obzorem slunce a v umyté krajině se pomalu řadila Carlinova divize, jež měla tvořit předvoj Čtrnáctého sboru generála Jeffa Davise a jít v čele Slocumovy Georgijské armády. Den byl jasný, ani stopy po mlze, jenom pod obzorem terpentýnové lesy dosud doutnaly. Visel však nad nimi pouze řídký kouř, ne už zlá černá znamení, tyčící se k nebi jako žebra ohořelé katedrály. Divize měla před sebou nějakých deset mil do Cox's Bridge, kde se generál Davis — až Carlin odstraní hrstku jízdních švadron, které jsou možná v cestě — nazítří setká se Shermanem, a sotva dvacet mil do Goldsboro, kam co nevidět s čerstvou armádou dorazí Schofield. "Nebezpečí je, počítám, za námi," řekl ráno Sherman. Byl přesvědčen, že Hardee, Bragg i Johnston se stahují k Raleigh, neboť z komplikované hry lstí, manévrů a úvah novinářů — naznačovaly to výpovědi zajatců od Ayersboro — přece jen usoudili, že Greeleyho článek je bluff, a rozhodli se svést velkou bitvu, snad poslední, v předpolí hlavního města. "Je neděle," zasmál se Sherman, "a hodí se teda navštívit Howarda." Na začátku války generál Howard věřil, že v den Páně se boje mají přerušit, aby vojska mohla strávit den na bohoslužbách. Pokud to šlo, zahajovaly se v Howardově armádě neděle dosud bohoslužbami, ale obvykle se bojovalo jako v pracovní den.

Cestou od potoka měl seržant v týle pocit, jako by naň někdo mířil pistolí. Šel kolem rozkvetlého meruňkového sadu a díval se na vojáky Dvaadvacátého wisconsinského, jak se na úpatí zelenající se stráně řadí podle čet, jež před čelem Carlinovy divize měly provádět bojový průzkum. V krajině stkvící se v záři odpočatého slunce jarní čistotou, vypadali wisconsinští v hadrech se zaschlým blátem na botách — pokud měli boty — s blátem na košilích, kazajkách, dokonce i na čepicích, víc než kdy předtím jako armáda tělesně zdatných žebráků.

Před stanem generála Carlina kartáčoval ordonanc novou uniformu a křídly stanu zahlédl seržant zasmušilou tvář válečníka nad bílou košilí, kterou si právě zapínal u krku.

"Co to?" oslovil ordonance. "Nejedem na přehlídku."

"Takhle se starej voblíká vždycky před bitvou," zašklebil se voják. "Kdyby pad, aby se jeho zohavená mrtvola poznala podle puků na kalhotech."

"Žádná bitva nebude," pravil loajálně seržant. "Nanejvejš pár šarvátek s Wheelerem."

"Na to bych se nespolehal," řekl ordonance. "Starej má čuch na krev a teď ji cejtí. Podívej!" ukázal k západu. Za řadícími se Carlinovými jednotkami ujížděly směrem dozadu vozy s proviantem. "Zajišťuje se, aby se naší šunky nenažrali rebové, kdyby bitva vyšla šejdrem."

"Žádná nebude," zabručel seržant a kráčel rychle ke stanu svého generála, kam už přivedli osedlaného Sama. Generál vyšel ze stanu. Na hlavu si nasadil klobouk, jemuž chybělo kus střechy. Kdysi jej zdobilo pero, ale z pera zbyl jen brk. Na pero se seržant nepamatoval, z pod krempy vždycky trčel jenom brk, střecha však byla kdysi celá. Nevzpomínal si na generála v jiném klobouku, zato jak, ještě u Třináctého, Zinkule na sebe při prohlídce upozornil dvěma utrženými knoflíky a ptačím hovínkem na jinak vycíděných botách. Sherman prováděl prohlídku přísnému generálu Halleckovi na očích, všiml si nepřítomnosti knoflíků a přítomnosti hovínka a Zinkukleho plukovnicky seřval. Seržant však postřehl, že Halleck se nedívá na hovínko nýbrž Shermanovi na klobouk. Tehdy snad na brku zůstaly ještě zbytky chmýří, na to už se nepamatoval, a střecha, ač zdaleka ne perfektní, vypadala jenom jako okousaná od myší. Později pochodovali kolem otevřeného okna velitelství a slyšeli, jak Halleck

vevnitř generálsky seřvává plukovníka: "S takovýmhle
kloboukem na hlavě, pane plukovníku, nemáte právo
kárat vojíny za nedostatky výstroje!" Javorský, pochodu-
jící v poslední řadě, oslovil Zinkuleho: "Slyšíš, Franto?
Příště mu poraď, ať si zamete před vlastním prahem."
"Příště si je včas přišiju a ptačí trus utřu," pravil vždy
smrtelně vážný Zinkule a dodal: "Disciplína musí bejt!"
    Generál se vyšvihl na koně, žebráckou tvář obrátil ke
slunci. Bylo sedm ráno, slunce nízko nad obzorem, ale
zářilo. Vyjeli.

    Ujeli sotva tři míle — Howardův sbor byl od Slocu-
mova nebezpečně daleko, místy až dvacet mil — cváleli
zelenajícím se krajem, mezi borovými hájky a opuštěný-
mi plantážními domy, kolem močálů, kde ptáci už zpívali
první zpěvy zásnub, podél rozkvetlých jabloňových sadů
a kvetoucích keřů meruňkovníku. Vál chladný, po sych-
ravosti mokrého předjaří však téměř vlahý vítr, slunce
jim zkracovalo stíny, nad hlavami kroužili vodní ptáci.
Před sebou viděl seržant generálova záda a lesklé hýždě
koně Sama, štábní důstojníky jedoucí navyklým kyvad-
lovým pohybem, jak se opožďovali a zase dojížděli ge-
nerálova rychlého koně. Seržant v sedle zdříml a octl se
v míru, po válce, v Chicagu. Dřímal, v uších mu zněl
Uršulin hlas, jímž i von Hanzlitschkův rodný jazyk kou-
zlem proměňovala v lahodnou němčinu: *"Ach, du mein
lieber Mann!"* Víc se od madam Sosniowské v Kolumbii
nedozvěděl. Stačilo mu, že šibenice ve vteřině ztrouchni-
věla.
    *"V New Yorku. Nebo snad, počkejte, v Chicagu mys-
lím. Nevím to jistě. Někde."*
    Někde! Ať je kdekoli! Ale je!
    Srdce se jako kůň rozběhlo radostným klusem.
    Odvážně se zeptal:
    "Jí se zabil muž? Hauptmann von Hanzlitschek?"

Neodpověděla hned.

"Vy jste ji znal?" zeptala se. "Myslím — dobře znal?"
"Trochu," řekl.

"Hm," pohlédla za vzdalujícími se Kakuškovými novými ostruhami. "Trochu ji znal každý voják. Od vidění. Byla to přece ta hezká panička nejprotivnějšího hejtmana u Šestého regimentu." Pohlédla mu zpříma do očí."Nejnenáviděnějšího hejtmana. Nebo vy jste ho měl rád?"

Nemohl přeslechnout dost škodolibou ironii. Maličko se opět lekl, hned se zas uklidnil. Stáli před jejím bílým domem, jehož fasáda žloutla odrazy ohňů v hořící Kolumbii, tisíce mil od Helldorfu, patnáct let od chvíle, kdy Uršule na bílých zádech Hanzlitschkův bejkovec namaloval znamení žárlivosti nebo vzteku okradeného.

"Neměl," řekl. "A Uršulu," opravil se: "paní von Hanzlitschek —"

S úsměvem ho opravila:
"Uršulu."

Leta strachu mu přece jen nedovolila, aby jí potvrdil, co asi věděla a co bylo pravda.

"Uršulu jsem znal — dost. Někdy jsme spolu mluvili. Ona — víte — byl jsem jednou nemocný a ona mi — do lazaretu — nosila mastě —"

Odmlčel se a madam Sosniowská mu pohlédla do žaludku.

"Ty mastě jí míchal můj nebožtík. Neptal se, pro koho jsou. Pro hejtmana nejsou, řekl mi, když si pro ně přišla poprvé. Na zlatou žílu nepomáhají," zasmála se. "Von Hanzlitschek trpěl zlatou žílou."

"Byly pro mě," řekl.

"Já vím," řekla madam Sosniowská. "Tak to jste byl vy," usmála se na něho. "Uršula byla najednou šťastná. Znala jsem ji od svatby. Šťastná nebyla nikdy. Hanzlitschka si přirozeně nevzala z lásky. Toho jí —" madam Sosniowská se ušklíbla, "—přidělili. A najednou — štěstím přetékala. Ale když se Hanzlitschek —" znova mu

pohlédla do očí, "— zabil, málem se zhroutila. Tak ne-
šťastnou jsem ji neviděla."

Neřekl nic.

"Všechno zlé je k něčemu dobré," pravila madam
Sosniowská. "Bylo tu takové podezření, ale všichni viděli,
jak Uršula trpí. Vlastně," usmála se. "to mělo podezření
spíš zesílit. Jenže Uršula měla vodotěsné alibi. Služka —
pamatujete se na ni? Taková hezká. Heidemarie."

Přikývl.

"Dosvědčila jí, že byla celý den doma a psala dopisy."

Od Kolumbie se blížila další švadrona Kilovy jízdy.

V dálce od východu najednou zahučela kanonáda.

Seržant se probral. Byli už jen asi míli od Cox's Brid-
ge, kde tábořil generál Howard, dvacet mil od Goldsbora,
kde se nazítří měli spojit se Schofieldem, a nějakých
deset mil od Bentonvillu na východě, odkud zlověstně
hučela děla. Voněly tu rozkvetlé třešně, jarní vánek si
hrál s rákosím, slunce klesající k západu dosud svítilo
čistým jarním světlem. Ale nad krajinou přízračně znělo
mechanické řvaní kanonů.

Seděli na nehybných koních, oči prodloužené dale-
kohledy k Bentonvillu. Nikdo nic neříkal. Čekali, co
řekne generál.

Včera: "... jen pár švadron jízdy." Může baterie leh-
kých děl, jaká s sebou vozí kavalérie, dělat takovýhle
rámus? Hleděl na generála. Pobočníci Audrey a Dobson
na sebe pohlédli, ačkoliv před očima drželi dalekohledy.
Nebylo těžké číst jim myšlenky.

Jako vždycky leželo na generálových bedrech břímě
těžkého rozhodnutí. "Co je to strategie?" položil nedávno
řečnickou otázku svému štábu, když nadávali nad velice
nespolehlivou mapou Severní Karolíny. "Selský rozum
aplikovaný na válečné umění." Všiml si tehdy, že gene-
rálu Howardovi vylétla obočí vzhůru na znamení discip-

linovaného nesouhlasu. Generál — nikoli jako učebnice, ale jako sedlák — pokračoval: "Člověk něco udělat musí. Nemůže běhat od jednotky k jednotce a tahat rozumy z četařů a desátníků. Všechno si musí srovnat v hlavě sám a pak dá rozkaz. Když něco nevyjde, může malér svádět, nač chce, stejně to padne na jeho hlavu." "A když to vyjde?" zeptal se kapitán Williams. Generál se zasmál: "Ať přítelíčkové připíšou úspěch čemukoliv, vavřín o-věnčí hlavu jemu. A docela správně. Bylo to jeho rozhod-nutí." Generál pohlédl na pluk, tlukoucí v lesíku špačky. "Svatozář ovšem moc nechrání," řekl. "Člověk vydá nový rozkaz, všechno jde jako naschvál šejdrem, za pár dní vám žurnalisti umejou hlavu v močůvce, vavříny uplavou a už se s nima neshledáte. Tak je to se slávou." Pohlédl na mladičkého poručíka v potřísněné uniformě, který se marně pokoušel vypěstovat si pod nosem knír. "Sláva —" pravil zadumaně generál. "Člověk padne na bitevním poli a žurnalisti mu v novinách zkomolí jméno. To je sláva." "Všichni nepadnou," řekl kapitán Williams. "Všichni ne," pravil generál. "Jenom nakonec všichni umřou. Pak už nemůžou dosvědčit, jak věc viděli oni, a žurnalisti mají zelenou." Zasmál se. "Ze mě udělají ukrut-níka, co ho snad omlouvá jen to, že byl blázen, a jeho skromné úspěchy beze zbytku vysvětlí z pekla štěstím. Z Granta vyrobí ochlastu, a jak vysvětlit, že ochlasta vůbec něco udělal dobře, leda z pekla štěstím? Jenom ty vyjdeš v jejich knížkách dobře, Olivere," obrátil se na Howarda. "Tvoje štěstí se peklu připisovat neodváží." Generál Ho-ward se zachmuřil, zřejmě nepotěšen lehkým tónem Shermanova monologu, a sáhl po bibli, která mu jako vždy nadívala kapsu na kabátě. Sherman rychle dodal: "A přece, ať jsme, jací jsme: já musím vydat rozkaz, Grant musí vydat rozkaz." Generál zabloudil očima od Howar-dovy už se opět vyjasňující tváře k jednotkám, jež pocho-dovaly do pozic. Řekl: "Bez rozkazů by to nešlo. I prezi-dent je musí dávat. Bez nich by Amerika spadla do propadliště a zasloužila by si opovržení lidstva."

Náhle kapitán Williams znova přiložil dalekohled k oku. Seržant se rozhlédl. V dálce vyjel mezi meruňkami osamělý jezdec a tryskem mířil k nim. "To je Burton ze Slocumova štábu," pravil kapitán.

Potom pokračovali k východu, meruňkové sady v soumraku tmavly a sloupy kouře za nimi označovaly Howardovo tábořiště. Kapitán Burton se vracel k západu a zmenšoval se. Jeho dobrá zpráva spočívala, přečtena, v seržantově tornistře. *Dvaadvacátý wisconsinský*, psal Slocum, *vešel ve styk s oddíly rebelské jízdy a dává jim za vyučenou*. Sherman měl tedy pravdu: pár jízdních švadron. Ale to neutuchající hučivé řvaní? Pár jízdních švadron? Generál, posílen zprávou, však rychle ujížděl k Howardovýmn táborákům, štáb jako kyvadlo za ním. Brukot kanónů se ztrácel v dálce, seržanta obklopil jarní zpěv cvrčků, volání ptáků. Obloha, po mnoha dnech opět jasná, procházela večerní metamorfózou, zvlhlou hvězdami.

"*Podezření tu ovšem zezačátku bylo,*" pravila madam Sosniowská. "*O Hanzlitschkovi se totiž vědělo, že má v Neuhausen maitressu. Ona se po jeho smrti přiznala. Scházeli se v takovém domečku na Gottestischlein — pamatujete se?*"

Přikývl, tváře mu zahořely.

"*Hnízdečko lásky,*" řekla. "*Hanzlitschek si je zařídil. Každé úterý a pátek. Hanzlitschek dělal všechno podle rozvrhu.*"

"*Ale tohle se stalo ve středu—*" hned—pozdě—zmlkl.

Usmála se na něho. Ani se nezeptala, jak to ví. Řekla:

"*Jenže Uršula měla přes Heidemarii to vodotěsné alibi a pak, maitressa sama — byla to vychovatelka komtesky Schoenheimové, co měli v Neuhausenu zámek, jistě se pamatujete?*"

Přikývl, zeptal se:

"Co udělala?"

"Před generálskou komisí dostala hysterický záchvat. Vyšlo najevo, že čeká dítě. S Hanzlitschkem," řekla paní Sosniowská. "A protože byla v tom hysterickém záchvatu, vyšly najevo i jiné věci." Odmlčela se.

"Jaké?" Bylo to dávno a daleko.

"Nemohu a ani nechci vám vykládat jaké. I mně to manžel jen naznačil. Krátce a dobře, Herr Hauptmann von Hanzlitschek vyžadoval na guvernantce služby, jaké se páni obvykle neodvažují vyžadovat na manželkách. Nebo možná i odvažují. Jenže Uršula by mu je sotva poskytla. Nemilovala ho."

O Hanzlitschkovi nevěděl, o něm nikdy nemluvili. Jemu však Uršula —. A sama, proto to bylo takové — zvěstování... co všechno může člověk na světě mít. Seržant vypudil z hlavy opojnou vzpomínku.

Kolem padal hořící sníh.

"To samozřejmě neudělalo dobrý dojem na generála Graetze. Hanzlitschka stejně neměl rád — a kdo měl? Teď ještě takováhle odhalení. Uršula prostě měla jeho sympatie. Guvernantka sice také prokázala alibi, ale konec konců všechno vypadalo přesvědčivě: kluzký mech, ostrý kámen. Jenom se nevysvětlilo, co tam Hanzlitschek ten večer dělal. Byl přece jako hodiny, pouze v úterý a v pátek."

Pohlédl zpříma do černých očí madam Sosniowské, v nich ohňostroj hořícího sněhu.

"Zaved ho tam čert," řekl. "Přišel si pro to, co mu patřilo."

Sherman stál s Howardem před stanem, oba natahovali uši k východu. Dávno se setmělo, hvězdy vyšly, kanonáda nezmlkla. Pouhá šarvátka Dvaadvacátého wisconsinského s Wheelerovou kavalérií to nemohla být. Oba generálové spolu tiše hovořili, nerozuměl jim. Dělostřelba trvala nepřetržitě, dlouho do noci. Co ten uklidňující Slocumův list? Napsal jej ráno, teď byla noc. Generálovi se na bedra kladlo břemeno rozhodnutí. Jenže žádný další kurýr, jenom ta kanonáda. Houkání sovy. Generál rozhodil rukama, otočil se, vešel do stanu. Howard za ním. Na prozářené látce se hýbaly stíny. Pak zhasili lampu. Seržant se natáhl na zem vedle uhasínajícího ohniště. Zahleděl se na hvězdy. Hořící sníh.

"Taky si myslím," řekla paní Sosniowská. "Verdikt zněl: Nešťastná náhoda. Uršula —" hleděla mu zpříma do očí, věděla už samozřejmě všechno, "— nikdy jsem ji neviděla tak nešťastnou." Pohlédl do obrazu hořící chumelenice.

"Miloval jsem ji," řekl. "Pořád ji miluju."

"To tedy všechno vysvětluje," řekla paní Sosniowská. Najednou dusot kopyt. Vyskočil. Z východu se pod hvězdami blížili dva jezdci. Jeden byl kapitán Farmer, velitel Howardovy stráže. Druhý jel na koni, jemuž se pěnilo kolem huby. Kurýr.

Vešli do stanu, uvnitř se rozsvítila karbidka. Vzrušené hlasy.

"Napsal jsem jí několik dopisů. Nikdy mi neodpověděla," řekl seržant

"Kdy jste jí psal? Odkud?"

"Odsud," řekl. "Z Ameriky. To už jsem byl v armádě."

"Za rok se vdala," řekla madam Sosniowská. "Ani ne za rok. V Helldorfu se nad tím přirozeně pozastavovali. Hned po verdiktu odcestovala do Vídně. Vzala si nějakého hraběte von Hofburg-Ebbe, který slouží v diplomatickém sboru. Do měsíce po svatbě s ním odjela, myslím do Stockholmu."

"Jak mohla —" ale nedořekl, co chtěl. Co měla dělat? Jeho šílená pozvánka do Ameriky? Stejně přišla pozdě, jestli vůbec. A ostatní dopisy? Poslali je za ní? Co s nima udělala? Zatřásl hlavou. Kakuškův oddíl se z nějakého důvodu vracel. Jeho krásné ostruhy.

"Některá přání se splňují jenom v románech, seržante," pravila madam Sosniowská. "A někteří lidé patří k sobě, víte, taky jen v románech." Popadl ho vztek. Proč

jenom v románech? "Ale válka brzy skončí, seržante," řekla paní Sosniowská. "Potom snad zkuste štěstí —"

Ze stanu vyletěl generál, jako čert, v dlouhých červených podvlékačkách, bosýma nohama rovnou na mírně řeřavé uhlíky táboráku, a zařval jak čert:

"Kde je Williams? Ke mně! Všichni štábní! Probudit!"

Za ním se ze stanu vynořil generál Howard a levou rukou si cpal prázdný rukáv do prázdné kapsy kabátu. Ve světle hvězd se kmitly červené lampasy důstojníka uhánějícího tryskem ke generálovi a v běhu si připínajícího šavli.

Sotva za týden mělo být na světě první číslo a čtenářský kroužek se pod Shakovým netrpělivým vedením zvolna učil latinku. Plynně ji zatím zvládla jen Mánička Kakušková, a zatím co ostatní slabikovali, slzela v koutě nad Viktorkou. Pádecký chtěl z kroužku vystoupit, rozezlen, že má být najednou zase negramotný, když doma se číst naučil pracně a až v dospělém věku. Vinu za zavedení latinky přičítal rakouskému mocnáři a prohlásil, že v demokratické Americe by k takovému násilí dojít nemohlo.

"To nemohlo," souhlasil Shake. "Tady mají latinku odjakživa, takže jako uvědomělej Američan by ses jí měl učit s radostí."

"To sem nepleť!" řekl Pádecký. "Budu se učit číst! Eště neumim po anglicky pořádně kváknout a už se budu učit číst!"

"Zatím česky," řekl Barcal, který se projevil jako málem šplhoun.

"Že se nestydíš, Franto!" pravil Pádecký. "Císař pán nařídí, a ty se můžeš přetrhnout!"

"Mimochodem," pravil Shake. "Císař pán Čechům nařídil právě švabach. Po Bílý Hoře."

"Nešiř bludy, že seš učenej!" utrhl se na něho Pádecký. *"Já vystupuju —"* ale než mohl podat rezignaci, vrazil do lokálu Kyšperský se zprávou, že na louce pod Monroe Street cvičí zuávové. *"A maj červený kaťata!"*

Měli. Taky měli červené fezy a na lýtkách vysoké bílé kamaše. Uprostřed louky stál zuávský plukovník se zlatými nárameníky a silným hlasem štěkal rozkazy. Bílé kamaše dělaly čelem vzad, vlevo v bok, vpravo v bok, kalhoty, trochu podobné splasklým balónům, se elegantně vlnily a pochodovaly sem tam jako červená stonožka. Z jedné strany lemovaly louku kočáry, v nichž se třepetaly vějíře.

"Voni sou mahometáni?" zeptal se Krištůvek.

"Ty nám tu eště scházeli!" zabručel volnomyšlenkář Pádecký. *"Jako dyby v Americe nebylo už dost všelijakejch modlilů!"*

"Neurážej víru, pohane!" pravil konvertita Kafka. *"Ale mahometánství by se tu trpět nemělo. Amerika je a musí zůstat křesťanská!"*

Pádecký se rozzuřil:

"To si jeď zpátky do Rakouska, jesli chceš někomu něco zakazovat! Tady je pro každýho svoboda!"

"Sousedi, uklidněte se," pravil Shake. *"Co vidíte, nejsou žádný vyznavači Allaha. To si jen vymysleli takový uniformy, aby jim to ve válce líp slušelo."*

"Copak je ňáká válka?" utrhl se na něho Pádecký.

"Brzo bude," řekl Shake.

"Hovno bude!" rozlítil se Pádecký. *"Jižáci se vodtrhnout vod Unie nevodvážej!"*

"Sousedi, koukněte!" přerušil spor Slavík, ukázal na druhou stranu louky a odvedl tak řeč od politiky k podívané, která je zaujala víc. Několik dam vystoupilo z kočárů a se vzrušeným zájmem si zblízka prohlížely pochodující muže v červených kalhotách, jedna dokonce lorňonem. Plukovník hlasitě vyštěkl nesrozumitelný rozkaz, zuávům se pod bílými kabátci vyboulila prsa a bílé kamaše sebou počaly mrskat nahoru dolů. Červené kalhoty

*krásně vlály. Dáma ve vínovém sametu pustila lorňon,
zůstal jí viset na zlatém řetízku kolem krku, a jala se
tleskat. Ostaní se připojily. Plukovník znovu zavelel, zu-
ávové se svižně zastavili. Na nový povel se, v čele s
plukovníkem, rozešli k dámám. Z kočárů se vyrojily další
pasažérky. Přes louku zaléhal k sousedům živý hovor,
protkávaný ženským smíchem.*

*"Řikám vám, že se nevodvážej!" zazněl do těch láka-
vých zvuků tvrdohlavý hlas Pádeckého. "Žádná vojna
nebude!"*

*V té chvíli neměl nikdo chuť se s ním hádat. Závistivě
hleděli na pestrobarevný vzorec kamaší, kalhot a dám-
ských šatů v bohaté škále pastelových barev. Slavík si
gestem téměř oficírským přihladil knírek.*

"Mám nápad, sousedi," řekl.

*Jenomže na ustavující schůzi se ukázalo, že nikdo z
nich jaktěživo nebyl voják, až na Filipa Ferdinanda a
toho z vojny po půl roce pustili pro platfus. Přesto se však
jeden přihlásil s nárokem na velitelskou šarži.*

*"Ty? Voják?" užasl Krištůvek. "Dyť ti bylo, Vašku,
sedum, dyž tě táta v padesátym přivez do Chicaga."*

"Ale jeli sme za strejcem," řekl Vašek Lusk.

"A co má bejt, kluku?" pravil Pádecký.

*"Strejc Ámos byl beran," řekl Lusk. "Z Jednoty Chel-
čickýho. A máme to v krvi."*

"Co máte v krvi?" zeptal se Slavík.

*"Vojančení," řekl Lusk. "Prapraprapradědeček pad na
Bílý Hoře a byli sme tajný Chelčickýho bratři, až sme s
tim po Tolerančnim patentu mohli na veřejnost. Strejc
Ámos před tim ale vodjel do Ameriky a sestřenice Dianthe
si vzala toho Browna. Máme to v krvi."*

"Jakýho Browna, uličníku?" zařval Pádecký.

"Co ho voběsili."

"Jo toho," řekl Pádecký. "To ale teda neni tvuj pokrevní příbuznej. Starou belu máš v krvi!"

"Jenže strejc Ámos mu to schvaloval."

"A vona taky?" zeptal se Krištůvek. "Ta sestřenice?"

"Ta se pomátla na rozumu," řekl Lusk. "Dyž umřela, Brown si vzal jinou."

"To máš teda nárok veškerej žádnej," pravil Pádecký. "Voják byl akorát tvuj praprapradědek a ty seš vobyčejnej pikolík v hotelu Swan."

"Už sem vejtr," ohradil se Lusk.

"Pikolík nebo vejtr," pravil Pádecký, "voják nejseš."

Lusk však stál na svém:

"Ale máme to v krvi. Strejc Ámos jel do Ameriky na stejný lodi s Jakubem Benjaminem, to byl jeden žid z Prahy a ten se v Kansasu přidal k Brownovi a bojoval s nim v Kentucky proti votrokářum!"

"Žid?" pravil s ironií v hlase Kafka. "Židi nebojujou."

"V Americe jo. V Americe je možný všechno," řekl Lusk. "U Browna prej byli tři. Ňákej Weiner, ten byl už starší a tlustej, a ňákej Gusta Bondy, taky prej z Prahy, ten byl z nich nejdivočejší. Ten bojoval už pod Košutem v osmačtyřicátym."

"Nejseš ty náhodou taky žid?" ozval se temně Kafka.

"Já? Proč?"

"Že furt meleš, že to máte v krvi."

Než stačil Lusk vyvrátit nařčení, zeptal se Pádecký:

"Strejc Ámos taky bojoval s těma třema židama pod Brownem?"

"No ne," připustil Lusk. "Jenom je znal. Teda Benjamina znal. Jel s nim na lodi."

"Tak co máte, herdek, v krvi?" namíchl se Pádecký. "Židovinu nebo vojančinu nebo krucifix co? Bojoval strejc Ámos pod Brownem nebo nebojoval?"

"Ne, ale tetka pekla Brownovi chleba."

Do hostěnice vstoupila Mánička Kakušková se Schroederem.

"Proč?" zeptal se Slavík.

"Protože mu šmakoval," řekl Lusk. *"Pekla kmínovej, jihočeskej. Ten Brown se prej po ňom moh utlouct."*

"Tak tady ste!" řekla Mánička Kakušková. *"Já na vás už hodinu čekám v hale —"*

"Na ten chleba ho taky tetka načapala," pokračoval Lusk. *"Kvůli němu si vzal sestřenici Dianthe. Vona jinak nebyla žádná krasavice, spíš plejnová."*

"Máte bejt ve čtenářskym kroužku!" řekla Mánička.

"Holka nech nás," pravil Pádecký. *"Tady se jedná vo důležitější věci."* Otočil se k Luskovi. *"Heleď, jesli chceš, můžeš bejt u jednotky kuchařem, jesli máte pečení chleba v krvi. Ale abys nás komandoval jen kvůli tomu, že tvuj strejc se bratřil s ňákym židem z Prahy, kerej prej — a to bych rád viděl — bojoval pod Brownem v Kentucky, to teda pr! To chce ňákou dovopravdy starou vojnu a ne pikolíka, kerýmu před dvěma sty léty údajně pad prapra-pradědek na Bílý Hoře!"*

"Tak jsme promarnili první příležitost," řekl Shake. "Mohli jsme mít velitele spřízněnýho se slavným kapitánem Johnem Brownem a místo toho jsme si vybrali Slováka, ještě k tomu pomaďarštělýho a povoláním tou dobou lokaje u doktora Valenty, poněmčenýho Čecha, co se po celým Chicagu proslavil jako vydřiduch, když pro pojišťovnu zfixloval nároky dělníků zmrzačenejch v tom velkým železničním neštěstí v osmapadesátým roce."

"Sem řikal, že vám velel lokaj," řekl Houska.

"Gejza byl asi takovej lokaj, jako ty seš —" žádný příměr Shaka nenapadl.

"Já sem furt to samý," pravil Houska. "Farmák."

"No právě. To byl von taky: pořád to samý," řekl Shake. "Voják. I když v Chicagu otvíral ve fraku dveře vznešenejm pacientům doktora Valenty, kterej si v Americe zdvojil V, asi proto, že dost pil."

A vyprávěl, jak Mánička Kakušková řekla:

"Vo důležitější věci? Akorát že si tady přihejbáte," ukázala na porůznu rozestavěné korbely, které ve čtenářském kroužku byly zakázané.

"Na kuráž, děvče," pravil Pádecký a oportunisticky změnil názor. "Bude vojna."

"Ježišmarjá!" řekla Mánička.

"Was sagt er?" zeptal se Schroeder.

"Es wird Krieg!"

"Nu, das hoffe ich auch," pravil Schroeder.

"Ježišmarjá!" řekla Mánička.

Zasvětili Schroedera do smyslu ustavující schůze a Prušák se ihned nabídl, že převezme velení. Kafka mu vysvětlil, že to by těžce šlo.

"Warum?"

"Protože naše kumpačka bude Slovanská Rifle Company."

"A budeme mít červený kalhoty," vyhrkl Kyšperský.

A tehdy jim Schroeder pověděl o Miháloczym, jenž dělá lokaje u Dr.Valenty. Nebyl si jenom jist, jestli je setník Slovák nebo Maďar, stejně jako nevěděl, je-li Dr. Walenta Čech nebo Němec. Oba však byli určitě Rakušáci.

"Vy se taháte s tím Skopčákem?" zeptal se po schůzi Shake Máničky Kakuškové.

"Já se s nikým netahám, pane Švejk," pravila Mánička. "Dyž ale von za mnou furt chodí a Frantík jel do Rapic pro zemáky."

"A když je Frantík v Chicagu, to pak za váma chodí taky?"

Mánička byla už červená.

"No to pak nemůže."

Schroeder se přiblížil a Shake s kapkou stesku v srdci vyklidil pole.

"Chudák Frantík Kouba," řekl Stejskal.

"Vzala si toho Schroedra?" zeptal se Paidr. Od Bentonvillu zase houklo dělo. Seržant se nemohl zbavit zlých myšlenek.

"Nevzala. Vzala si Frantu Koubu. Jenže ten u Chancellorsvillu upad do zajetí a natáh brka v Andersonvillu," řekl Stejskal. "Byl sem tam s ním. Jenže mě vyměnili a

Franta se výměny nedožil. Připad mi smutnej úkol vozná-
mit to Máničce."

"A co Schroeder?" zeptal se Paidr.

"Er fajts mit Spigel, pokud vim," řekl Stejskal."Tak to
aspoň řikal. Jenže Spigel už dávno nefajtuje. Dali mu na
hřbet Jižáci z virginský kadetky v bitvě u New Mount-
ain."

"A Schroeder?"

"Co tě tak zajímá, chlape?" zeptal se Javorský. "Ne-
máš ty snad taky laskominy na vdovu Kakuškovou?"

"Za hřích stát musí," pravil Paidr, "podle toho, jak vo
ní mluví Shake."

"Jenže ona nehřeší, brácho," vzdychl Shake. "Aspoň
se mnou ne."

"Třeba eště bude, dyž je teďkon vdova," řekl Houska.
"Vdovy si spíš daj říct."

"Co ty vo tom víš, ty Honzo z Bezu?" ušklíbl se
Javorský.

"Nic," pravil Houska. "Ale řiká se to."

Seržant pohlédl na Šálka. V té chvíli Šálek pohlédl na
něho. Šálek však nevěděl o měsíčné noci, kdy se seržant
dozvěděl, že Fircut nebyl jedním z Vlastiných milenců.
Byl tenkrát pod obraz, a seržant musel brzo ráno odjet.
Nakonec Šálek Vlastinu přistihl v klasickém flagranti s
páterem polského kostela Neposkvrněného početí a Cír-
kvi ostudu neudělal jen proto, že Vlasta souhlasila s
rozvodem. Šálek se tedy do dějin českého Chicaga zapsal
jako první rozvedenec. Z církevního hlediska Vlasta dál
hřešila proti pátému i devátému přikázání, Aninku svěřil
Cup k vychování Kakuškovým a s Lincolnovými slovan-
skými střelci vytáhl do pole k Perryvillu. Vlastina se stala
číšnicí v nóbl hotelu Swan. Šálek sklopil oči. Zaržál kůň.
Po nebi Severní Karolíny přelétla létavice.

"Kdepak, přátelé," pravil Shake. "Avšak kdo mohl
udržet vášeň na uzdě, když jí to tak slušelo?"

"Na ustavující schůzi?" zeptal se Houska.

"Tam taky. Ale mám na mysli Dámský vínek, z jehož výtěžku se měla zakoupit červená kaťata," pravil Shake a vyprávěl, jak dostal od Máničky druhou facku, když se jí v tanečním sále na rohu Van Buren a Canal Street pokusil ukrást hubičku, neboť jí tak krásně slušel kroj, který si na věneček dámy ušily: růžové šaty s bílou, modře lemovanou zástěrkou, modrá pentle kolem pasu.

"Proč vám rači místo krojů rovnou neušily ty kaťata?" zeptal se Javorský.

"Ženám nelze brát radost z hezkého odění," pravil Shake.

"Šli ste do války vy nebo ženský?"

"S válkou se tak moc nepočítalo," řekl Shake. "V době vínku jsme měli už půl stovky střelců a soudilo se, že až budeme mít ty kaťata, získáme pro věc Unie ještě jednou tolik a stane se z nás tedy kompletní setnina. Miháloczy už předem poslal po jednom maďarským plukovníkovi dopis Lincolnovi."

"Takže to byl Slovák," pravil Šálek.

"To vím stejně málo, jako to věděl on. Já myslím, že to byl hlavně voják, do vojny žhavej, a s čím kdo zachází..."

"Pad?"

"U Buzzard Roost Gap, na jaře v čtyřiašedesátým," řekl Shake. "Byl tehdy velitelem Heckerova Čtyřiadvacátýho illinoiského. To já už s nima nebyl. Ale na Dámským věnečku si ho dámy podávaly. Okouzloval je slovanskou řečí. Byla tam celej večer dámská volenka."

Všimla si copů a jejich účinu na Etienna, sotva vkročila s koňakem na podnosu do salónu. Těch málem paprsků, které Etiennovi vytryskly z očí, a jako by copy byly magnet, visely na nich, ještě když přinesla kávu. Taky zaznamenala pohled mladého bělocha, ale to nebylo důležité, na pohledy bílých mladíků byla zvyklá. Čekala

vzadu na verandě, bryčka odjížděla, jednonohý se mohl umávat a zůstal stát ještě drahnou chvíli poté, co z bryčky zbyl už jen obláček prachu řídnoucí v měsíčním světle. Teprve pak se otočil, přešel kolem ní do domu a ani si jí nevšiml. Ve dveřích se však zarazil, otočil se."Dnes nechoď'," řekl tiše."Není mi—" opět se zarazil. "Prostě dnes ne."

Pomyslela si, že domeček v Austinu tedy patrně nebude. Protože nevěsta z Louisiany bude mít jinou konkurenci. Vzdychla. Co se dá dělat?

Zmizel už brzo ráno, ale před polednem se vrátil a zamkl se v pokoji. K večeru jel Gideon s dopisem ozdobeným velkou rudou pečetí vstříc zapadajícímu slunci.

"Máš po šoustání," smál se jí Benjamin v kuchyni. "Mladej massa je v říji."

"Aspoň si vodpočinu," odsekla.

Co se dá dělat? Tu noc zůstala s rodinou v chalupě. Ale den nato, večer poté, co mu odpoledne mladý pan Towpelick přinesl dopis bez pečeti, Etienne řekl:

"Dnes přijď'."

Byl v říji? S modrookou?

Den po osudném odpoledni se jednonohý objevil na farmě brzy ráno s kyticí. Cyril byl doma a už z dálky viděl fialový pugét, jak se na koni blíží po cestě mezi bavlnou.

"Kdo to k nám jede?" zeptal se škádlivě Lídy, která se právě vracela ze spíže, kam odnesla díži s čerstvě nadojeným mlékem.

"Manžel," pravila sestřička. "Bav se s ním. Musím se jít převlíct." A odběhla.

"Kdože?" zavolal za ní, ale neodpověděla.

To už jednonohý zarazil koně před domem, popřál dobrého jitra. "Je slečna Linda doma?"

"Sestra přijde hned," řekl Cyril. Přemýšlel, jak se zeptat na dívku, v níž se mísila krása černého a bílého světa, tak, aby to vypadalo, že se ptá na počasí. Nic ho nenapadlo. Lída vyšla z domu v nedělním kroji, jako *obrázek. Jednonohý — na svou vadu obratně — slezl z koně. Cyril pochopil, co sestřička řekla.*

"Odpoledne musím na Ribordeauxových plantáž," řekl jakoby mimochodem druhý den ráno poté, co černoch na koni přinesl dopis s pečetí. "Nepotřebuješ," ušklíbl se, "někomu něco vzkázat?"

Modrooká sestřička mu pohlédla zpříma do očí.

"Vzkázat ne. Ale můžeš mu vzít psaní."

"Nechceš vopravit chyby?"

"Ne. Chyby nevadí. Navopak."

Viděl, jak to na Etienna hraje. A že je mazaná, jak doma nebyla. Ne takhle. Exotický kvítek pro Ribordeauxe. Copy, mašle a komické chybičky v písemném projevu. První den vystrnadila Etienna za půl hodiny. Kytici strčila do džbánku s vodou a postavila jej na okno. Holubičky a čtyřlístky. Nic jiného neuměla. Stačilo to.

Odběhla a vrátila se s dopisem. Pečeť ovšem neměla a dopisní papír vzala tátovi, ze zásoby ještě ze staré vlasti. Jednou za tři měsíce na něm posílal zprávy, jak se jim v Americe dobře daří.

"Tohle mu dej."

Opět se ušklíbl:

"Manželovi?" *Výmluvně pohlédl na zápraží, kde si malá Deborah hrála s koťátky. Sledovala jeho pohled a sykla:*"Však uvidíš!" *V očích jí blýskla zloba, jakou v nich viděl doma, když ji vysloužilec přivedl z Amběřic.* "Tohle vadit nebude," *řekla.* "A nestarej se."

"Jen jestli," *řekl.* "Přál bych ti to, ale jen jestli."

Zloba z očí zmizela.

"Horší je to s tebou, Cyrilku," *usmála se, ne zle.* "A že dnes musíš jet k Ribordeauxovejm?"

Cítil, že rudne.

"Nerozumím ti."

"Ale rozumíš. Nejsem slepá. A nepřeju ti nic špatného, bráško. Jenomže tady v Texasu —" *zasmála se. Zlomyslnost? Soucit?*

"Leda že by sis jí koupil," zasmála se a odběhla do chalupy.

Neměla v úctě už nic. A proč by měla mít?

Cestou ale zuřil na sestřičku, pak se uklidňoval. Vlastně — co když má pravdu?

Dveře velkého plantážního domu, obrostlého buganviliemi, otevřel černý sluha, o němž ještě nevěděl, že se jmenuje Benjamin. Massa ráno odjel do New Orleansu. Massa Etienne? Ne, promiňte, pane. Myslel jsem — ne, massa Etienne je v altánu nahoře za domem. Benjamin odešel s dopisem. Ano, počkám na odpověď.

Objevila se tiše v hale, v ruce jak žezlo nesla oprašovač z kohoutího peří. Africká královnička. Zasmála se na něho krásně bílým chrupem.

"Dobrejtro, slečno," řekl.

Mimovolně se ohlédla. Ale v hale byli sami. Podívala se mu do očí. Nevěděla, odkud přijeli do Texasu, ale možná ze země, kde mají černé hraběnky. Ukázala si na prsa pod černým hedvábím:

"Slečno?"

"Well," řekl a zrudl, *"jste moc mladá, abych vám říkal madam."*

Dala si dlaň na ústa a zachichotala se.

"Well," pravila potom a pošimrala se oprašovačem pod nosem.

A kýchla.

"Můžu —" řekl, *"— můžeme se sejít, slečno?"*

"Já nevím."

"Nechcete?"

Zavrtěla hlavou.

"To ne. Ale záleží na tom, jestli —"

"Jestli co?"

Odněkud zazněly údery hodin, lahodné jako hudba v noci. Dveře do haly se otevřely a na podlahu z bílého kamene vrhlo slunce kulhavý stín. Otočil se. Ve dveřích stál jednonohý a podával mu ruku.

Královnička s žezlem z kohoutího peří zmizela někde v labyrintu velkého domu.

"... velmi laskavé, že jste se obtěžoval," říkal jednonohý. "Velice si toho vážím. Ale nemohu na vás přece žádat, abyste —"

Abyste co? Nedořekl, místo toho Cyrilovi pokynul ke dveřím pokoje, kde to už znal. Nad krbem tam visela nahá bohyně v lastuře a po stěnách portréty krajkoví, sametu, lesklých přezek a olejově svítících opasků, perel v uších dam růžových jako panenky a taky masitých ženských a mužských tváří, nenamalovaných však se stejnou láskou jako jejich paráda. Jednonohý pokynul ke křeslu, o němž Cyril nevěděl, že je ve stylu Ludvíka XIV., a z vyřezávaného humidoru mu nabídl doutník, o němž Cyril věděl, že je z Kuby. Byl dlouhý a tlustý, v podélné ose jím procházelo stéblo, takže kouř byl stále čerstvý, nekazil tabák, který by jej jinak filtroval a ve zkracujícím se doutníku proto ztrácel chuť. To všechno už Cyril znal. Pan Carson také kouřil a nabízel stejné doutníky, jenom ze skromnějšího humidoru. Cyril si už pořídil i sako od krejčího v Austinu.

"Slyšel jsem, že pan Carson dal vašemu panu otci k dispozici dva služebníky, když vás nyní zaměstnává. Ta výroba oleje nás opravdu zajímá," říkal jednonohý a kroužil kolem toho námětu, který ho nezajímal, vyptával se na olej a jak brzo bude pan Towpelick s to zařídit podobnou výrobnu i na plantáži de Ribordeauxových, jak to s panem Carsonem projednávali při první návštěvě. Dým z obou doutníků se mísil a mísil se také s vůní verbény a ta se zapamatovanou vůní parfému, jíž se královnička dotkla Cyrilova chřípí. Jak jsem řekl — měsíc, dva. Také mě zajímají vaše názory na systém služebnosti. Dívám se na to sice jinak — chvilka nasávání kouře, snad zamyšlení. Zčásti snad jinak, pokračoval Etienne. Rád bych si s vámi o tom pohovořil, i o jiných věcech. Ale příště ať vaše slečna sestra použije jednoho z těch služebníků, které má k dispozici. Anebo ať řekne Benjaminovi, aby počkal,

*nebo kdy se má vrátit pro odpověď". Nová odmlka, čistý,
nefiltrovaný dým hladil masité líčko dámy na obraze, pak
se rozplynul před temným plátnem, kde v ozdobných
rámečcích zlatavěla jména a data, rodokmen rodiny de
Ribordeauxových.*

"Rodový zámek stál v departementu Seine," říkal jí
Etienne. "Praděd musel odejít do Louisiany po Bartolo-
mějské noci."

"O tom měla román slečna Hortense," řekla Dinah.

Jednonohý ovšem věděl, že jeho hnědožlutý termofór
umí číst francouzsky. A ona věděla, že najednou není už
jenom termofór. Hleděl na ni jinak, než když přišla popr-
vé, podruhé. Taky už nevydával povely, ptala se ona:
"Chcete, massa?" Pak jí jednoho dne vydal povel, ale
jiný, než na začátku. "Neříkej mi massa!" "Jak vám mám
říkat, ma — jak si přejete, abych — " "Etienne."

"Pane Etienne," řekla. "Ne! Etienne!" Byl tedy Etien-
ne.

"Rodokmen jde neporušeně do patnáctého století,"
říkal. "Pak se ztrácí v šeru historie."

"Můj se ztrácí v šeru historie," líbily se jí takové fráze,
"hned u mámy. Nevím, s kým mě měla."

Stál před temným plátnem s rodokmenem, na hezkou,
hrdou, někdy, pomyslela si, nafoukanou tvář mu dopada-
lo večerní slunce. Věděla už, že za ní se honí divné
myšlenky. Tehdy po nezdařeném útěku z plantáže brat-
rance starého massy — potom už věděla, že přestala být
termofórem z pěkně utvářených mléčných žláz, v duchu
už na ni asi myslel mazlivějším slovem než služebnice. I
když pukající filozofie mu ještě nedovolovala říkat to
nahlas.

"Buď to byl Hannibal McGuire nebo Patrick McGui-
re," pohlédla na něho škodolibě, měla nad ním už moc,

jež puklinou vnikala do filozofie, a už se mu odvážila říct, vlastně drze: "A hádejte, massa —"

"Etienne!"

"— massa Etienne, který to byl!"

Protože máma byla hezká a tedy na tom byla stejně jako ona, jenom si nikdy nevysloužila domeček v Austinu. Patrick McGuire brzo zemřel (Hannibal dosud žil) a ji vdova prodala de Ribordeauxovým, ještě ani neuměla mluvit. Vdova věděla, že Hannibal je jejím otcem pouze v plantážní knize: máma byla tmavá, ne černá jako Hannibal, ale žádná čajová růže. Ačkoliv mámě bylo teprve osmnáct a byla hezká, poslala ji vdova z velkého domu na pole. Dinah se ale nestýskalo, na mámu se skoro nepamatovala. Co věděla, dozvěděla se od matky Rileyové, chodící kroniky rodokmenů, které se dost lehce pamatovaly, neboť v šeru historie mizely tak brzo.

"Vaše slečna sestra, slečna Linda," pravil Etienne váhavě, "je — pozoruhodná dívka." Věděl už o ní, že je z Moravy v Rakousku. Když seděli v salóně s obrazy, vylíčil rodinnou anabazi jinak než dle skutečnosti a aplégra zamlčel. Jenže Etienne vlastnil zvědy, černý listonoš měl oči všude, možná na rozkaz.

"Nebo bych snad měl říkat paní Linda?" otázal se Etienne. O aplégrovi tedy věděl.

"Přesně řečeno ano," řekl Cyril. "Ale manžel se zabil na koni, dva měsíce po svatbě. Deborah je pohrobek."

"Deborah," pravil zamyšleně Etienne. "To není moravské jméno?"

"Narodila se už tady," řekl Cyril. "Když Lindin manžel zahynul, byli jsme už přichystaní na cestu."

"A on ti to sežral?" zeptal se Kapsa.

Cyril se trpce zasmál.

"Linda ho měla přečteného. Jenže Lídu neměl přečtenou nikdo."

"Miháloczy šel z ruky do ruky," vyprávěl Shake, "poněvač byla dámská volenka. Každá si ho chtěla ohmatat. Bylo co k ohmatávání. Miháloczy měřil skoro dva metry. Když se všechny vystřídaly, začly znova, že Bill Trevellyan, kterej přišel na večírek se Schroedrem jako host, dospěl k názoru, že český ženský sou banda Amazónek a jde z nich hrůza, čím jsou hezčí, tím větší, a začal Schroedrovi Máňu Kakuškovou rozmlouvat. Protože ta, třebaže pocházela z tak silně mravný rodiny, si přirozeně Miháloczyho ohmatala taky. No," Shake pokynul Paidrovi, aby mu na druhém konci půldruhametrové dýmky posloužil ohněm, "jinak ale měl věneček úspěch, na kaťata se vybralo dost. Dost na to, aby to stálo za defraudaci. O tu se s úspěchem pokusil jistý Skotas-Kulhawey, jenž se po merendě nabídl Martičce Luskový, že tržbu zatím uschová u sebe, protože dámy zapomněly na kroje našít kapsy a tašku žádnou Martička neměla. Skotas-Kulhawey tedy tržbu uschoval a ještě tu noc s ní upláchl, patrně do Ruska."

"Kam?" vyděsil se Stejskal.

"Slyšels dobře," řekl Shake. "S tím nápadem prej přišel sám Vojta Náprstek, ačkoliv mně se to nezdá. Přece ten byl vzdělanec, musel číst *Křest sv. Vladimíra* a se svou squaw žil v hříchu, kterej by mu car jistě netrpěl. Bůhví. Ale mezi prostým lidem se ten vzdělaneckej nápad dost ujal. Angličtinu většinou přiliš nezvládli, byli z vesnic, v Chicagu jim všechno připadalo cizí, tak začali Rusko vidět jako slovanskej ráj a pár volů dokonce napsalo carovi, jestli by jim dovolil se tam z Ameriky přestěhovat. Ten se na ně ovšem vykvajz. Mimoto mezi lidem brzo nastaly rozbroje. Chytřejším vrtalo hlavou, jestli by to nakonec opravdu byl takovej slovanskej ráj, nebo vůbec nějakej ráj, když Poláci — těch bylo v Chigagu hodně, takže od nich ty chytřejší měli informace — maj doma možnost v tom ráji žít, jsou taky Slovani a

Rusové s nima zacházej spíš jako s Hotentótama. Taky jistej Tom Plavec, kterej byl Čech, ale z nějaký ruský provincie, Volovině nebo jak a do Ameriky utek odtamtud, ten tvrdil, že v Rusku by z českejch Amerikáncú brzo nadělali mužiky, a ti by pak mrkali na drát. I když Sibiř, říkal Tom Plavec, je země pěkná, zalesněná, jenže moc studená. Většinu rusofilů jeho řeči zviklaly ve víře, až přišel Vašek Lusk na jinej nápad. Ono totiž těm nespokojencúm se v Chicaghu nestejskalo ani tak po nějakejch slovanskejch vlastech jako spíš po vesnickým životě. Tak Lusk a Tonda Kohout vyrukovali s myšlenkou, že se mají všichni nespokojenci spojit, najmout vozy s potahem, odjet na Západ do Nevady nebo do Kalifornie a tam založit skrznaskrz českou osadu. Měli pro ni hned taky jméno: Nová Čechie."

"To nebyl špatnej nápad," ozval se Houska.

"Prosim tě! Skrnaskrz česká vosada? Vjeli by si do vlasů eště cestou a v Kalifornii by založili Čechie hned dvě," řekl Šálek.

"Nebo tři," řekl Stejskal.

"Některý by vobrátili potah a založili by Čechii v Maine," řekl Fišer.

"Nebo tři. Nebo i víc," pravil Stejskal.

"Taky se pohádali," řekl Shake. "Dřív než koupili první volskej potah. Šlo o to, zda se má v Nové Čechii postavit kostel sv. Václava, jak chtěli katolící, nebo svatyně Rozumu, který se domáhali volnomyšlenkáři. Spor se dostal do novin. Kohout, vůdce katolíků, napad v racinský *Slávii* volnomyšlenkáře Strádala, že ve staré vlasti měl v chalupě obraz jeho císařský milosti Františka Josefa Druhýho: Strádal mu odpověděl, taky ve *Slávii*, že měl, ale to žil v nesvobodě, v Americe poznal, že se mýlil, svůj někdejší obdiv k císaři pánu zavrhl a teď' má doma obraz George Washingtona. To nabylo později na pikantnosti, ale to bych předbíhal. Kohout ve *Slávii* napsal, že on, ač katolík, Franze Josefa na stěně neměl nikdy, nýbrž pouze Pannu Marii. Strádal si neodpustil otřít se o panenství Matky Páně. No, zkrátka do tý doby odbírali *Slávii* jen na slovo vzatí vlastenci, takže redaktor Kořízek třel bídu s nouzí. Teprve spor Kohout-Strádal mu zved náklad, a boom patrně trvá dodnes, protože oba jsou stále v Chicagu. Když vypukla válka, Kohout zjistil, že špatně vidí, a Strádal dospěl k názoru, že pokud jde o císaře pána, vlastně se nikdy nemýlil. Došel si na konzulát — ale abych nepředbíhal. Prostě," Shake zabafal z fajfky, "díky dědičné české svornosti se ani kalifornská, ani ruská utopie neuskutečnily, místo toho se Češi pomalu zazobali v Chicagu. Jedinej, kdo pořád propagoval exodus na Sibiř, byl Skotas-Kulhawey. To proto, že měl obě ruce na levý straně těla a spoléhal, že by ho v Rusku zvolili starostou. Ovšem, třebas to byla taková anatomická zrůda, Martičce Luskový tržbu vyfouk šikovně a utek, patrně na Sibiř."

"To sotva," řekl Paidr. "Bez krajanů se tam sotva moh stát starostou. Dyž byl navíc takovej paskřivec. Vobě ruce na jedný straně těla!" Paidr zavrtěl hlavou.

"Třeba spíš bez krajanů než s krajanama," řekl Stejskal. "U mužiků moh získat věčí respekt, jestli vystupoval jako Amerikán, a k tomu zřejmě vod cirkusu. V Rusku sou prej cirkusy voblíbený."

"To nevím," pravil Shake. "Buď jako buď, Lincolnovými slovanskými střelci to značně otřáslo. Když Gejza Miháloczy navrhl, že se teda na uniformy musíme složit a od krejčího se dozvěděli, že s červenejma kalhotama přijde uniforma na tři padesát, kdežto s obyčejnejma modrejma jenom na dvě sedmdesát pět, protože látka z erárních skladů je lacinější, setnina se málem rozpadla. Toliko málokteří se hodlali spokojit s obyčejnejma kalhotama, bez červenejch většina neměla zájem. Před zánikem dřív, než prakticky vznikli, zachránila Slovanský střelce jen silná osobnost kapitána Gejzy Miháloczyho.

Na sever od jediné cesty do Bentonvillu (dočetl se o tom až dávno po válce, v zimě, protože zima byla na farmě sezóna čtení; vlastně mu to předčítala malá Terezka, kvůli níž předstíral, že už špatně vidí, protože měl rád lahodný hlásek desetileté, jež se potýkala se jmény jako Taliaferro nebo Beauregard, jinak četla plynně, americkým hláskem nepoznamenaným češtinou, ačkoliv česky uměla), v krajině, jejíž močálovou ponurost nezměnilo ani jarní slunce, stála zpustlá Coleova plantáž. Kdysi bílé sloupy velkého domu byly nyní šedivé a díry v nich prozrazovaly, že sloupy jsou duté, vlastně jen symboly vznešenosti. Ze všech stran, jako trnová koruna, svírala plantáž propletená houští černých doubků, které už daleko před bílým sídlem lemovaly úzkou cestu do Bentonvillu. Na pletenici větví dosud sem tam tkvěly uschlé listy minulého léta a kostlivě chrastily. Doubky tvořily neprůhlednou stěnu, jako by houštiny po obou stranách cesty byly potaženy kůží. Poručík Bellman, jenž vedl průzkumníky Dvaadvacátého wisconsinského, všiml si na prvním keři na severním okraji cesty několika vyschlých mrtvolek loňských brouků, které tam zanechal přejedený ťuhýk. Anebo snad ptačí řezník zahynul a jeho oběti zůstaly na hácích nesezobané. Seržant naslouchal lahodnému hlásku své dcerky, dětsky soustředěnému na písmenka a jejich překlad do zvuků a slov, nevnímajícímu plně obsah, jehož byly nositelem. Holčička četla:

"Narazili jsme na množství mužů, všech zřejmě mrtvých až na jednoho, jenž ležel blízko místa, kde četě své vydal jsem rozkaz k odpočinku. Byl to seržant vojska federálního a na těle měl různá zranění — pravý obr, dokud byl při síle. Ležel obličejem vzhůru, nadýchávaje se křečovitě chrčivými chrochty a vydechuje spršku pěny, jež jako smetana stékala mu po tvářích a hromadila se podél krku a pod ušima. Střela vyryla žlábek do lebky nad spánkem. Z lebky vyhřezával mozek a kapal dolů v chuchvalcích a čůrcích. Do té doby jsem netušil, že člověk může žít, byť napůl již mrtev, s tak malým množstvím mozku."

Na takové věci si poručík Bellman dávno zvykl, nepřipadaly mu zlověstné. Zato opuštěná ťuhýčí špižírna věštila zlou budoucnost. Snad bitvu, v níž pevně věřil generál Carlin, který ve vyprané košili a v nažehlené uniformě do rakve jel těsně za posledními muži Dvaadvacátého wisconsinského.

Sledován svými průzkumníky, vešel poručík do uličky mezi keři. Kráčeli mlčky. Všichni si uvědomovali kostlivé chřestění uschlého listí a náhle poručík spatřil palisádu a uskočil ke křoví. Dovnitř se neprodral: černé doubky tvořily neprostupný živý plot. Průzkumníci za ním sebou sekli o zem, ale než stačili dopadnout, zapraskaly od palisády první výstřely. Poručík dal rukou znamení k ústupu. Voják za ním se však nehnul, tiše zaúpěl, ovládal se, ale rychle ho opouštěly síly. Poručík jej uchopil v podpaží a po loktech se s ním plazil pryč z kostlivé uličky. Pár vojáků předvoje je krylo střelbou. Sotva se ocitli venku, jali se kličkovat k zídce ohraničující nezaseté pole, za níž už zalehli jejich druzi. Rebelové přestali střílet. Poručík si raněného hodil na záda a běžel s ním k zídce. Slunce stálo dosud nízko nad východním obzorem, ale už zářilo. Za kamenným valem předal raněného nosičům a spatřil, jak na kraji lesa seskakují z koní dva generálové a pouští se klusem k přední linii. Jednomu ulétl klobouk, shýbl se pro něj a v ranním slunci se zaleskly napomádované vlasy. To byl generálmajor Slocum, velitel Georgijské armády. Druhého poručík dobře znal osobně. Nažehlená uniforma, Schlachtanzug, jak tomu říkával seržant Hoenicke, výcvikový zupák, nyní už nebožtík. Oděv do boje.

Poručík zasalutoval. Oba generálové doběhli k zídce a zalehli. Slocum vytáhl dalekohled.

"Asi padesát yardů od začátku stromořadí je palisáda," hlásil poručík. "Když jsme se přiblížili, otevřeli rebelové palbu. Jeden raněný."

394

"Děkuju, poručíku," řekl generál Slocum a obhlížel kraj dalekohledem: živý plot potažený kůží, strašidelně sešlý plantážní dům, křoví černých doubků, jež se táhla od domu k cestě a dál na jih, sem tam po nízkých kopečcích borové hájky, zídky ohraničující pole. Nikde se nic nehýbalo.

"Co myslíte, pane generále?" zeptal se Slocum Carlina.

"Byl bych opatrný," řekl Carlin. "Terén je nepřehledný, takováhle křoví, hájky, močály. Může tu být schovaná podstatná část Johnstonovy armády."

Slocum ještě chvíli zkoumal krajinu čočkami. Pak:

"Nebude to víc než jedna dvě Wheelerovy švadrony. Ale uvidíme. Pošlete po rojnici na sever a na jih od cesty, ať navážem styk s nepřítelem," zasmál se, " jestli se nepřítel zatím potichu nevytratí." Vstal. "Johnstonovy divize jsou u Raleighu. Určitě tu není víc než jedna dvě švadrony kavalérie."

Oba generálové klidně kráčeli ke koním u lesa. Carlin se ohlížel. Poručík Bellman viděl, jak nasedají na koně, jak generál Slocum píše, podává list jezdci, ten se odděluje od skupinky, jež na generály čekala u lesa, a tryskem se pouští přes louku a podél křovin na jih. Seržant věděl, že to byl posel, který dojel Shermanův štáb odpoledne s optimistickou zprávou, s níž generál Carlin tajně nesouhlasil.

Přes louky na jih i na sever od cesty vykročili muži první brigády Davisova sboru. Šli v rozestupech k houštinám a zídkám kolem platážních polí. Poručík je sledoval pohledem. Náhle se na severní straně živého plotu zablýsklo, jednou, dvakrát, třikrát. Muži první brigády se dali do běhu. Hned nato zahřměla děla, z dlouhé, černé, klikaté čáry křovisk se vyvalil kouř. První ranění klesli do trávy. Zablesklo se na jižní straně. A dál na sever a dál na jih. Jedna dvě švadrony? Poprvé od dobytí Atlanty uslyšel poručík majestátní řev velkých hlavní v plné síle několika baterií.

Modré řady zakolísaly. Někteří pokračovali v běhu vpřed, jiní se obrátili a sehnuti spěchali zpátky k zídkám. Nad loukou explodovaly první kanistry. Nato se obrátili i ti vpředu. Jas slunce pozastřel kouř. Zahřmělo od západu — Carlinovy baterie. Přestřelily. Muži první brigády rychle mizeli za zídkami, v podrostu u blízkého hájku. Na louce se zmítalo několik raněných, jiní leželi tiše, bez hnutí, mrtví.

Posel s optimistickou zprávou ujížděl tryskem na jih. Řev děl ho předešel. Ale když kurýr dostihl Shermana, generál zprávě uvěřil. Posílila v něm přesvědčení, že měl pravdu: "... jen pár jízdních švadron. Odkliď je z cesty a buď zdráv ..."

Na dopisy se podívala, teprve když se o tom začalo mluvit v kuchyni a nemrava Benjamin se zeptal:

"Pořád se mu staví?"

"Dělej si starosti vo svý nářadí," odsekla.

"Já že dyž teď má bílý maso —"

To jí právě nebylo jasné. Začal zase zavírat oči. Zeptala se ho:

"Budeš se ženit, Etienne?"

To s ním škublo. Vytřeštil na ni oči.

"Proč se ptáš?"

"Se slečnou Scarlett jste se přeci zasnoubili?"

"Ale proč se ptáš?" skoro zařval.

"Nezlob se," řekla.

Vstal, nahý, s krásně vyřezávanou protézou z leštěného dřeva, a odbelhal se k oknu. Po chvíli řekl:

"Koupil jsem ten domek v Austinu." Díval se z okna na bavlníkové lány, které právě kvetly.

Ale co to znamená?

"Děkuju," řekla.

Neohlédl se. Slezla z postele a sebrala z křesla své svršky.

"Ještě nechoď!" řekl. Nebo poručil? Neotočil se, pořád hleděl na krajinu pod měsícem.

Položila svršky zpátky na křeslo, vlezla do postele. Konečně. Černá, kulhavá silueta. Ale v pokoji nebylo docela tma. Viděla, že je zas připraven.

Neubránila se divoké slasti. Nikdy se jí neubránila, ale bránila se křiku. Teď se nebránila. "Ó!" křičela. "Óóóó-ó!"

"Dávej si do huby roubík, káčo!" řekl ráno v kuchyni Benjamin. "Starej člověk jako já se potřebuje vyspat."

Etienne ji potom políbil na obě líčka a svalil se na záda. Chvíli ležela vedle něho, pak sklouzla z postele. Už ji nezdržoval. Rychle se oblékla, tiše vyšla z domu, kráčela k altánku. Bílé maso? Ušklíbla se. Bílá kůže, chrpové oči, jaké měly panenky slečny de Ribordeaux koupené v Paříži. Modré oči v tvářičkách z porculánu. Všelijaké čaromoci.

Šla sadem a přemýšlela o bílém mladíkovi, který mluvil legračně a říkal jí "slečno". Vzadu u stodol šrouboval nějaké zařízení a pokaždé, když kolem něho prošla — za den víckrát, než musela — zvláštní věc: měla dojem, že ji očima nesvlíká. Takové pohledy znala. Občas navštěvovali Etienna mladí muži ze sousedních plantáží, šviháci z Galvestonu, a ti se tím bavili. Slyšela je, jak o ní žertují na Etiennovu adresu a on se jenom směje a neříká nic. Bílý mladík, zamazaný od kolomazi, dělal očima něco jiného. Když na ni civěl přes mastné plechy, s nimiž se lopotili dva černí pomocníci, připadala si jako černá hraběnka. Jako v románech z knihovničky slečny de Ribordeaux, kde kavalíři "s obdivem vzhlíželi" k hraběnkám. To bylo ono. Bílý mladík k ní "s obdivem vzhlížel". Dvakrát už ji požádal o schůzku večer po práci. Nemohla přijít, protože ji chtěl Etienne. Ale včera jí Etienne sdělil, že odjíždí na tři dny do Galvestonu. Jestli ji bílý mladík zase pozve... Šla kolem rozkvetlých kaktusů a uvědomila si, že bude dost nerada, jestli ji nepozve.

Když ráno uklízela Etiennův pokoj — odjel za svítání kočárem — vzpomněla si na dopisy, a protože po dnešní noci jí bylo jasné, jak je to s ním a s modrookou, prohledala šuplátka escritoiru. Byly tam. Na zažloutlých listech papíru s natištěným záhlavím nějakého města s věžemi kostelů a s mosty přes řeku, velkým krasopisným písmem. Celkem čtyři a napsané legračním jazykem jejího bratra. Milý pane de Ribordeaux, *stálo v prvním.* Děkuji Vám za dopis. Nemohu se s vámi sejít skrze den, ale zítra úterý večer v sedm hodin budu přijít do Hardy potoka, kde ohýbá na jih, co je tam smuteční vrba. Vaše Linda Towpelick. *Mladík se tedy jmenuje Towpelick. Ostatní dopisy byly stručnější, zato výmluvnější. Začínaly:* Drahý Etienne, *pak už jen údaj o místě a čase a končily* Tvoje Linda. *Poslední přinesl Carsonovi Jefferson, půjčený Towpelickům, včera odpoledne. Zněl:* V 7 večer v Cobsonově hájek.

"Na mou duši jsem v Lídiných věcech neslídil," prohlašoval Cyril jednoho z terpentýnových večerů. "Ale nechala psaní ležet na truhle. Věděla, že pro tátu s mámou to bude stejně španělská vesnice, a taky už nemusela dělat tajnosti jako doma."

Jako když v noci tiše vstávala, odcházela jako na záchod a vracela se až k ránu. Dopis obsahoval báseň a Cyril jí tenkrát moc nerozuměl. Tak dobře ho Rosemary anglicky ještě nenaučila. "Lída? Co znala, pochytila většinou od těch dvou, od Washingtona a Jeffersona. Chodili za ní jak pejsci. V Austinu si jednou sice koupila učebnici pro přistěhovalce, ale mnohem víc se naučila konverzací s těma dvěma zamilovanejma služebníkama. Já si tu báseň čet pořád dokola, až jsem se ji naučil nazpaměť. Nakonec jsem pochopil, oč v ní jde. Lída to samozřejmě věděla po jednom přečtení. Teda: nepřečetla ji asi nikdy. Jí stačilo se na dopis mrknout. Básnička. Co jiného může znamenat básnička, když jí přinese černej votrok vod mladýho chlapa?"

"Umíš ji ještě?" zeptal se seržant.

Tak Cyril recitoval. Na druhém konci tábora hrála kapela večerku:

> *What is love? 'tis not hereafter;*
> *Present myrth hath present laughter;*
> *What's to come is still unsure:*
> *In delay there lies no plenty:*
> *Then come kiss me, sweet-and-twenty,*
> *Youth's a stuff will not endure...*

"Předevčírem jí vochloval pod smuteční vrbou," řekl v kuchyni Benjamin. "Bohužel na mě přišlo kejchnutí, tak se vyplašili."

"Že ti nepřerazil hřbet protézou!" podivil se strýček Nero.

"Neviděl mě. Utek sem oužlabinou," řekl Benjamin. "Takže mi ušlo, jak jí navrtal."

"Massa by to nedělal jako nějaká bílá sebranka," řekl strýček. "U potoka."

"Né? To se zeptej tady mladý," obrátil se na ni. "Pověz strejčkovi!"

Než ho stačila usadit, strýček Nero se vzpamatoval a pravil přísně:

"V mý přítomnosti se nebudou vyprávět žádný prasečinky."

"Škoda," řekl Benjamin. "A já kvůli kejchnutí už asi žádný prasečinky neuvidím. Pudou jinam, dyž sem je u vrbiček vyplašil."

Ona věděla kam, ale nechala si to pro sebe. Cobsonův hájek byla miniatura francouzského parku, jedna ze sentimentalit pana de Ribordeaux, jako jeho velká francouzská knihovna plná románů, které četla — tajně — hlavně ona, protože pan de Ribordeaux studoval anglické knihy o ekonomice a historii. V arboretu tam stál altánek, kde

se v horkých dnech horko těžko slečna Hortense de Ri-
bordeaux učívala číst. Altánek obklopovaly skrýše. Ten
večer slyšela v jedné z nich Etienna číst anglické verše a
skulinou v listí ho viděla, jak se mezi sonety snaží z
modrooké vymámit obyčejnou pusu. Nepodařilo se. Na
rozkaz přečetl další sonet. Zase nic.

Žasla. Takhle to tedy dělají bílí mezi sebou? Opravdu
jako v románech? Vzpomněla si na jeho strohý rozkaz
první noc, málem vyprskla a jen taktak že se neoctla v
situaci sprosťáka Benjamina. Ale nemohla si pomoct.
Etienne byl směšný. Po všemožných cavykách se modro-
oká dala líbnout. Sotva však Etienne odložil knihu sonetů
a sahal po živůtku, zvedla se a že už musí jít. Měsíc sotva
vyšel. Směšný Etienne rovněž vstal a poslušně kulhal
vedle modrooké po cestě k bryčce. Modrooká nasedla,
švihla koníka, ale to ona už běžela, kryta živým plotem
parčíku a pak mezi chalupami k velkému domu. Snažila
se, ale přesto zase křičela. Bylo to legrační. Díky modro-
oké taková rozkoš. A mimoto se přistihla, že tentokrát
sama zavřela oči a představila si pod sebou bílého mla-
díka. Pak se přistihla při pocitu, jaký neznala, a tak
nevěděla, že je šťastná. To odpoledne jí bílý mladík řekl
potřetí. Tentokrát to šlo. Etienne pojede zítra do Galves-
tonu. Pozvala mladíka do arboreta.

Přimhouřenýma očima hleděl seržant na svou dcerku,
která se pod petrolejkou potýkala se suchými větami
plukovníkových pamětí. "Předvoj divize generála Willia-
ma Passmore Carlina narazil na severokarolinskou divizi
generála Roberta F. Hoka, kterážto, využívajíc krytu v
hustém doubkovém podrostu po obou stranách cesty do
Bentonvillu, lemujícím též pole široko daleko kolem
plantáže Coleovy, zaujala postavení v ose kleští, jež měly
rozdrtit divizi Carlinovu. Pravé křídlo kleští těch tvořila
armáda tennesseeská generála A.P. Stewarta, rozmístěná

v houštinách a hájcích na sever od cesty, levé pak sbor generála Williama Josepha Hardeeho, jenž měl se dle generálního plánu velitele armády konfederační A.P. Johnstona rozmístit podél jižního okraje cesty. Avšak generál Johnston vypracoval plán na základě map pochybné přesnosti, jiných nemaje, tudíž generál Hardee, blížící se usilovným pochodem k Bentonvillu, k svému nepříjemnému překvapení zjistil, že vzdálenost, již mu je překonati, je dvojnásobek toho, co mapy naznačovaly. Ve chvíli, kdy předvoj generála Carlina vešel v dotyk s jednotkami Hokovými, toliko severní část kleští — armáda tennesseeská A.P. Stewarta — byla v postaveních předpokládaných plánem Johnstonovým. Odrazivše bojový postup Carlinova předvoje, Hoke ani Stewart nepřešli proto k protiútoku, nýbrž vyčkávali příchod útvarů Hardeeových. Tak zbortil se pečlivě vypracovaný plán Johnstonův dříve, než se byl mohl rozvinout."

Holčička odložila knihu.

"Tati, můžu se jít napít sajdru?"

"Moštu," opravil ji seržant a zavřel oči. Viděl, jak Carlinovi vojáci, ošlehaní větrem bitev, ustoupili za houštiny a kamenné plůtky, ne zrovna spořádaně, protože od Atlanty se s valnými silami nepřítele vlastně nestřetli, už dávno je nikde nevítala řvavá muzika děl a déšť z kanistrů je kropil po dlouhé době poprvé. Za houštími a zídkami se však znovu seřadili, vyrazili k útoku. Krajinu zalitou probouzejícím se sluncem pokryli běžící muži, z houštin proti nim se rozrachotila střelba. Skupinky šedivých vojáků vyrazily v protiútoku. Modř uniforem vyšisovala předjarním pochodem Karolínami do šedomodři, takže generálu Carlinovi, sledujícímu své muže dalekohledem, splynuli bojující vojáci v nerozeznatelný chumel. Jím problýskávaly bajonety a světýlka výstřelů —

"Moštu," opravila se holčička.

"Běž," řekl seržant. "Čteš hezky."

Krásný úsměv dítěte. Kdyby válka byla dopadla jinak — kdyby —

Seržant se dožil vysokého věku. Zesnul spokojeně ve stáří sedmadevadesáti let. To už Rakousko nebylo a všichni, Uršula, Shake, Paidr, Javorský, Šálek-Cup, Houska byli mrtví, živí jenom ve vzpomínkách starého vojáka. Doma — ve staré vlasti, protože seržant byl už dávno doma v Americe — byla teď americká republika, za kterou vlastně — zdálo se mu, když jiné dítě, pravnučka, předčítala nahlas z amerických novin anglicky, neboť tou dobou už mu oči skutečně nesloužily — Pádecký, Stejskal, Fišer, Zinkule — dávno všichni ti tam, zapadlí v zmizelém věku, zapomenutí, živí jen ve vyhasínající mysli jednoho starého seržanta. Ale kdyby ta vojna byla dopadla jinak — americká republika?

Nebyla to ještě bitva. Jenom bitka. Kanóny však pálily vyhladověle. Zmatkář Bragg, pod jehož velením byla Hokova divize, vyslal ke generálu Johnstonovi posla se žádostí o posilu pár minut před tím, než modré řady zakolísaly, zastavily se, obrátily se na útěk. Cestu útěku značkovaly mrtvoly hořce padlých v předjaří posledních dnů velké války, která kdyby byla dopadla jinak —

Ranní posel jel tryskem po zelenajících se loukách, vyhýbal se bažinám, kryl se doubkovým houštím, aby optimistickou Slocumovu zprávu donesl Shermanovi.

Přes kamennou zídku, spolu s muži ve vyšisovaných modrých uniformách, přeskočili taky tři rebelové a vzdali se.

Generál Slocum si je prohlížel, ale nevěřil jim. "Lidi, kteří dokážou do země zakopat miny a pak zmizet do bezpečí a těšit se, jak na minu šlápne pěšák a mina ho roztrhá, lidi schopní takovéhle perfidní podlosti —" generál odmítavě mávl rukou. "Jsou to vojáci? Ne! Kam bychom došli, kdybychom místo vojáků měli zbabělé vrahy na dálku!" Sluneční paprsky se prodíraly pučícím listím stromů, Slocum a jeho štáb seděli na pařezech na mýtině a na druhé straně mýtiny, pod bajonety stráží, stáli ti tři mušketýři se svou nepravděpodobnou historkou. Slocum si je zamračeně prohlížel. "Podle nich má se prý

Howard otočit a soustředit všechny síly k Bentonvillu, kde, no dobře, není tedy jenom pár švadron Wheelerovy kavalérie, ale taky Hokova divize nebo její části, ale jinak, myslím si já, nic. A sotva Howard takhle vyklidí pole, Johnston nám provede nějakou čertovinu, obchvat —"

Odmlčel se.

"Já nevím," řekl generál Carlin.

"Jsou to agenti," pravil Slocum. "Mají za úkol nás zmást. Johnston na nás zrovna bude čekat s celou armádou, když má za zády řeku, a přes tu jenom jeden most!"

Johnstonův bitevní cíl, tvrdili zbězi, je zničit Čtrnáctý sbor Jeffa Davise. Sama o sobě nebyla jejich verze nepravděpodobná. Jenom když si ji Slocum zařadil do odhadů o situaci, proměněných v jistotu jistotou vrchního velitele, byla mu podezřelá. Zbězi prý jsou vlastně vojáci Unie, kteří upadli do zajetí u Resaky. Aby se vyhnuli Andersonvillu, namluvili vyslýchajícím důstojníkům, že jsou copperheadi, stoupenci Vallandighama, válku s Konfederací nikdy nechtěli, a když teď Vallandighama umlčeli, rozhodli se bojovat v řadách Konfederace za stará práva zaručená Ústavou. Rebelové je tedy vzali do armády, která tou dobou už potřebovala každého. Oni čekali jen na příležitost přeběhnout. Tady, před Bentonvillem, se konečně naskytla. Přeběhli.

"Agenti," trval na svém Slocum. "Postavím je ke zdi."

"Já nevím," řekl generál Davis.

Z dálky, dost blízko, zněla kanonáda. Zbloudilý kanistr spadl na kraj lesa. Slyšeli, jak střepy rvou listí ze stromů. Někdo vykřikl.

"Já nevím," řekl Davis. "Proč by sem odvelel jenom Hoka?"

Všichni tři, Slocum, Davis i Carlin, pohlédli na zajatce. Stáli málem v pozoru a v paprscích vstávajícího slunce měli tváře jako z papíru.

Osvěžená holčička se vrátila, sedla si na stoličku, zaklimbala bosýma nohama, knihu si položila na klín a hledala prstem, kde přestala.

Kdyby vojna byla dopadla jinak... Doma by dnes nebyla americká republika: sen, jaký ho ani nenapadl, když se pomalu, s mazaným Fircutem, vodami Atlantiku blížil k Americe, kde ho čekala válka a po ní dlouhý život. Bojovaly by expediční sbory nějaké Severní americké republiky v té mnohem pozdější válce v Evropě? A kdyby, Konfederativní americká republika by poslala hrdé dědice vítězů z pětašedesátého na pomoc té druhé straně. Rakouskému mocnářství. Důstojníky bojující po boku c. a k. armád by snad ještě v novém století provázeli černí služebníci. Kdyby jeho generál byl nezvítězil.

Sherman by ale nikdy neprohrál. Ani Shake, Kakuška, Paidr, Houska, Javorský —

Holčička se dala do čtení:

"Generál Slocum poté vydal rozkaz, by zbytek Čtrnáctého sboru postoupil vpřed a zakopal se, a sboru Dvacátému zároveň přikázal opustit zadní voj a posílit předsunuté jednotky, již horečně počaly budovat palisády."

Slocum, Davis a Carlin pořád hleděli na zběhy.

"Postavit je ke zdi," řekl Slocum. "Ovšem —"

Z křoví na druhé straně mýtiny se vynořil major Tracy ze Slocumova štábu a přistoupil k mužům s papírovými obličeji. Pořád houkala děla. Major Tracy se vydal přes mýtinu ke generálům a do tváře agenta, či kdo to byl, jehož vedl s sebou, se vracela barva.

Z dálky houkala děla.

"Ano, od dětství, pane generále," říkal major Tracy Slocumovi. "Můžu se za něj zaručit. Mluví pravdu."

Slocum si zajatce změřil. Strniskem prosakovala opálená kůže a uprostřed obličeje, jako terč, trčel spálený a loupající se nos.

"Celá Johnstonova armáda?"

"Ano, pane generále. Přímo před vámi je divize generála Hoka. Na sever od ní Tennesseeská armáda generála Stewarta. Levé křídlo má tvořit generál Hardee, ale ten ještě nedorazil. Hlavní voj generála Bragga je v Bentonvillu a generál Johnston — "

"O.K.," přerušil ho Slocum. "Poručík Foraker!" Ohlédl se. Z pařezu se zvedl hladce oholený mladík. "Pojedete ke generálu Shermanovi!"

Za deset minut cválal posel s druhou, pesimistickou zprávou ve směru Howardova ležení. Generál Slocum naléhavě žádal o posily.

Mladík nebyl vlastně bílý. Ne na viditelných místech. Texaské slunce ho opeklo do rudohněda jako všechnu bílou chátru. Občas zahlédla deputátníky, když se obnaženi do pasu myli v potoce nebo u pumpy: rudohnědá hlava a hrdlo a trup bílý a pihatý, i paže, jen ruce taky rudohnědé, jako by obnažení měli cihlové rukavice. Někteří byli srstnatí jako medvědi a na prsou rašily chlupy každému. Běloši. Opravdu bílé byly jen slečny jako Hortense de Ribordeaux, protože ty nedaly ránu bez slunečníku, ale i tak měla vysvlečená Hortense obličej tmavší, odrážel se nápadně od jejích skutečně jako mlíko bílých koziček, takže si vypomáhala pudrem, aby vypadala jako z porcelánu. Běloši. Sama byla vlastně bělejší. Prohlížela se v Etiennově zrcadle, před nímž se svlékla před schůzkou s bílým mladíkem. Byla čajová. Slunce se jí nechytalo, nahá neměla na sobě to legrační bílé tričko jako chudí farmáři, ani cihlové rukavice na rukou. Byla celá barvy světlého čaje. Negerka. A před Etiennovým zrcadlem se polévala francouzským parfumem, který dávali domácím černochům od té doby, co otec Etiennovy nastávající na návštěvě u de Ribordeauxových pokrčil nos a řekl: "Negra člověk ucítí na sto honů! U mě musí domácí negři

používat voňavku. I muži. Já černošský smrad nesnáším!"
Tak se tedy polévala voňavkou, aby nebyla cítit na sto
honů. Kdoví, bílý mladík taky možná nemá rád kořennou
vůni potu, i když na plantážnického cimprlína nevypadá.

Z massovy knihovny si opatřila také knihu: Básně pro
všechny příležitosti. V poezii doma nebyla, četla jen
francouzské romány, ale kniha se jí líbila, měla na des-
kách bohaté zlacení. S velkým úsilím ovládla služebnický
sklon být všude včas, protože z románů věděla, že to se
na dámu nehodí, a vkročila do arboreta jako hraběnka,
o celých pět minut pozdě, a na sto honů byla cítit santá-
lovým dřevem.

Mladík tam už seděl, dokonce s květinami. Měl malý
nos, širokou tvář. Vlastně vypadal jako modrooká. I její
oči měl. Ale něco, co měla v obličeji modrooká, v jeho
tváři neviděla. Měl cihlovou kůži bílé chátry. A modré oči
"s obdivem vzhlížející..."
Řekla:
"Bon soir."
Vyskočil a podal jí květiny. Nebyly natrhané na louce.
Tyhle na louce nerostly.
"Ach, ty jsou krásné!" pravila jako hraběnka a on si
skutečně odkašlal:
"To jsem — velice rád, že jste přišla."
"Já taky," řekla. Vypadla z role, ale on mlčel. V koru-
nách stromů všelijak zpívali ptáci. Mlčela taky. Všelijací
ptáci zpívali. Řekla tedy:
"Máte rád poezii?"
"Poezii?" pravil nechápavě.
"Ano. Básně."
"Jistě," pravil. "Básně mám rád, ale — moc jsem jich
nečet."
Podala mu pozlacený svazek.
"Tohle jsou krásné básně," řekla. "A pro všechny pří-
ležitosti."
"Aha," obrátil knihu v rukou a podíval se na zadní
stranu vazby.

"Přečtěte mi nějakou," vybídla ho. Byla černá hraběnka a on bude Etienne, předčítající modrooké sonety. Jenže nebyl.

"To asi nebudu umět," zapochyboval.

"Zkuste to!"

Otevřel knihu, ani v ní nezalistoval. Učinil hrdinský pokus číst na levé straně nahoře básničku z prostředka:

"Look 'round thee now on Samarcand! —
Is she not queen of Earth? her pride
Above all cities? — "

Vzhlédl k ní nešťastně:

"Já číst anglicky moc neumím. Jenom trochu mluvit, slečno."

Slečno!

"Och," pravila hraběnka. " *Čtete krásně. Vy jste ze Severu?"*

"Ne, z Moravy."

"Z Moravy?"

"Z Evropy," řekl. *"Za oceánem."*

"Och," pravila. *"Z Francie?"*

Věděla, že je Francie a taky Afrika. Obě za oceánem. Asi každá jinde.

"Ne, z Francie ne. Z Rakousko-Uherska."

"Och!" Odkudže? Odněkud z dálky. Z Rakousko-Uherska. Zřejmě tam mají černé hraběnky. *"Máte tam taky negry?"* zeptala se.

Zavrtěl hlavou.

"Nemáme. Žádné jsem nikdy neviděl, až tady."

"Och!" Svět, kde nejsou žádní negři. Kde to je?

Později se to od něho dozvěděla. Řekl jí taky o chalupě, kde spali všichni v jedné seknici, Lída na lavici. *"Lída?"* *"Moje sestra. Tady si říká Linda."* *"Och!"* A jak se dřeli a dřeli k ničemu. A jak sedlák Mika — a jak jeli do Ameriky, teprve tam uviděli negry. *"Uviděls mě, bílej kluku!"* *"Uviděl. Ale ty nejseš negr."* *"Bajo, sem,"* řekla.

"Jenže mě stejně miluješ, žejo?" "Miluju! Miluju moc, ty moje čajová růžičko voňavá!"

"To je santálový dřevo," řekla.

V arboretu však tenkrát nad knihou mlčel. Žádný Etienne to nebyl. A ona nebyla žádná modrooká.

Vzala mu pozlacenou knihu z rukou a pohladila ho po tváři.

"Dinah..."

A ona nebyla žádná hraběnka. Černá, bílá ani čajová.

Vzala ho kolem krku, přitiskla své ne úplně negerské rty na jeho málem negerská ústa a líbala ho. Líbali se, milovali se jako negři nebo bílá chátra na zeleném trávníku v arboretu. Doufala, že nemrava Benjamin je odněkud nešmíruje. Nikdo však nekýchl. K tomu zpěv všelijakých ptáků a pronikavý nafasovaný parfum, jímž se polila, aby nebyla cítit na sto honů.

Doma sestřička významně začichala:

"Cyrilku! Tys byl v hambinci!"

Poručík Bellman stále nemohl vyhnat z hlavy broučí hřbitov, spíš mučírnu, z níž kat zmizel, asi taky zabitý. Muži se lopotili s kameny a s kmeny borovic, narychlo poražených na rozkaz generála Slocuma. Krajinu zvlněnou jako zelenavé moře, šrafovanou živými ploty černých křovisek, protkávanou borovicovými hájky, poznačenou močály, z nichž stoupala pára, rychle začaly přetínat palisády, kamenné valy, spěšně vztyčené překážky postavené do cesty divokým vojskům Jonhstona, Taliaferra, Bragga, Hardeeho, Wheelera, v jejichž přítomnost Slocum konečně uvěřil. Zezadu, z dlouhé kolony, jež se ještě před hodinou táhla krajem jako líný had, přihnaly jeho rozkazy usilovným pochodem divizi generála Morgana a ta se nyní zakopávala. Slunce už stálo vysoko na obloze, svítilo na bílé obláčky, jež vypluly na modré nebe a jejich stíny na zemi na chvilku zhášely drobný třpyt rosy v trávě. V teskném karolínském kraji pracovali jako o život muži v rozedraných mundúrech, vztyčovali neforemné stavby, pasti na jiné muže a na dně duše, pomyslel si poručík Bellman, hlodala v nich otázka: Teď? Takhle pozdě? Teď, když už —

Jenom prořídlé sloupy černého kouře z terpentýnových lesů na dalekém obzoru připomínaly vzdalující se minulost velkých řezničin, kdy se takhle ještě nikdo neptal. Teď, když už — na dosah ruky — Ale kouřové mohyly těch mnoha, co se už neptali, neboť bylo po nich, stály ve veliké dálce. Očím poručíka Bellmana se naskýtal pohled na muže lopotící se ve svěží krajině borových háječků, nazelenalých luk, probouzejících se polí.

Hřbitov umučených brouků však z hlavy vyhnat nemohl.

Linda začichala, ale neřekla nic.
"Jdi ven," poručila. "Počkej, až ti řeknu."
Poslušně odešel.
Linda se pomalu svlékla, a co jí táhlo hlavou?
"Čoveče," řekl Cyril. "'Děkuju ti, Cyrilku, ale tos nemusel. Jednonohýmu —' říkala mu Jednonohej, nikdy Etienne, ' — to nevadí. Jak by taky mohlo. Je do mě tvrdej.' 'Takže on ví, žes žádnýho muže neměla?' 'Řekla jsem mu všechno popravdě, skoro popravdě. Akorát jsem z Vítka udělala hraběte. ' 'Hraběte?' 'Aby se mu to líp polykalo. Hrabátko mi udělalo aplégra a pak nám všem papá hrabě zaplatil cestu do Ameriky."
"Milovalas ho?" *zeptal se žárlivý Etienne.*
"Já nevím," *lhala Linda.* "Byl hezký. Líbil se mi. A byl to hrabě."
"Ještě ho miluješ, viď?"
Linda pohlédla z okna na měsíc nad bavlnou, jak na něj den předtím hleděla Dinah. A lhala, jako když tiskne.
"Ne. Miluju tebe, milej. Ačkoliv nevím —"

"Co nevíš?"

"Co je to tady cejtit?"

"Cejtit?" Intonace ho prozradila.

"Cejtit," řekla. Převalila se na bok a otřela se mu ňadry o prsa. "Měls tu ženskou!"

"Ženskou?" Znova ho zradila intonace.

Musel s pravdou ven.

"Tady na Jihu se to ale tak nebere."

"Máš ji rád?"

"Tebe miluju!"

"Takže ji máš rád," řekla. "A to se tak bere, odkud jsem já."

"Miluju tě, Lindo. Na první pohled. Jako nikdy v životě!"

"Takže to nebude nic těžkýho, si vybrat."

"Jistě." Ale jistě to neznělo.

Co mu táhlo hlavou?

Hořely terpentýnové lesy.

"Von ji rád měl," řekl Cyril. "Jak by někdo moh mít nerad Dinah. Druhá taková na světě není. Ale do Lídy byl prostě tvrdej."

Hořely terpentýnové lesy.

"Jistě? Takže půjde z domu," řekla Linda.

"Z domu?"

"Prodáš ji," řekla. "To tady přeci není problém."

Začichala k podušce a řekla Etiennovi:

"Prodáš ji hodně daleko, protože jinak to problém bude."

Co jí táhlo hlavou.

"Bůhví," řekl Cyril. "Já jí nerozumím. Nebo vlastně jo."

Velké ohnivé terpentýnové koule.

"Cos udělal Rosemary?" zeptala se Lída Cyrila. "Dals jí košem? Kvůli tý černý? Seš blázen, Cyrilku! Tu nikdy nedostaneš."

"Dostanu. Koupím si ji a dám jí svobodu."

"Jo? A co budete dělat? Pojedete na Sever?"

410

"Pojedem," řekl. *"Stejně nechci v takovýhle zemi žít. Vopravdová Amerika je na Severu."*

"A co farma?"

"Nechám ji Josefovi. Já se uživím."

Sestřička se zamyslela. Zadívala se na pole, kde se mezi kukuřicí spokojeně procházel táta.

Co jí táhlo hlavou?

Řekla:

"Inu, táta ti bránit nebude. Nebude moct. Ale rozmysli si to. Začínat zas znova. A s černoškou. I když na Severu."

"Prodá mi ji?"

"Bude muset. Ale, Cyrilku —" zarazila se.

"Co?"

Najednou skoro úpěnlivě:

"Pojedete na Sever? Nezůstaneš s ní tady?"

"Copak bych moh?"

"Proti černejm konkubínám bílejch pánů tady nejsou námitky. A ty už seš teďka pán."

"Já ji miluju."

Sestřička se naň divně podívala.

"Někdy páni milujou i konkubíny, víš?"

Nevěděla, že jí to Etienne co nevidět potvrdí. Za pár dní smejčila už Dinah domeček v Austinu a Gideon, navíc k dopisům pro slečnu Towpelickovou od Etienna, nesl taky tajný lísteček od Dinah pro Cyrila. Baywater Street, u řeky. Na dveřích bude uschlá chryzantéma. Tvoje, o- pravdu JENOM Tvoje Dinah.

"Prodal? Tys ji prodal?" děsila se Linda.

"Abys viděla, miláčku," lhal Etienne. *"Buď, anebo. Žádné anebo už není. Jsi spokojená?"*

"Etienne!" pravila skoro nešťastně. *"A kam?"*

"Překupníkovi. Schválně. Abych nevěděl, kam ji prodá on."

"Etienne!"

411

Seržanta pálily oči.

Stářím?

Ne. Protože na dosah ruky, v poslední chvíli — od stanu se zdvihla odraná postava, na hlavě neměla čepici, ale špinavý obvaz, jímž porosakoval rudý odznak nelhostejnosti. Rozběhla se k němu, zarazil koně. Potom ho poznal.

"Seržo!" zvolal Vojta Houska, modré, naivní, nelhostejné oči upřené na seržanta s bolestí. Všiml si, že stejně špinavý obvaz má Vojta taky kolem lýtka; byl vidět, protože střep z kanistru ustřelil Houskovi levou nohavici. "Kakuška je v posledním tažení!"

Kakuška ležel v hale plantážního domu, spolu s mnoha jinými, a dusil se. Velká černoška, asi součást domácnosti, mu utírala čelo mokrým hadrem, víc asi dělat nešlo, jen se modlit. To zřejmě dělala, tlusté rty se němě pohybovaly a Kakuška chrčel. Kolem krku měl bílý obvaz, jímž prosakoval rudý odznak nelhostejnosti.

"Já ho zahlíd, seržo," šeptal vedle něho Houska. "Zrovna se do nás napral Wheeler, měli sme plný ruce práce a zprava najednou přilítne naše kavalérie a jeden se tak jako vznes ze sedla, rozpřáh ruce, slyšel sem, přes rambajs kolem, takový šeredný křupnutí a von letí vzduchem jako ukřižovanej, v pravý ruce karabinu, prsty na levačce roztažený a já si vším, že mu na ní chybí ukazováček. Kakuška, krajane, Kakuška, chudák!"

Na dosah ruky.

Minnie prolétla Kakuškovi krkem, mezi klíčními kostmi a uvízla mu v páteři. Chirurg ji odtamtud vylovil, neboť tak se to dělalo — kule musí ven — ale jinak neudělal nic. Nic se s tím — tehdy — dělat nedalo. A Kakuška se dusil, chroptěl, nemohl mluvit.

Seržant se k němu sehnul:

"Jakoubku — "

Oči ho poznaly. Pak se pohnula ruka s ustřeleným ukazováčkem, zapátrala po rozedrané blůze, ležící na zemi vedle lůžka. Pátrala. Oči úpěnlivě hleděly seržantovi do očí. Kakuška pohnul rty, ale nevyšel z nich zvuk lidské řeči, jenom chrapot, jaký, napadlo seržantovi, oznamuje metamorfózu v nic, anebo v anděla. Setkal se se zrakem velké černošky. Jestli mladé, staré, nešlo poznat, viděl takových stovky ve zdrancovaných plantážních domech. Ruka pořád pátrala. Seržant se shýbl, sebral ze země Kakuškovu blůzu, Kakuška zavřel oči, zase je otevřel, jakoby kývl. Seržant rozepjal náprsní kapsu a vytáhl z ní něco, co vypadalo jako knížečka v dřevěných deskách. V deskách byly vyvrtané dírky, jimi byl protažen sešlý, kdysi zlatý provázek. Uprostřed destičky, kterou Kakuška kudlou umně vyřezal, takže vypadala jako miniaturní oltář, stálo BOŽENA KAKUŠKOVÁ, krásným, s láskou vydlabaným písmem, vypáleným, patrně u táboráku, rozžhaveným hřebíkem do černa, takže nápis na zažloutlém pozadí dřeva černě svítil.

Kakuška zvedl ruku, prsty naznačil a seržant pochopil, že má rozvázat provázek. V destičkách byl navrch obrázek dívčí tváře a seržant věděl, kdo jej namaloval. Měla červené tváře, oči jako šmolku, červené rty, kolem výstřihu blůzy miniaturní kopii lidové výšivky. Vpravo nahoře, na stěně za červenolící dívčinou, krucifix, vlevo v miniaturním rámu mrňavý portrét vousatého muže. Ruka dala nové znamení. Pod obrázkem našel seržant dopisní obálku, jaké prodávali markytáni, s obrázkem cukrujících holubiček a dvou srdcí proklátých společným šípem. Na obálce farmáckým Kakuškovým rukopisem anglicky:

When I fal delyver to Božena Kakušková, Kakuškas Farm neer Manitowoc, Wisconsin.

Seržant svázal destičky, viděl, jak ho přítel sleduje očima, rozepjal si náprsní kapsu, dal destičky dovnitř, zapnul na knoflík. Kakuška zavřel oči. Seržantovi se zdálo, že se usmívá. Potom znamení metamorfózy. Chvíli ticho, pak se z hrdla umírajícího kavaleristy ozvalo strašné, hluboké zachroptění a náhle je uťalo ticho. Seržant vzal pravicí Kakuškovu ruku v zápěstí, už v ní nebyl život. Hmatal po žilce, nenahmatal ji. Pohlédl do lesklé, široké, černé tváře nad Kakuškou. Setkal se s hnědýma očima.

"*Crucifixus est etiam pro nobis*," řekla černoška.

Seržant na ni udiveně pohlédl, nerozuměl. Jenom mu to něco připomnělo, ale co, nevěděl.

"Amen," řekla.

Seržant pohlédl na holčičku, stále se potýkající s plukovnickou dikcí. I za mě. Nejen za tu velkou, jako tér černou ženskou. Za to, že doma nic a tady farma, a tedy za tu zemi ohroženou rozpadem. Za svět. Kakuška.

"*Moc lipak vás vlastně bylo?*" zeptal se jednou po válce tchán.

"*Moc ne,*" řekl. "*Pár stovek možná. Víc se jich ulilo,*" vzpomněl si na Chicago, a jak Uršula řekla: "Ich dachte an dich, wenn sie in meines Gatten Kanzlei erschienen, einer nach dem anderen. Diese sunshine patriots," řekla. "Ale ty, co se neulili," pravil, "ty bojovali. Jako vojáci Unie," řekl skoro hrdě, ačkoliv nikdy nebyl patetický člověk. Jenže to byla pravda.

Po válce se z Chicaga vydal s vyřezávanými destičkami do Manitowoc a na farmu asi tři míle od městečka.

I za to umřel, kamarád Kakuška.

Černoška se dotkla očí mrtvého, ale byly zavřené.

Seržant sklonil hlavu. Vedle lůžka stály jezdecké boty. Na nich nebožtíkovy ostruhy.

"*Dem na Sever!*" řekl Vincenc. "*Otecko má už leta, ale my dem! Poď s náma!*"

"*Pudu,*" řekl Cyril. Hleděl na starého Lešikara. Pro toho byla poslední skvrna na sladké tváři Ameriky, co uviděl cestou do New Orleansu. Černošská dražba, urostlé mulatky na prodej, které na povel vstávaly, vypínaly prsa, otáčely se, aby zákazník viděl linii ženského zadku. Za plentou staří otroci, jimž zemřel massa a plantáž přišla na buben, teď jim černili šedivé vlasy, aby se vyhnala cena. Ve starém Lešikarovi se bouřilo všechno, za čím sem přijel. A Cyril měl v kapse lístek Baywater Street — uschlá chryzentéma, a v uších Lídin nejistý hlas: "Nezůstaneš s ní tady, že ne, Cyrilku?" a tak se poslední skvrna na sladké tváři země dotýkala i jeho, Cyrila Toupelíka, a jeho čajové růžičky, která ani neměla vlastní jméno, jenom firemní značku de Ribordeaux.

V domečku na Baywater Street tedy vzývali válku.

Ale nejdřív:

"Von mě prodá, bělásku. Tohle tady, Baywater Street, brzo praskne. Tvoje sestra to vyslídí. Ale neprodá mě tobě. Na tebe by žárlil. Prodá mě, jako pan Leclerc prodal tetičku Penelopu."

Neznala nic. Evropa nebyla ani slovo, natož pojem. Jenom Francie. Byla plná historek, které nikdo nenapsal. Snad někdy po letech, ale to už budou napůl vymyšlené.

"Tetička Penelopa," řekla čajová růže, "byla na tom jako já. Jedině že neměla tebe. Ale zato měla s panem Leclercem dvě děti, kluka a holku. A když se pan Leclerc oženil, jeho ženě nikdo nemusel povídat, kdo je tetička Penelopa. Hned ji vyhnala z velkýho domu na pole. Děti taky. Dohlížiteli nařídila, aby na ně byl jako metr."

"To by Lída neudělala," řekl. "Lída jde za svým, ale zlá není. Na ni byli zlí."

"Ale bude se mě chtít zbavit, a tobě on mě neprodá. Prodá mě, jako pan Leclerc prodal tetičku Penelopu. Jenže ona nikoho neměla, aby na ni žárlil. Prodal ji a její dvě děti bratranci, kterej byl metodistickej farář v Georgii. Spíš mu je dal. Reverend Leclerc zaplatil jenom za cestu a byl na ně hodnej. A já —" utřela si slzičku, " — já dopadnu taky tak. V nejlepším případě. Uvidíš."

"Nedopadneš," řekl. "Je válka. Jankejci vyhrajou. Budeš jako já nebo Lída nebo Etienne. Nikdo už tě nebude moct prodávat."

"Válka," fňukla, popotáhla nosem. "A ty do ní budeš muset jít. A třeba tě zabijou."

Vzal růžičku do náručí. Chvěla se, pláč jí škubal ra-
meny. Takovou ji ještě neznal. Byla veselá, drzá, všechno
po ní sjelo.

"Houby jsem ji znal," řekl, terpentýnové lesy hořely.
"Smála se, aby nemusela brečet."

"Nezabijou mě," řekl. "Uteču. Utečem spolu. Jankejci
vyhrajou. Mají víc lidí a kanónů a mají pravdu. Už tě
nikdo nikdy nebude moct prodávat, růžičko moje. Je
válka. Škoda že už nebyla dávno!"

Vyznávali válku, za oknem líně tekla řeka, teplá, jižác-
ká, vánek lehce hýbal krajkovím mechu visícího ze smut-
ných stromů. Vzývali válku a snili, jak spolu utečou.

V noci, když se vrátil, sestřička na něho čekala. Čichla
mu ke kabátu.

"Aha," řekla. "Kde je?"

"Kdo?"

"Kdo asi! Seš cejtit jako voňavkářství."

Řekl jí tedy o Baywater Street. Stejně by to vyslídila.

Sestřička sevřela rty, vytryskly jí slzy. Ale jiné než
růžičce.

"Podvodník jeden! Myslí si, že já budu jako ty jeho
jižácký bledule mhouřit voči!"

"Proč ne?" řekl. "Přeci ho nemiluješ?"

"Ale ty tu svou žlutou miluješ, nebo ne? Dělám to kvůli
tobě, Cyrilku. Nebo se snad o ní chceš dělit s jednono-
hym?"

Ohromilo ho to. Ale vzpamatoval se. Zrovna tak se ona
nechce dělit o jednonohého.

"Kvůli mně to neděláš, Lído. Taková tvoje sesterská
láska zas neni."

Pohlédla na něho skoro s opovržením.

"Ty toho víš o lásce," řekla. "Ale máš pravdu. Taky
kvůli sobě. Ne že bych žárlila, prosim tě! Ale nesmí si
myslet, že na všechno přistoupim, jen když si mě veme. To
bych byla pěkně pitomá a to už dávno nejsem. Víš, Cyril-
ku," vzala bratra za rameno a měsíc jí rudě rozsvítil rudé
panenky. "V tomhle světě vyhraje, kdo je silnej. A láska?

Buď ta, a když ji člověk nemůže mít, tak všecko, co mít může."

Brouci na trnech. Nemohl je vyhnat z hlavy. Leželi za palisádou z rychle zporážených stromů, před nimi zelená louka, křivá terénní vlna, na jejím konci černé dubové křoví a ticho. Před bouří. Generál Carlin ve vyžehleném *Schlachtanzugu,* obklopený štábními důstojníky, stál kousek od poručíka Bellmana, sluneční paprsky, deroucí se korunami borovic, proměňovaly ho v modře rozsvícený terč a na okamžik se zatřpytily v čočce dalekohledu, jímž obzíral černé keře. Za nimi se schovávalo ticho před bouří. Bylo půl třetí odpoledne. Carlin zastrčil dalekohled do pouzdra a poručík Bellman slyšel, jak pobočníkovi říká:

"Jedno nechápu: proč nevyužili překvapení? Nikdo je tu nečekal a oni se prozradí střelbou na předsunutý oddíl. A teď čekají. Proč?"

"Hardeeho sbor usilovným pochodem, zdržovaným močály, jež nebyly zaneseny v mapě, ostatně, jak již řečeno, i jinak velmi nespolehlivé," *četla holčička,* "dorazil na východisko k útoku až v pozdních hodinách odpoledních, aby zaujal stanoviště na pravém křídle a dodal tak konečně sílu kleštím, jimiž generál Johnston hodlal rozdrtit divizi Carlinovu. Navíc zdržela jej okolnost, že jediná cesta vedoucí z Bentonvillu k bojišti zatarasena byla zadními voji generála Hoka, jehož sbor tvořil čelo obchvatu a osu kleští. Levé jich křídlo pak sestávalo z jednotek pod velením generála Bragga. Tento, podlehnuv zmatení smyslů vzbuzenému krutou bitkou, jež následovala, když průzkumné čety divize Carlinovy vešly ve styk s nepřítelem, a maje dojem, že osa kleští —

sbor Hokův — bude protiúderem přeskupených jednotek Carlinových rozdrcena, naléhavě volal po posilách. Tehdy generál Johnston, jak později sám přiznal, dopustiv se chyby v úsudku, rozkázal právě přišedšímu Hardeemu, by ze sboru svého vydělil pluk McLawsův a jím posílil Hoka. To ponechalo na pravém křídle toliko divizi Tali — Talifor —" *škobrtla holčička. Seržant jí pomohl:*

"Taliaferrovu."

"Taliaferrovu," opakovala hláskem snaživého školáčka. *Seržant vzpomínal na svého generála, sehnutého nad mapou, vedle mapy Slocumova depeše, kterou právě doručil poručík Foraker a již generál přečtl štábu nahlas:* "Domnívám se, že je nejvýš důležité, aby se pravé křídlo v noci přesunulo k nám. Pošlete rovněž všechnu munici a k dispozici jsoucí prázdné ambulance." Všiml si, jak generál rozčileně prohrábl nazrzlý vous, když četl zmínku o prázdných ambulancích, a věděl, co bude rozhodovat o generálových rozhodnutích. Konec konců to rozhodovalo vždycky. "Mám spolehlivé zprávy," pokračoval Slocum, "že proti mně jsou soustředěny sbory Hardeeho, Stewarta, Leea, McLawse, Hilla a Hoka." Generál znovu rozčileně prohrábl vous.

"Sbor McLawsův, řídě se stejnou nepřesnou a matoucí mapou, dlouho bloudil mezi močály a bažinami do mapy nezanesenými," *četla jeho dcerka,* "než konečně zaujal stanoviště ve východisku k útoku. Tak se stalo, že teprve ve tři hodiny patnáct minut odpoledne stály všechny útvary Johnstonovy konečně na svých místech a útok mohl započít. Proti útočníkům, kryti narychlo zbudovanými palisádami, ležely jednotky divize Carlinovy, posílené Druhou divizí generála J.D. Morgana. K bojišti blížil se rovněž sbor Slocumův, sestávající z divize Williamsovy, z divize Johna W. Gearyho a z divize W.T. Warda, jež pro ten účel uvolněna byla ze služby doprovodných sil muničního a proviantního trénu. Tak jevila se situace na bojišti, když vojska Konfederační, ve tři hodiny patnáct minut, vyrazila k útoku."

Nejdřív se snesla kovová sprška na borové hájky a na palisády v nich, na kamenné barikády přetínající volná prostranství polí. Pak na obránce narazilo opožděné houknutí děl. Nato rebelský jek, protáhlé Á-áá-ááá, ten strašlivý zpěv bojišť čtyři roky staré války, možná naposled. Teď, když už je skoro — napíchaní brouci. Ale hned poté se objevili, v hadrech, strašlivě krásní pod rozedranými prapory setnin, vpředu důstojníci na koních, kráčeli rychle, krásně seřazeni, dlouhými kroky veteránů, kteří prožili všechno, Shiloh, Antietam, Perryville, Chickamaugu, Chancellorsville, Gettysburg, *morituri* z ďáblova kolosea.

Byli však krásní a tragičtí, podivní *l'art pour l'artisti* smrti. Bojovali už jenom pro čest, oslabenou množícími se dezercemi druhů, kteří už i čest opustili a odjeli bránit své malé farmy, každý sám. Krásní, tragičtí a žalostní. V čele na černém koni klusal přes zelenou louku k poručíku Bellmanovi jednonohý generál Bate, berle připnuté k sedlu, v ruce obnaženou směšnou šavli. Za ním vlály v oslnivém jarním slunci prapory rychle kráčejících divizí, pluků, setnin, šly sebejistým krokem absolventů míst po dlouhá desetiletí neznámých, nyní zapsaných do ďáblova slovníku a do historie — Little Round Top, Resaca, Lookout Mountain. Jenže pod vlajícími a rozstřílenými prapory útočily divize v síle pluku, pluky v síle setniny, setniny sestávající z hrstky prořídlých rot. Nad nimi však dosud strašlivý rebelský jek, před nimi železný buchar kanistrů. Poručík si jenom stačil uvědomit, že utíká v závěsu za utíkajícími veterány všech těch bojišť, přeskakuje narychlo zbudované palisády a jiní, strašliví veteráni přelézají palisády, jež zanechal za sebou. Jednonohý generál Bate se na koni otáčí a šavlí a tuřím hlasem zbytečně povzbuzuje opálené muže v šedivých hadrech, kteří vědí, že všechno je už ztraceno, Konfederace a její živé majetky, co většině z nich stejně nikdy nepatřily. Všechno, jenom ne čest. Bojují tedy o ni, profesionálně, to jest statečně. To jest o čest.

Jenže tu scénu jeho generál neviděl. Ze Slocumovy zprávy se dočetl, že na jedinou Carlinovu divizi útočí sbory Hardeeho, Hoka, Leea, Stewerta, Cheathama a Hilla; nespatřil vlající divizní prapory, pod nimiž běží prořídlý pluk, ani plukovní prapory nad hlavami pouhé roty. "Hardee," řekl za ním generál Howard. "Jeho syna Willieho jsem učil v nedělní škole ve West Pointu." Generál neposlouchal, jal se štěkat rozkazy: "Hazen! Je nejblíž levému křídlu. Jeho divize okamžitě usilovným pochodem ke Carlinovi! Woods, Smith, Corse, ti jsou u Cox's Bridge." Most rebelové zapálili, ale ještě když hořel, postavili Loganovi ženisti pontonový most přes řeku Neusse. Seržant porozuměl generálovu úmyslu: "Překročí Neussu a vpadnou Johstonovi do zad. Blair a celý Sedmnáctý sbor se ještě v noci přesunou k Benton-villu!"

Z noci už mnoho nezbývalo. Maratonský běh vzbur-covaných divizí a sborů pokračoval celý den a u Benton-villu zatím zuřila veliká bitva.

"Proč se tak voníš, růžičko?"
Znejistěla.
"Tobě to vadí?"
"Ale ne. Voní to krásně. Jenže já jsem tím potom cejtit taky."
"A to ti vadí?"
Posmutněla.
"Mně ne. Ale říkáš, že Etienne je žárlivej."
"Ten nic nepozná. Ten je na mou voňavku tak zvyklej, že už ji necejtí."
Teď posmutněl on.
"Zvyklej," řekl zuřivě. "Ale já si nezvyknu!"

420

"Počkej, až budu tvoje," řekla. Pak rychle: *"Už teď jsem jen a jen tvoje. Jedině že ti ještě nepatřím."*

Po cestě zacupitali lehké kočárové koně. Dinah se schovala za naolejovanou mašinu, kterou smontovával. Stavila se pod přístřeškem jen na chvilku, šla s medicínou pro nemocného strýčka Habakuka, velebného kmeta plantáže, jemuž bylo už pětašedesát a spotřebovával nesmírná množství mastě na revma, kterou mu pan de Ribordeaux dával vozit z Galvestonu.

"Von si ji maže na chleba," řekla Dinah.

"Cože?"

"Na chleba. Strejček Habakuk má divný chutě. Kvůli dozorci panu Williamsovi. Von si na něj zased, to byl strejček Habakuk ještě na plantáži pana Butlera v Louisianě. Pan Williams byl zlej dozorce. Bil negry a všelicos si na ně vymejšlel. Na strejčka Habakuka si vymyslel, že je línej. To si vlastně nemusel vymejšlet. Strejček Habakuk línej je a vždycky byl. Než by česal bavlnu, radši cvičil v chalupě na skřipky a v sobotu hrál na tancovačkách."

"A to ho dozorce Williams nechal? Asi nebyl tak zlej."

"Musel ho nechat. Strejček Habakuk doved tak dobře simulovat, že jednou vodil doktora Bensona za nos celý dva měsíce, než ho přistih, jak si dělá pomazánku na jazyk a strejček musel na pole."

Připsal to své dosud nedostatečné znalosti angličtiny nebo snad černošské výslovnosti čajové růže. Jenže ona, když chtěla, uměla mluvit jako bílé panstvo a s ním tak vlastně mluvila. Věděla, že jí líp rozumí. Uměl snad strejček Habakuk vyrábět pomazánku z hovězích jazyků? Gurmán zřejmě byl. Řekla přece, že měl divný chutě.

Vyvedla ho z omylu.

"Ne, to nebyla pomazánka k jídlu. Míchal ji z hořčice, pampelišek a ještě buhví z čeho. Mazal si jima jazyk a vzadu v krku a dělal, že nemůže mluvit a že má zimnici — uměl se krásně třást, ale že to vypadalo jako doopravdy. Doktor Benson ho musel vzít za ruku a teprve pak cejtil, jak se strejček Habakuk chvěje. Tak doktor Benson krou-

til hlavou, zkoušel mu špachtlí seškrábat hnědožlutej povlak z jazyka, jenže ten držel jak, já nevim —"

"Jak židovská víra?" přeložil české úsloví.

"Tohle nebylo žádnou vírou," řekla. "Strejček Habakuk si to míchal sám. Z hořčice a z pampelišek. A měl s tim těžkosti, když se toho potom, už na poli, chtěl zbavit. Pouštělo to jen whiskou, mint julep na to nestačil. Takže byl strejček v krku namazanej kolikrát několik tejdnů, než se pomazánka ztratila, protože dostat se k whisce nebylo jen tak. Na druhý straně, že to tak drželo, moh marodit až několik dní."

"Řikalas, že trvalo několik tejdnů —"

"Doktorovi Bensonovi stačilo jen pár dní, než na strejčkovi vyzkoušel všecky svý medikamenty. Pustil strejčkovi žilou, pak mu dal projímadlo, potom dva dni nic jíst, nakonec mu zas pustil žilou, a protože mazanec v krku se ani nehnul, poslal strejčka na pole. Co to udělá."

"Takový trápení pro pár dnů volna? To se přeci strejčkovi nevyplatilo?"

"Vyplatilo. Von byl děsně línej. A taky celej ten čas moh v chalupě cvičit na skřipky. Dozorce pan Williams mu sice hraní chtěl zatrhnout, ale strejček Habakuk tvrdil doktoru Bensonovi, že když hraje, přejde ho třes. Tak mu to doktor Benson přes pana dozorce Williamse dovolil."

Vyprávěla mu to, když se podruhé sešli v arboretu a ona už si žádnou knihu nepřinesla. Rojili se svítící broučci, texasští, svatojánští nebo jací. Dinah svítily uličnicky oči a on ji obvinil, že si ty věci vymejšlí. Oči zvážněly.

"Proč bych si je vymejšlela?" Přes živý plot pohlédla k bílému světlu velkého domu a k žlutým světýlkům chalup za ním. "Nepotřebuju si nic vymejšlet."

Má pravdu, uvědomil si. Co by si ještě potřebovala vymejšlet k svýmu životu?

"Začlas o divnejch chutích strejčka Habakuka," řekl a jeho dívka se zasmála.

"Ty měl na svědomí dozorce pan Williams. Jednou strejčka přistih, jak si dává dvacet mezi tabákovejma *keřema. Ušil na něj boudu. Dělal, že jde konat potřebu, a zatím jen skrčenej vobešel pár keřů — strejček Habakuk hnedka zaleh, von uměl usnout, co by dup, a za půl minuty zas vyskočit a dělat, že dělá. Ale tenkrát ho dozorce pan Williams převez, ponivač strejček Habakuk počítal, že si může dát šlofíka aspoň na tři minuty, a dozorce pan Williams se nad nim najednou, ani ne za minutu, vobjevil a zařval: 'Ty lumpe líná! Tak ty tak! A já proč se nám v tabáku množej červi! No počkej!' Pak poručil negrům, že žádný červy, co najdou, nemaj zašlapovat, ale házet do plechovýho hrnce, kterej poručil nosit malý Sáře. Když byl hrnec plnej, vytáh vo polední pauze z boty lžíci a poručil strejčku Habakukovi, aby ty červy sněd."*

Cyrilovi se zvedl žaludek.

"Vždyť se musel pozvracet?"

"To taky všichni čekali. Strejček Habakuk si sed na zem, hrnec v klíně, hrábnul lžící do červů a voni se mu na ní kroutili — glk!" řekla čajová dívka. "Mně se z toho dělá zle, jenom když na to pomyslím. Určitě bych byla vrhla, kdybych u toho tenkrát byla. Ale znám to jenom z vyprávění strejčka Habakuka."

"A von si to nevymyslel?"

Tentokrát se neohradila, pravila jenom:

"A z čeho myslíš, že má ty divný chutě? Mazat si mast na regma na chleba?"

Připustil, že to lze těžce vysvětlit.

"Von řikal, že se mu taky zved žaludek. Tak zavřel voči, dvěma prstama sebral ze lžíce červa a rozkous ho a 'Von,' povídal, 'holka, von ti chutnal jako vostružiny.'"

"Prosim tě! Jedlas někdy červa?"

"Já ne. To bych vrhla. Ale strejčkovi zachutnali, tak do nich zajel lžící, a když dozorce pan Williams viděl, jak se jima strejček Habakuk láduje, pozvracel se sám."

Rozesmál se.

"A ěště pět ženskejch, který byly samodruhý."

"Tohle už sis ale vymyslela!"

"Tohle jo," připustila. *"Je ti ale jasný, že ten hodokvas neudělal ze strejčka Habakuka voblíbence pana dozorce Williamse? Vznik z toho spor, taková hra, která se táhla a táhla, ale nakonec z ní vyšel vítězně strejček Habakuk. Von totiž uměl psát, jenže to nikdo nevěděl. A taky krásně kreslil."*

Začichala. Jako kočka. Stála v nových šatech, na které jí dal Cyrilek, už amerických, ze stóru, s dekoltem a v něm kapesníček. Máma nad nimi kroutila hlavou, ale neřekla nic. Josef hvízdl, když se v nich prohlížela. Zrcátko bylo příliš malé, aby se v něm viděla celá. Spokojila se tedy hvízdnutím a řekla mladíčkovi:

"Děkuju."

"Dressed to kill," řekl bráška, jako ona už zamerikanizovaný.

Zakroutila na něho zadkem ve šponující sukni a — začichala. Jako kočka.

"Zases tu měl ženskou!"

"Neměl!"

Rozhlédla se po pokoji, přistoupila k široké posteli, kde stačilo odhrnout hedvábnou přikrývku. Začichala.

"Můžeš přísahat?"

"Můžu."

"Žes tady včera neměl ženskou?"

"Přísahám!"

Přistoupil k ní, nedočkavý, položil jí dlaně na ňadra. Vyškubla se mu a odešla k oknu.

"Já ti věřím, ale —"

Pod oknem kráčel Benjamin, vrhl na ni nestydatý pohled, ale hned zas uhnul hlavou a dělal, že ji neviděl.

"Ale co?" zeptal se neklidně Etienne.

"Tady to není dost — diskrétní," řekla. *"Našla jsem takovej — abštajg —"*

Německému slovu nerozuměl.

424

"Prostě, tam se můžem scházet a tvoji negři nás nebudou špehovat."

"Kde to je?" zeptal se užasle. Nevypadal na to, že by tušil. Pravila mile a s chutí:

"V Austinu. U řeky. V Baywater Street."

Zrudl jako tuřín.

"Milej," pravila, pořád mile. *"Mě nemůžeš podvádět, protože to nejde. A navoněnou prodáš. Ale doopravdy."*

Padl na koleno, už se to naučil i s protézou. Objal ji kolem stehen a obličej zabořil do šponující sukně tam, kam se chtěl dostat.

"Prodám, Lindo, miláčku, přísahám!"

"Ale kam já ti řeknu," přerušila ho, zamyslela se. Pohlédla z okna. Líbezný kraj se svažoval k slunci, které zapadalo nad bavlnou. *"Myslím"* řekla, *"že na ni mám kupce."*

"Komu si budeš přát, Lindo!"

"A dáš mu ji lacino. Za trest!"

Běžící poručík Bellman uviděl před sebou utíkat generála Carlina, jehož vyžehlený a pořád ještě bitvou neposkvrněný *Schlachtanzug* svítil jako modrý terč. Celá divize prchala. Poháněly je železné prskavky nad borovými hájky, jež holily borovice do naha. Nízko nad hlavami i mezi uhánějícími vojáky zpívaly minnie nevyladěný funébrmarš. Před poručíkem se svalil voják, půl zkrvácené hlavy spadlo do trávy, poručík to přeskočil. Brouci na trnech. Vedle upadl jiný voják, chytil se za nohu a zařval; z nohy vytekla červená kalužina. Do zad se jim opřelo Á-áá-ááá! rebelského jeku. Generál Carlin a skupinka jeho štábu se prodrali do černého křoví. Poručík Bellman se k nim přidal. Po celé rozloze zelených luk se hnali muži v šedivých cárech, nad hlavami roztrhané prapory, vítězně vlající ve slunci. Generál Carlin vytáhl pistoli a vypálil jednu, dvakrát na tenkou, ale zuřivou linku, v jejímž čele pořád klusal kůň s generálem Batem, orámovaným berlami. Kolem křoví se přehnala skupina jezdců na koních vlekoucích baterii děl. Generál Carlin, jako modrý terč, vstal a trčel nad černým křoviskem. "Proboha, pane generále!" vykřikl dělostřelec na koni. "Stáhněte se! Moje baterie ustupuje jako poslední. Za námi už jedou jen rebové!" Nad křovím zapraskalo, jeden z Carlinova štábu se chytil za ruku, kapky krve zasáhly *Schlachtanzug* a začaly se v něm rozpíjet. Generál Carlin se dal do běhu, za ním jeho štáb i s kapitánem cedícím krev. Vzadu utíkal poručík Bellman. Pořád viděl ty napíchané brouky. Teď, když už na dosah ruky — poručík Bellman utíkal.

Snad uběhl celou míli. Občas se ohlédl, vypálil. Šedivá divize pořád poklusem postupovala, prapory nad hlavou, kulky z nich trhaly barevné cáry a ty se třepetaly ve vzduchu jak motýli. Jednonohý generál Bate mával šavlí. Poručík Bellman doběhl k palisádě na okraji lesa a přelezl ji.

Za ní stál generál Carlin a hovořil se dvěma rozčilenými muži v skrznaskrz krví zbrocených košilích.

Kreslit se naučil, vyprávěla mu jeho dívka, ještě jako chlapec na plantáži pana Ripleyho, jenž byl rara avis: *patriarchální proabolicionista v Severní Karolíně. Naneštěstí se zabil v převrženém kočáře a nezanechal žádný testament, zato synáčka, jenž studoval na Virginské univerzitě v Charlottesvillu a tam se kamarádil s básníkem krásného jména Edgar Allan Poe. Díky tomu kamaráčoftu skončil první rok studií vyloučením z univerzity a čestným dluhem z karet ve výši dvou tisíc devíti set dolarů. Naštěstí pro mladého hejska, na neštěstí pro strejčka Habakuka se s panem Ripleym převrhl ten kočár, mladý pan James zdědil plantáž a čestný dluh vyrovnal strejčkem Habakukem a dvěma hezkými služebnicemi, které*

426

věřitel výhodně prodal. Strejčka Habakuka si ponechal jako sluhu. Na rozdíl od mladého pana Jamese byl věřitel, mladý pán William Smithson, celkem dobrý student. V jeho pokoji, kde strejček Habakuk spal na lehátku v nohou postele, se střídavě karbanilo a diskutovalo o filozofii, takže strejček Habakuk si rozšířil vzdělání jednak nasloucháním při debatách, jednak četbou páně Smithsonových knih, když mladý pán dlel na přednáškách. Číst se naučil ještě na plantáži nebožtíka pana Ripleyho. Pan Smithson také rád kreslil, kopíroval ptáky a rostliny z knihy pana Audubona, a kdykoli dlel na přednáškách, strejček Habakuk si z bohaté zásoby kreslicích papírů, jež pan Smithson kavalírsky nepřepočítával, sem tam nějaký vypůjčil. Nekreslil však ptáky a zvířátka, ale po paměti podobizny debatérů i karbaníků a mladý pán Smithson mu na to přišel. Naštěstí byl v dobrém rozmaru — noc předtím se v jeho pokoji nedebatovalo, a tak vydělal padesát dolarů — a odhalení pochybné činnosti neskončilo trestem. Naopak: na debatních večírkách i při karetních partiích počal pan Smithson předvádět naturtalent, který byl jeho vlastnictvím. Na jeho příkaz kreslil strejček Habakuk podobizny přátel i nepřátel pana Smithsona, až jimi zamořil celou univerzitu. Později ho pan Smithson začal brát s sebou do velkých domů na okolní plantáže i do sídel charlottesvillských obchodníků, kde strejček Habakuk portrétováním zkrášloval mladé dámy. Měl, snad nadpřirozenou, schopnost nakreslit nejošklivější šeredku tak, že si byla podobná, ale přitom taky vypadala jako madame Pompadour.

Jenže služebnické osudy málokdy končily happyendem. Na mladého pána Smithsona si zasedl přísný a nerudný profesor klasických jazyků a antické historie Zebulon McIntyre a pan Smithson přinutil svého naturtalenta vyportrétovat latiníka jako císaře Nerona, obnaženého a oddávajícího se lásce v klasickém starověku sice běžné, ale na campusu Virginské univerzity oficiálně neexistující. Profesor Zebulon McIntyre se jako model

427

pro císaře Nerona velmi hodil: byl to epikurejský tlouštík, jakoby uplácaný ze sulcu, jenž na kampusu proslul jako ničitel langustích krunýřů a zároveň jako milovník vepřového. Z chlívku za jeho dvoupatrovým domem, jedním ze čtyř profesorských příbytků, jež spojoval obdélník přízemních staveb, kde bydleli studenti, vepříci hlasitě komentovali kulhavé překlady Aeneidy a Horácia, jimiž se prokousávali profesorovi žáci.

Nerónská scéna kolovala, až dokolovala k McIntyrovi a zastihla ho přiotráveného zkaženou langustou.

McIntyre nebyl abolicionista. Ačkoliv strejček Habakuk jednal na rozkaz svého majitele a třebaže profesor McIntyre nejprve požadoval vyloučení pana Smithsona z univerzity, aféra se vyřešila tím, že Smithsonovy karetní zisky se diskrétně přesunuly do kapes profesora klasické filologie a strejčka Habakuka Smithson nerad — jenže jinak by se musel rozloučit se studiemi — prodal vyhlášenému překupníku otroků Forestovi. Ten ho střelil panu Fredericku Zeno Butlerovi, jenž v Louisianě pěstoval tabák. Strejčkovy kvalifikace mu zatajil, neboť výrobce tabáku byl radikální odpůrce gramotnosti otroků. Forest ovšem nic neriskoval: Butlerova nechuť vůči služebníkům, kteří zvládli i jen slabikování, zaručovala, že strejček Habakuk se vzděláním chlubit nebude.

Lehce ranění na voze, pomalu kodrcajícím po cestě k Bentonvillu, od rána mastili karty. Bylo jich jenom pět. Čtyři karbaníci seděli vpředu a přes nos a ústa měli uvázané šátky. Ačkoliv šátky byly zaflákané vším možným, žádným neprosakovala krev. Pátý raněný, Zinkule, seděl na opačném konci vozu. Byl nahý a neúnavně se omýval hadrem, jejž namáčel v dřezu, odkud se linulo divné aroma. Jeho zranění se lišilo od drobných ran ostatních na voze. V noci ho postříkal skunk.

Raněn nebyl ani holohlavý seržant Zucknadel, který běžné karbanické kletby prokládal proklínáním českého národa. Měl pouze zlomenou nohu, jež mu uvízla mezi kulatinou dřevěného koberce, který přes rozbahněnou cestu položila setnina K. Těžce srozumitelnou angličtinou seržant proklel nedbalou práci, a když se dozvěděl, že za lajdácky položený koberec je odpovědná česká rota, jal se německy nadávat *dem boehmischen Ksindl,* až systematicky pozurážel všechny slavné lidi českého plemene, pokud je znal, od sv. Jana Nepomuckého po Jana Husa, omylem sv. Václava až ke kněžně Libuši. Rozpoutala se hádka a rozlíceného Prušáka zachránil před českou přesilou pouze jeho zdravotní stav. Stručně, i když s propletenou logikou, to vyjádřil vlastenecký Houska: "Nemít zlomenou hnátu, tak mu tu druhou taky přerazim!"

Příčinou seržantova vzteku nebyla však ani tak bojechtivost, zmarněná zlomeným hnátem. Ukázalo se, že poddůstojník se obává příliš brzkého konce války a toho, že nyní se vinou českého lajdáctví nebude moct zúčastnit závěrečné parády před prezidentem. Vychován ve spolehlivě pruském duchu, hodlal pro tu slavnou příležitost naučit četu *echt* pruskému *Paradeschrittu,* což se zlomenou hnátou nepůjde.

To už Paidr nevydržel a zařval na zneschopněného:

"Ty seš přeci osmačtyřicátník, ne?"

"Klar bin ich ein Achtunvierziger!" zařval Zucknadel na Paidra. *"Und was soll sein?"*

"Was soll sein!" Aby Skopčáka osvítil, pronesl Shake téměř učenou přednášku o ideálech roku osmačtyřicátého. Seržantova pruská mysl však zůstala neosvícena. Pro ni nebylo rozdílu mezi krásou demokratických ideálů a stejně zářivou krásou svižně sebou švihajících holínek. Hádka se rozpoutala znova. Zuřila tak hlasitě, že nezaslechli zarachocení fusilády od Bentonvillu brzo po rozbřesku, a vyvrcholila, když seržant Zucknadel zuřivě rozvázal naditý ruksak a vytáhl z něho neposkvrněný

seržantský kabát s lesklými knoflíky a stříbrným krumplováním. Dozvěděli se, že sváteční oděv pronesl Prušák v ruksaku od Perryvillu všemi hlavními bojišti války až k Bentonvillu, inspirován vidinou závěrečného *Parademarsche* před prezidentem opět sjednocené Unie. Majstrštyk krejčovského řemesla hadráře setniny K umlčel, takže uslyšeli houkání děl. Zaraženě poslouchali. Houkání se brzo slilo v neutuchající rachot, jaký naposled hřměl u Atlanty. I Zucknadel přestal nadávat.

Konečně řekl Shake:

"Zabal to, seržo. Paráda se zatím odkládá."

Zucknadel zabručel, ale pak pečlivě a s láskou složil posvátný kabátec a něžně jej uložil do tlumoku. Poslouchali. Kanonáda nejevila známky únavy.

Stejskal řekl Shakovi:

"To brnění, třebas rezavý, tos neměl zahazovat."

"Taky si myslím, že jsem prohloupil," pravil Shake. Naslouchali, jak se k pracujícím kanónům přidávají další.

K vozu se přihnal udýchaný černoch s dřezem, z něhož se kouřilo, a zvolal na Zinkuleho česky:

"Pantáto, nesu čerstvej vodvar."

Zinkule vylil obsah dřezu, který měl na voze, a přijal od černocha nový dřez. Do nosu je praštila směs tchořího smradu a divně pronikavého aroma.

"Vono to moc nepomáhá, Břéťo," řekl Zinkule černochovi.

Černoch roztáhl široká chřípí a začichal:

"Už nejste tak cejtit, pantáto. Já vám někde seženu novej mundúr. Za dva za tři dni se budete moct voblíct."

Zinkule odevzdaně namočil hadr v dřezu. Lektvar je opět pronikavě udeřil do nosu. Nedalo se říct, jestli voní nebo smrdí.

"Já nevim, Franto," pravil Paidr. "Snad abys počkal, až vysmrádneš sám vod sebe. Takhle lezeš z deště pod vokap."

Řev kanónů daleko před nimi zesílil. Podél dlouhé kolony pomalu kodrcajících vozů k nim na koni cválal nějaký důstojník.

"Dozorce pan Williams tejral strejčka Habakuka strašlivě," říkala jeho žlutá dívka Dinah. Po sukni se jí plazila tlustá housenka, vzala ji štítivě do dvou prstů a zahodila ji. *"Takovýhle příšerný tvory třeba musel strejček jíst, když ho dozorce pan Williams při něčem přistih. Při lenošení hlavně. Ale místo aby ho z lenošení vyléčil, navopak. Housenky, stonožky, motýly, žížaly, protlak z masařek,"* vypočítávala na prstech a Cyril řekl:

"Až z toho byl dovopravdy nemocnej."

"Kdepak. Strejček Habakuk si na tu stravu zvyk, kdežto dozorce pan Williams ne. Vždycky když se strejček ládoval tou havětí — nejradši měl pavouky sekáče, ty žvejkal, že mu z huby mrskali dlouhejma nožičkama — dozorce pan Williams vrh a to ho pokaždý víc a víc rozzuřilo."

Třeba to všechno byla pravda. Možná trošku víc než pravda. Tak řekl:

"A pět těhotnejch pokaždý vrhlo s dozorcem panem Williamsem."

"Ani ne," řekla. *"Ty si taky zvykly. Von totiž strejček Habakuk, jak přišel hmyzu na chuť, napadlo ho udělat si z toho byznys. V sobotu při tancovačkách prodával nejdřív pečený kobylky, těm zákazníci přišli na chuť brzy, protože chutnaj jak mandle. Potom si začal vymejšlet: stonožky naložený v láku, žížaly nadívaný mravenčíma vajičkama, tyhle tlustý housenky vobloženy cibulí. Zkrátka navíc k tomu, že byl vyhlášenej šumař, stal se z něj slavnej hmyzí chef. Největší úspěch měly dešťovky s nádivkou z nějakejch mušek, který do Louisiany lítaj až z Mexika. Po těch se tanečníci vždycky tak rozveselili, že některý zapomněli na dobrej mrav, kterej se na tancovač-*

431

kách jinak dodržoval, a ani se nevopili. Jenom se vytráceli do křoví, až pětkrát za noc, některý."

"Proč z něj pan Butler neudělal kuchaře?"

"Pan Butler to samosebou nevěděl," řekla Dinah. "Ten byl rád, že se mu negři sobotu co sobotu tak veselej, že vo to zbožnějc pak zpívaj v neděli v kostele a v pondělí, s nově pozbylejma silama, mu pěstí jeho tabák. Jenomže," pravila, "nakonec se všechno zvrtlo. Dozorce pan Williams poznal, že to nikam nevede, že si těma trestama jedině vypěstoval hmyzožravýho negra, a změnil taktiku. Zakázal strejčkovi v sobotu hrát na housle, zatrh mu restauratérskou živnost a přinutil ho večeřet u jednoho stolu s dozorcema. To zabralo. Strejčkovi se po stravě, kterou musel jíst s dozorcema, dělalo zle. Pomazánka na jazyk na dozorce pana Williamse už nepůsobila, protože strejček neumřel, ačkoliv se třás jak vosyka a jazyk měl jak vytaženej z hrnčířský pece. Vod jednoho negra z vedlejší plantáže, kterej byl na to přeborník, se strejček teda naučil vykloubit si zápěstí, jenže se mu pak špatně hrálo na skřipky, tak šel radši pracovat. Ovšem tejrání dozorčí stravou, po který začal bejt slabej na žaludek, a že nesměl v sobotu na tancovačky, to už na strejčka bylo moc. Pomalu v něm uzrál plán."

Plán založil strejček Habakuk na jedné výrazné slabosti dozorce pana Williamse, jež se dala vyjádřit slovem ženy. Svůj docela slušný příjem z větší části promrhával v bordelech, ale to mu nestačilo. Mezi mladými polními černoškami měl pravidelně několik favoritek a revanšoval se jim tím, za co strejčka Habakuka trestal a co vedlo ke změně strejčkovy životosprávy. Pravidelně den co den jedna nebo dvě takové krásky prospaly několik hodin ve stínu tabákových listů, zatím co ostatní pilně okopávaly a nadávaly na to večer v chalupách, ale žádnou ani nenapadlo informovat o tom massu. Z dozorce pana Williamse příliš šel strach. Spravedlnost musela počkat až na klasicky vzdělaného, hudebně i výtvarně nadaného a pomstychtivého chefa strejčka Habakuka, jenž se konečně odhodlal k práskačství. Šikovně pustil mezi domovní negry šeptandu, že na polích se nepracuje naplno, protože dozorce pan Williams, v odměnu za tělesné služby, dovoluje řadě mladých a hezkých dělnic se místo práce flákat. Jak předpokládal, přes domovní negry šeptanda nakonec dorazila k uchu paní Butlerové, která sama byla vyhlášená kráska a pan Butler byl proto, z dobrých důvodů, nadlidsky žárlivý — i to hrálo roli ve zrajícím plánu strejčka Habakuka — a od ní se o zvlášní organizaci práce dozorce pana Williamse dozvěděl massa. Massa Butler, jakkoli negrům jinak leccos toleroval, ulejvku z práce nesnášel.

Jednoho dne se tedy připlížil za živým plotem k poli, kde dozíral pan Williams. Zahlédl jednu krásku v limbu pod keřem, ale nechal ji být, plížil se dál, uviděl druhou, pak třetí, celkem jich při spaní přistihl sedm.

"Dinah!" přerušil ji Cyril. "Dozorce pan Williams přeci nemoh mít takovej harém? Kdo by vůbec pracoval?"

"Harém?" ušklíbla se Dinah. "Sedm konkubín? To na dozorce pana Williamse nebylo nic moc. A za spící krásky dozorce pana Williamse to přeci vodpracovali pitomí negři."

"Tak pitomí snad nemohli bejt. Aby se dřeli, když tolik holek se flákalo."

"Vymyslel si na ně trik," řekla jeho dívka. "Von si uměl vymejšlet. Rozdělil chlapy na dvě party, a která udělala víc práce, dostala v sobotu extra dárek: kvótr whisky na muže. Taková jako pracovní soutěž, víš? A ty pitomí negři si mohli udělat pruh," řekla Dinah.

Teprve když objevil sedmou lenošku, dal se pan Butler spatřit dozorci panu Williamsovi, pozval ho na poradu do velkého domu, tam ho v nepřítomnosti polních negrů seřval a strh mu dva dolary měsíčně z gáže. Domovní negři byli ovšem poradě přítomni, i když jen klíčovou dírkou, a šeptanda o ponížení nafoukaného dozorce se vydala opačným směrem: z velkého domu k chalupám.

"Chudáci krásky," řekl Cyril. *"Nežralo strejčka Habakuka svědomí, že je práskačstvím připravil vo zlatý časy?"*

"Ne. Voni jen místo lenošení dostávaly pak vod dozorce pana Williamse dárky: kaliko na šaty, kruhy do uší a tak. Takže si v sobotu na tancovačkách každá namluvila nejhezčího kluka a někdy se kvůli tomu i popraly."

"Jenže musely makat."

"Něco za něco," pravila Dinah. *"Strejček Habakuk poté přikročil k další části svého promyšleného plánu."*

"Mluvíš jak kniha," řekl Cyril. *"Poté přikročil..."*

"To taky mám z knih," řekla Dinah. *"Ale strejček Habakuk je ze života."*

Plán, část druhá, byl založen na osvědčených kulinářských schopnostech strejčka Habakuka. Přinucen nejen jíst s dozorci, ale i přisluhovat jim u stolu, přimíchal do pepřenky prášek z mušek, jímž donedávna plnil žížaly. Po té dietě rozšířil dozorce pan Williams svůj harém i o starší a nevzhledné. Mušky chtěly své a na poli už se nejen spalo, ale práce se zanedbávala i jiným způsobem. Pověst o výkonech neoblíbeného dozorce dospěla obvyklou cestou až k sluchu madam Butlerové.

"Co je to za člověka, ten dozorce Williams, Frede?" zeptala se u snídaně svého chotě.

Pan Butler ihned pojal podezření — i to bylo součástí strejčkova plánu. Otázal se temně:

"Proč?"

"Jen tak."

"Nic není jen tak!" rozčilil se její manžel. *"K takové otázce musíš mít nějaký důvod!"*

"Inu, doneslo se mi, že mezi negry se o něm leccos říká."

"Co leccos?"

"Všelicos," řekla madam Florence a v elegantních větách, rovněž vycvičených na románech, seznámila chotě s neelegantním chováním jeho dozorce.

V pracovně pana Butlera se opět konala porada a byla hlasitá. Šeptanda kráčela opačným směrem. V principu pan Butler proti souložení s mladými služebnicemi nic neměl — konec konců mu tak rostl majetek — "Ale na poli! Negrům na očích!!! A v pracovní době!!!!!!!" řval na dozorce pana Williamse, až komorné za dveřmi zalehlo v uchu.

Rovněž mu vrtalo hlavou temné podezření na sličnou Florence. Druhý den šel na pole a skryt za stromy snažil se prohlížet si dozorce pana Williamse ženskýma očima vůbec a očima své manželky zvlášť. Strejček Habakuk ho, skrytého za stromem, dobře viděl a radoval se. V rychle se rozvíjejícím plánu zatím všechno vycházelo.

Pan Butler dospěl k názoru, že dozorce pan Williams, jakkoli osvědčený honák černochů (mužské brigády zvýšily produktivitu práce o třicet procent), se k zaměstnání na plantáži, kde je paní domu jeho krásná žena Florence, asi nehodí.

V té chvíli strejček Habakuk udeřil.

Od komorné Beulah, s níž měl poměr (byl tehdy pořád ještě pohledný mladík) a jíž nosil kobylky dušené v kradeném koňaku (ten opatřovala Beulah), se dozvěděl, že nadlidsky žárlivý massa pravidelně tajně prohlíží tajnou zásuvku v escritoiru madam Florence, kam si paní domu ukládá korespondenci. (Poté co si v magazinu The Gift přečetla povídku autora s krásným jménem, dávala ovšem tu, kterou hledal, do zásuvky v manželově psacím stole, v níž měl bibli a kterou nikdy neotvíral). A tak jednou odpoledne, kdy Florence byla na návštěvě u přítelkyně Lilian (měla hezkého bratra) na sousední plantáži, otřásl se velký dům výbuchem massova hněvu. Brzo na to běžel komorník Othello, horlivěji než jindy, na pole. Za chvíli dozorce pan Williams spěchal na poradu.

Nejprve pan Butler dozorci panu Williamsovi beze slova předložil milostný dopis nadepsaný Nejdražší Florence a plný dvojsmyslných narážek (dopis původně obsahoval dlouhý citát z Ovidiova Ars amatoria, strýček si však uvědomil, že dozorce nemá univerzitní vzdělání jako on, a dopis přepsal) a s krásně nakresleným portrétem Florence Butlerové, na němž ovšem kráska byla od pasu vzhůru v rouše Evině a představivost strejčka Habakuka, inspirovaná Florencinými dekolty, souhlasila se skutečností. Druhé psaní, jež pan Butler potícímu se dozorci ukázal potom, byla dozorcova vlastní stížnost na nespravedlivé snížení platu, napsaná po aféře s lenošením na poli. Naštěstí pro strýčka Habakuka neměl pan Butler grafologické zkušenosti a podobnost obou rukopisů mu připadala nezvratná: ke všem svým talentům prokázal se strejček Habakuk i jako zdatný falzifikátor. Ubohý dozorce, na rozdíl od strejčka Habakuka nenadaný vůbec žádnou představivostí a bez nejmenšího ponětí jak o strejčkově gramotnosti, tak o jeho kreslířské kariéře na univerzitě ve Virginii, nebyl s to podat přijatelné vysvětlení. Vzhledem k citům pana Butlera by to ostatně bylo sotva možné, i kdyby dozorce měl fantazii Barona Prášila. Teprve pak začal pan Butler řvát a nato se uchýlil k tělesnému násilí, protože na souboj prokázaného svůdce své ženy vyzvat nemohl, stál společensky příliš hluboko pod ním. Ještě ten večer odjel zbědovaný dozorce pan Williams z plantáže pana Butlera, aby se na ni už nikdy nevrátil. Obratná Florence nakonec manžela přesvědčila, že milostný dopis je podvrh známého malíře miniatur Besançona z New Orleansu, jenž nedávno marně usiloval o její ctnost a teď se jí takhle pokouší pomstít. Malířovo společenské postavení souboj umožnilo, pan Butler v něm přišel o ucho a Besançon o nové sako z Paříže, které mu plantážník kordem vztekle rozsekal k nesešití. Strejček Habakuk začal zas hrát na sobotních tancovačkách a znovu si otevřel hmyzí restauraci, kterou pak přenesl na plantáž pana de Ribordeaux, kam ho pan Butler musel prodat, aby zaplatil dluhy nadělané madame Florence, jež tajně ale vášnivě sázela na dostizích a měla štěstí v lásce. S novým majitelem se strejček Habakuk nakonec octl v Texasu.

"Musím si na tebe sáhnout," řekl Cyril. "Jestli bdím."

"Tady ne. Je sem vidět," řekla jeho dívka. Ozval se klapot kopýtek, za stromy se objevil lehký kočárek se strašlivě nastrojeným a nafoukaně se tvářícím černým lokajem na kozlíku. Pod modrým parasolem seděla v kočárku hezká mladá dáma.

"Slečna Scarlett," zašeptala Dinah.

"Kdo je to?"

"Přece snoubenka massy Etienna."

"On je zasnoubenej?"

"Vaší Lindě to asi ještě neřek," pravila Dinah. "Ale je."

Generál Carlin stál s dalekohledem na oku a hleděl na louky před palisádou. Oba muži v krví zbrocených košilích se o něčem nervózně radili. Z lesíka za nimi se ozývalo sténání a od palisády běželi sanitníci s nosítky. Raněný na nosítkách se oběma rukama držel za břicho, mezi prsty mu tekla krev a slizovitá kaše. Šedivá linie se zastavila, rebelové zalezli za dobyté palisády, za zbytky zídek, do křoví. Generál Bate někam zmizel. V dálce ujíždělo několik baterií rebelské artilérie k severu. Odtamtud zazníval rachot, jako když se náklad dlažebních kostek valí ze stráně dlážděnou ulicí. Z lesa na nízkém vršku stoupal řídký kouř z ručnic.

"Morgan" řekl generál Carlin pobočníkovi. "Obešli ho, napad je z boku. Teď se soustřeďují na něj."

"Zaútočíme, pane generále?" zeptal se pobočník.

Carlin se rozhlédl. Mezi stromy odpočívali zchvácení běžci. Opodál ležela nakřivo kesona, jedno kolo urvané. Dva muži ji nadzvedávali, třetí sundaval rezervní kolo. Několik vojáků nabíjelo ručnice. Carlin znovu pohlédl na stráň před palisádou.

"Pojedete ke generálu Slocumovi pro dispozice. Útočit teď by nemělo smysl. Musíme se přeskupit," podíval se přes klády. "Hardee dělá totéž. A je v přesile. Musíme ho stůj co stůj zastavit na téhle linii."

Oba zakrvácení k němu opět přistoupili. Carlin zavrtěl hlavou.

"Ne. Potřebujem každého muže, který je k dispozici. Ranění bohužel musí zůstat, kde jsou."

Zamyslel se, pohlédl na poručíka Bellmana.

"Pane poručíku!"

Poručík Bellman se postavil do pozoru.

"Určete pět mužů. Kdyby se rebům podařilo prorazit tuhle linii, zůstanou s raněnými a půjdou s nimi do zajetí. Pochybuju, že rebi mají ošetřovatelů nazbyt."

Zase přiložil k oku dalekohled. Nad hájky na vrších na severu se rozsypávaly železné hrozny a pořád zněl rachot valících se dlažebních kostek. Kanonáda se slila v basové bručení.

"Bože!" řekl generál Carlin. "Takovéhle soustředění ohně jsem nezažil od Gettysburgu."

Poručík se rozběhl k vojákům, kteří mu zbyli z roty.

Generál Meade seskočil z koně, vystoupil na hlavní tribunu, kde se neupravený vous jeho generála zrcadlil v cylindru nového prezidenta. Abe Lincoln už dvanáct dní ležel pod drnem, ráno sňali černé fábory z budov a vytáhli hvězdy a pruhy na vršky žerdí. V horkém větru pozdního máje svítilo na hvězdy slunce a pod tribunou, kde na horní plošině stál seržant s Cyrilem a se Shakem (na nové uniformě se Shakovi leskl metál), tekla ocelová řeka bajonetů Grantovy armády. Meadův sbor, kráčející ve vyrovnaných dvanáctistupech předpisových dvanáct inčů na krok, duněl do zvuků Yankee Doodle z naleštěných korpusů velké kapely Meadova sboru jak vzdálená kanonáda. Duněl do volání slávy, do třepotu kapesníčků, svitu cylindrů, do vlnění světlých ženských šatů pod béžovými a chrpovými klobouky, a najednou ji seržant spatřil. Byla

to tvář mladé matky boží sedmibolestné, ale pod bílým stínem široké krempy hleděl tvrdý vzdor. Na bílém kloboučku — jediná ve vlajkoslávě bílých, modrých, žlutých, růžových, všelijak jásavých stužek — černá šerpa smutku. Vzdor zakalilo ponížení; neštěstí, která se tak dlouho opakovala.

Jako když: sklízeli kornu, pracovala na poli v jedné řadě s tátou, s mámou, s Josefem a s oběma služebníky Washingtonem a Jeffersonem. Na mezi u cesty seděla Deborka, házela klacík a Voříšek aportoval. Byla zpocená, v režné sukni a blůze, vlasy slepené přes čelo, kapky potu jí sjížděly po nose na vystrčený jazyk, slané.

A co jí táhlo hlavou?

Uviděla kočárek, lehoučký, jako by nedrkotal po cestě ale plul po vodě, vyrobený téměř z ničeho, lesklý glazůrou na ušlechtilém dřevě, na kozlíku pozlacený černý kočí a vedle černý lokaj, strašlivě nastrojený, strašlivě nafoukaný, ruce založené na prsou, takže nebylo vidět bílé rukavice. Teprve až lokaj seskočil, až se zatřpytil červení a zlatem, krempami, knoflíky, přeskami, sklopil titěrnou stupačku a vztáhl siláckou ruku k mladé dámě v bledězelených šatech s hezkou, ne, krásnou a v poledním vedru napudrovanou tváří. Zelené oči, zelený slunečník. Dáma stanula na kraji pole, rozhlédla se, pyšný zrak se zastavil na Lídě. Lída si shrnula vlasy z čela, narovnala se. Dotkly se jedna druhé očima. Zelené Lídu celou, obsáhle a posměšně, objely, pak spočinuly na tátovi, který už stál na cestě a slyšela ho, jak se ptá: "Mohu něčím sloužit?" I tátu objela zrakem, potom nepřátelské, spíš pohrdavé setkání s jejíma očima a dáma řekla: "Snad." Otočila se, položila ručku na černochovu siláckou paži a graciézně se vznesla do nehmotného kočárku. Černoch, podoben červenému a zlatému ptáku, vylétl na kozlík. Kočárek odplul v klapotu kopýtek.

Kdo to je?

Podezření, ale horko, dřina, vyhnala podezření z hlavy.

A co jí táhlo hlavou?

Také Cyril ji uviděl, bezcitnou sedmibolestnou tvář pod kloboučkem s černou šerpou, a co jí táhlo hlavou? Její manžel Baxter Warren II.,v nové uniformě plukovníka dobrovolníků, s obličejem neporušeným vědomím nějakých složitostí a zářící triumfálním štěstím vítězné války, na níž se podílel a jíž prošel jako životem, jen s nepatrnými škrábanci, krásnou odměnu po boku. Když se tázavě podíval na černou šerpu, řekla studeně: "Já vím, dnes je odevšad sundali. Ale já nezapomínám." Stiskl jí ruku, štěstí vyletělo jak rachejtle do slastné výšky. Takovou má ženu — krásnou, exotickou, ale Američanku. Vlastenku, která ani v bouři tohoto jásotu nezapomíná na nevzhledného čahouna, bez něhož by se tahle vítězná paráda nekonala, bylo by po Unii a válka by přišla o dvacet, třicet let později. Protože by přišla. Země by nemohla existovat napůl svobodná, napůl v otroctví. A pak by válka postihla jeho syny, které mu daruje jeho krásná exotická žena Američanka.

"Já jsem doufal, že to vyřídím — že se to nedozvíš —"
"A mně to musel říct až táta! Víš, že si ho pozval?"
"Nevím!" lekl se Etienne.
"Nebyls asi doma," ušklíbla se. "Buď ses pelešil s navoněnou, nebos někde poslušně vyváděl snoubenku."
"Ne, Lindo! Přísahám —"
"A víš, co na něm chtěl?"
Ani to jednonohý nevěděl. Řekla mu to tedy.
"Otec je hlupák!"
"Já jsem hloupá," řekla Lída. "Mělo mi to napadnout, když si mě tak prohlížela."

Mráčky pluly nad Bentonvillem, bílé a smutné, Linda měla ruce sevřené v pěsti na klíně a Cyril, s levačkou zafačovanou, kouřil z kukuřičné fajfky a nenávist v něm vychládala. Zůstal jen strach o čajovou růžičku.

Proč ho pan de Ribordeaux zve, nedovedl si starý Toupelík domyslet. Poslal pro něho kočár, ne ten lehký, z ničeho: velikou černou kukaň na kolech, ale s kočím taky v livreji a za půl hodinky seděl opět ve velikém salóně, kde nad krbem vystupovala z lastury nahá ženská a z krajkoviny koukaly masité obličeje nějakých lidí. Nepředjela žlutá dívčina s vozejčkem: do baňaté sklenice mu de Ribordeaux nalil koňak tentokráte osobně. Hned se napil. Bylo mu jasné, že tohle pozvání nevěští nic dobrého. Taky ne. Ale chvíli trvalo, než se dovtípil, že se s obměnou opakuje, co už se mu jednou stalo, jenže v jiné zemi, a krom toho tam tenkrát nebyl žádný aplégr. Jenomže teď je v Americe.

"Nene, pane Ribordeaux," zavrtěl okoralou hlavou, a co mu v ní táhlo? "Já do toho Lídě mluvit nebudu. Už jednou sem —" Chtěl říct, jak už jednou pomohl zabít dceři snad štěstí, snad neštěstí, a jestli neštěstí, neměl by na něm vinu. "A taky mi za to —" chtěl říct, že nevěstu taky prodal, až do Texasu. Ne za otroky, které mu teď nabízí plantážník, protože ty Mika neměl, ale za lodní lístky a za Cyrilovu svobodu, teda vlastně výhodně. Co mu táhlo hlavou? Výhodně pro sebe, pro rodinu, myslel si i pro Lídu. Brzo za ní proudili nápadníci, nejen z Cat Spring, ale až z Dubiny, z Hostýna i z německých vesnic kolem, aplégr nevadil, byli v Americe. Všechny je ale odmítala a on teď, nad třetí vypitou sklenicí koňaku, už věděl proč. Historie, myslel si, se opakuje. "Nene, pane Ribordeaux! A vy je taky nechte!" "Etienne," pravil pan de Ribordeaux pod baldachýnem z velkého doutníku, "je ovšem zasnoubený. Scarlett je dcera mého dobrého přítele Leclerca. Znali se už jako děti. Vyrostli —" pan de Ribordeaux zaváhal, "— ne spolu, ale oba na plantážích."

Historie se opakovala. S obměnou, o té však starý Toupelík nevěděl.

"Inu," pravil. "Dokud jim farář ruce nesváže, takový zasnoubení —"

De Ribordeaux vstal, zaváhal, nalil mu do sklenice, vrchovatě. Z humidóru vyňal čerstvý doutník, ustřihl špičku, zapálil voskem napuštěnou třískou, kterou připálil od svíčky.

"Rozvažte si to," řekl. "Je válka. Konfederace potřebuje vojáky."

Historie se tedy opakovala. V tamté zemi uvažoval o kličkách, protekcích, o podmazání. V Americe se v něm vzdmul vzdor.

"Myslíte Cyrila?"

A zároveň strach o syna.

"Je mu teprvá ani ne šestadvacet let," řekl. "Přijeli sme sem do americký republiky, do žádný Konfederace." *Vzdor rostl.* "Votroky nemáme — jenom ty dva pučený —"

"Jih využil práva na secesi zaručeného Ústavou," *pravil starý de Ribordeaux.* "Jste nyní občany Konfederace. A pokud jde o otroky —" *opravil se,* "— o služebné osoby, ani většina občanů Konfederace žádné nevlastní. Ví však, že věc se týká našich nezadatelných práv. Právo mít služebníky je toliko jedno z mnohých. Kdyby šlo jenom o ně —"

Toupelík věděl, že lže. Oč jiného jim jde? Copak jim něco jiného berou? Taky vstal.

"Nechte je bejt. Jesli se maj rádi —"

Zřetelně viděl, jak se de Ribordeaux ušklíbl. Hlavou mu náhle blesklo pochopení. Hlubší, než o jaké stál. Že pokud jde o jeho dceru, je to sotva láska. Rozhlédl se po salóně, voněl zlatem a kouřem jemných doutníků. A byli v Americe. "— tak je nechte bejt!"

"Jestli se mají rádi," *pravil de Ribordeaux ironicky, jako by chtěl jeho nevítané pochopení utvrdit.* "Víte to jistě, že oba — že jeden druhého mají rádi?"

Vzdor mu zmačkal mozek jako papírovou kouli.

"Nechte je bejt, pane Ribordeaux!" zařval. "Já —" rozhlédl se po mdle zářivých tapetách salónu nasáklého tou nákladnou vůní, po nepěkných obličejích na podstavcích z krásných krajek, zastavil se na nestydě v lastuře, *"— já už s váma nemám co mluvit!"*

Vyrazil ze salónu, z haly, z velkého domu. Mávnutím ruky zahnal livrejovaného černocha a kráčel, skoro běžel na severozápad, kde byla jeho dosud chudá, ale už krásná farma. Hlavou mu však táhla slova starého de Ribordeauxe: *"Konfederace potřebuje vojáky."*

"Když si na to vzpomenu, teprve teď vidím — bylo to strašný! Strašný! Strašný!" Protože teprve teď se uviděla očima Scarlett z glazurovaného kočárku, spatřila uřícenou holku v režné sukni s propocenou blůzou, holku, která patrně smrdí potem a možná — myslela si mladá dáma přikrytá pudrem a zbavená pachu parfémem — i menstruací vsáklou do stokrát sepraného hadru. *"Strašný!"* křičela. *"Jaks mi to moh udělat?"* *"Já ti to chtěl povědět, Lindo, miláčku, až to všechno vyřídím —"* *"Strašný!"* zmítal jí pláč. Nikdy ji neviděl plakat. A jenom se domníval, že ví, proč pláče. Nevěděl.

Večer předtím vešla do sednice a tam za stolem seděl táta, před sebou sklenici slívovice z loňské várky. Řekl: *"Sedni si."*

"Co je?"

Po zádech se jí rozběhli mravenci.

"Sedni si."

Pak jí to vyklopil. Viděl, že zbledla.

"Napi se," řekl.

Proč ne? S tímhle nepočítala. Mizera Etienne. Věděla, že to nepůjde hladce, jenže s tímhle nepočítala. Ale to se vyřídí, a hned. A s Dinah taky, a taky hned. Cyrilek dojde štěstí nebo čeho vlastně. A já taky. Teda — dojdu svýho. Zbabělec Etienne. Bude se kroutit jak červ. Jak červ.

443

Najednou, jako rozžhavená dýka do srdce, vzpomínka
na horké odpoledne na poli. Na kočárek.

Bídák Etienne!

Byla naprosto upřímná. Už nebylo co předstírat. Po
tom, co Vítek umřel, už ne. Cyrilek teď ví všechno.
Nadlehčoval si raněnou paži v bílém fáči a nad Benton-
villem táhly bílé a smutné mráčky.

Napila se. Nalila si znova. Táta jí v tom nebránil.

"Máš ho dovopravdy ráda?" zeptal se.

Co jí táhlo hlavou?

"Von mě miluje," řekla.

"Pročpak ti to teda neřek, vo tý druhý frajli?"

Zasmála se. Protože o druhý frajli už jí řek. Tohle byla
třetí frajle v jejich pětiúhelníku.

"Asi měl strach," zasmála se.

Táta váhal. Taky se napil.

"A myslíš —"

"Co?"

"Že tě nenechá?"

"Ten?" zasmála se. "Neboj se, táto. Toho mám vomo-
tanýho kaničkama vod zástěry!"

Byla už Američanka.

Cyrilek se ani nedozvěděl, že si nakrátko myslela, že
přišel o navoněnou. V noci je vzbudila koňská kopyta,
nato rány na dveře, hlasy divokých loupežníků. Do sek-
ničky vrazil táta: "Cyrile!" Cyril se vztyčil na posteli.
"Renžeři!" zachraptěl táta. "Uteč voknem! Běž do lesa!
Šaty ti zejtra donesu!" To už Cyrilek, v podvlíkačkách a
v košili, vyskakoval z okýnka, dveře zapraštěly a v sednici
se rozječela máma.

Holčička četla rychleji než prve, vyprávění ji zaujalo.
Autor přešel od líčení taktiky, kterou, až jako plukovník,
prostudoval po válce, k popisu bitvy, jíž byl jako poručík

*očitým svědkem. Hlásek přestal škobrtat a jeho líbezné
kadence hovořily k seržantovi o dávných druzích:*

"Divoká řež rozpoutala se v Hardeeho týle a donutila
jej pro ten čas odložit rozkaz k zteči divize Carlinovy.
Oddíly Morganovy, jež byl útočící Hardeeho sbor obešel,
vpadly mu nyní v bok. Leč veteráni rebelští, již mnoha
bitvami byli již prošli, v boji muže proti muži zatlačili nás
zpět za spěšně vybudované valy. My znovu zaútočili a
nepřítel, vzchopiv se, opět odrazil náš útok. Generál
Hardee, vida nerozhodnost půtky, poručil přivézti z před-
sunutých pozic děla a tak se na muže zápolící na život a
na smrt snesl železný déšť, jenž nelítostné vichřici podo-
ben, ze stromů jehličí rval a muže kosil. Když vyčerpáni
dlouhým zápasením, muži obou armád na chvíli v boji
ustali, tyčily se nad opevněními setniny naší na místě
borovic toliko holé kmeny s haluzemi odranými i z kůry.
V té chvíli ticha vyhlédl jsem na pole bitevní, poseté
mrtvými a raněnými, puškami, jež padlým z rukou vypad-
ly, tlumoky a čepicemi střelbou proděravělými, ale též
množstvím předmětů nečekaných. Spatřil jsem kupříkla-
du knihu v kůži vázanou, leč byla-li to bible, nevím.
Nedaleko pak sklenici červené zavařeniny, neporušenou
kulobitím a v paprscích slunce svítící jako světlo výstraž-
né, zobcovou flétnu, dýmku dosud kouřící a růžový dám-
ský podvazek."

Holčička se zarazila.

"Podvazek?" *otočila pomněnkové oči na seržanta.*

"To," *řekl seržant, rychle zapřemýšlel, jak tu lidskou
věc na nelidském tratolišti vysvětlit dítěti,* "to se asi
plukovník Bellman splet."

"Nesplet," *řekla holčička* "It says right here: a lady's
pink garter."

"Bane, splet se," *řekl seržant.* "V takový bitvě se člo-
věku leccos zdá, co vlastně tak není," *řekl.* "Bitva je jako
zlej sen. A vzpomínky někdy všechno pomíchaj. Po letech
člověk neví, co se mu jenom zdálo a co dovopravdy zažil.
Vojáci mívaj zlý sny, víš, Terezko? Já —" *řekl a podle*

pravdy, ani si neuvědomil, že to nevypráví hloučku druhů
kolem táborového ohně, ale děvčátku, i když to je děvčát-
ko z farmy a vidělo často, jak ranou palicí do hlavy
zabijou vepře, jak máma podřezává zděšená kuřátka a
jednou spatřila kocoura, který se ráno doplazil z lesa po
dvou předních nohách, obě zadní měl ukousnuté, bůhví
jaká noční tragédie se v lese odehrála. Starou armádní
pistolí musel Mourka zastřelit a holčička plakala k neu-
tišení. "Já jednou — to bylo před Atlantou — usek jedinou
ránou šavlí hlavy třem rebelskejm důstojníkům a ty hlavy
se pak celej útok kutáleny za mnou, ačkoliv jsme útočili
do kopce, vydávaly z otevřenejch úst rebelskej jek a
chňapaly mi po patách, jako kdyby mě chtěly kousnout."
Holčička na něho zděšeně valila oči, uvědomil si, že
takové posluchačce nemá historku vyprávět, i když je to
čistá pravda. "A vidíš, Terezko, to se mi jen zdálo. Zlej
sen. A přitom teď, po letech, mívám někdy pocit, že se to
dovopravdy stalo. Někdy, než usnu, tomu i věřím."

"Co když se to stalo, tati?" zeptala se holčička s
hrůzou.

Usmál se.

"Nestalo," řekl.

"Jak to víš, když to sám nevíš?"

"Protože já byl ve válce pouhej seržant, děvče," řekl.
"Ani jsem šavli nenosil. To jenom ve snu."

Holčička na něho hleděla nejistě.

"Neboj se, Terezko," řekl. "Táta nikomu hlavu neusek.
Táta jen střílel z pušky, a to ještě naposled u Colliervillu
a to bylo v dvaašedesátém. Co jsem byl se štábem pana
generála Shermana, už jsem si vlastně nevystřelil."

Uklidněné děvčátko se vrátilo ke knize, ale nepustilo
se hned do čtení. Znova pohlédlo na otce, v mozečku
téměř viditelně pracovala logika.

"Well, to je ale něco jinýho," řekla, "zlej sen. Ale proč
si — proč se — "vzdala se a řekla: "Why did colonel
Bellman dream about a lady's garter?"

446

"To —" nenapadlo ho nic, co by mohl říct dítěti. "No to nevím. A už se neptej a čti dál!"

"Well," pravila. "Co když vono se mu to všechno vostatní taky jen zdálo?"

"Čti, povídám!"

"O.K.," řekla holčička rezignovaně a hlásek se jal opět škobrtat o důstojnické věty:

"Ve čtyři třicet hodin přibyl na bojiště sbor generála Braxtona Bragga, i rozpoutala se nelítostná bitva s novou zuřivostí."

Seržant však už neposlouchal. Myslí mu proudily vzpomínky na věci a události, o nichž své dcerce vyprávět nemohl. Na knížky ze soukromé půjčovny desátníka Gambetty, na obrázky ohmatané tak, že nahotinky na nich byly vlastně oblečené do otisků špinavých prstů, na všemožné suvenýry po ženách, vzdálených a trýznivých. Vzpomínky šly a zastavily se až v domečku na Gottestischlein — zatřásl hlavou. Zastyděl se. Připadal si provinilejší než Zinkule, jehož jednou přistihl, jak zírá na krajku utrženou z jakési spodničky. Zinkule tenkrát zrudl a krajku strčil do kapsy.

"O.K., Franto. Však se dočkáš," řekl tehdy.

Ani nevěděl, jestli se Zinkule dočkal, a čeho.

"Táta mi šaty dones," řekl Cyril. "Jenže do šatlavy ve Fayettevillu. Lapli mě, sotva jsem vyskočil z okna. Samozřejmě to zaonačil Ribordeaux. Byl jedna ruka s plukovníkem Fentonem, co velel tlupě renžerů, která dráftovala v Austin kaunty. Táta s nima zkusil vyjednávat, že jsme v Texasu cizinci a nemíníme se tu usadit natrvalo, takže podle zákona o dočasně dlících cizozemcích mám já povinnost sloužit nanejvejš ve státní milici, ne v armádě. Samozřejmě se mu vysmáli. 'Nemíníte natrvalo? A proč jste si tady koupil farmu a letos k ní dokonce přikoupil dvacet akrů lesa, takže máte celkově už přes sto akrů půdy?' 'To všecko po válce prodám a s celou rodinou se přestěhujem do Iowy,' řek táta a to neměl, protože renžerskej poručík na to skočil: 'K Jankejcům, co? Vy nejste, pane přechodně dlící cizinec. Vy jste nepřátelskej cizinec!' Tátovi došlo, že se ukec, tak si v Iowě honem vymyslel bratra, a aby to bylo tutový, taky pro mě snoubenku. Málo platný samosebou. Vzali od něj moje kalhoty a košili a vykopli ho. Doslova ho vykopli. A mě nechali tři neděle bručet o chlebu a vodě a mezitím chytali jiný. Když jich měli dost nachytanejch, eskortovali nás do odvedenckýho tábora v Galvestonu. Teprve tam jsem jim uplách a po nocích jsem šel na sever do Austinu. Dostal jsem se tam za čtrnáct dní, skoro dva měsíce po tom, co mě lapli."

Byl to samozřejmě nesmysl, i když nakonec jej napůl uskutečnil: totiž sám. Byl podzim a v okresech kolem Austinu to vypadalo, že se vzbouří Němci. Střední Texas byl plný německých vesnic a české vesničky stály obvykle v jejich sousedství, takže rebelie by zachvátila chtě nechtě i Čechy, ačkoliv těm se nechtělo ani do vzpoury, ani do války. Kolovaly prounionistické petice, odvážlivci pořádali veřejné tábory lidu, na jednom se v Austinu mluvilo o zorganizování ozbrojených tlup, dokonce kavalérie, které by kladly odpor verbířským skupinám. Velitel verbířů A.J. Bell požádal už generála Magrudera o posily a rozkřiklo se, že od Forth Worthu pochoduje do austinského, lafayettského, washingtonského a lavacského okresu pluk pravidelné konfederační armády. Prokličkovat s hnědožlutou dívkou mezi těmito vosími hnízdy byla fantazie, která žila pouze ve dne, kdy spal v houštinách v lese a každou minutu se budil; ve vteřinových, divokých uprchlických snech. V noci, cestou na sever, si uvědomoval, že je to pouhý sen. Přesto šel. Snad chtěl růžičku jenom uvidět. Šel.

V domku na Baywater Street se nesvítilo. Zaklepal, uvnitř se nikdo nevzbudil. Obešel stavení, vylomil tenkou okenici a vlezl dovnitř. Domek měl jen jednu místnost.

Otevřel okenici do ulice, v měsíčním světle tma ustoupila a on viděl, že světnice je prázdná. Z lůžka zmizela pokrývka. V truhle v rohu taky nic nebylo, ani stopy po svršcích dívky, jež tu před dvěma měsíci bydlela.

Bylo už k ránu. Ulehl tedy na lůžko a ve vteřinových snech fantazie pokračovala k de Ribordeauxově plantáži. Zakrátko se rozbřeskl den, a zase věděl, že je to jenom fantazie. Ale sotva se setmělo, přesto vyrazil k de Ribordeauxově sídlu. Nikoli na sever, k oklahomskému teritoriu, do Kansasu a do armády Unie.

Opatrně kráčel ulicemi, osvětlenými jen světly za okny, a v ostrůvku jasnějšího světla před Davidsonovým hotelem uviděl známou kukaň na kolech. Na kozlíku klímal livrejovaný černoch.

Rozhlédl se, přešel ulici a zatahal černocha za nohu. Kočí se lekl, probral se, vyvalil na Cyrila oči. Ale jako na cizího. Ovšem. Za čtrnáct dnů, co šel z Galvestonu, zarostl a v uválených kalhotách a špinavé košili musel vypadat jako vandrák.

"Já jsem Cyril," zašeptal. "Towpelick."

"Ach, massa Cyril!" černoch skoro vykřikl. "Já vás —"

"Pst! Kde je Dinah? Co se stalo?"

Černoch nyní rovněž šeptal:

"Dinah prodali, massa."

"Prodali? Komu?"

"To nevim. Někam prej až do Kolumbie."

Fantazie se zhroutila, naděje s ní. Na cestu do Kolumbie už fantazie nestačila.

A kočí šeptal:

"Massa Etienne taky vodešel."

"Kam? A proč?"

Černoch mu to řekl. Z hotelu zněly hádavé hlasy, cinkání sklenic.

Vydal se tedy na sever, a jak míle ubíhaly, smutek hluboký jak studna se naplňoval větší a větší nenávistí.

Na jaře třiašedesátého roku dorazil k cíli.

Carlin se odhodlal k protiútoku, když rachot střelby od Morganovy divize dosáhl nového fortissima. Obklopil je hvízdot střel jako roj sršňů, přední řada se pokácela jako kostky domina a poručíku Bellmanovi se ulevilo, když uslyšeli signál k ústupu. Přeskákali palisády a zalehli za ně. Před protiútokem poslali Bellmanovu rotu dál na sever, na vršek kopce, odkud bylo dobře vidět na skupinu vrchů v dálce. Tam se bránil Morgan. Bylo pět odpoledne. Nad kopci bez přestání rozkvétaly kovové květy, rozpadaly se a trosky se řítily do lesů.

"Hardee dostal posilu. Bragg nebo Taliaferro. Proto nemusel oslabit linii proti nám," řekl nějaký důstojník ze štábu.

Generál Davis přikývl.

"Jak dlouho můžou vydržet s municí?" zeptal se sám sebe. "Kanonáda, jako kdyby válka právě začala a ne —"

"Melou z posledního," mínil nějaký kapitán ze štábu.

"Čert ví." Davis i Carlin znova zaměřili dalekohledy ke kopcům, kde se železné květiny rozpadaly v houstnoucím kouři. Pod jeho mračny mlel střelecký stroj Morganovy divize na plné obrátky.

Generál Davis naslouchal ryku toho stroje. "Pálí ve dvou liniích," řekl. Čtyři roky války ho naučily vidět sluchem. Řekl: "Jestli Morgan vydrží, všecko je v pořádku." Stroj pracoval naplno. "Jestli ne, je s nima ámen. Nemáme rezervy. Ani jeden pluk, který bych jim moh poslat na pomoc. Musí si pomoct sami."

Stroj mlel a mlel.

"Čert ví, jak dlouho vydrží s municí Morgan," řekl generál.

"— tvýho otce!" Co jí táhlo hlavou? Kolem pochodovaly dvanáctistupy černošského pluku s bílými důstojní-

450

ky na koních, vyrovnaní do šňůry, radostný vánek vítěz-
ství sfoukl sestřičce černý fábor do tváře. Vrátila jej na
klobouk.

Jednonohý učinil pohyb, jako by si před ní chtěl
kleknout, ale s protézou se mu to nedařilo. Chtěl ji proto
vzít za ruku, ona však vzala jemu ruku do obou dlaní a
stiskla, až mu tváří šlehla bolest. "A na Cyrilka poštval
renžery a Cyrilek je teď v šatlavě ve Fayettevillu!"

"Já ho odtamtud dostanu, Lindo!"

"Nebuď aspoň ty hlupák," řekla. Co jí táhlo hlavou?
Cyrilkova růže, její vůbec ne nebezpečná soupeřka. Ale
patřila Cyrilkovi. Jednonohého tradiční jižácké úkoje
urážely ji i brášku. A bráška je ztracen, někde ho zabijou.
A jestli ne, jestli se vrátí, protože někteří se vrátí —
Jižácké móresy jednonohého ji urážely. Pak ji napadlo
řešení.

"Lindo! Miláčku!"

"Po Cyrilkovi se slehla země, o toho se nestarej,"
řekla. "Máš jiný starosti, nemyslíš?"

Stiskla mu ruku a pustila. Okamžitě ji uchopil za ruku
a začal ji líbat.

"Co uděláš?" zeptala se chladně.

Pohlédl jí do očí, ale pohled nevydržel. Něco zamum-
lal.

"Nahlas!"

"Vrátím jí prsten."

Vzala ho opět za ruce. Na pravici neměl nic, na levici
velký hranatý prsten, jímž pečetil dopisy.

Pustila ho. Jednonohý provinile sáhl do kapsy a vytáhl
zlatý kroužek s velkým briliantem.

V duchu se ušklíbla. Nenapadlo ji, že lidé jako Etienne
a Scarlett si vyměňují zásnubní prsteny. To bylo mimo její
svět, mimo její zkušenost. Vzápětí dostala vztek.

"Jsi zbabělec, Etienne!"

"Odpusť mi to, Lindo! Miláčku! Přísahám, že hned
zítra —"

"Ještě dnes," řekla. "Není tak pozdě. Teprve sedm. Večeříte v devět, ne?"

Bylo vidět, že dostal strach. Směšný, zbabělý, zmrzačený. Ale bude to její manžel.

"A mimochodem," řekla.

Holčička četla, seržant neposlouchal: viděl. Třináctý ohijský skutečně pálil ve dou řadách. Seržant McAdams, z jehož vzpomínek přeložil plukovník Bellman vyprávění do své důstojnické dikce, klečel v první řadě. Vystřílel zásobník, podal mušketu naslepo dozadu, ucítil, jak Mike Huddleston za ním ji od něho vzal a vložil mu do nastavené dlaně naládovanou. Byla horká. Začal střílet. Rozedraná řada Braggových veteránů postupovala, utíkali pomalým klusem přes louku, přes stíny oholených borovic, jimiž trávník šrafovalo slunce. Utíkali a střelecký stroj je porážel, jednoho po druhém, ale utíkali dál. Slunce se sklánělo k západu. Velký praporečník před McAdamsem se vznesl do výše, letěl pozpátku, z břicha se mu odvíjely chuchvalce střev, prapor se vznášel vedle něho a ještě ve vzduchu jej chytil jiný otrhanec. Kolem čela měl obvaz se zčernalým odznakem cti. Seržant McAdams poslepu podal vystřílenou pušku dozadu, někdo mu ji vzal, uchopil pažbu nabité mušket. Horký dech u ucha a Mikův hlas: "Proboha, Macu, flinty sou moc horký!"

"Plijte si do dlaní," zařval McAdams a zastřelil nového praporečníka.

Nakonec se přece jen stáhli. Řady mrtvých ležely dvacet yardů od palisád, mezi nimi se divoce převalovali bolestně zranění nebo leželi bez vlády a řvali.

Přišel rozkaz posbírat patrony od mrtvých. Seržant McAdams lezl od mrtvoly k mrtvole, některé musel převalit, vybíral náboje z patrontašek, cpal je do torny, kterou vlekl s sebou, a když ji naplnil, do kapes. Raněný se pokusil posadit, ale svalil se zpátky do zakrvácené trávy. Řval: "Bože! Bože! Neni žádná pomoc pro syna chudý vdovy? Bože! Bože!" Seržant přilezl k němu. Raněný naň vytřeštil oči, snad jimi viděl nějakého Boha. "Žádná pomoc, Bože? Pro syna chudý vdovy!" Seržant viděl, že raněný má roztržený bok a ránu vlevo od žaludku. Z ní proudem tekla krev. "Neni," řekl raněnému. "A dyby byla, nemám čas!" Z očí raněného naň pohlédla hrůza, ale asi nevnímaly jeho. Spíš nějakého nemilosrdného, nekřesťanského Boha. "Ale patróny už nebudeš potřebovat, kamaráde. Tak sem s nima!" řekl seržant, sáhl do rebelovy patrontašky a cpal si náboje do kapes. Pak si všiml, že raněný má na zádech batoh. Kolem ležely desítky mrtvých a velká zásoba střeliva a seržant už měl kapsy plné. "Ten ruksak už taky nebudeš potřebovat." Pokusil se raněného převalit na břicho, aby mu batoh mohl servat s ramen. Raněný zařval bolestí, pak mu hlas zdusil příval krve, jež mu vytryskla z úst.

Rozzuřila se kanonáda od hájků a zídek v údolí, zazněl rebelský jek. Řady se znovu zvedly.

Seržant vyskočil a v předklonu běžel k barikádě. Kolem bzučeli kovoví brouci.

Jeden ho kousl do nohy a seržant se svalil. Přes palisádu ho do bezpečí přetáhl Mike Huddleston.

"Já už to nebudu číst," pravila holčička. "It's too scary!"

Seržant procitl. Hodiny bily devět. Jsem starej vosel, řekl si v duchu. Nemám to na ní chtít. Ale domníval se, že kniha, jak takové knihy bývají, bude podobná barvotiskům, jež zarámovány visely na stěnách pokoje.

"Vopravdu mu nemoh pomoct?" řekla holčička. "Dyž byl syn chudý vdovy? To vona zůstala na celou farmu sama?"

"Třeba neměli farmu," řekl seržant. "A pomoct mu? To máš těžký, děvče. Takový rány tehdá nedovedli vyhojit. A bylo to v bitvě —"

"Proč mu aspoň nedal napít?" pravila holčička rozhořčeně. "Raněnejm se má dávat napít!"

Nad holčičkou skutečně voják v čisté a veselé zuávské uniformě dával z polní láhve pít ležícímu muži ve stejně čisté uniformě vojáka Konfederace. Na čelech neměli žádné odznaky cti a odvahy. Nad nimi, hned vedle slunce, malebně vybuchoval kanistr.

"— svou černou konkubínu prodáš!"
Zrudl jako kluk.
"Jižanský dámy možná takový móresy trpěj," řekla. *"Ale já nejsem jižanská dáma."*
I když budu. Začal ji ujišťovat, že hned zítra a překupníkovi, jak jí o tom kdysi lhal, jenže tentokrát doopravdy, aby ani nevěděl, kam překupník konkubínu zašantročí. Ale Lída ho přerušila:
"Překupníkovi ne!"
Zarazil se.
"Proč? To by přece —"
"Já nechci!" řekla.
"Tak tedy," pravil nejistě, vzpomněl si. *"Tys říkala,"* zaváhal, ale pak: *" —že na ni máš kupce."*
"Už nemám. Musíš nějakého najít."
"To nebude nic těžkého." Byl pořád rudý. Linda najednou řekla prudce:
"Ale nebude to žádný mladý nemrava. Ani starý. Nějaká vdova, která na ni bude hodná. A dost bohatá, aby ji nepronajímala nějakým nemravům."
"A ty jí to věříš?" zeptal se seržant. Kakuškovi upadlo kolečko a cinklo o jiné součástky z útrob hodin na podlaze.
"Ne," řekl Cyril. *"Ale co když mluví pravdu?"* už blábolil; whiska z vděčnosti konala své dobré dílo. *"Co když růžička —"* z očí mu vytryskly slzy, *"—co když ona někde —"* V opilém hlase byla touha, nebo nenávist. Asi obojí. Cyril usnul. Seržant pohlédl z okna. Někde hořelo, zněl černošský zpěv:

Ó svobodo, svobodo, tebe musím mít!
A než bejt zas votrokem —

Kolumbie, pomyslel si seržant. Taková dálka.
Jednonohý byl pořád rudý.
"Mám neprovdanou tetu. Ale ta má služebnictva víc
než dost. Nevím, jestli ji bude chtít koupit."
"No tak ji tetičce dáš. Jako dáreček k vánocům."
Adresu — byla jednoduchá: de Ribordeauxova rezi-
dence na Main Avenue — si vryla do paměti, ale Cyril jí
nevěřil. Teprve v Kolumbii — a pak sestru neuviděl, až u
Bentonvillu.
Růžička se za pár dní nato vydala na dlouhou cestu do
domu bohaté staré slečny de Ribordeauxové do horou-
cích pekel.

Za vršky a terénními vlnami, které vypadaly jako
kulisy a táhly se do dálky k Bentonvillu, stoupala oblaka
dvojího kouře: lehčího z ručnic, jejichž nepřestávající
rachot překrývalo dunění kanonády, a mraky tmavšího
dýmu z dělostřeleckých baterií. Obojí se mísily nad le-
sem, který zatím neviděli. Protože všichni byli už válkou
protřelí, nemuseli vidět, aby viděli. Když cválající jezdec
přivezl Šestadvacátému wisconsinskému Slocumův roz-
kaz nechat trén trénem a vydat se usilovným pochodem
na pomoc ohrožené divizi, stáhly se jim zadky, neboť
potají každý doufal, že do konce války už to doklepou u
trénu, nanejvýš se na nových kobercích z kulatiny naďřou
jak nádeníci. Protože byli válkou protřelí, tance kouřů
nad vzdálenými vršky a rambajs, v té síle dávno neslyše-
ný, k nim mluvily srozumitelnou řečí. Shake jenom vy-
slovil, co jim nikdo nemusel vysvětlovat:
"Davis je v maléru."

A vznikl problém. Když se jakž takž seřadili, seskočil z ambulance, s puškou v ruce, nahý Zinkule a dožadoval se zařazení.

"Máš rozum, Frantíku?" Shake si zacpal nos. "Usilovnej pochod! Copak to ve svým stavu vydržíš?"

"Nejsem raněnej," pravil Zinkule vzdorovitě a mušketou se snažil zakrýt ohanbí.

"V jistým smyslu seš," řekl Shake.

"Akorát že smrdím."

"Tím ztěžuješ bojovou činnost ostatním,"pravil Shake. "Jako kdybys měl ustřelenou nohu a my tě museli nýst."

"Nemám nic ustřelenýho!"

"Ale seš nahej, Franto," pravil Houska.

Zinkulovy svršky spálili v táboráku a sami byli v hadrech. Velké Shermanově armádě došly uniformy. Nové měl přivézt až generál Schofield do Golbsbora.

"Neni to tak dávno, co sme všichni bojovali nahý," pravil Zinkule a měl pravdu. Myli se tenkrát v potoce, když je přepadli Wheelerovi jezdci. Byl jen čas popadnout pušky a střílet. Nahá bitka trvala snad minutu. Jezdci se přehnali, stříleli za jízdy, nic netrefili, pak se tryskem sami vzdálili z dostřelu.

"Právě že všichni," řekl Stejskal. "Takhle mezi náma voblečenejma budeš na ráně. Každej se bude trefovat do tebe."

Přiblížila se skupina štábních důstojníků. Zastavili se, plukovník s černým vousem přelétl očima četu s naháčem uprostřed a vyjel:

"Co to —"

Vtom jej ovanul větřík vanoucí od skupinky ke štábu. Plukjovník spolkl, co chtěl říct, mávl rukou a nasadil koni ostruhy. Štáb ho následoval. Spatřili, jak dlouhovlasý kapitán vytahuje kapesníček a tiskne si jej k nosu.

Když dozněla kopyta, Stejskal řekl:

"Je to vyloučený. A víš proč, Franto? Každej si bude myslet, že sme se předposrali."

"To," řekl Shake, "bysme na druhý straně mohli svádět na Frantíka."

"Co — to?" zeptal se Houska.

Zezadu připochodovala Třetí setnina a její kapitán se rozčilil, proč lelkují a překážejí v cestě. Pak i jeho ovál vánek. Dostali spěšný rozkaz a vykročili. Zinkule se pokusil zařadit za poslední trojstup, ale kapitán Třetí setniny se tak rozeřval, že se Zinkule lekl a vylezl zpátky na ambulanci. Karbaníci si nasadili ochranné masky ze šnuptychlů.

"To je velkoměsto?" zeptala se Linda.

"Přístav. A město je velmi výstavné. Dům je na Bay Street."

"A patří tobě?"

"Ano. Odkázal mi ho strýc Jeremy," odmlčel se. "Ale, Lindo — "

"Je k nastěhování?"

"Stará se mi o něj bývalý dozorce z naší louisianské plantáže a jeho manželka. Jsou tam vlastně na odpočinku."

"Výborně," řekla. Vypadal nešťastně.

"Lindo, miláčku, já opravdu nevím — "

"Chceš nebo nechceš?" přerušila ho ostře. Prsten vrátil. Snoubenka s otcem odjeli hned ráno, nafoukaný lokaj na kozlíku se tvářil uraženě.

"Chci," řekl.

"Šperky po matce jsou tvoje." Znala je. Zářily v etujích, náhrdelníky, tiára s diamanty, klenoty přivezené před mnoha lety přes Atlantik ze země, jež netolerovala víru dávno mrtvých majitelek. Prsteny, náramky, některé koupené už v neworleanských klenotnictvích, některé pro nedávnou majitelku, jež byla už taky mrtvá. "Pro tvou nevěstu," řekla Linda.

"Lindo."

Skočila mu do řeči:

"Jakou mají cenu?"

"Nevím. Velikou."

"Dobře," pravila. "Nebudem je ani muset prodat. Zástavné nám vydrží, než tvůj papá přijde k rozumu."

Hrála vabank. Přes obrovskou vzdálenost Atlantiku viděla, že je to na světě všude stejné. Kdyby tenkrát podplacený vysloužilec nedoběhl včas, nakonec by možná ani nemuseli do Ameriky. Vítek byl Mikův jediný syn, jiné děti neměl —

Jednonohý měl sestru Hortense. Provdanou, patrně už samodruhou. Ale syn byl taky jediný. Svět — to jí starý de Ribordeaux potvrdil, když si zavolal tátu — je stejný, třebaže rozdělený dálkou vody a kontinentů. Hrála vabank, protože hrála o všechno.

O všechno, co jí zbývalo.

Odvážnému štěstí přeje.

Byla už Mme de Ribordeaux několik měsíců, nerozlučně svázaná s mrzákem v kostele v Savanně — jenomže pro ni jenom jediná věc na světě byla nerozlučná a od té ji odloučili — když přišel dopis. Ušklíbla se, papá tedy přichází k rozumu. Na to však bylo ještě brzo. Dopis byl k tomu jen první krok.

"Hortense," zalykl se jednonohý, "zemřela."

"Cože?" stěží skryla radost. Přiliš se ostatně ani nesnažila.

"Při porodu," řekl Etienne. "Děťátko taky."

Snad Bůh přece jen je, napadlo Lindu. Dobrotivý Pámbíček zamilovaného pátera Buňaty.

Etienne nebyl tedy už jen jediný syn. Byla to nyní pouze otázka času.

Potom jí Buňatův Pámbů provedl další krutý žertík.

Smrákalo se, východní obloha zčernala, vyšly na ní hvězdy. V šeru kouř zmizel, zato se blýskalo z lesů a na zemi. Byli už blízko. V přestávce mezi rachotem, jako když se kamenné kostky valí z kopce dlážděnou ulicí, zaslechli dokonce unavenou ozvěnu rebelského jeku. Hned ji zas spolkly třesk mušket a dunění děl. Pořád napůl běželi a Shake nadával. Nadával, že setnina "K" Šestadvacátého wisconsinského se Karolínou promakala jako parta nádeníků a teď má tahat kaštany z ohně za fintivého generála Carlina, jehož mančaft ušetřili těžké práce proto, aby až lážoplážo dopochodují do Washingtonu, vypadali, jak si washingtonské dámy představujou slavnou Shermanovu armádu. Ohně detonující z lesíků, k nimž se blížili, se opět rozhořely. "A ne jako parta sedřenejch nádeníků" nadával Shake, "což ta slavná armáda ve skutečnosti je." Stejskal řekl: "Uklidni se. My, sedřený a vodřený, budem po tomhle tady vypadat ve Washingtonu líp než Carlinovi nažehlenci."

"Jesli budem vůbec nějak vypadat," pravil Fišer.

Chvíli mlčeli, znělo jen občasné cinknutí pušky o polní láhev a dýchání kumpanie, ušlé, ale hnané druhým dechem.

"Jaks to myslel?" zeptal se Houska.

"Trochu přemejšlej," pravil Fišer.

Dostali povel k zastavení a poručík odklusal kamsi dopředu. Byli už docela blízko. Opodál zahlaholily hlasy důstojníků, v šeru se oddíly začly rozptylovat, první už mizely mezi stromy. Praskl kanistr, ještě dost daleko.

"Sousedi, já mám předtuchu," ozval se Houska.

"Tu si strč víš kam," řekl Paidr.

Shake hlasitě začichal.

"Měli jsme vzít Zinkuleho s sebou. Cestou jsme mohli svlíknout nějakýho nebožtíka a teď by se nám tu Frantík hodil."

"Jak to myslíš?" zeptal se Houska, ale náhle mu to došlo a vztekle pravil: "Chceš jednu střihnout? Jesli je tu někdo posranej, tak seš to nanejvejš ty!"

"Obrazně ano," pravil Shake. "Kamarádi, já o tom často přenejšlel. Vždycky když rakety rudě svítily a ve vzduchu vybuchovaly bomby. Já bejt statečnej, dávno jsem dezertoval."

Někde v dálce, ale dost blízko, se rychle za sebou roztrhlo několik projektilů a zvedl se ochablý rebelský jek. Poručík proběhl mezi záblesky z oblohy a zavelel:

"Za mnou!"

Ponořili se do lesa. Šli nyní pomalu, na zem nebylo dobře vidět, jenom když nablízku vybuchl kanistr. Pak se před nimi objevilo pár rozsvícených petrolejek. Brzo dorazili k místu, jež žlutavá zář vydělovala ze tmy. Několik mužů v košilích tak zakrvácených, že to vypadalo, jako by na ně někdo u zabíjačky zvrhl plné necky krve, pracovalo tam se zuřivostí vlastní šílencům. Pily skřípaly o kost. Přešly je řeči, a protože trochu světla z toho místa pláče a skřípění zubů dopadalo i na půdu mezi stromy porostlou mechem, zrychlili krok. Na pozadí záblesků někde už docela blízko uviděli palisádu, řídce obsazenou otrhanci.

"Vystřídáme oddíl na tomhle úseku," řekl poručík.

Zalehli za val.

"To je dost," zabručel vousatec s nerozeznatelnými insigniemi a spěšně se rozloučil s palisádou.

Vyhlédli přes klády, z nichž trčely pahýly narychlo olámaných větví. Asi půl míle před nimi hořel blikotavý oheň zápasu. Černé postavičky utíkaly po louce k lesu na kopci. Rebelský jek zněl, jako kdyby volali umírající.

Shake se opřel o palisádu vedle Housky. Zafilozofoval:

"Nic ve zlym, Vojto. Neodebéřem se přeci na onen svět rozhádaný."

"Kdo se hádá?" pravil Houska.

"No já," řekl Shake. "Rozdíl je v tom, že já jsem posera a málem už bych tady potřeboval Zinkuleho, aby to na mě neprasklo. Ty seš statečnej, ale přiznej se: nepřišel by ti taky vhod ňákej skunkem potřísněnej, abys to měl eventuálně na co svíst?"

"Počkej po boji!" pravil vztekle Houska. "Já ti jednu křísnu, jak ti to už vod Savany slibuju!"

"Mluv pravdu, Vojto," řekl Shake. Na kopci za loukou se znovu rozjel střelecký stroj. "Vždyťs povídal, že máš předtuchu."

"To mám," Houska položil mušketu před sebe na palisádu, vytáhl kapesník a vysmrkal se." A silnou, Ámosi. Růža vod něj uteče."

To Shakovi vzalo dech.

"Vod koho?"

"No vod toho Fredyho," pravil Houska a strčil kapesník za blůzu. "Až já se po vojně vrátím, budu hrdina. A co bude von? Vobyčejnej ulejvák!"

"Ale co to znamená?" chtěla Linda vědět.

"Lincolnovi teče do bot," říkal kapitán Culloch. Prázdný rukáv ošumělé uniformy měl zastrčený za vybledle zlatý opasek a levičkou, na níž mu chyběly tři prostřední prsty, otáčel sklenicí bourbonu po hlazené desce stolu.

Seděli v Grenierově hotelu a Linda se mračila. "Má mu to získat plnou podporu abolicionistů," pravil kapitán, "protože v jeho jankejské říši se šíří nespokojenost. Slyšela jste o copperheadech?"

Linda zavrtěla hlavou.

"Ti jsou docela otevřeně proti emancipačnímu prohlášení," řekl kapitán Culloch. "Tvrdí, že otázka zvláštní instituce je záležitostí jednotlivých států, nikoli federální vlády. Lincoln tedy nemá na vybranou, proto sází na abolicionisty. My, madam de Ribordeauxová, se na to můžeme dívat s potěšením. Když se dva perou, třetí —"

Už ho neposlouchala. V duchu slyšela tu s kobylím obličejem, co se na ni Cyrilek vykašlal kvůli své světležluté: "Otec říká, že Jih vyhrát nemůže. Žijeme ve věku strojů, a stroje má Sever a vymýšlí pořád nové. Slyšelas o vynálezu pana Gatlinga?" Zavrtěla hlavou. "Puška, která má deset hlavní," pravila kobylí hlava. "Střílí přes dvě stě kulí za minutu, tvrdí otec —"

Papá de Ribordeauxe emancipace k rozumu nepřivedla. Zastavili tiáru. Běžely měsíce. Hádali se. Víc a víc. Jednonohý pil, brzy jako duha. Nemluvili spolu. Zase se hádali.

Konečně dopis přišel.

Znovu spustily hodiny, jedenáct. Seržant vstal a odešel k truhle, odkud zpod složených košil a spodků vytáhl láhev a nalil si štědře do sklenice. Na sklenici byl vymalován prezident Lincoln, jak s pokrčenými koleny klesá k zemi a na bílé vestě má rudý odznak odvahy. Se sklenicí v ruce hleděl na jiného Lincolna. Vykláněl se z vikýře na hodinách a hvězdnatým praporečkem mával do taktu kapely, jež dole pod ním vyhrávala "Hvězdnatý prapor". Všechno to bylo z vesele pomalovaného dřeva, paňáca v uniformě hudby Šestadvacátého wisconsinského vytahoval a zatahoval píst dřevěného trombónu, vedle duli do trubky a do tuby dva jiní růžolící muzikanti. Vpravo paňáček s tlustým dřevěným břichem mlátil do tureckého bubnu. Trombón, trubka i tuba měly korpusy obrácené kolem hlav trubačů dozadu, jak se na to jejich výrobce pamatoval: mašíroval za takovými kapelami, kdy ani tón nesměl přijít nazmar, neboť pochodovali do bitev. Nyní, na farmě pár mil od Manitowoc, vyráběl Vojta Houska o zimních večerech veselé hodiny a posílal je k vánocům starým druhům od Šestadvacátého."Přived mě na tu myšlenku nebožtík Kakuška. Pomatuješ, jak si v Savaně dělal z hodinovejch koleček vostruhy?" Seržant vzpomínal na slavný den po Appomattoxu, kdy kapela pochodovala křížem krážem po táboře, v čele sám nachmelený generál Mower s tureckým bubnem na břiše. Vzpomínal na Cyrila bůhvíkde v tramtárii, na Dinah bůhvíkde bůhvíkde, a jak

Cyril vyprávěl, ukázal jí inzerát v rubrice Uprchlí otroci *a smál se, neboť tam stálo* Gabriel utekl s velmi dobrým fagotem. *Smál se a Dinah se zamračila. "Co se řehníš, bílej kluku? Chce do Kanady. Tam prej našinci hrajou i ve vojenskejch kapelách!" "Na fagot sotva. To leda tak v zámeckým orchestru." "Maj v Kanadě zámky?" "To nevím. Snad. Královnu tam maj." "Tak bude Gabriel v Kanadě hrát v královský kapele. Královna je prej na negry hodná." Kapela dohrála, Lincolna zaklapla dvířka s barevným obrázkem amerického orla, seržant se usadil do křesla, sebral knihu ze židličky, na níž předtím sedělo děvčátko, napil se a dal se do čtení:*

Sešeřilo se již, když šiky rebelské obešly naše pozice a znenadání udeřily zezadu. Neučinili jsme však víc, než že přeskočivše palisádu, bojovali jsme z druhé strany. Zde nevysvětlitelné chyby dopustil se generál Hardee. Kdyby totiž byl rozdělil své síly a obchvat pozic našich provedl toliko s polovinou vojska pod svým velením, stěží bychom se byli ubránili, nuceni bojovat na obě strany. Takto však, stojíce a klečíce opět v dvojřadu, pracovali jsme co pilní tovaryši řemesla válečnického, takže zcela po pravdě prohlásil po vítězné bitvě plukovník McClurg, nám velící: "Zřídka kdy byl jsem svědkem palby tak nepřetržité a nemilosrdné. Připadalo mi, že jest nad lidské síly toto snésti. Vojáci pod mým velením, prošlí tucty a tucty strašlivých bitev, nikdy předtím nezakusili ničeho, co by se podobalo řeži bentonvillské. Teprve když noc pokročila, Hardee, dozvěděv se, že Carlinova divize posílena byla čerstvými jednotkami, rozkázal bojovníkům svým stáhnouti se do pozic výchozích. Měl tedy i pravdu plukovník O'Carleen z armády konfederační, když v *Pamětech* svých napsal: "Přišli jsme, útočili jsme, bojovali jsme, nedosáhli jsme ničeho."

"Táto!"

Holčička stála ve dveřích v noční košili. Pokusil se schovat sklenici whisky pod křeslo a rozlil nápoj po podlaze.

"Co se děje, děvče?"

"Já nemůžu spát," ohlásila holčička. *"Musim pořád na něco myslet."*

Zhrozil se, že snad jeho povídání o třech uťatých hlavách přivolalo na dívenku noční můru. Ale ona řekla:

"Je to pravda, že ve válce sis ani nevystřelil?"

Bílá nevěsta v lehkém kočárku ujížděla, po jejím boku zářící jeliman Baxter Warren II., k čáře bajonetů plujících ranní mlhou nad vojáky Loganovy divize velké Shermanovy armády. Shake řekl: *"To já jsem znal jednu, bydlela v Kozí uličce — "* a Stejskal ho přerušil: *"Stejně je to hezký — moravská holka udělá štěstí v Savanně v Georgii!"* Jenže Cyril věděl, že štěstí je jen jedno, a to jí vzali. Kde je Vítkovi konec? To ona v Savanně nevěděla, a když ne Vítek, tak teda štěstí sice náhražkové, ale takové, aby si vybrat mohla jednou Deborka. A ani Mika, ani nějaký de Ribordeaux -

Dopis přišel pozdě.

"Jeď sám," řekla. *"Já bych překážela."*

"Ale on se s tebou chce usmířit."

"Usmířit se chce s tebou," řekla. *"Ty jsi dědic."* Pak dodala: *"Pokud bude co k zdědění."*

Škublo to s ním.

"Ty nevěříš, že válku — "

"Ale věřím," přerušila ho. *"Jeď. A vrať se."* Pak dodala: *"Pokud chceš."*

Byla to nejhorší doba jejího života. Kromě ovšem času po Ambeřicích. A zase hrála vabank. Jednonohý přijel domů ještě včas, aby starému, jenž přišel k rozumu, zatlačil oči. Cyrrhosa jater z hektolitrů koňaku, srdce vyzené tisíci doutníků, strašidlo emancipace, smrt Hortense, smrt děťátka, které stejně bylo jen holčička. Svět se všemi učenými teoriemi se mu sesypal, svět s mordy a ohaři a mazaným strejčkem Habakukem, s vědomím na

464

dně poučeného vědomí, že to muselo přijít, ale kdyby až
potom. Potom. Jednonohý, patrně zázrakem vášně nebo
lásky, kterou ve stadiu prvního sevření vytoužených ste-
hen udržovala dějinná katastrofa, se stihl vrátit do Sa-
vanny. Dědictví bylo už bezcenné. Sherman bojoval o
Kennesaw Mountain a Linda věděla, že vsadila na špat-
nou kartu.

Odvážnému však štěstí přeje. Jedenatřicet loupežníků
ještě zbývalo. Víc než dost.

Velká Shermanova armáda připochodovala k Savan-
ně, za patnáct minut ztekla ztečí pevnost McAllister, která
jí poslední stála v cestě. Generál Hardee, z milosti Te-
cumseha Shermana, odvedl většinu svých vojsk přes most
vybudovaný ještě služebníky a ti den nato začali zpívat:

Massa Sherman přišel do Savanny,
svobodu nám dal...

A v Grenierově hotelu se objevil Baxter Warren II.
Nová karta pro holku z chalupy, která si umínila, že se
světu pomstí.

Mrzák koktal, zalitý bourbonem. Blábolil o večerech
zpekelněných hádkami, o Lindě jež mu krutě unikala, jak
všechno na světě ztratil. Cyril mu dolíval, nepoznával ho,
jímala ho hrůza. Co Dinah? Co žlutá růžička? Ale mrzák
byl už pod obraz. Odložil výslech na ráno, zanechal
jednonohého na chaise longue *v salónu domu, který zbyl*
z dědictví, zpitého do němoty a šel se zpít do domku, kde
Kakuška vyráběl ostruhy z pendlovek pro bitvu o Kolum-
bii, pro poslední bitvu o Bentonville.

* * *

Kapitán Baxter Warren II. velel jedné setnině, která se účastnila dobytí Fort McAllister, poslední překážky, již velká Shermanova armáda musela překonat na cestě k savannským hospodám a bordelům. Cestou do Pekárny madam Russelové, kde povzbuzován švihákem Szymanovským, prasákem Bondym a tichou vodou Williamsem, hodlal se zbavit panictví, uviděl Lindu Toupelíkovou a vyškubl se jim. O panictví pak přišel v Grenierově hotelu.

Pohádku, jak ji předpokládal Shake, si ani nemusela vymýšlet. Baxter byl jeliman, pravý syn země, kde se narodil. "Tvoje máma neuměla číst?" žasla Linda. "Ne. V Irsku do školy nechodila," řekl. "Naučil jsem ji číst sám. Teď už umí," polkl. "Napsal jsem jí o tobě." "Samý krásný věci, doufám," řekla. "Jinak si mě nežádej!" "Že tě provdali proti tvý vůli. Jako ji. Matce bylo patnáct." "Ale ty jsi —" "On zemřel na lodi. Otce si vzala až v Americe a šla s ním do Kalifornie. Otec je devětačtyřicátník." "Tady taky bylo nějaké povstání?" zeptala se. "Ne. Tady bylo zlato," řekl Baxter Warren II.

Takže si nevymýšlela pohádku, jenom skutečnosti svého života promíchala s pomlčkami o svém životě a zfixovala z toho koktejl pro jelimana. Později zjistila, že se ani nemusela namáhat. Že i kdyby mu byla nalila čisté evropské víno, Vítka, starého Miku, vysloužilce a Deborku z nemanželského lože místo Deborky, jíž v žilách koluje hugenotská krev (jemu to musela vysvětlit stejně, jako jí samé to kdysi vyložil jednonohý), což se mu líbilo — z dějepisu věděl o Otcích Poutnících a v žilách mu koloval americký odpor k útlaku — i kdyby mu tedy řekla pravdu holou jako zadnici, nenarazila by na žádné tabu. Baxter Warren II., vzdor svému jménu, které jejím středoevropským uším znělo jako ze zámku, byl mladý muž na samém počátku rodokmenů, ze země na samém počátku historie. Ještě lupičský baronet, vážil si jenom peněz, a ty měl sám, a nějaké mínění měl jenom o svobodě. To byla Unie, za ni šel do války. Koktejl byl však přece jen lepší než holá zadnice: pravda o bráškovi a jeho love story z chaloupky strýčka Toma, pomlčka o Vítkovi, o Mikovi, o zřetězení nenávisti, jež ji přivedlo ke špatné kartě. Namísto pravdy nicnežpravdy tedy zčásti fabrikace, rozkazovačný farmák otec a bohatý jižácký ženich, a Deborka tedy z hugenotské krve a nenávist ke zvláštní instituci pro lásku chudáka brášky, nenávist, která se soustředila na nemilovaného, vnuceného, bohatého (neříkala, že ne už bohatého) manžela.

Rozvedeš se, řekl Baxter Warren II.

Ale odvážnému štěstí přeje.

Služka zabušila znovu. Za bílými dveřmi bílého domu ticho.

"Asi eště spí," řekla služka. "Ale je už deset."

Patrně opravdu spal. Na protější straně ulice se právě probouzela Pekárna madam Russelové. Ospalý podomek zametal chodník. V druhém patře se v otevřeném domě objevila prsatá ženská.

"Asi se vožral," řekl voják se strašlivým přízvukem. "Na jeho místě bych to udělal taky. Taková fešanda! Co jinýho mu zbejvá, než se vožrat?" Odstrčil služku a zatloukl na dveře pěstí. Nic. "Počkej tady," nařídil holce a překročil nízký bílý plůtek, který ohraničoval zahrádku kolem domu.

"Kapitáne!" zaječela kurva ve druhém poschodí. "Ňákej váš voják chce vykrást dům pana de Ribordeaux!"

V okně se vedle ní objevil chlap v košili. Uviděl jen služku, která si mezitím sedla na schůdky přede dveře. Voják už zmizel za rohem domu.

Do zahrady ústila dvě velká okna, zakrytá dřevěnými žaluziemi. Voják se rozhlédl. V besídce z buganvilií stála bílá lavička pro milence. Přinesl si ji pod okno, vylezl na ni, otevřel žaluzie a pohlédl dovnitř. Chvíli mu trvalo, než se rozkoukal. Na koberci před jídelním stolem něco leželo. Vypadalo to jako kyj, ale brzo si uvědomil, co to je.

Strávil rok před tím měsíc v lazaretě s čistým průstřelem stehna, který se zanítil, ale pak naštěstí zahojil. Pohlédl ke stropu místnosti a seskočil z lavičky. Odběhl dopředu a zařval na služku: "Uhni!" Pak vší silou vrazil ramenem do dveří.

Z okna ve druhém poschodí zařval vysvlečený kapitán: "Vojíne! Co to má znamenat?"

Ohlédl se tam a zasalutoval. Spíš posměšně než uctivě. Chlap v okně neměl uniformu, ale savannští civilisti sotva byli v náladě na rozhoďnožky.

"Může eště bejt živej!" vykřikl s příšerným přízvukem a znova vrazil ramenem do dveří. Voják byl pořízek, kovářský tovaryš z Manitowoc ve Wisconsinu. Dostatek pohybu a dobré jídlo na pochodu Georgií mu navrátilo sílu, jíž pozbyl válením v lazaretu. Jmenoval se Frank Vorastek. Dveře se rozletěly a voják se pořoučel dovnitř. Na zemi ležela protéza, jednonohý visel na špagátě nad ní jako kukla divného motýla s fialovým jazykem na vestě. Dva dny předtím objevil existenci kapitána Baxtera Warrena II., uviděl je, jako seržant před ním, oknem Grenierova hotelu. Linda ostatně nic nezatloukala. Poslední hádka vzplála, přilepil se na ni jako Pinkertonův agent, pak Cyril zachránil sestřičce manžela. Mrzák, zalitý bourbonem, blábolil mu později na rameni o pekle zvaném Linda, jak všechno na světě ztratil. Cyril mu doléval, nepoznával ho, jímala ho hrůza. Zanechal jednonohého, zpitého do němoty, na chaise longue v salóně domu, kam Linda ráno poslala vojína Vorastka a služku z Grenierova hotelu pro své svršky, a šel se zpít do domku, kde Kakuška z pendlovek vyráběl ostruhy pro bitvu o Kolumbii, pro poslední bitvu o Bentonville.

Takže rozvod být nemusel. A protože byla válka a Baxter Warren II. neznal žádná tabu, svatba tedy hned. Byl střízlivý, ale zamilovaný, Yankee. Válka ještě zabíjela, a má-li zůstat vdova a možná pohrobek, nesmí mít jméno rebelského otrokáře. Teď tedy teprve štěstí, náhražkové avšak solidní. Readoptovaná Deborka, otec Bax-

ter Warren II., budoucí šéf Warrenovy Banky v San Fran-
cisku, anebo mrtvý hrdina s vdovou a s dítětem pod
vdoviným srdcem. Choť Linda, bývalá de Ribordeaux,
rozená Towpelick ze Lhoty, Morava, Rakousko, Evropa.

"A tys věřil, že ji chtěla zachránit?" seržant kroutil
hlavou. "Pro tebe?"

"Jo," řekl Cyril. "Taky jsem si myslel, že je zlá. Ale
není. Jenom život —"

Dohořívaly terpentýnové lesy. Bouřkové mraky nad
Severní Karolínou praskaly ve švech, přicházelo jaro.
Schylovalo se k poslední bitvě u Bentonvillu.

V ospalé tváři dítěte viděl zklamání, protože holčička
se ještě nenaučila přetvařovat, a seržanta to potěšilo.
Nikdy nezrezavěl natolik, aby z něho byl jen farmák s
botama od hnoje, v kazajce protkané obilnými štětinami
k nevyčesání. Byl stará vojna. Na stěně nad dřevěným
křeslem visela springfieldka, kterou za dávných dob u
Třináctého pluku pravidelné amrády Spojených Států
každý večer čistil a blýskal, takže když pohlédl do jejího
kování jako do zrcadla, viděl se jako v zrcadle. A pokaždé
si vzpoměl na svého generála při té jediné příležitosti, kdy
generál — neboť ho generál Halleck shledal v sartoriál-
ním nepořádku — natáhl sněhobílé rukavice a ukazová-
kem přejížděl springfieldky Třináctého, pohlédl naková-
ní seržantovy pušky, takže se naň zamračila jeho vlastní
žebrácká tvář, jenom pomačkanější než v originále, ne-
boť kování sice seržant vyleštil do lesku stříbrného nádo-
bí, ale ďobnutí po minii, jež mu vyrazilo ručnici z ruky
před Vicksburgem, do zrcadlové plochy vyrovnat nedo-
kázal. Byl stará vojna, jedinou schůzku pluku nevynechal,
na poslední také spatřil svého generála, jinak se objevo-
val pouze jako zduchovnělý, i když stejně divoký obraz v
kování staré flinty. Popadla ho radost ze zklamaného

děvčátka, které se zřejmě domnívá, že táta byl ulejvák a válkou se provlík ve štábním závětří.

"Ale vystřelil, Terezko. U Vicksburgu, u Colliersville — tam jsem se nastřílel na celej život. Útočili jsme tam s muzikou."

"S muzikou?" užasla holčička.

"Ano. A pan generál Sherman si tam —"

Nasedli na koně, už svítalo. Jeli tryskem, rozednívalo se, kolem meruňkových sadů na severovýchod, cestou, jíž včera cválali do Howardova hlavního stanu. Sherman daleko vpředu, za ním jeho štáb na zpěněných koních, poháněných ostruhami, aby udrželi krok s generálem. Seržant mezi nimi. Generálova rezavá hlava bez klobouku — ulítl mu, když je zasáhly první paprsky slunce — zářila celé dopoledne jako ujíždějící oheň. Po poledni dostihli Slocumovo velitelské stanoviště v borovém lesíku. Na východě děla, ručnice a čas od času rebelský jek.

Seržant se opřel o borovici a díval se, jak generál jedním uchem poslouchá Slocumovo hlášení a druhým ozvěnu bitvy, která slábla, sílila, opět slábla a zase sílila, jako kdyby někde pracovalo velké a nemocné srdce. V hloučku kolem generála stáli všichni: Davis, Carlin, Morgan, Williams, Geary, Ward, Kilpatrick a už také Hazen z Howardova sboru, jenž se svou Druhou divizí dorazil teprve před chvílí. Carlin se stihl převlíknout do čisté uniformy, která symbolicky potvrzovala Slocumova slova.

"Myslím, že situace je zachráněna," říkal Slocum. "Morgan se udržel a jeho důstojníci a vojáci zaslouží nejvyšší pochvalu. Na nich bitva závisela. Kdyby nebyli bojovali, jak bojovali, Johnstonovi se mohlo podařit zničit obě divize, Carlinovu i Morganovu."

Slocum pochvalně kývl k Morganovi. Morgan se rozpačitě podíval na zem. Levý rukáv kabátu měl utržený. Prohrábl si vous a na kabát se z vousu vysypal jemný popel. Nepocházel z generálovy dýmky. V bitvě mu vous zčásti uhořel.

"Naše postavení se zkonzolidovalo," pokračoval Slocum. "Včera po poledni se na bitevní čáru přesunula Bairdova divize a během večera a noci všechny tři divize Dvacátého sboru. Před půlnocí dorazil Hazen a v průběhu odpoledne čekáme další jednotky Howardovy armády. Ráno budem v přesile a můžem zaútočit."

Tep vzdálené bitvy opět zesílil.

"V dostatečné přesile?" zeptal se Sherman. "Johnston přece ví, že se mu nepodařilo využít překvapení." Zaposlouchal se do vzdálené kanonády. "Nechápu, proč ještě bojuje. Ledaže —" rozhlédl se. "Kde je Mower?"

"Měl by tu být každou chvíli," řekl Slocum. "Je na krajním pravém křídle a tam možná — " rovněž se zaposlouchal do hřmotu dalekého zápolení a ani on nedořekl, co chtěl říct.

Sherman se jal mlčky přecházet sem a tam. To se stávalo málokdy. Obyčejně mluvil a ostatní mlčeli. Pak se zastavil a vytáhl z kapsy notýsek.

"Kilpatricku," oslovil kavaleristu, jenž si sundal klobouk a honil si prořídlé vlasy perleťovým hřebenem, který nevypadal na součást vojenského vybavení. "Můžete jmenovat jednotky, jak jste je identifikoval podle zajatců?"

"Lee," Kil vztyčil prst.

"Čtyři tisíce," řekl Sherman a zapsal si číslo.

"Cheatham."

"Taky čtyři."

"Spíš pět," řekl Kil. "Možná víc."

"Řekněme pět."

"Hoke — dobrých osm."

Sherman přikývl, zapsal.

"Hardee —"

"Deset," řekl Sherman.

"Nejmíň,"pravil Kil."Všelijaké ostatní útvary dohromady taky dejme tomu aspoň deset. K tomu Hamptonova, Wheelerova a Butlerova kavalérie —"

"Bezmála čtyřicet tisíc," řekl Sherman a otočil se k Davisovi. "Už jednou jsem se v téhle bitvě splet. Opakovat to nehodlám." Ušklíbl se na Davise.

Generál Davis se zasmál. "Jistě, Billy. Po tomhle málem pohřbu tady jsem si nemohl nevzpomenout na tvá moudrá slova: 'Žádná pěchota, Jeffe. Je tam jen pár švadron jízdy —"

Generál se zašklebil.

"I mistr tesař se utne, Jeffe." Rozhlédl se po ostatních. "Taky to byl možná záchvat střídavého pominutí smyslů, jak to u mě rádi diagnostikujou naši páni od novin."

Zasmáli se všichni kromě Blaira, který si zrovna zapaloval doutník.

"Teď mám ale pro změnu chvilku jasnou a zdá se mi, že bude líp všeobecné bitvě se vyhnout. Naše převaha není dost velká a já nemám ambice kráčet ve stopách generála Pyrrha."

"Když dovolíš, Billy," ozval se Carlin.

Generál s obdivem spočinul na vyžehlené postavě, pak se podíval na své zasviněné boty.

"To je voják!" zvolal. "Ne jako já."

"To je pověra," pravil Carlin upjatě. "Každý máme nějakou."

"Chtěl bych mít tu tvoji," pravil Sherman. Carlin na to nereagoval a řekl:

"Myslím, že Johnstonovy početní stavy jsou podstatně nižší, než odhadujeme. Viděl jsem útočit Hardeeho. Jeho pluky mi připadaly spíš jako setniny."

"Hm," řekl Sherman. "A že vám dal tak zabrat? Podle toho, co se mi doneslo, utíkali jste jak zajíci."

Vinou čisté uniformy Carlin viditelně zrudl. Řekl:

"Moment překvapení."

"A včera celý den? Ve tři hodiny Hardee, v pět Bragg, po setmění McLaw? A dělostřelba jako u Gettysburgu?"

Mlčeli. Kilpatrick řekl:

"I když škrtnem třetinu, je to pořád skoro třicet tisíc."

"Dvě ku jedné," pravil Slocum. "S tím přece můžem do všeobecné bitvy."

"Hm," řekl Sherman. Založil ruce za zády a jal se zas mlčky pochodovat sem tam. Srdce bitvy za lesem dostalo nový záchvat. Sherman se zastavil, naslouchal. Opět vykročil. Na mýtinu přicválal posel na koni, podal Slocumovi depeši. Slocum ji četl, pak řekl:

"Billy!"

"Hm?"

"Na sektoru První divize poslal právě Hardee do útoku Juniorskou rezervu. Žádnému z nich není víc než osmnáct. Velí jim major Clout. Jestli tomu je sedmnáct, mně je sto. Víš, co to značí?"

"Vím, vím," řekl Sherman. Vydal se na svůj kruhový pochod, a když došel ke Slocumovi: "Jim není líto ani dětí!" Šel dál, vytáhl doutník, všiml si Blaira, jehož doutník už dýmal a slunce si pohrávalo s kouřem. Přistoupil k němu, gestem požádal o připálení. Blair mu podal své cigáro, generál nasál oheň, Blairův doutník bezmyšlenkovitě zahodil a šel dál. Blair uraženě ztuhl. Potom se rozhlédl po ostatních. Slocum a Hazen potlačovali smích, Kilpatrick se zubil. Blair se tedy rovněž zasmál a shýbl se pro doutník v trávě. Byl zlomený. Blair vytáhl z kapsy nové cigáro a zapálil si. Opět se přiblížil generál. Příliš přemýšlel, zapomněl natahovat kouř a doutník mu vyhasl. Všiml si Blairova trabuka, pokynem hlavy pořádal o připálení. Ale když sahal po Blairově majetku, Blair jej nepustil z ruky a připálil generálovi sám.

Generál pochodoval. Střelba v dálce utichla. Williams vyňal z kapsy hrst buráků, několik mu jich upadlo na jehličí na zemi, po kmeni borovice seběhla veverka, zmocnila se kořisti a utíkala s ní do koruny stromu. Kolem seržanta přelétl čmelák. Generál se zastavil.

"Opravdu mi nejde do hlavy, proč se Johnston nestáhl. Chtěl zničit tvoje křídlo, to je jasné, Henry," oslovil Slocuma. "Málem se mu to povedlo. To by znamenalo, že s jeho početními stavy to není tak zlé. A to je taky jediné vystvětlení — aspoň jak já to vidím — proč už nepráskl do bot. Jenže Johnston není blázen. Poučil se, že na nás nestačí, a má jen jednu ústupovou cestu: poslední zbylý most přes Mill Creek. Vsadím se, že využije tmy a v noci se stáhne do Smithfieldu. Totiž, Henry —" podíval se na Slocuma, " — já bych se všeobecné bitvě radši vyhnul. Ovšem," rozhlédl se po ostatních, "jestli na ní Johnston bude trvat, posloužíme mu."

"S muzikou?" podivila se holčička.

"Ano, s muzikou," řekl seržant. "A na můj rozkaz."

Collierville byla nicotná záležitost, žádná bitva. Pouze dvanáct mrtvých a čtyřiadvacet raněných. Generál přesouval armádu do Chattanoogy a Třináctý batalion, jako strážní oddíl generálova hlavního stanu, jel s ním vlakem z Memphisu do Corinthu. Když v poledne zastavili v depu u vesničky Collierville, čekal u kolejí nervózní plukovník a z jeho hlášení se dozvěděli, že vjeli do pasti. V lese na sever od depa je několik švadron rebelské jízdy. Průzkumníci je odhadují nejmíň na tři tisíce mužů s baterií polních děl. Plukovník velí necelým pěti stům, z nichž polovina jsou dobrovolníci. Rozmístil je do střeleckých okopů kolem pevnůstky a v lese na západ a na jih od ní. Jeden oddíl je v pevnůstce.

Sotva plukovník skončil hlášení, vyjel z lesa jezdec s bílou vlajkou. Věděli oč půjde. Třináctý batalion čítal asi dvě stě třicet mužů, takže celkový stav armády Unie v Collierville, i s příkazníky, s důstojníky Shermanova štábu a se skupinou raněných rekonvalescentů, jež se s nimi vezla do Corinthu, nebyl ani celých sedm set. Rebelové měli tedy převahu dobře tři ku jedné. Sherman poslal plukovníka vyjednávat s poslem, nařídil jednání protahovat, ale kapitulaci odmítnout. Plukovník, jak nejpomaleji to šlo, kráčel k poslovi, jenž zůstal stát uprostřed louky, a oni vystoupili z vlaku. Z depa Sherman poslal telegram generálu Corsovi, jehož divize tábořila asi deset mil od Colliervillu, s rozkazem přesunout se usilovným pochodem k místu hrozící bitvy. Potom se štábem zaujal pozici

v lese na jih od pevnůstky. Tři roty Třináctého zalehly za
střelecký val před pevnůstkou, pět ostatních se rozmístilo
v lese východně a jižně od ní. Seržant a jeho četa posílili
oddíl uvnitř.

Pevnůstka byla pouhý srub z neotesaných klád a bylo
tam skoro tma, protože zavřeli okenice a světlo pronikalo
jen střílnami. Uprostřed seděla na zemi kapela a to málo
slunečních paprsků, které se dostaly dovnitř, se odráželo
v korpusech. Hlouček muzikantů na zemi se proto podo-
bal světélkující lucerně.

Venku bouchlo dělo, bylo po vyjednávání. Trombonis-
ta vytáhl snižec nástroje, na vodicí trubku vyplivl tabáko-
vou slinu, nasadil snižec zpátky a počal jím hýbat, jako
by chtěl spustit. Seržant vyhlédl střílnou a spatřil, jak se
první kanistry roztrhly v neškodné vzdálenosti od zákopu
před pevnůstkou. V zákopu byla téměř tlačenice. Seržant
si dovedl představit, co se stane, až se děla zastřílí.
Ohlédl se do místnosti. Trombonista pořád mechanicky
hýbal s pístem. Ze stejného důvodu, jako se generál
Burnside v bitvě pokaždé tahal za gigantické licousy a
poručík Smith před Vicksburgem si bez přestání prstem
slinil švihácký knírek. Při pohledu na uklidňujícího se
muzikanta dostal seržant absurdní nápad. Ihned naň za-
pomněl, protože Chalmersovi kanonýři prodloužili do-
střel a z tlačenice v zákopu se ozvaly první bolestné
výkřiky. Kousky železa se také zasekly do stěn a střechy
pevnůstky a střílnou seržant viděl, jak z lesa vyběhla
klikatá čára opěšalých kavaleristů a žene před sebou
prchající hrstku nezkušených průzkumníků Šestašedesá-
tého indiánského. Bitva začala.

Převalovala se po lukách kolem depa a sem tam kolem
pevnůstky skoro čtyři hodiny. Chalmers nečekal velký
odpor; byl si vědom své přesily a taky nepočítal s tím, že
kromě nováčků ze Šestašedesátého utkají se jeho ostřílení
kavaleristé i s Třináctým plukem pravidelné armády,
který měl za sebou Chickasaw Bayou, Arklansas Post,
Deer Creek a krvavou zteč u Vicksburgu, kde všude

bojoval generálu Shermanovi na očích. I tady, z lesíka na jih od depa, generál sledoval, jak na zelených loukách kolem Collierville hroutí se útok za útokem a depo i pevnůstka zůstávají v rukou jeho strážného oddílu.

Jenom jedno políčko šachovnice změnilo figuru. Kanóny se zastřílely na vlak, a když několik vagónů vzplálo, zaútočili naň rebelové z obou stran. Ve vlaku zůstala jen narychlo ozbrojená skupinka raněných a ti se dlouho neubránili. Dalekohledem generál viděl, jak je rebi vyhánějí z vagónů, řadí je do kulhavého útvaru a ženou k lesu, odkud vyrážela nová rojnice.

Z pevnůstky je viděl taky velitel Třináctého, kapitán Smith. Muži ve střeleckých okopech právě odrazili nový nápor a četař nemohl odtrhnout oči od kavaleristy se zkrvavenou nohou, který se, jako polorozšlápnutý brouk, žalostně vlekl po louce k lesu. Lezl po rukou a po zdravé noze, pravou táhl za sebou. Kule zřejmě zasáhla tepnu, protože z nohy prýštil červený vodotrysk. Kavalerista daleko nedolezl, zůstal ležet obličejem v trávě.

"Poručík Griffin!" slyšel četař hlas kapitána Smithe a potom jeho rozkaz k protiútoku. Odvrátil se od střílny a znovu spatřil světélkující kapelu a muže s trombónem, jenž se pořád nutil ke klidu. Velitel Třináctého si střídavě rozepínal a zapínal knoflík na špinavé uniformě.

Seržant si vzpomněl na absurdní nápad.

Z vyvýšeniny v lese namířil generál dalekohled na srub. Otevřela se v něm vrátka, v nich se objevil poručík Griffin, za ním muž s prýmky seržanta a pak, jeden po druhém, vylézali vojáci Třináctého. Rozestoupili se do rojnice, vyběhli proti vlaku. Ze střílen pevnůstky se zakouřilo. Posádka kryla útok Griffinovy skupiny.

A náhle se pevnůstka proměnila v melodeon.

Generál se otočil k pobočníkovi:

"Slyšíte to?"

Pobočník přikývl.

Oba poslouchali. Kapela hrála "Do kupy kolem praporu!" Generál se usmál.

476

"Tomuhle říkám vojáci. Třináctý se v pevnosti nudí, tak—"

Nad korunami stromů se roztrhl zbloudilý kanistr a oba se přikrčili. Potom generál znovu přiložil dalekohled k oku a viděl, jak vojín roty "A" jeho strážního oddílu se rozmáchl puškou, kterou drží za hlaveň, jak její pažba dopadá na hlavu rebelského důstojníka pálícího z pistole na schůdkách vagónu, jak se důstojník poroučí a přes jeho puklou hlavu se vojenské boty derou dovnitř do vagónu. Generálovi se zdálo, že boty kráčí v rytmu muziky, jež pořád zněla z pevnůstky."

"To ale nebyl hrdinskej čin, táto. Nebo jo?" zeptala se nejistě holčička. *"Komandovat band, aby hráli?"*

"Inu nebyl," připustil seržant. *"Ale generál se bavil. A mně to vyneslo převelení do jeho štábu."*

"A tam už sis nevystřelil?"

"Už asi ne."

"Anis nikoho nebacil do hlavy pažbou jako pan Zinkule?"

"Ne," řekl seržant. *"Jenom jsem dal jednomu facku."*

"Rebelskýmu oficírovi?"

"Ne," řekl seržant. *"Jmenoval se Vallandigham."*

Ve stodole byl smrad a ticho. Cyril se zády opíral o stěnu a v pravici držel hrst sena, k níž co chvíli přičichával. Levou rukou, přivázanou k dlážce a zafačovanou, mu projížděla bolest. K senu čichal, aby zahnal pach zahnívajícího masa, který se šířil kolem amputovaných, zachvácených gangrénou.

Nad nějakým odepsaným rebelem v rohu, který měl obě nohy pryč a skrz fáče mu prosakoval hnis, mumlal vojenský kaplan. Raněný na zaprasaném slamníku vedle odepsaného žmoulal mezi prsty proužek česneku a prsty si přikládal k nosu. Kněz byl Irčan, přivedl ho na přání odepsaného lapiduch. Cyril kněze znal. Jednou, ještě v

Jižní Karolíně, šel kolem jejich táboráku, kde se Shake právě hádal se Zinkulem o Neposkvrněné početí, jež Zinkule připisoval početí Krista Pána, kdežto Shake početí Panny Marie. "Padre! Potřebujem teologickou radu!" zavolal Shake na pátera a duchovní se zastavil, přisedl k ohni a rozhodl v Shakův prospěch. Potom mu řekl: "S tímhle omylem se člověk setkává u mnoha laiků. Vy jste věřící katolík?" A Shake pravil: "Katolík jo. Ale mám na svědomí smrtelnej hřích." Páter ztišil hlas: "Chcete se vyzpovídat?" "Z toho se vyzpovídat nejde," řekl Shake. "To se dá jedině vodčinit." Kněz se zachmuřil. "Nemáte důvěru v boží milost." "Právě že mám," pravil Shake. "Jinak bych byl dávno zmagořil."

Cyril zaryl nosem do sena. Zavoněla bramborová nať, vnitřní zrak překryl karolínskou stodolu podzimním večerem na horách, hořely ohýnky. Ale proč? Najednou kněz vstal, rozhlédl se, ohýnky zhasly. Kněz přistoupil k Cyrilovi. "Dobrej večír, Otče," řekl Cyril. "Vy jste z té české party, že?" zeptal se duchovní. Otočil se k odepsanci, pak zpátky k Cyrilovi. "Chudák, skoro vůbec neumí anglicky." "Je s ním ámen?" zeptal se Cyril. "Obávám se, že je," pravil kněz. "Blouzní. Něco snad o Texase. Není mu rozumět. Ale mám dojem, že je to taky Čech." "O.K.," pravil Cyril, namáhavě vstal a s rukou jako přeražené křídlo vykročil k odepsanému. Rebel měl zavřené oči a hustým strniskem svítila kůže bílá, jakou mají mrtvoly. Cyrilovi se zdálo, že má halucinaci. Snad z hnijících pahýlů, z vůně sena, z hořící natě. Sklonil se k tváři odepsaného. "Ježišmarjá!" Mrtvý nebo skoro mrtvý otevřel oči. "Ježišmarjá!" vydechl Cyril.

Rychle se belhal, skoro běžel k hospodářskému stavení, kde ubytovali zraněné důstojníky. V kuchyni odpočíval u stolu jeliman s ofačovanou hlavou, moc mu nebylo, jenom mu při útoku Hardeeho jízdy škrtla minnie o palici, omdlel, a když se vzbudil, slyšel na všechno zvyklého doktora: "Otřes mozku. Prkotina." Teď seděl u stolu s Lindou a s poručíkem Fergusonem, který si u Bentonvillu

478

vymkl kotník, a hráli maryáš, do něhož je zasvětila jelimanova paní.

Chtě nechtě musel sestřičku obdivovat. "Sem teďkon s panem kapitánem Warrenem!" prohlásila pyšně Sarah, podobná černé hoře, jejíž majitel uprchl s Hardeem, a pohladila Deboru po vlasech. Děvčátko se pevně chopilo tučné ruky. "Dyž teďkon massa Fitzsimmons vodjel, sem s panem kapitánem Warrenem a s paní Fitzsimmonsovou!" "Samozřejmě," řekl jeliman. "Já jsem taky s kapitánem Warrenem!" pravila Linda a přitiskla se k manželovi. "A nepustím se ho!"

Ani Sarah, ani Baxter Warren II. tehdy nevěděli, že to není metafora. Ale když se velká Shermanova armáda hnula na severovýchod a kapitán Baxter Warren II. s ní, kodrcala v zadním prázdném sanitním voze na chvostu kapitánovy setniny Linda v šedivých šatech ošetřovatelky. Jeliman protestoval a ve skutečnosti zářil. Kdo jiný ve veliké Shermanově armádě má takovou ženu? Sanitní vůz se pomalu plnil střelenými a posekanými, jeho exotická žena fačovala krvácející rány, jako kdyby to dělala odjakživa. Deborku zanechali v bezpečí ve velkém domě v Savanně pod ochranou jelimanovy sestry paní Fitzsimmonsové, jejíž pošetilý manžel se přidal k ustupujícímu Hardeemu. Obě byly pod ochranou Sarah, jež byla teď s kapitánem Warrenem. Taky byla svobodná. Poslání pečovatelky o panské děti zůstala však věrná. Nic jiného nikdy nedělala, neuměla a dělat nechtěla.

"Lindo," zašeptal Cyril.

Sestřička se k němu otočila, v hrsti vějíř karet, chrpové oči.

"Ano?" Potom, když uviděla Cyrilův zděšený obličej: "Stalo se něco, Cyrilku?"

"Pojď se mnou," řekl tiše.

Zhroutila se. Odepsaný umřel, ani neotevřel oči. Irský páter nad ním udělal kříž, sestřička se zhroutila. Rozbrečela se, strašné, strašné vzlyky. Pod šedivou látkou ošetřovatelské uniformy zmítala se silná ramena holky z ves-

nice v křeči žalu, který neměl dno, nebral konce. Jeliman stál nad Lindou bezradný. Cyrilův pohled se setkal s jeho nevědomýma očima.

A Cyril zalhal. Ani irský páter netušil, že to je pia fraus, *ne pravda*.

"Starší bráška," řekl Cyril. "Bůh sám ví jak — že skončil tady — můj Bože!"

V tornistře mrtvého našli orlíčka. Nebyl to holohlavý americký pták. "Taky jsem ho nosil na tornistře," řekl seržant. "Ale že ho měl s sebou, tady?"

Kolem půlnoci začalo pršet. Bitva se utišila. Chvílemi, když ustalo šumění deště, zaslechl seržant v nočním tichu vrzání náprav. Ve tmě, v rebelském týlu, jela vozba. Generál měl pravdu. Johnston využívá tmy. Stahuje se po mostě přes Mills Creek. Je po válce.

Pršelo a Shake na palisádě usnul. Měl krásný sen. Najednou byl, čím se nikdy nestal, a v zlatě vyšívaném ornátě celebroval májovou mši. Právě se otočil k misálu, chtěl přejít na epištolní stranu oltáře, ale z koberce na stupních vyrašil růžový keř, rychle rostl a pokryl epištolní stranu rudými květy, které pronikavě voněly. Otočil se, a na evangelijní straně totéž. Udělal proto čelem vzad k věřícím, neviděl je však, celý oltář už obrostly růžové keře. Voněly tak intenzívně, že se o Shaka pokoušely mdloby a zachvátila ho panika. Rychle se otočil zpátky k oltáři, vyšplhal se po svatostánku, a už se škrabal do výše po zlacené barokní fasádě, odkud naň z výklenků hleděly sochy Petra, Pavla a Cyrila a Metoděje. Náhle se, jako hadi, vynořily nad jejich hlavami haluze přetížené růžemi a počaly se plazit po oltáři dolů. Shake se lekl, spadl na oltářní stůl a růžové haluze naň zaútočily ze všech stran, jako popínavé rostliny se mu obtáčely kolem nohou a paží a vůně explodovala takovou silou, že se vlastně — uvědomil si — nedala rozeznat od smradu. Shake se probudil.

Za ním seděl na pařezu muž ve fraku. Černoch, jenž Shakovi připadal povědomý, ho poléval tekutinou z pozlacené láhve. Shake usoudil, že se neprobudil, jenom přemístil z jednoho snu do druhého. Potom ale uslyšel Paidrův hlas:

"Doprkvantic! Tys tu scházel, Franto!"

"Scházel,"pravil muž ve fraku."Raněnej nejsem,tak je moje místo u jednotky."

Černoch přestal lít tekutinu z láhve a zašpuntoval ji. Krutý zápach růží probudil všechny v okolí.

"Franto!" zvolal Javorský. "Seš to ty?"

"Kdo bych měl bejt? Ty to nejsem," pravil zlostně muž ve fraku.

"Co to máš na sobě?" ozval se Houska.

"Frak," řekl Zinkule úsečně.

"Nesplet ses? V tom se chodí na svatbu," pravil Paidr.

"Břéťa nic jinýho nesehnal," řekl Zinkule.

"František se nesplet," pravil Shake. "Tady se, počítám, budou ženit všichni čerti."

Místo varhan zazněla dělostřelba. Zprava, kde se v noci spojilo Howardovo křídlo se Slocumem.

A Josef, dávno po válce. Cyril se vrátil na de Ribordeauxovu plantáž, kterou teď jakžtakž obhospodařovali černoši, protože z de Ribordeauxových nikdo nezbyl a nevědělo se, komu vlastně bude patřit a komu ji kdo má prodat. Hortense byla mrtvá, i její dcerka, Marie Antoinetta. Jejímu manželovi ustřelila hlavu koule v Divočině, ani jejich plantáž neměla majitele. De Ribordeaux dávno podlehl cyrrhose, jednonohý se oběsil. Cyril se vrátil, ale nikdo nevěděl nic: Beulah, nemrava Benjamin, strejček Habakuk už taky umřel, lokaj Samuel byl sice pořád nastrojený do vyšisované livreje, ale byl teď spíš podkoní u koní, kteří neměli koho vozit. Cyril přijel, protože doufal, že i Dinah se vrátí — přece musela vědět, že on,

když přežije — Kde je jí konec? A Josef: "Hnedka při
první cestě do Matamoros. Nojo, dal sem se nalejt k
volskejm potahum. Jinak by mě taky byli sebrali na vojnu.
Takle sem byl exemptovanej."

Vezli jižanského krále Bavlnu pustinami jižního Texasu k Rio Grande, protože všechny přístavy blokovala yankeeská flotila a bavlnu rebelové museli vyvážet do Evropy, jinak žádné zbraně, nic. Pro Evropu to byl jenom byznys, všechno ostatní jižanské iluze: že stará aristokratická Evropa, Anglie, Francie, přijde na pomoc nové aristokratické Americe. Možná Maximilián, novopečený mexický císař z habsburského rodu. "Nojo," řekl Josef. "Ten měl s bídou deset tisíc vojclů, tak jedna jižácká divize. A to eště spousta, jako von, stáli jen vo volnej lístek do Ameriky, a tam pak zdrhnout." V Matamoros vyložili bavlnu, zaopatřili voly a vytáhli do města, to jest do hospod. Josef s Matějem Vošahlíkem a v putyce na náměstíčku si poručili neznámý nápoj tequilu a brzy byli v sedmém nebi. Tam jim ale začal vadit voják, asi poddůstojník, měl na rukávech nějaké prýmky a stříbrného ptáka na čepici. "Co na mě furt tak vejrá?" zeptal se Josef Vošahlíka. "Třeba tě vodněkud zná," řekl Matěj. "To je konina," řekl Josef. "Je to první Mexikán, kerýho v životě vidim." "Akorát že to neni Mexikán," pravil Matěj, který byl už v Matamoros potřetí, "ale Rakušák." "Co kecáš?" utrhl se Josef. "Kde by se tu vzal ňákej Rakušák?" Zkušený Matěj mu vysvětlil, že v Mexiku je rakouská expediční armáda pod velením hraběte Thun-Hohensteina, která šprajcuje arcivévodu, teď teda císaře Maximiliána na vratkém trůně. A Josef zase řekl: "Furt na mě čučí. Neni teplej?" Rakušák vstal, dvojhlavý ptáček na čepici se zaleskl, zatřepal křídly v jejich sedmém nebi a poddůstojník je oslovil česky: "Heleďte se — já vás slyšel. Vy mluvíte po našom — heleď'," obrátil se k Josefovi. "Nejseš ty mladej Toupelík?"

"Vše se zvrací ve svůj protiklad," pravil Shake. "Odvaha ve zbabělství, zbabělství v odvahu."

Po mnoha dnech seděli zas u táboráku. Na rožni se pekly tři husy. Břéťa chytal do naběračky kapající sádlo a poléval jím zlatavější těla.

"Jak pravil Hegel," dodal Shake.

"Abys nám to přečeštil, ne?" řekl Javorský.

Všichni měli nové uniformy, které do Goldsboro přivezl generál Schofield. I Zinkule, i když ten pořád — nedobrovolně — seděl opodál a z flakónku, který vytahoval z torny, kapal si na kapesníček a ten zastrkoval za košili.

"Nepotřebuje to přečeštit," pravil Shake, "nýbrž převyprávět. Prostě, harcovníci se lekli, když dostali do nosu pugétem růží, a jak za vůní přeskočil přes parapet Zinkule ve fraku, popad je vyloženě děs. Takže my, já Břéťa a Vojtěch, z čiré odvahy nebo z momentu překvapení a bez rozkazu, jsme se přehoupli přes parapet taky a jali jsme se je pronásledovat. Jenže jak jsme doběhli k cípu lesa, vyřítila se na nás rebelská jízda a odřízla nám cestu k ústupu. Byli jsme tedy nuceni postupovat vpřed, až jsme se jim schovali v nějakým močále do rákosí. Tam jsme nabývali nových sil a spustil se liják. Toho jsme využili. Vyrazili jsme k lesu trochu na jih, naším směrem, až jsme se octli na dostřel a vidíme, že nad palisádou vlajou pruhy a hvězdy. Dali jsme se proto do běhu, avšak nás uvítala palba, naštěstí Pánu Bohu do oken."

Shake se odmlčel, natáhl ruku a dotkl se prstem krajní husy. Olízl prst a řekl:

"Ještě chvilku a máme posvícení."

"Byli ste tak vyděšený k nepříčetnosti," pravil Šálek, "že ste si spletli pruhy a hvězdy s hvězdnatým křížem."

"Mýlíš se, příteli," pravil Shake. "Hvězdy a pruhy to byly ol rajt. Jenže ty pod nima si spletli nás s Jižákama. Není divu. Když se proti nim žene chlap ve fraku a negr s flintou — rozkřiklo se přeci, že Jeff Davis konečně zapomněl na svý teorie a ze zoufalství dal ozbrojit otroky.

A že Jižákům dávno došly uniformy, věděl každej. Takže zařadit se zas do řad Šestadvacátýho wisconsinskýho nám v poslední analýze zabránil ten karolínskej skunk, ale zároveň nám umožnil osobně se zapsat do nejslavnějí kapitoly bitvy u Bentonvillu."

"Třeba Pánu Bohu do voken," pravil Paidr, "ale vy ste, jako vobvykle, vzali do zaječích."

"Ty bys asi nevzal!" rozčilil se Houska. "Jak sme mohli vědět, že Pánu Bohu do voken? Byli sme jen štyry a v tom slejváku se do nás kdejakej trouba moh strefit čirou náhodou."

"Svatá pravda," pravil Shake. "Byli jsme prostě opět donuceni ustoupit směrem k nepříteli. Avšak v tom slejváku byla viditelnost značně nízká, nebylo tedy vůbec jasný, kam ustupujem. Co chvíli se z přívalu vod, pokaždý jinde, divoce vynořili zmatení jezdci, ale snad nikdy ne naši, takže nám nezbejvalo než ustupovat sem tam, až se nám poněkud spletly směry. Věděli jsme, že jsme v Severní Karolíně. Tím naše znalosti vlastní topografické situace končily."

"'Snad nikdy ne naši'" zacitoval pohrdavě Paidr. "Jak ste to poznali, dyž lilo jako z konve a viditelnost byla veškerá žádná? Smrděj snad jižácký kobyly jinak než severní?"

"Smrděj," ozval se Zinkule.

"Heleho, znalec!" řekl Paidr."Copak tys moh něco cejtit kromě sebe?"

"Nemoh," řekl Zinkule."Ale poznal sem to podle toho, že Jižáci, dyž útočej, držej voprať v zubech a střílej dvěma pistolema. Aspoň u Bentonvillu to tak, frajeři, dělali. Taky to byli pěkný usmrkanci."

"To už jste museli bejt někde na Hardeeho křídle," řekl seržant. "To jste teda ustoupili pěknej kus cesty. Aspoň tři míle!"

"V prudkém dešti člověk ztratí pojem o čase a vzdálenosti," pravil Shake a znova si lízl husy.

"Taky dyž je člověk podělanej a hoří mu koudel u zadku," řekl Paidr, "vyvine rychlost, jaký statečnej člověk schopnej neni."

"V tý průtrži mračen?" podivil se Shake. "Hořící koudel?"

"Tak moc zas nepršelo," řekl Paidr. "A to se jen tak řiká. Zapomněls už česky?"

"Hnala nás touha dostat se k našim," pravil Shake. "Ale následkem dezorientace jsme se od nich spíš vzdalovali."

"Spíš sviňskym krokem!" pravil s opovržením Paidr.

"Poměrně rychle," řekl Shake. "Když jsme shledali, že naše úsilí nikam nevede, rozhodli jsme se skrejt někde v lese, vyčkat noci a pod její ochranou vydat se, podle hvězd, na západ."

"A v noci bylo zataženo," pravil Paidr.

"Asi bylo," připustil Shake. "Ale my se k našim dostali už ve čtyři odpoledne. Ne sice k útvaru mateřskému, ale zato ke slavný divizi generála Mowera."

"Pantáto," řekl Břeťa. "Zvonim k večeři."

Matěj v noci utek," vyprávěl Josef, matka Toupelíková nakládala na talíře, jenom Linda tu nebyla, za měsíc měl v San Franciscu spatřit světlo světa Baxter Warren III. (spatřila je Linda Warrenová, ale za dva roky nato konečně třetí muž rodu Warrenů a pak ještě Maureen po babičce)."Von při těch předchozích jízdách zjistil, že v Matamoros je jankejskej konzulát, a dyž se tam člověk přihlásí, pošlou ho lodí na Sever. Pokavaď se dá do armády. Já věděl, že Matěj uteče. Byli sme nejlepší kamarádi. Původně sme měli utýct společně, ale teď, dyž se z ničehož nic vobjevil Vítek —"

"Ale jak se dostal k Hardeemu? Z Texasu na jaře čtyřiašedesát?" žasnul Cyril.*

"To nevim," pravil Josef. "Vzali ho k povozum, náhradou za Matěje, civil sem mu ten večír pořídil v Matamoros za peníze, co mi dal. Ale sotva sme dojeli do Galvestonu, sebrali nás Jižáci k vojsku. Tou dobou už potřebovali každýho. Do armády generála Kirby Smithe a poslali nás s generálem Taylorem do Louisiany, kde útočil generál Banks a u Shreveportu sem Vítka ztratil. Co s nim bylo pak, to nevim," řekl Josef. "Anglicky von skoro vůbec neznal. Já byl lehce raněnej, a dyž sem se vrátil k setnině, polovina jich tam už nebyla. Někam je vodveleli, nebo zdrhli —"

"Počkej," přerušil ho Cyril. Zoufale zadoufal, že je to možné, že jako Vítka — pozdě ovšem, když už to bylo málo platné — bláznivina války donesla k Bentonvillu, i jeho Dinah pomůže stejné šílenství náhod nebo zákonů lásky nebo románů, které tak ráda četla —

Ale růžička se ztratila. Zmizela ve velkém chřtánu rebelie. Nezbylo po ní nic, nic.

"Počkej," řekl. "Tys mu pověděl, že Linda utekla do Savanny?"

"To já přeci nevěděl. Ani táta to nevěděl. Nechala mu jen psaní, že si bere de Ribordeauxe a Deborku že veme s sebou. Jenže kam, to nepsala. Třebas na to v tom fofru zapomněla."

Dozvěděl se to Vítek nějak? Na pochodu Louisianou, Mississippi, Alabamou, Georgií až do Savanny? A proč tam nezůstal? Dezertoval z Kirbyho armády jako nedlouho předtím z expedičního sboru Thun-Hohensteina? Nebo tou cestou hnali nějakou zborcenou, vyčleněnou jednotku a jeho s ní a potom přes narychlo zbudovaný most s Hardeeho vojskem Jižní Karolínou, Severní, až jeho pouť skončila ustřelenými hnáty při posledním zoufalém útoku Hardeeho zbrojného hloučku u Bentonvillu?

Cyril se to nikdy nedozvěděl. Při washingtonské parádě přišpendlila si Lída na bílý klobouček černou šerpu za zabitého bratra.

V lijáku doběhli do lesa. Z mechu se kouřilo, mezi stromy nebylo dobře vidět. Vítr vrhal proudy vody proti korunám borovic, které se jim kymácely nad hlavami a nad nimi rychle letěla šedivá a černá oblaka jako oceán obrácený vzhůru nohama. Na všech stranách praskaly výstřely, štěkala děla jako ochraptělí bernardýni. Šli husím pochodem, vpředu Zinkule ve fraku, už hodně potrhaném a lesknoucím se vodou, za ním Břéťa, bos a jenom v košili, sledován Houskou, sice v mundůru, ale rozedraném tak, že se Houska podobal chodícímu ranci hadrů. Nakonec poměrně zachovalý Shake. Kde jsou, neměli ponětí.

Z páry se vynořila hradba keřů. Přidali do kroku. Za chvíli už seděli v hustém listí a od bitvy je odděloval pocit skrytu v bezpečí. Hovořili polohlasem. Shodli se, že nemá smysl opouštět lesní úkryt, dokud leje a mraky zakrývají všechna znamení směru. Neshodli se, jak dlouho kličkovali v dešti a v mlze mezi harcujícími hloučky jezdců a palisádami, z nichž do deště stříleli na stíny. Shakovi čas připadal dlouhý, nejmíň pět, šest hodin. Houska marně třásl kořistnými cibulemi, které ještě ráno natahoval. Zastavily se na římské dvojce. Muselo být už odpoledne, ale jak pokročilé, byla otázka. Nezbývalo než čekat, až přestane pršet a mezi cáry mraků vysvitne slunce. Podle sklonu paprsků se dozvědí, kde je západ. Nebo se zablýská nějaké známé souhvězdí a sdělí jim, kudy jít. Rozložili se tedy na zemi pod střechou hustého křoví a ani liják, ani utuchající a opět se rozeznívající muzika bitvy je neudržely při vědomí.

Shaka vlastně probudilo ticho, jež se ozývalo občasným nárazem kovu na plech, muškety o polní láhev. Za těmi zvuky bylo slyšet zatím neviditelnou armádu. Vytřeštil oči. Liják ustal, ale pořád mrholilo. Uvědomil si, že hledí do stejně vytřeštěných očí v černé tváři. Zvedl se, to vzbudilo ostatní. Vydali se po čtyrech směrem, kde skrze opar stoupající z mechu a země cinkala pochodující armáda.

Dolezli ke kraji křovisek. Před zraky se jim objevil široký úvoz, zelený, jak jej omyl déšť, v něm lesní cesta vystlaná jehličím.

Po cestě rychle kráčeli průzkumníci v čepicích armády Unie. Hleděli na ně skrze listí, ale neodvažovali se vylézt. Věděli, že průzkumníci v rojnici začnou přemýšlet teprve poté, co stiskli kohoutek. Muž ve fraku, černoch a voják podobný hastroši by je sotva povzbudili k pohotovějšímu přemýšlení.

V mlze se objevilo čelo armády. Pušky nesli v ponosu, šli rychlými kroky rychlých Shermanových armád. V první řadě, mezi dvěma muži v kapitánských uniformách, kráčel opěšalý generál s černým plnovousem.

Za ohybem cesty, kde zmizela rojnice průzkumníků, zapraskala střelba.

Výtěžek z Dámského věnečku zmizel kdesi na Sibiři a vyhlídka na červené kalhoty se scvrkla téměř k nule, protože krejčířský závod John Hubatty vypočítal cenu uniformy na tři dolary padesát centů. Tolik si někteří rekruti nemohli dovolit a jiným se to zdálo moc. Hubatty, jemuž šlo o byznys, sice nabídl, že méně vojenská, ale zato do bitvy vhodnější uniforma s obyčejnými šedomodrými spodky by přišla jenom na dva dolary devadesát, jenže představa, že by do války měli táhnout tak nezajímavě oděni, většinu rekrutů odradila. Z padesáti dvou přihlášených stálo na louce za Slavíkovou hospodou, kde se mělo konat první cvičení, pouze dvanáct mužů v civilu a setník Miháloczy, jenž přišel v honvédském stejnokroji. Dalších dvacet branců sedělo v hospodě, namačkáni za stoly u oken, a čekali, co se bude dít.

"Brzy litovali," pravil Shake, "i když co do barevnosti se execírka Lincolnovejch slovanskejch střelců bez čer-

venejch kalhot nedala srovnat se cvičením Zuávů. Kolem dokola louky usmívaly se však nejhezčí holky českého Chicaga, mezi nima i paničky jistého počtu těch, co na dění patřili z hospody. Mezi holkama stál taky podmračený Schroeder, kvůli českému šovinismu na cvičák nepřipuštěný, a vedle něho Mánička Kakušková v národním kroji z věnečku. Neboť červené kalhoty sice nebyly, zato se konal statný setník Gejza Miháloczy a to manželé v hospodě pochopili až nyní, když Gejza zavelel hlasem jako tur: "Marschieren Marsch!" *Mužstvo vykročilo, sice každej jinou nohou a Vaškovi Luskovi, ačkoliv to měl v krvi, se obě nohy zahákly jedna do druhé, takže upad —"*

"Marschieren Marsch?" *skočil Shakovi do řeči Houska.* "Ve slovenský setnině?"

"Slovanský," *opravil ho Shake.* "A jak měl Miháloczy zavelet? Maďarsky? Tomu by rozuměl jenom on a Tonda Kovácz, to byl taky Maďar —"*

"Tonda? Maďar?" *přerušil ho znovu Houska.* "A jesli byl Maďar, co dělal ve Slovanský setnině, dyž Schroedra ste tam nevzali?"

"On byl Slovák, jenže z maďarský matky a tátu měl hluchoněmýho. Měl snad trpět, že táta nemluvil vůbec žádnou řečí?"

Houska nedokázal nic namítnout, jenom vzdorně zahučel: "Marschieren Marsch! Ve slovanský setnině! Proč nevydal povel anglicky?"

"Jednak Gejza tehdy z angličtiny ovlád jenom lokajskej slovník, 'Come in, please,' a 'The doctor will see you now, madam,', jednak Češi přeci od Bílý hory neměli vlastní armádu, akorát ve Třicetiletý válce Oxiensternovou a tam se velelo švédsky. Nikdo neznal ani český, ani anglický povely, tak Gejza velel po rakousky."

Zato velel tak virtuózně, že každou chvíli strhl shromážděné paní a dívky k potlesku a z hospody se začali trousit další branci. Na konci execírky, jež se pro neutuchající zájem ženštin a tedy i cvičenců protáhla na tři hodiny, pochodovalo už v sevřených řadách Lincolno-

vých slovanských střelců na čtyřicet válečníků a na dalším cvičení o tři dny později nastoupila setnina v plné síle.

Neboť setník Miháloczy —

Když tříčlenná degelace ve složení Slavík, Pádecký a Kafka stanula přede dveřmi v běloskvoucím domě na Canal Street, na nichž zlatými písmeny stálo WILLIAM WALENTA M.D., 3 PM — 6 PM AND BY APPOINTMENT (bylo už po ordinačních hodinách), ozývalo se za dveřmi sténání a delegace se zarazila.

"Von asi voperuje," zašeptal Kafka. "Počkejme, sousedi."

Čekali, naslouchali. Sténání znělo divně.

"Dyk von heká!" pravil Pádecký.

"A dvéře má votevřený," řekl Kafka. "Přeci by nevoperoval za votevřenejma dveřma." Ovládla ho zvědavost. Strčil prstem do černého mahagonu, dveře se bez zavrzání rozevřely. V ordinaci obrovitý chlap v šedivé lokajské vestě nasazoval plešatému mužíkovi v doktorském plášti velice surového dvojitého nelsona.

Delegace se zarazila a znelsonovaný mužík na ně pohlédl. Špičky černých lakýrek mu visely několik inčů nad podlahou.

Pádecký se vzpamatoval.

"Necháš ho!" zařval a plešatý doktor pravil s heknutím:

"Pojďte dál, pánové. Jiným pomáhám, ale sám sobě pomoci nemůžu. Zatracenej hexnšus! Pusťte mě, pane Miháloczy."

Tak se seznámili s budoucím velitelem.

"Vlastně to bylo jedno, jestli je Slovák nebo Maďar," vyprávěl Shake nad vyhaslým táborákem, kde vydrželi už jen dva, on a seržant. Z táboráku zbývaly pouze uhlíky a bylo vidět, jak karolínský obzor pořád lemují dohořívající terpentýnové lesy. "Když si u Slavíků přihnul, říkával, že se 's náma čítá k jedné národnosti', což mělo bejt slovensky. Když se napil, a to nebylo zrovna zřídkakdy," vzdychl

vzdychl Shake, "recitoval taky maďarský básničky, asi hodně ohnivý podle toho, jak se vždycky rozplamenil. A vůbec to byl divnej lokaj. Žádnej, přirozeně. Voják. Někdy tvrdil, že bejval důstojníkem, ale v tom punktu byl velice vágní, takže si myslím, že jeho první důstojnická šarže byla až ta, co ji získal volbou Lincolnovejch slovanskejch střelců. 'Setník', což si do angličtiny přeložil jako 'kapitán'. V Rakousku, řek bych, byl podle všeho kaprál, nanejvejš feldvébl, ale nakonec velel Čtyřiadvacátýmu illinoiskýmu líp než leckterej jankejskej plukas z povolání. Byl osmčtyřicátník. Vedla ho myšlenka." Shake zmlkl. Nad Karolínou leželo ticho.

"Jaká?" zeptal se Houska.

"No svoboda," řekl Shake. "Zatímco Lincolnový slovanský střelce spíš většinou ty červený gatě." Shake se zasmál. Hořce? Snad hořce. "Abych byl spravedlivej. Dvanáct nás zachránilo čest praporu a to jeden byl ještě k tomu žid, Éda Kafka, i když antisemita, a tudíž asi správnej Slovan. Toho propustili po Chattanooze, ponivač dostal žlutou zimnici nebo co. Ještě se pak stih oženit se Sárou Ohrenzugovou, dcerou našeho čestnýho plukovníka, z čehož je vidět, že kvůli pohlavnímu pudu ho nakonec antisemitismus přešel. Jenže brzo nato umřel. První vypad ze setniny Pepík Neumann, přišel u Perryvillu o nohu. Jinak taky problematickej Čech. Tátu měl Němce, ale osmčtyřicátníka, máma za svobodna Křepeličková na Teutónku nevypadala. Pepík se v Americe poameričtěl, ovšem moc asi ne, když se dal k Lincolnovejm slovanskejm střelcům. Joska Jurka, tomu uřízli nohu u Murfreesboro, prej je někde ve veteránským domově. A Lojza Uher, to byl v civilu cukrář, ale bez bázně a hany. Když setninu přiřadili k Haeckerovu pluku, stal se četařem. Franta Kouba, chudák, ten, říká se, zašel někde v jižáckým vězení." Shake rozebral dýmku, složil troubele do ruksaku. "Dvanáct. Vo dva víc, než vyžadoval Hospodin v Sodomě. Ale ty vostatní?"

Po první úspěšné execírce, které se nakonec zúčastnilo čtyřicet branců (na druhé už byli v plném počtu dvaapadesáti a i kroužek žen se rozmnožil, neboť Gejza Miháloczy přišel s navoskovaným knírem), jim setník vysvětlil, že má-li se jednotka stát součástí branných sil Unie, musí se poslat žádost guvernérovi státu Illinois, aby jí přiznal statut řádného dobrovolnického sboru a přidělil jí zbraně. Svolali na to schůzi, kde podle Miháloczyho návodu sepsal anglicky žádost ke guvernérovi Trevellyan (byl tam se Schroederem, jenž přišel kvůli Mařence Kakuškové, která se držela za ruce s Koubou), a pak se veselili, opíjeli a zpili. Po překonané kocovině sešla se druhý den k večeru valná část setniny opět u Slavíků a doutníkář Kabrna pravil:

"Dyť nám to nikdo nepřečeštil! Bůhví co asi za lejstra poslali guvernérovi. Doví jestli nás ňák nezaprodal, ten Maďarón. Jestli nás nevystavil ňákýmu nebezpečenství. Co dyž nás pošlou na Západ na Indiány, co potom?"

"Zkrátka si někteří začli uvědomovat, že červený kalhoty s sebou nesou i jistý riziko," pravil Shake, "a vznikla z toho bezmála vzpoura. Dostali strach z Indiánů, počali se proti němu obrňovat novou pijatikou a nakonec jim ani udatnej Barcal nevymluvil, ža Gejza Miháloczy je zaprodal do indiánskejch válek, kde by mohli přijít o vlasy. Jako jeden muž žádali přečeštění supliky."

Miháloczy sám nebyl takového úkonu schopen, dal tedy žádost přečeštit Mařence Kakuškové a ta ji na nejbližší schůzi přečetla:

"Uzavřeno, že my, američtí občané slovanského a uherského jazyka dáváme na jevo důkaz lásky k naší nynější vlasti uspořádáním této vojenské setniny; že tímto s radostí své služby vládě Spojených Státu k bránění ústavy a práporu jejich nabízíme, když by toho potřeba kázala; aby tajemník náš opis těchto uzavření zaslal guvernéru státu Illinois a jej žádal, by tak brzo, jak toho třeba bude, o naši službu požádal."

Dívka dočetla, mlčeli. Vzadu v sále mlčel Schroeder, jenž petici nerozuměl, ale přesto pozorně poslouchal, protože kadence Mařenčiny češtiny mu dělaly dobře. Mlčení se protáhlo, až u zadního stolu vstal doutníkář Kabrna.

"'Když by toho potřeba kázala','" citoval zlověstně. "Co se tím má kdo na mysli?"

"Přečešti se," řekl Shake.

"'Když by toho potřeba kázala'", řekl doutníkář. "Co je tu k přečeštění?"

"'Co se tím má kdo na mysli','" pravil Shake. "Nevím jak kdo, ale já tohle potřebuju přečeštit."

"Tím iba se zamýšlá secesia," pravil Miháloczy. "Dat mýns: keď by iba Juh na obranu otrokárstva pozvedol zbraně proti Únii."

"Ale já mám rodinu," řekl doutníkář.

"Šak válka nebude," pravil Pádecký. "Dřív se poserou, než by šli chcípat kvůlivá ňákejm négrum."

"Nejde vo négry," řekl Kafka. "De vo to, že jim zadarmo fachčej na plantážích."

"Ide o slobodu," pravil Miháloczy.

V hospodě znova zavládlo mlčení.

"Nojo," řekl řezník Talafous. "Ale šli byste na ňáký indiánský hrdlořezy?"

"Ty bys moh," pravil Shake. "Se svým kolenem nic neriskuješ."

Řezník si mimovolně přejel dlaní bezcenný skalp a pravil:

"Tady přestává legrace. Šli byste? Na ňáký rudý kanibaly?"

Mlčení. Potom řekl Šálek-Cup:

"Dyž de vo svobodu, tak jo."

"Páč ty máš špatný svědomí z barikád," pravil doutníkář. "Sáms vykládal, jaks pálil do študentů pod Windišgrécem."

"To sem byl blbej mladík," řekl Šálek-Cup, "poslušnej císaře pána. Teďkon sem chlap a Amerikán!"

Miháloczy začal býčím hlasem recitovat jakousi báseň. Bohužel maďarsky, takže smyslu se mohli dohadovat pouze podle setníkova patosu. Byl takový, že řezníkovy obavy z ozbrojené srážky s indiánskými hrdlořezy nerozptýlil. Talafous znovu zamračeně pročítal přečeštěné poselství a Vašek Lusk řekl:

"Já bych i na Indiány šel. Sem dychtivej boje. Todle pořád links um rechts um na execíráku mě už nebaví."

"Ty to máš v krvi," řekl Shake. "Některejm jinejm se to teprve do krve musí dostat." Významně pohlédl na řezníka, pak na doutníkáře.

"Tobě se to mluví," pravil Kabrna. "Ty nemáš ženu a děti."

"Todle tam nemělo bejt," ozval se řezník, pořád pročítající přečeštěný dokument.

"Co?"

"'Když by toho potřeba kázala'. To se mělo vypustit."

"Co by tam pak zbylo, ty chytráku?" řekl zvýšeným hlasem Pádecký.

"Dost," řezníkovi se na koleně zaleskl pot. "A todlencto se taky mělo říct jinak: 'by tak brzo, jak toho třeba bude, o naši službu požádal.' Teď'kon si guvernér může kdy chce zamanout, a my abysme přilítli na zapísknutí."

"Cos do toho teda lez, dyž seš předem podělanej?" vykřikl Pádecký.

"Neurážej, sousede!" ohradil se řezník. "Vopatrnosti nikdy nezbejvá."

"To je hrozný!" Shake vyvalil oči na přečeštěné poselství.

"Co, sakra?" zařval Pádecký.

"Celá ta věta: 's radostí své služby vládě Spojených Států nabízíme'", recitoval Shake s výrazem zděšení ve tváři. "Mělo se přesně vyjmenovat, vo jaký služby by mohlo jít!"

"Jaký služby, jaký služby!" řval Pádecký. "Sme vojenská setnina, ne? Měli sme snad guvernérovi nabídnout, že mu přídem vykydat hnuj?"

"Když by toho potřeba kázala," Shake pokrčil rameny.

"Vojáci!" zahřměl Miháloczy. Zčásti češtině nerozuměl, zčásti nevěřil vlastním uším. *"Guvernér použije našu setninu, keď vypukne vojna s Juhem!"*

"Ta nevypukne," řekl Shake, *"tvrdí Pádecký."*

"Právě," řekl řezník. *"Tak co po nás guvernér může chtít, dyž sme vojenská setnina? Jedině jít na Indiány. Nikdo jinej teďkon neválčí."*

"Pre Indiánov má guvernér pravidelné vojska," pravil Miháloczy. *"My vytáhnem proti Južákum."*

"Když ale Kabrna má rodinu," pravil Shake.

Rozlétly se dveře a do hostěnice vlétla Martička Lusková. Zářila, neboť přinášela radostnou zprávu. Zvěst o uloupené tržbě z Dámského vínku donesl krejčí Hubatty panu Ohrenzugovi, ten vlastenec se nejprve rozlítil, pak se vyptal na cenu uniforem vybavených červenými kalhotami a na kousku papíru provedl kalkulaci. Vyšlo mu, že kalhoty pro dvaapadesát dobrovolců by ho přišly na jedno sto dvaaosmdesát doláčů.

"A von je, sousedi, dá z vlastní kapsy!" vykládala Martička. *"Akorát že to má jeden háček."*

"Jakej?" zazněl ponurý hlas doutníkářův.

"Von chce, abyste ho zvolili čestným plukovníkem," řekla Martička." *Jenom čestym, protože pro pokročilej věk už do pole táhnout nemůže."*

"Kolik mu je?" zeptal se temně Pádecký.

"Bude mu padesát," řekla Martička.

Mlčeli. Pádecký, jemuž bylo padesát v září, trochu zrudnul, ale vidina červených kalhot ho umlčela.

"No, sešlej na svuj věk je," zabručel.

"Von má eště jednu podmínku," pravila Martička.

"Co by eště chtěl?" utrhl se antisemita Kafka. *"Plukovník snad stačí, za mizernejch stovdvaaosmdesát doláčů."*

"Že ve spolkový místnosti vyvěsíte jeho podobiznu volejem," řekla Martička.

"Jako tady?" zeptal se Slavík a pohlédl na čelní stěnu, kde už dvě visely: František Palacký a George Washington.

Přes Kafkovy protesty bylo usneseno, že po levici George Washingtona bude viset čestný plukovník Arpád Ohrenzug. Existence Lincolnových střelců byla, na čas, zachráněna.

Rozbřesk přinesl zvuky dne a zvuky války a v ní se skřípění náprav a občasné zabučení mula ztratilo. Přinesl také jezdce na koni, spojku od generála Carlina, a tak se Sherman dozvěděl, že prohrál sázku z předešlého dne. Johnstonova armáda je pořád ještě v poli, pořád s jednou jedinou ústupovou cestou vedoucí po jediném mostě přes Hill Creek. Nestáhla se však z pole proto, že by její zkušený velitel podlehl záchvatu *va banque:* tvrdošíjný boj s Carlinovou a Morganovou divizí přeplnil polní obvaziště a ošetřit všechny raněné bylo nad síly Johnstonových chirurgů. V noci se přes jediný most nestahovala armáda: přes řeku převážely do Smithfieldu ambulance krvavé náklady. Johnston měl ambulancí nedostatek, neboť s takovými ztrátami nepočítal. V městečku roznášeli raněné po kostelích a školách a pak se ambulance vracely pro nový náklad.

Po té zprávě Logan navrhl zahájit všeobecnou bitvu. Seržant věděl, co generál udělá. Udělal to.

"Ne, Johne," řekl. "Viděls tohle?" ukázal na předběžné hlášení hlavního chirurga. "Už teď máme kolem tisíce ztrát." Vyhlédl z pod přístřešku mezi borovicemi, který štáb a jeho nepříliš užitečné mapy chránil před deštěm. Do bubnování kapek na šikmou plachtu se zvuky války mísily slaběji než venku. "Johnston mele z posledního. I bez všeobecné bitvy."

"Mohlo by být na jeden zátah po válce," řekl Logan.

Sherman se odvrátil od výhledu na zelená luka mezi stromy, jež zahalovala clona houstnoucího deště.

"Kolik týdnů nebo možná jen dní ještě potrvá, Johne?"

"Dnešek by mohl být poslední den."

"Pro kolik vojáků?" zeptal se generál.

Rozkaz k všeobecné bitvě nevydal.

Zato když jiný posel vysvětlil náhlé a nečekané vzplanutí hlasité bitvy na krajním pravém křídle krátce po čtvrté hodině odpoledne, vydal rozkaz k intenzívnímu harcování po celé délce fronty.

"Mower?" pravil udiveně. "Jeden z našich nejlepších mladých velitelů?" řekl a seržant se v duchu usmál, protože Mower byl jen o sedm let mladší než Sherman. Generál byl však "strejček Billy", postarší přátelská autorita. "Dostal k tomu od někoho rozkaz?"

Nedostal. Skláněli se nad mapou a v obchvatném pohybu velitele první divize Blairova Sedmnáctého sboru poznali nápadité využití nepřítelova slabého místa. Jenže taky riskantní rozhodnutí muže, který je rváč a spoléhá na mimořádnou schopnost svých vojáků a na válečné štěstí.

Až do toho odpoledne stála Mowerova divize téměř nečinně na nejzazším pravém křídle velké Shermanovy armády. Mower však zjistil, že síly nepřítele jsou tam víc než prořídlé, neboť Johnston se soustřeďuje na střed fronty. Jako všichni, i Mower věděl, že most přes Mill Creek je pro Johnstona jediná brána k bezpečí na druhé straně řeky. Usoudil, že rychlým útočným pochodem krajinou, kde se mu do cesty mohlo postavit jen pár spíš předzvědných než bojových skupin, by bránu dokázal zavřít. Vykročil proto v čele své divize po lesní cestě, jež se stáčela k severovýchodu, a když opustila les, kroutila se po lukách a mezi močály k mostu vzdálenému sotva dvě míle. Ve chvíli, kdy do Shermanova hlavního stanu dorazil první Mowerův posel, prorazilo už čelo divize tenkou obrannou linii opěšalé kavalérie, která měla chránit Johnstonův levý bok, a bojovým pochodem se blížila k mostu. Narychlo sestavené oddíly rezerv a jezdectva, hlásil posel, se pokoušejí pochod zpomalit. Most je však už v dohledu.

Všichni pohlédli na generála. Podrbal se v rozcuchaných vlasech, napil se doutníku.

"Harcovat! Po celé délce fronty," řekl. "Jinak Johnston přesune proti Mowerovi všechny rezervy a Hamptonovu a Wheelerovu kavalérii. A jestli to nebude stačit, opustí i postavení proti Slocumovi, jen aby se Mower nedostal k mostu. Musíme ho proto zaměstnat. Jinak se mu s Mowerovou divizí podaří, co se mu nepovedlo s Morganovou."

Rozhlédl se po svém štábu. Všichni mlčeli.

"Má k tomu taky lepší důvody," řekl generál. "Odváží raněné. Až je všechny odveze — no, nebudu se sázet jako včera. Ale řekl bych, že s tím, co mu zbývá, zmizí v noci do Smithfieldu."

"Tím lepší důvod pro nás, zahájit všeobecnou bitvu," pravil Logan.

Generál zavrtěl hlavou.

"Stačí harcovat. Po celé délce fronty. Johnston nebude moct opustit parapety a s rezervama si Mower poradí."

Ale zavře bránu? pomyslel si seržant. Jestli ano, generál se všeobecné bitvě nevyhne.

Generál vyšel z pod přístřešku a zastavil se mezi stromy. Před ním se vlnila zelenavá krajina Severní Karolíny, na ni se lil déšť. Šedivou oponou pramínků vody blýskaly ohýnky vzdálených výstřelů. Ve vzduchu bylo cítit jaro. Poryv větru přinesl z bojiště pach třaskaviny.

Díky velkomyslnosti plukovníka Arpáda Ohrenzuga byla účast na execírkách stoprocentní. Kruh paní a dívek českého Chicaga opět zhoustl, zejména když kapitán Miháloczy počal brance zaučovat do umění zteče na bodák. Místo bodáků používali sice násad ke košťatům, které ze

svého skladu zapůjčil Šálek-Cup, ale lesk oceli a pach krve dodala obrazotvornost krvelačných vlastenek i bojujících branců. Ty povzbuzovala už zcela konkrétní vidina kalhot, neboť v dílně mistra Hubattyho se už na ně stříhalo. Z rohu louky, kde stál o samotě, chmurně pozoroval klání vyřazený Schroeder.

Ještě jednou taktak že nedošlo ke vzpouře. Do Slavíkovy hospody přinesl pošťák Miháloczyho psaní Lincolnovi, vrácené z Washingtonu s prezidentovou vlastnoruční poznámkou. Večer na schůzi je nahlas přečeštila opět Mařenka Kakušková.

Drahý pane, psal Miháloczy anglicky (opsal text z konceptu, který sestavil Trevellyan), zorganizovali jsme v našem městě setninu milice, složenou z mužů uherského, českého a slovenského původu. Jelikož jsme první setninou, utvořenou ve Spojených Státech z výše zmíněných národností, v úctě žádáme Vaši excellenci, bychom směli nésti název "Lincolnovi střelci slovanského původu".

Pakliže laskavě schválíte, bychom Vašeho jména použíti mohli, vynasnažíme se, abychom mu dělali čest, kamkoliv budeme vysláni sloužiti se zbraní v ruce.

S veškerou úctou za setninu

Géza Miháloczy, kapitán

Pod tím stálo Lincolnovou vlastní rukou:

S radostí vyhovuji výše uvedené žádosti, A. Lincoln.

Fráze "kamkoliv budeme vysláni" vzbudila opět obavy z výpravy proti Indiánům. Gejza Miháloczy naštěstí ten večer u Slavíků nebyl, ale zato pod vlastním portrétem seděl plukovník honoris causa Ohrenzug a ten se podivil:

"Panstvo, kdo se dal na vojnu, musí bojovat. Kdybych byl mladší, táhnul bych vám v čele."

"Jenže ne na Indiány," pravil tvrdohlavý řezník.

"Proč ne?" ozval se Vašek Lusk. "Když mohli Bondy a Weiner táhnout s Johnem Brownem proti votrokářům, proč by pan plukovník Ohrenzug nemoh —"

"Ale ne proti Indiánum!" přerušil ho doutníkář, zřejmě posedlý vlezlou myšlenkou na ztrátu vlasů. Na rozdíl od řezníka měl dosud na hlavě hustou kštici, kterou si — snad preventivně — dal nedávno oholit na ježka.

Plukovník Ohrenzug se namích, pohrozil, že zkancluje objednávku červených kalhot, a prohlásil, že kdyby nebyl už takový stařec, táhl by třeba proti Eskymákům.

"Ty nepředstavujou nebezpečenstvo," pravil doutníkář. "A mistr Hubatty už je má nastříhaný."

"To je mi egál," pravil plukovník Ohrenzug. "Tak je prodám, možná se ziskem, švédskejm Zuávum, který už v Decorah v Iowě taky založili setninu."

"To nepude," pravil Pádecký. "Zuávove nosí turecký kaťata."

"To se dá přešít," řekl plukovník Ohrenzug.

"Pak tady ale nebudete moct viset!" prohlásil škodolibě Kafka.

"To je toho," řekl plukovník. "Tak nebudu. Než viset nad zbabělcema, radši věnuju synagóze novou tóru a dám se pověsit tam."

"Tam se to nesmí!" triumfoval Kafka. "Tam se žádný vobrazy nihoho nepovolujou!"

Současně prohlásil doutníkář:

"Já se nedám urážet! Já žádná baba nejsem!" a vstal.

"Jedině že máš rodinu," řekl Shake.

"Já taky," ozval se řezník. "A urážet se taky nenechám!" a rovněž vstal, ale nejdřív šetrně dopil pivo.

Nakonec je uchlácholili a plukovník Ohrenzug vzal výhrůžku zpět. Bylo usneseno, že guvernérovi se pošle dodatek k žádosti, kde se výslovně uvede, že setnina nesmí být nasazena proti Indiánům, a vymezí se služby, k nimž smí být povolána, když by toho potřeba kázala. Na nátlak boje žádostivé frakce vedené Luskem a Šálkem, souhlasili nakonec údové doporučující spíše opatrnost, aby se v dodatku vyjádřila ochota Lincolnových slovanských střelců vytáhnout do boje, pokud by jižanští otrokáři vtrhli do Chicaga, když je předtím Pádecký znovu ujistil,

že žádná válka nebude. Na místě sepsali pak dodatek a
Shake se nabídl, že jej osobně doručí guvernérovi.
  V noci jej potom spálil.

  Opěšalý generál vyštěkl rozkaz, kolona se rozvinula
do šířky na svazích po obou stranách cesty. V záhybu
cesty se objevil průzkumník a běžel tryskem k čelu kolo-
ny. Několik vojáků se přiblížilo až k hradbě křovisek
lemujících les, odkud Shake a Houska vleže vyhlíželi
neznámé vojsko. "Hele," zaslechl Shake vedle sebe šeptat
Housku. "Neni tendle Joska Balda?"
  Voják, jenž kráčel jen pár kroků od křoví, měl noso-
pršku podobnou Houskově a na nohou holínky z ozdobně
prošívané kůže, které od armády zřejmě nevyfasoval.
  "Taky že je," slyšel opět Housku. "Tak to musí bejt
Pětadvacátej wisconsinskej!"
  "Mowerova divize," řekl Shake. "To jsme se teda
prošli. Jsme na krajním pravým křídle."
  "Aspoň se toho tady nebude tak moc dít. Josko!" zvolal
Houska, vstal a vydral se z křoví.
  Voják ve vyšívaných botách ho nejdřív uvítal namíře-
nou mušketou, ale potom poznal zbytky čepice vojáka
Unie a nakonec i kulatou tvář krajana z Matowocu.
  Od štábu se rozběhli důstojníci a seržanti, zněly roz-
kazy. Za pár minut už Shake, Houska, Zinkule ve fraku a
černý Břéťa v řadách Pětadvacátého wisconsinského úto-
čili na žalostnou linii šedivé obrany v záhybu cesty.
Setnina tvořila čelo útoku, měla však jen sedm ztrát. Mezi
nimi byl i voják s nevyfasovanými botami.

  Cvičilo se tedy dál a mistr Hubatty sešíval nastříhané
kalhoty. Od guvernéra přišel vzkaz, že setnina si má
vyzvednout zbraně, a na louce za Slavíkovou hospodou se

den nato leskly bajonety a ježily se nad čtyřstupy Lincolnových slovanských střelců, pochodujících před zraky paní a dívek svižněji než jindy. Na povely kapitána Miháloczyho jako jeden muž prováděli složité obraty, jako by spíš než Lincolnovi střelci byli grupa pruských profesionálů, drezírovaných na přehlídku před císařem.

V první řadě předváděl odhodlanou tvář doutníkář Kabrna a švihal nohama v červených kalhotách, které mistr Hubatty přinesl jako první kousek na ukázku. Svítil jak třešeň v šedivé omáčce — střed tleskající pozornosti zatím největšího shromáždění českých žen, mezi nimiž se mu obdivovala i jeho sedmičlenná rodina. Cvičili neúnavně ještě po slunce západu, kdy ocelový lesk bajonetů vypadal obzvlášť nebezpečně a z šera se tím výrazněji červenaly pochodující kalhoty. Při večerním popíjení po execírce vstoupilo do řad Lincolnových slovanských střelců dalších sedmadvacet údů. Než je však stihli řádně zapsat a spokojený plukovník Ohrenzug mohl přiobjednat kalhoty, došlo k událostem, jež výrazně ovlivnily tvář a osud slovanské setniny.

K starým mexickým předovkám přidal guvernér po dvou nábojích. Na příštím cvičení předvedl tedy kapitán Miháloczy, jak se puška láduje, a všichni — někteří pouze s kapitánovou osobní pomocí — naládovali. Po přestávce mělo dojít k cvičné střelbě na figuru. Kapitán ji křídou namaloval na zadní stranu starého vývěsního štítu, věnovaného Šálkem-Cupem. Přitloukli naň zezadu opěru a postavili do rohu cvičiště před prkennou boudu, kde Slavík skladoval nepotřebné harampádí pro strýčka Příhodu. Figura měla na levé straně prsou zakreslené srdce, ačkoliv jinak ji Miháloczy oděl do kalhot a kazajky s dvěma řadami kulatých knoflíků. Když kapitán ohlásil přestávku, vojsko se zčásti odebralo do hospody, zčásti se šlo bavit s ženskými. Na cvičišti zůstal pouze Vašek Lusk, který přistoupil k figuře a jal se proti ní cvičit výpady bajonetem. Ze zasněného výrazu tváře bylo snadné uhodnout, že není vlastně na louce za Slavíkovou *hospodou, ale účastní se krvavé seči někde na vzdáleném bojišti. Bylo taky už hodně šero a to pomáhalo Luskově představivosti.*

Taky se dalo čekat, že se něco stane, protože na bojišti se střílí. Kapitán Miháloczy se však bavil s dámami a jako v pešťské opeře si nakrucoval navoskovaný knír.

"Vyšla mu rána?" zeptal se Houska.

"Co jiného," pravil Shake. "Navíc měl dobrou mušku, přestože nemířil. Trefil se do figury, ne sice do srdce, jenom do pravýho kolene a šerem zazněl bolestnej výkřik."

"Kule rikošetovala?" zeptal se Stejskal.

"Nikoli. Kule prolítla vývěsním štítem, za nímž právě využíval šera a krytu Pádecký ke konání malé potřeby, protože před reterátem byla fronta."

"Měli ste na funusu červený kalhoty?" zeptal se Fišer.

"Pádecký nezahynul," řekl Shake. "Jenom když jsme brzo nato nečekaně vytáhli do pole, nebyl schopen služby. Prostřelený levý koleno měl v gypsu. Naštěstí mu úd nemuseli amputovat, ale když se vykuryroval, stejně chodil, jako kdyby měl levou nohu dřevěnou. A ani Vašek Lusk s náma nakonec do války nevytáh, třebaže ji měl v krvi."

"Proč?" podivil se Stejskal. "Takovej malér se může stát každýmu. Mně vyšla rána sama vod sebe třikrát, jednou tak parádně, že sem rozstřelil kapitánu Lidwellovi cigáro těsně u huby a vod rozžhaveného tabáku mu chytly fousy."

"Kolik ti napařil?" zeptal se Houska se zájmem.

"Tři dni sem musel chodit po táboře s cedulí MÁLEM SEM TREFIL KAPITÁNA LIDWELLA. Ta cedule byla dvojitá, pověsila se kolem krku a nápis šlo číst zepředu i zezadu. Jenže ňákej rošťák k tomu v noci na zadní stranu připsal PROČS LÍP NEMÍŘIL, BLBČE?, já si toho nevšim a tak mě štvalo, že se mi tolik kamarádů posmívá. To přeci vobyčejně dělalo jen pár volů. Až mě zastavil plukovník Brummel a nevěřil mi, že sem si toho nevšim.

Tak mě na tejden šoupli k trestní rotě a s třema dezerté-
rama vodsouzenejma k smrti, který ale všechny Lincoln
vomilostnil, sem makal na palisádách."

"Co dostal ten Lusk?" zeptal se Zinkule.

"Nic, protože utek a zmizel," řekl Shake. "Asi se ham-
bou propad."

Most už byl v dohledu a déšť opět zesílil. Měli za
sebou dvě hodiny ostrého pochodu střídaného s během,
prošli několika šarvátkami. Do cesty se jim stavěly ozbro-
jené skupinky, narychlo se pokoušející spojit do větších
jednotek a vytvořit souvislou linii odporu. Zbloudilé
švadroně Wheelerovy jízdy se to dokonce na chvíli poda-
řilo, ale smetli ji z cesty, generál Mower pořád v řadách
setniny, v čele divize. Přebrodili močál, převalili se přes
terénní vlnu a objevil se most. Po něm se pomalu sunuly
ambulance a podél břehu řeky, v narychlo vyhloubených
okopech, čekali na ně, daleko od sebe, obránci té brány
do bezpečí... Jakmile se první modrá linie objevila na
vršku terénní vlny, začali střílet.

Přišel povel se stáhnout. Za hromádkou kamení řekl
Shake Houskovi:

"Děje se toho dost? Nebo jako člověk, kterej se hodlá
vrátit domů jako hrdina, máš větší nároky?"

"Jen si dělej šoufky. Voni tě přejdou," pravil Houska
a převalil se na záda. "Něco se mele vzádu."

Shake se rovněž otočil. Mezi vojáky rozloženými po
lukách v útočné formaci cválal důstojník. Projel rozestu-
py a zarazil koně před Mowerovou skupinou. Shake po-
hlédl na oblohu. Mraky se trhaly. Spatřil, jak Mower
velitelsky gestikuluje a na všechny strany se rozbíhají
ordonance. Poručík setniny, k níž se přidali, ale jehož
jméno se od nebožtíka ve vyšívaných botách už nedozvě-
děl, zařval: "Ústup!"

"Proč?" zeptal se vztekle Houska.

"Voják se neptá, voják poslouchá," pravil Shake a vstal.

Brzo se dozvěděli proč. Levý bok divize, směrem k týlu, napadly silné švadrony rebelské kavalérie. Mower soustřeďoval všechny síly proti směru útoku.

Vzápětí je uviděli. Dobíhali klusem k několika osamělým stromům, kde měli zaujmout obrannou pozici, a mezi stromy se vyřítila divoká jízda. Muži na koních drželi opratě v zubech, vlající hřívy, vlající plnovousy, a oběma rukama pálili z těžkých námořních pistolí. Rota se rozprchla. Shake uskočil před vedoucím kavaleristou vpravo a zahlédl, jak Houska se poroučí do trávy, za Zinkulem vlají šosy a Břéťa v pokleku pálí na blížící se druhou vlnu jezdců. Jeden z nich zahnul doleva a odřízl Shakovi cestu nazpět k živému plotu, za nímž se rozrachotila fusiláda. Shake se nerozhodně zastavil, jezdec otočil koně a vypálil směrem k němu. Shake se dal na útěk ke skupině borovic. V mžiku dorazil k miniaturnímu háječku a s mušketou na zádech vyšplhal na strom. Jezdec, o němž se Shake domníval, že má spadeno na něho, po něm už ani nevystřelil, objel háječek a připojil se k jiné útočící švadroně. Z koruny borovice viděl Shake, jak se divocí Hardeeho bojovníci shromažďují k novému úderu. Uvědomil si, že všude, až daleko k severu, se rozhoukala děla a třeskají výstřely. Náhle se roztrhly mraky, vysvitlo slunce, nad divokými jezdci se sklenula duha. Shake se ohlédl. Na louce mezi hájkem a živým plotem leželo několik mrtvých, zmítal se postřelený kůň. Jeho jezdec přiložil koni ke spánku námořní pistoli, vypálil, kůň ztuhl a jezdec zaň zalehl jako za parapet.

V roztrhané linii prchajících dobíhali k živému plotu Houska s Břéťou. Přes plot právě skákal Zinkule ve večerním.

Shake si vzpomněl na pušku. Sundal ji ze zad. Kavalerista za mrtvým koněm, obrácený k němu zády, skýtal dobrý cíl. Shake zamířil, stiskl spoušť a zpětný náraz jej shodil ze stromu. Muž za mrtvým koněm ztuhl stejně jako jeho čtvernožec.

Kolem háječku vyrazili Hardeeho jezdci do útoku a Shake padal přímo na ně.

"Den na to, co Vašek Lusk vyřadil z boje Pádeckýho, přišla katastrofa. Ráno dodal mistr Hubatty jedenapadesát párů červených kalhot, ale večer se necvičilo. Hospoda natřískaná, kalhoty však ležely složeny na hromadě v rohu, nikdo si jich ani nevšim. Protože Pádecký mezi náma nebyl, aby nám rozmluvil, že by z toho mohla bejt válka."

"Fort Sumter?" zeptal se Paidr.

Shake kývl. *"Tři dny nato, patnáctýho dubna, Lincoln vydal výzvu vo pětasedmdesáti tisících tříměsíčních dobrovolců a nazejtří, to bylo šestnáctýho dubna, Lincolnovi slovanský střelci vyfasovali náboje, celkem osmadvacet, a vytáhli na pole cti a slávy."*

"Vosumadvacet na celou setninu?" podivil se Stejskal. *"Tak zle na tom armáda s municej ani zezačátku nebyla. Ani ne patrona na maníka?"*

"Mluvím vo Lincolnovejch slovanskejch střelcích," řekl Shake. *"Těch vytáhlo na pole cti čtrnáct a z toho ještě dva byli uherskýho jazyka, jeden přečeštělej Němec a jeden žid. Ostatní se slávy vzdali. Měli rodiny, živnosti, revma, anebo jim byly malý nebo velký ty červený kalhoty, to nevím. Gejza Miháloczy se málem stal první obětí války v Chicagu, protože když nás ráno třináctýho přišlo do hospody jen dvanáct plus Tonda Kovács, málem ho klepla Pepka. Zachránil ho nakonec Schroeder, jenže —"*

Místo vojínů přicházely do hospody dcery a manželky, některé s ústním vzkazem, jiné dokonce s písemnou rezignací a Miháloczy řval a potom až dlouho přes půlnoc osobně obíhal česká stavení. Někde mu otevřeli, jinde zastihl muže těžce nemocné a v posteli. Někteří se oháněli výmluvami tak slaboduchými, že jim, jak se vyjádřil, "dal po papuli", takže ráno ho Schroeder našel u Dr.Walenty zbroceného krví, nikoli vlastní, a nasáklého kořalkou. "Ta vejmluva," řekl Shake, "byla taková, že na ni mohli přijít snad jenom Češi. Jinej národ by taková logika nenapadla."

Pod seletem se zlomil rožeň. Vyskočili a klacky vyprostili rychle ohořívající trup z ohně. Na výmluvu, jež napadla jen českému mozku, se proto zapomněli zeptat. Po letech se však o ní seržant stejně dozvěděl. Nikoli z úst Jana Ámose. Ten už tou dobou zmizel v českém mraveništi větrného města a seržant ho uviděl až za čtvrt století v Milwaukee. Řekla mu o tom krásná panička rakouského konzula v Chicagu. Kdysi ji znal, dávno před válkou a v jiné zemi, a dlouho se domníval, že je mrtvá.

"Schroeder měl s sebou noviny, kde byla Lincolnova výzva," říkal Shake a rozkrájené sele, mírně obalené popelem, rychle mizelo v odolných žaludcích vojáků Šestadvacátého wisconsinského. "Zamával s nima přivožralýmu Miháloczymu před nosem a vykřikl radostně a samosebou německy: 'Nic si z toho nedělejte, pane kapitáne —' byl už duchem u vojska, a tak ctil důstojnickou hodnost, '— jestli nebudete trvat na tý podmínce — teďka ani nemůžete, kde byste mezi Čechama sehnal náhradu za dezertéry — já vám stavy doplním, než řeknete švec!' Takže," pravil Shake smutně, "brzo nato vytáhla do pole setnina Lincolnovejch střelců v plným počtu, jenže slovanský střelci už to nebyli. Jenom Lincolnoví. Slovani byli teď v menčině — pouze dvanáct — a vedle nich osmašedesát Skopčáků."

"Aspoň ste ale měli červený kalhoty," řekl Paidr.

"Bohužel neměli," pravil Shake. "Skopčáci si je odmítli voblíknout. Schroeder pro setninu vyfasoval fungl nový feldblau a tak jsme táhli do bitvy u Perryvillu jako úplně řadově odění pěšáci úplně řadovýho pluku Unie."

"Co se Skopčákum na červenejch kalhotách nelíbilo?" zavrčel Houska.

"Byli to vojnou protřelí Skopčáci. Říkali, že kvůli parádě nebudou riskovat krk."

"Takže akorát že tys měl brnění," pravil Paidr.

"Akorát že já jsem měl brnění," připustil Shake. "Červený kalhoty plukovník Ohrenzug střelil ňáký setnině taliánskejch dobrovolců. Ty pak skoro všichni přišli o nohu, některý o vobě. Červený kalhoty se ukázaly bejt velice dobrej terč."

Seržant přijel do Milwaukee poledním vlakem a trochu ho zamrzelo, že ho na nádraží nečekala Terezka, ale jenom její manžel Přemysl. Cestou v kočárku do Schroederovy rezidence mu však švagr vysvětlil neslýchanou nepozornost milované dcerky, která otce zatím nikdy takhle nezklamala. Když kočárek zarazil před velkým domem s vyřezávaným zábradlím na zápraží, věc ho přesto ještě mrzela. V hale ho Terezka, jako vždy, přivítala objetím a polibkem a rozmrzelost ho přešla, neboť pochopil. Na štokrleti před zrcadlem stála jeho vnučka Heidemarie, jíž do blond'atých copánků černá služka Identity špendlila právě červené mašle,vyšívané holubičkami. Dívenka na sobě měla kroj, a třebaže se ve folklóru seržant nevyznal, zdálo se mu, že by to snad mohl být chodský kroj, v jakém kdysi dávno vídával chodit do kostela svou matku, nebýt zeleného dirndlu na zádech s krásně vyšitou podobou alpského kamzíka.

"Oh Daddy!" vydechla jeho dcera. "Já sem totální nervous wreck! Bude se Heidi na jevišti koukat hezká?"

Dívenka upřela na dědu šedivé oči. Oči, dirndl a blond vlasy probudily v seržantovi obraz dávno opuštěného a později už nikdy nenavštíveného údolí, kde mezi zasněženými štíty vysokých hor, po krátký čas, krásně zapadalo slunce.

"Koukat se hezky bude," řekl rychle. "Ale jak bude v tomhle mundůru na jevišti vypadat, to je jiná."

"To je, co mínim — vypadat!" pravila Terezka.

Na nohou mělo líbezné dítě jezdecké holínky, jaké kdysi před lety nosíval Kil, jen o něco drobnější, zato také s ostruhama.

Ze zmateného a jemu občas ne zcela srozumitelného drmolení jeho dcery, jež se mu snažila vysvětlit, že ze samého eksajtmentu asi zfejntuje, seržant pochopil, že v Milwaukee hostuje česká kočovná divadelní společnost a pro nedělní matiné — budou dávat Naše furianty — zverbovala místní české děti. Ve scéně sporu v hospodě měly vystoupit v roli drobotiny nepoctivého krejčíka.

"Nemaj to bejt chudý děti?" zeptal se seržant dcery.

"Oh, to já vim," pravila Terezka. "Ale šůr nechceš, Daddy, aby Heidemarie na stejdži vypadala jako dítě některýho bama!"

Heidemarie vypadala jako dcera velkostatkáře. To seržantovi nevadilo, ale byl mu proti mysli dirndl: zdál se mu přece jen příliš v rozporu s českou vesnicí.

"Well," pravila Terezka, "já taky nebyla dost šůr o dirndlu. Ale je to narozenin prezent, vyšila jí ho prateta z Tyrol a děda Schroeder nechce slyšet, aby se na stejdži objevila bez toho dirndle."

Do místnosti vstoupil muž, o němž byla řeč. Dávno to nebyl štíhlý zeměměřič, jenž před mnoha a mnoha lety přišel se zlou zprávou do Kakuškova paláce štěstí, ani kaprál jak řemen, jenž o něco později fajtoval s Haecker, poté mit Sigel a nakonec mit Grant. Byl teď spolumajitelem pivovaru a svému výrobku známému jako Milwaukee Bock ostudu nedělal. Milwaukee Bock byl velmi výživný.

S obdivem se zadíval na vystrojenou vnučku a zeptal se Kapsy:

"Nu, wie sieht sie aus?"

"Zajímavě," pravil seržant anglicky. Ani boty, jaké kdysi nosíval její nebožtík prastrýček Kakuška, nešly s chodským krojem příliš dohromady. Ale nějak mu to nevadilo. Zadíval se na děvčátko, a najednou mu nevadil *ani dirndl. Konec konců, holčička je z jedné čtvrtiny Němka a —*

Tlustý dědeček zdvihl vnučku medvědíma rukama, posadil si ji na předloktí a blaženě na ni zabrejlil.

"Du mein Roesslein!" *pravil zamilovaně.* "Du siehst ja aus wie eine kleine Prinzessin!"

"Grandad!" *zapištěla Heidemarie.* "You smell like a beer barrel!"

"What?" *zasmál se tlustý děd.*

"To je, co říká Mom. *Stinkuješ jako pivosud!"*

Seržant vzdychl, ale usmál se. Dívenka je, konec konců, Američanka.

Svou nebožku ženu Marii rozenou Kakuškovou starý Skopčák, ale taky osmačtyřicátník Schroeder sice miloval, a když mu v necelých pětatřiceti umřela, nějaký čas to vypadalo, že ji bude následovat. Je však těžké upít se pivem a Schroeder pouze nesmírně ztloustnul. Osvědčený lékař čas ránu nakonec zahojil, Skopčákova láska k nebožce se přelila do syna Přemysla, z něhož, Přemysl Nepřemysl, chtěl mít Němce. Zdařilo se mu to jen nedokonale. Když Mařenka zemřela, mluvil její syn slušně mateřským jazykem; druhý, otcovský, pouze lámal a nejlíp uměl anglicky. Protože po otci zdědil slabost pro české holky z Ameriky, vzal si seržantovu dceru a namluvil si ji češtinou nové vlasti. Zarputilý dědeček sice prosadil, aby se synovo jméno vykompenzovalo tím, že prvorozenou pokřtili Heidemarie, jenže děvčátku jela pusa už jenom anglicky, mateřštinu své české matky lámalo a od svého otce pochytilo pouze hrst německých výrazů. Ty jí navíc děd přísně zapověděl.

Podle textu hry měl mít chudý krejčí Fiala sedm dětí. Protože Čechové v Milwaukee se však dost množili a majitel kočovné společnosti si to s potenciálním diváctvem nechtěl rozházet, provázelo Fialu v prvním dějství dětí osmnáct. Hra také předpisovala účast krejčíkových ratolestí pouze v prvním dějství, jenže to matkám a otcům nestačilo a režisér proto děti zařadil i do druhého jednání v hospodě, kde jich bylo toliko sedmnáct, neboť jeden hoch se před začátkem druhého dějství trémou počural, a než mu matka stačila doběhnout domů pro čisté kalhotky, stály už ostatní děti na scéně. Nadměrný počet krejčíkových potomků však hře na realismu už neubral; realismus vzal dávno za své, neboť osmnáct dle textu "hladových krků chudého živnostníka" vypadalo na jevišti jako sbor pážat a družiček vystrojený na korunovaci britské královny a pomíchaný s dětmi, které zřejmě přišly na maškarní bál. Pobíhal mezi nimi i hošík v dokonale věrné, i když zminiaturizované uniformě seržanta armády Unie, jakou před lety nosil Kapsa.

Aby při dramatické scéně v hospodě děti nepřekážely, rozsadili je podél nálevního pultu, převzatého z Divokého Západu, a představitel žida Ehrmanna jim naléval zázvorové pivo.

Ehrmanna nalíčili podle antisemitských představ J.K.Tyla, jehož jakési drama seržant kdysi viděl v Chicagu: zrzavá paruka, nos vylepšený plastelínou a k tomu příslušná gesta — mnutí rukou, úlisná nahrblost, slintající ústa. Představitel Ehrmanna to vše předváděl s bravurní machou.

Aby měly děti na jevišti co dělat, režisér představení poněkud změnil. Když Fiala v hospodské hádce obvinil svého konkurenta Bláhu z paličství, nezvolal slovo "Palič!" jen krejčí sám, ale i jeho sedmnáct přítomných dětí. Ne jednou. Slovo, jehož význam děti nepochopily, se jim zalíbilo a tak je opakovaly kolem dokola výslovností přizpůsobenou slovu, které znaly: "Polish! Polish! Polish!" Seržant slyšel, jak se zmatená yankeeská manželka

Matěje Šťáhlavy Priscilla ptá svého muže anglicky: "Ne-rozumím — chtěj něco vycídit, nebo mu nadávaj, že je Polák? Proč?" Děti byly k neutišení, děj se zastavil. Představitel žida Ehrmanna někam odběhl a vrátil se se zvoncem, jímž se ohlašoval začátek představení. Zazvo-nil, děti ztichly. "Na šnaps, děti!" zvolal žid Ehrmann, děti se nahrnuly zpět k nálevnímu pultu a obecenstvo přijalo řešení potleskem, neboť akce strhla pozornost na jejich potomky. Seržant si všiml, že představitel žida Ehrmanna přilévá — nebo spíš přikapává — z kapesní láhve do zázvorového piva žlutou tekutinu, která nevypadala na limonádu. Když Ehrmann láhev postavil na pult, objevila se viněta s nápisem Black Crow Whiskey.

V té chvíli uviděl seržant za maskou gest, plastelíno-vého nosu a zrzavé paruky nezapomenutého přítele.

"Já? Ne! Která by mě chtěla, když já žádnou nechci," říkal dávný přítel Shake bez plastelinového nosu a s hlavou jako po použití Fircutovy vodičky. Black Crow seděla přátelsky na lavičce mezi nimi a ve vzduchu cítili přijemný pach poslední dekády století: uhelný kouř z milwaukeeského nádraží. "Kdepak ženatej," říkal Shake "Já jsem, kamaráde, knižní příklad zlomenýho srdce a hryzení svědomí."

"Kterýs to zlomil srdce a pročs ji nechal?" řekl někdej-ší seržant a už dávno wisconsinský farmák Kapsa. "Na vojně ses nám k ničemu takovými nepřiznal."

"Na vojně jsem byl mladej a zamlklej," pravil vyslou-žilec. "Teď je ze mě užvaněnej dědek. Svědomí mě ale hryže ne proto, že jsem zkazil pannu — i když Rebeka byla panna jako řemen — ale že jsem kvůli její biblický kráse opustil svoje biblický poslání."

"Takže měli pravdu! Co se šeptalo. Tys byl páter Vyklouz!"

"Šeptalo?" řekl Shake. "To nevím, že se šeptalo. Paidr to roznes mezi Čechama nejenom Šestadvacátýho wisconsinskýho, ale napsal to i Buňatovi ze Šestnáctýho, co mu chtěl před válkou připravit o panenství sestru. Pokud se dá věřit starším paním, to se mu nepovedlo. Teprve až po vojně a po svatbě — jestli se dělám jasnej."

Seržant řekl:

"Myslíš, pokud se dá věřit paní Buňatový?"

"Nojo. Rozený Paidrový. Buňata byl u Šestnáctýho trubačem a roztroubil mou minulost tak, že se o ní dozvěděli i Češi v setnině 'K' Dvaadvacátýho iowskýho, která byla do posledního muže česká, včetně čtrnáctiletýho bubeníka Honzíka Šálovic. Počkej." Shake si zamnul vysoké čelo. "Ten byl vlastně u setniny 'D' a tam to roztroubit nemoh, ponivač tam byl jedinej Čech. Ale o to se po demobilizaci postarali ostatní, pokud nepoložili životy za svobodu černých otroků. Takže jsem byl nejvyhlášenější páter Vyklouz po celým českým středozápadě. Následkem toho mě v neděli zvali na oběd všichni volnomyšlenkáři s dcerama na vdávání. Vyklouzové mají pověst dobrejch a hlavně pracovitejch manželů. Jenže když mně se líbily výhradně holky z katolickejch rodin. Snad byly opravdu hezčí, nebo to způsobilo to hryzení svědomí. Jenže tam mě na oběd nezvali."

Shake vzdychl, a seržantovi se zdálo, že starý kamarád mluví, snad poprvé, co ho znal, vážně.

"Jo, seržo," pravil Shake po chvíli, "já zdrh z jediného povolání, na který jsem se, nebejt Rebeky, hodil, a to ideálně. Já byl, kamaráde, daleko nejlepší kazatel ze všech seminaristů. Monsignor Kotrlý, co nás učil rétoriku, vždycky říkával, že ze mě bude druhej Savonarola, a když se trochu nabumbal, takže ze mě bude druhej Mistr Jan a on že jenom doufá, že církev svatou nezklamu jako ten zatracenej, i když Bohem nadanej kacíř. A já ji zklamal, sousede. Kvůli holce, která navíc pocházela z lidu, co má na svědomí Pána Ježíše. A monsignora Kotrlýho jsem zklamal. To byl takovej kazatel, že když někdy v neděli odpoledne kázal v templářském kostele, Prozatimní zelo prázdnotou. On kázal odpoledne schválně, protože byl zapřísáhlej nepřítel lehkonohejch múz. A potom při přijímání měl vždycky největší spotřebu svatejch hostií."

Shake se odmlčel, kouřily vlaky. Seržant řekl:

"Musel to bejt taky dobrej učitel."

"Ten nejlepší. Já byl však zvážen a shledán lehkým. Jenže s Rebekou — všecko to bylo takový biblický. I když podle bible —"

Šeřilo se. Seminarista v černém hábitu — štíhlý, hezký, androgynní — kráčel po kočičích hlavách rynečku a v duchu si připravoval exemplum o Rebece, která poslechla, a byla Izákovi šťastnou manželkou, když vtom se mu zjevila. V první chvíli měl skutečně pocit, že je oblažen svatým viděním, že je tedy vyvolen — náměstíčko, uprostřed kamenná studna, děvečka s vědercem na rameni. Kráčela ke studni a byla to děvečka na pohledění velmi krásná, panna, a muž ji nepoznal. Sešla k studnici, naplnila věderce a otočila se.

Seminarista byl však špatný služebník Izákův. I toho se zřejmě — jak je z Písma patrno — dotkla dívčina krása, jenže pamětliv svého pána a poslání, toliko k ní přiběhl. Seminaristy se krása nedotkla: prostoupila jej nevysvětlitelnou osmózou Amorova šípu, přiběhl v černém hábitu k děvečce a oslovil ji:

"Dej mi píti, prosím, maličko vody z věderce svého!"

Děvečka se zarazila, zamyslela a pravila:

"Sie koennen Deutsch sprechen, wenn es ihnen besser geht."

Svaté vidění zesekularizovalo v statnou židovskou holku, seminarista ji lačně obezřel a v duchu mu zazněla méně vhodná — pro seminaristu — i když rovněž biblická slova: Jak jsi krásná —

"Proč německy?" zeptal se zkoprněle.

514

"No že česky mluvíte tak divně."

"Dovolte," polkl, *"dovolte abych se představil: Jan Ámos Švejk."* A jak mu z té střelné lásky vyschlo v krku, ochraptěl.

"Chcete se napít, velebnej pane? Nate!" děvečka mu podala vědro.

Z rozpaků se napil a polil si kleriku.

"Zaplať Pán Bůh," řekl.

"Rádo se stalo," pravila děvečka.

Stáli proti sobě, oba v rozpacích. Seminarista v černém, dívka v šedivé sukni a v šedivé blůze z hrubého plátna. Pod ním dvé telátek srních —

"Já ještě nejsem vysvěcen," řekl. *"Jsem teprve ve třetím ročníku.*

Hleděla na něho nechápavě.

"Nejsem ještě kněz."

"Však se dočkáte," řekla a v té chvíli měl jiné vidění. Snažil se je zahnat, ale nemohl.

"Já —" pravila děvečka váhavě, *" — já sem Rebeka Goldsteinová. Můj táta je kantorem ve Staronové."*

"Můžu — vás doprovodit?" Pak rázně: *"Ukažte! Pomůžu vám s tím vědrem."*

"To přeci nejde," řekla.

"Proč?"

Rozhlédla se. Přes náměstíčko právě policajt postrkoval nějakého opilce. Když uviděl mladého muže v kněžském hábitě, zasalutoval. Opilec ho napodobil a policajt mu dal facku.

"Uviděj nás lidi," zašeptala Rebeka.

Rozhlédl se také, sjel pohledem na svou kleriku. Měla pravdu. Řekl tiše:

"Tak přijďte do parku tady za rohem. Jsou tam lavičky — v keřích — tam večer není vidět —"

"To nejde."

"Jde!" řekl. *"Nikdo nás tam neuvidí."*

"Dyž vy ste kněz."

"Nejsem."

"Ale budete."

V té chvíli pochopil historku o Faustovi, která mu vždycky připadala neuvěřitelná. Věčnost vyměnit — taky by měnil — a ne za moudrost —

Odkašlal si.

"Nemyslete si nic zlého, slečno Rebeko. Jenom —" uvědomil si, jak je to trapné, ale nic chytřejšího ho nenapadlo, *"— jenom bych si s váma rád popovídal."*

"Dyž to nejde," nervózně se rozhlédla. *"Já nevim."* Potom: *"Dybyste byl rabín —"*

"Přijďte!"

"Já už musim domu," zvedla si vědro na rameno, otočila se a rázně vykročila k světýlkům, od nichž, zdálo se mu, mrkal Mefisto.

"Přijďte! Budu tam na vás čekat!" zvolal tiše.

Byl čas májových mší, dostal se večer ven. Na májovou nešel, ale ona nepřišla.

Jenže za pár dní, když se mu pod nějakou záminkou opět podařilo vyklouznout ze semináře, zase vážila vodu u studny.

"Přijďte!"

"Já nevim."

"A kdybych byl rabín?"

Neřekla nic. Dlouho. Potom:

"Je tam vidět. Já se tam byla podívat. Je tam vidět ze dvou stran."

Proměnil se ve Fausta, smlouvu už měl podepsanou. Navštívil přítele z gymnázia, statkářského synka, jenž na Malostranském náměstí vlastnil mládenecký byt.

"Potřebuju pučit —" zaváhal.

"Ale!" zasmál se přítel. *"I v semináři se karbaní? Ale to víš, svatej otče, pro tebe všecko. Kolik potřebuješ? Stovku? Dvě? Jestli víc, bude to trošku problém. Mně poslední dobou karty taky nepadaly."*

"Ne. Potřebuju pučit byt. Jenom na hodinu, dvě —"

Přítel hvízdl.

516

"Heleme se !" Pak mu podal klíč. "Zejtra jedu na tejden pryč. Byt je tvůj. Za rohem je sv. Kliment. Zpovídá se tam, myslím, od pěti do sedmi."

Rebeka taky prodala duši. A byli jedno tělo.

Odešel ze semináře. Monsignore Kotrlý slzel.

"Hochu, hochu! Tos mě zklamal! Mocs mě zklamal."

"Když já, důstojný pane, já —"

"Já vím, já vím," monsignore si utřel slzu masitým palcem. "První ani poslední nejseš. Ale zklamals mě. No, co dělat. Pán Bůh s tebou. Ale pamatuj si: i jako laik jsi katolík a to tě zavazuje."

Políbil starému knězi ruku.

"Já vám přísahám při rodičce boží —"

Monsignore mávl rukou.

"Radši nepřísahej. Modli se. Jako každý seminarista máš jistě přečteného svatého Pavla. Jen abys nakonec nehořel, Amosku!"

Nehořel, ale podle svatého Pavla se nezachoval. Nemohl. Protože Rebeka se nakonec zachovala jako ta ve vidění.

Kantor Goldstein byl kamenná zeď. Nešlo o to, že bývalý seminarista byl teď písařem v textilním velkoobchodu, dokonce židovském, což mu přes známé obstaral statkářský kamarád. Dokonce ani opuštěný seminář by možná nevadil, kdyby — papá Goldstein byl kamenná zeď. Rebeka byla jediná dcera. Jiné děti neměl. A Rebeka — stejně jako vidina z První Mojžíšovy — byla poslušná dcera. Hříšná, ale poslušná. Ztráta panenství bylo tajemství, které si s sebou vzala do manželství s mladým Izákem Karpelesem, ostýchavým, přeslušným a také poslušným mladším společníkem železářské firmy Abraham Karpeles und Sohn v Olomouci. Tajemství zůstalo tajemstvím.

"Voni nejsou naší víry, mladej pane."

"Já bych — " vymáčkl ze sebe gojim Švejk, pohlédl do zapadlých očí velebného starce a zrudl. Nedovymáčkl se, starci na očích to říct nešlo. Takže smlouvu s Mefistem nakonec neratifikoval. Sklaplo mu. Odjel do Ameriky.

"Nojo, Rebeka děti má. Šest," řekl Shake. *"Jedno krásnější než druhý. Voči maj po ní."*

"Jak to víš?" zeptal se seržant.

"Inu, byl jsem tam, víš? Po vojně."

Najít Karpelesův obchod nebylo v Olomouci těžké. Navíc Rebeka zrovna vyhlédla z okna v druhém poschodí. Buď se nezměnila, nebo se do ní opět promítlo vidění od studny na kamenném rynečku.

Otevřela dveře. Spatřila divokým větrem války ošlehaného muže, jenž sundal cizokrajný klobouk a pravil:

"To jsem já, Rébinko. Pamatuješ se?"

Byla to statná, krásná židovská holka, ale přišly na ni mdloby.

Byla taky hříšná. Ne už skutky, jenom slovy. Izáku Karpelesovi Shaka představila jako bratrance manžela vzdálené sestřenice Rachel, co kvůli její svatbě bylo takové pobouření. Izák se na žádné pobouření ani na vzdálenou sestřenici nepamatoval, ale byl to i ve svých čtyřiceti letech důvěřivý nebich. Pozval Shaka na večeři.

Tam uviděl čtyři syny a dvě Rebečiny dcery, okatá dvojčátka. Izák se modlil, bývalý seminarista se málem omylem pokřižoval, v poslední chvíli se vzpamatoval, sepjal ruce, pak si je dal před sebe na stůl.

Izák mu dokonce nabídl nocleh. Dům mají prostorný, ve druhém poschodí je malá světnička pro hosty.

Ale to nešlo. Smlouvu tenkrát nakonec nepodepsal, karnální touha však nepřešla. Vidina zůstala. Tady, za stolem, na němž plápolal svícen a kolem něho její děti mlaskaly a s chutí pojídaly gefilte fisch. Zhmotněná vidina. Najednou zatoužil, aby mu taková zůstala navždycky. Poděkoval za nabídku, vymluvil se, že zůstává v Olomouci u přátel, vrátil se do hostince a vidinu si odvezl do Ameriky.

Jenom vidinu. Ani fotografii, její a jejích šesti dětí.

"A kvůli tomu ses neoženil, člověče?" řekl seržant. *"Vždyť je to taková stará historie."*

"Ale nerezaví," pravil Shake. "Mimoto mám pořád to hryzení svědomí. Kvůli církvi svatý. Hlavně kvůli nebožtíku mosingorovi Kotrlýmu."

"Žádný sliby jsi nesložil. A proč's nevyštudoval na kněze v Americe? Stačilo se vyzpovídat."

"Už bylo pozdě. Měl jsem se vrátit do semináře ještě v Praze. Když mi sklaplo s Rebekou. Bylo by mě to uchránilo pokušení."

"Sotva," řekl seržant. "Asi nejseš z těch, co odolaj."

"Nemyslím Rebeku. Nebo vůbec holky. Myslím tu americkou válku."

"Jakýpak byla válka pokušení?"

"Zviklala mě ve víře," pravil Shake. "Když mě demobilizovali, už jsem se knězem stát nemoh."

Houkaly vlaky. Kolem přešel párek černých milenců. Podle ovoce skutků jejich, pomyslel si seržant. Řekl:

"Třeba si to ještě rozmyslíš. Já mám taky dojem, jako monsignore Kotrlý, že na kazatelně by ti to šlo. Seš možná zviklanej tím, cos viděl, ale moh bys k víře přivíst jiný."

Jenže týden nato přejel Shaka v Iowa City vlak.

"Ne," pravil generál. "Rozkaz zní: Stáhnout se na výchozí pozice. A to je rozkaz, pane kapitáne, který platí i pro generála Mowera."

Mýtinu teď naplňovalo žlutozelené světlo lesa rozsvíceného sluncem, jež v kouři bojiště zářilo, jako by z něho vytékalo zlato. Stálo už nízko nad obzorem. Sem tam ještě pršelo a po krajině kráčela duha.

"Rozkaz!" řekl kapitán. "Most ovšem skutečně —"

"Rozkaz!" přerušil ho generál. "A jeďte!"

"Rozkaz!" kapitán láznými kroky odpochodoval ke koni na kraji mýtiny, vyskočil naň a zmizel v lese.

Generál se otočil ke kapitánu Fosterovi:

"A Howard zastaví Blairův sbor. Mower ustoupí na výchozí pozice. K ústupu pomoc zbylých dvou Blairových divizí nepotřebuje."

I druhý posel zmizel v lese.

Generál vytáhl z kapsy doutník a rozhlédl se. Logan, doutník z poloviny vykouřený, přistoupil ke svému veliteli a přidržel rozžhavený hrot svého cigára ke generálovu. Řekl:

"Dobře, Billy. Vrchní velitel seš ty. Ale pročs to udělal?"

Generál zvedl žebráckou tvář k nebi, nastavil ji paprskům slunce.

"Hardee zaútočil z boku a v Mowerově týle. Kdyby se mu bylo podařilo divizi odříznout, mohl ji zničit. Jako se o to pokoušel Johnston s Morganem," řekl Sherman.

"Víš dobře, Billy, že Hardee to moh dokázat jen za dvou předpokladů: že Mower neustoupí a zároveň že nedostane posily."

I Logan se zadíval do slunce. Zakryl je mrak.

"Já ti nerozumím, Billy," řekl. "Hardee měl, dejme tomu, příležitost zničit Mowerovu divizi. Ale tys měl možnost zničit celou Johnstonovu armádu. Jistě to víš sám. Jeden jediný most a Mower ho měl na dosah ruky."

Generál neřekl nic. Jenom stál, hlavu v hustém oblaku dýmu.

"Mohs vyhrát velkou bitvu, Billy. Zatíms žádnou takovou nevyhrál a v téhle válce už asi nevyhraješ. Tohle byla tvá poslední možnost."

"Právě," řekl generál. "My, víš Johnny, nemusíme už vyhrávat bitvy. My už jenom vyhrajeme válku."

Slunce z roztaveného zlata znovu vyšlo za mrakem a rozsvítilo obláček tabákového kouře, takže to vypadalo, jako by generál trčel hlavou v modravém lampiónu.

Přes živý plot Houska uviděl, jak Shake skáče z koruny borovice, jak popadá rebelského jezdce kolem krku a strhuje ho z koně. Potom měl Houska plné ruce práce, protože útočníci se hnali tryskem proti linii Mowerových střelců a jenom soustředěná palba, k níž Houska přispěl vydatným podílem, donutila kavaleristy obrátit a povlovným obloukem zmizet za lesem. Na louce před Houskou ležel mrtvý kůň, kolem něho padlí. Pak uviděl Shaka podruhé, jak běží k živému plotu, sehnut pod břemenem jezdce, jehož nese na zádech. Prodral se s ním živým plotem, Houska vstal a připojil se ke svému druhovi.

"Ámosi," oslovil Shaka. "Ty máš namoutě kuráž. Jaks po něm skočil z tý borovice!"

"Cože?" zeptal se Shake, udýchaný, protože raněný jezdec byl chlap jak hora.

"Jaks po něm skočil z tý sosny a strhs ho z koně!"

"Jo to," pravil Shake.

Přistoupil k nim kapitán:

"Zajatec?"

Shake složil raněného do trávy. Kavalerista zuřivě zaklel. Ukázalo se, že je to major.

"Pane kapitán," řekl Houska. "Vojín Shake po ňom skočil z borovice a strh ho z koně na zem!"

Houskova kulatá tvář zářila obdivem. Jeho angličtina však nebyla na výši.

"Cože?" zeptal se kapitán.

Houska ukázal na Shaka.

"Von střílel. Z vršku sosny. Pak skočil. Strh tohohle majora z koně. Pak ho zajal."

"Je to pravda, vojíne?" kapitán se otočil k Shakovi.

"A —" Shake si odkašlal, "— ano." Dodal: "V podstatě."

Jenže pokus o vymezení přesnosti Houskova pozorování přerušil nový útok Hardeeho jezdců.

Na každého vyšlo stehno, zbytek rozkrájeli a nadrali se k prasknutí. Nyní koloval kořistný galón bourbonu.

"Dyby to vykládal Shake," řekl Paidr, "tak je to jasně latina. Ale ty si, Vojto, přeci vymejšlet neumíš?"

"Jak to že ne!" urazil se Houska. "Vymyslim si, co chci!"

"Takže ty sis to vymyslel?"

"Chceš říct, že hrdlouhám?" nasupil se Houska. "Viděl sem to na vlastní voči!"

"Tak to si do civilu budeš muset vopatřit brejle," pravil Paidr. "Podle mě to bylo úplně jinak." Pohlédl na Shaka. "Rupla pod tebou větev, viď, a toho majora si pádem zased v sedle."

"Přísahám, že se v podstatě mejlíš," pravil Shake a zavdal si bourbonu.

"Nehřeš," řekl Paidr. "Člověk, kerej táhne do války v brnění a eště ho má vobráceně, aby moh zády k nepříteli povzbuzovat vostatní, přeci nemůže bejt takovejhle hrdina."

"Inu," pravil Shake, z torny vytáhl pěnovku a jal se ji sestavovat. "Pokud jde o hrdinství. Jak jsem vám to řek s Hegelem: Vše zvrací se v svůj protiklad."

"Jakej Hégl?" zeptal se Stejskal.

"Takovej — mudrc," pravil Shake, nastavil pěnovku a Paidr mu ji dole zapálil. "Myslel si, že Pán Bůh je něco jako vládní rada a nebe si představoval jako pruský kasárna."

"Heleďte!" ozval se pořád ještě z povzdálí Zinkule a ukázal na cestu pod strání.

Po cestě se blížila Druhá divize generála Alfreda Terryho. Na rozdíl od Šestadvacátého wisconsinského měli čerstvě vyfasované modré uniformy. Byli to černoši.

Seržantovi druhové na ně hleděli mlčky. Urostlí mladíci pochodovali stejným krokem jako na přehlídce, černé tváře vážné. Nepodobali se příliš vojínům popíjejícím bourbon kolem plápolavého táboráku, velké Shermanově armádě. Taky se ale nepodobali černochům, jak je seržantovi druzi poznali na tom dlouhém pochodu Amerikou, který teď končil.

Hleděli na ně mlčky. Když přešla poslední čtveřice, seržant vytáhl novou láhev z tornistry a dal ji kolovat.

Bylo po válce.

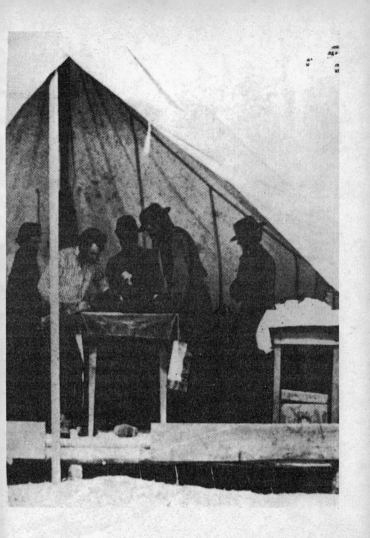

Spisovatelčino intermezzo IV.

1.

Terapeutická síla, jíž moje románky pomohly Maggii dostat se z nejhoršího, mi vrátila sebevědomí, na chvilku pokleslé. Napadlo mi totiž: nevyčenichala nějak Maggie, že Laura A. Lee je její stará kamarádka Lorraine z Liberty, a proto — ne pro jejich údajné kvality — polyká moje artefakty? Maggie mě však ujistila, že o mém hříšném životě intelektu neměla tušení, dvě a dvě si dala dohromady, teprve když u mě v salóně uviděla římskou hlavičku, ačkoliv o té padla pouze nepatrná zmínka v románku *Srdce z mramoru,* kde ji jako dárek chytré a nemajetné dívce Margaret (doufala, že dostane benátské zrcadlo) přivezl z Itálie hezký sběratel antických starožitností James Connington III. Maggie si vždycky uměla všímat maličkostí.

Humphrey moje literární snahy za život intelektu nepovažoval. Nebyl sice proti mému příspěvku k rodinným financím (příspěvkem byl spíš jeho plat), ale dělal si z mých románků legraci, prohlašoval, že by takové nesmysly uměl psát taky, a z legrace přecházíval ke kombinaci kázání a kolejních přednášek o vznešeném úkolu literatury. Je prý hodna toho jména, jen nastavuje-li zrcadlo světu a životu — přitom vyndaval z knihovny svazky Thackerayho a Hawthorna a pozdvihoval je ke stropu jako katolický kněz hostie — anebo odpovídá-li na vážné otázky po smyslu života a světa — a vztyčoval Emersona a drama *Faust* od Johanna Wolfganga von Goetha, které já nikdy nedočetla do konce a tak jsem se nedozvěděla, zdali otázka toho díla bylo jak oblafnout čerta, a jestli se to Faustovi nakonec povedlo. Protože ale Faust ani jeho milá Markétka mě nezaujali, ani mi na tom nezáleželo. O třetí kategorii přípustné literatury hovořil můj Humphrey tónem, který naznačoval, že "když už se musíme zabývat hloupostmi", jenže nahlas říkal: "Když už dámy, pak tedy —" a ze stolu zdvihal *Chaloupku strýčka Toma.* "Méně intelektuálně vyspělému čtenářstvu alespoň objasňují záležitosti hodné objasnění."

Nějaký čas jsem mu to kantorské potěšení tolerovala, nakonec mě to však namíchlo a vzala jsem ho za slovo. Vznikl opus *Kudy kam? aneb Svítání na prérii,* romance trapperovy dcery a profesora studujícího motýly tak hrůzostrašná, že když se zděšený pan Little rozhodl ji vydat pod pohrůžkou, že Laura A. Lee přejde ke konkurenci, musel se čtrnáct dní zotavovat tajným pitím na Cape Codu. Pokud se kniha sázela, Humphrey se viditelně naparoval. Když byla sazba hotová, navštívila jsem znovu Boston a pan nakladatel Little, jenž se mezitím, neosvěžen a pořád vyděšen, vrátil od břehů Atlantiku, mi po delším ošívání pravil: "Paní Tracyová, vaše přítelkyně slečna Everetová provedla korekturu, jako to prý dělává Balzac. Když jsme její knihu dostali stadiem sloupců a stránek konečně do lisu, byly to prakticky tři úplně nové sazby. Mohla byste své přítelkyni vysvětlit, že korektury tohoto rozsahu jsou příliš nákladné, aby je finančně nesl pouze nakladatel? Budu nucen slečně Everetové strhnout aspoň padesát procent na pokrytí účtu za korektury." "Strhněte jí celých sto," prohlásila jsem tónem literární hvězdy, "a účet pošlete mně." "Ale to od vás přece ani já, ani slečna Everetová nemůžeme —" "Nebýt mě, nevzala by pero do ruky," přerušila jsem ho. "Sepsala to ze žárlivosti." "Tím spíš —" Zase jsem ho přerušila. "Když já ji ale miluju, víte, pane Little?" prohlásila jsem, pan Little se na mě podíval nějak divně a já honem dodala: "Je to moje tetička. Kniha bude dárek k jejím pětašedesátinám." Můj nakladatel se nyní zatvářil překvapeně a řekl: "Proboha, proč jste mi rovnou neřekla, že ten — to — "váhal, jak vlastně nazvat Humphreyho hrůzospis, " — tu věc napsala vaše tetička?" "Nechtěla jsem, abyste si to vykládal jako nepotismus." Pan Little se zamyslel. "Tím se ovšem leccos vysvětluje," řekl. Co tím myslí, jsem se ho neodvážila zeptat.

Kudy kam? aneb Svítání na prérii byl největší propadák nakladatelství pánů Littla a Browna; prodalo se ho míň, než rozeslali recenzních výtisků. Pan Little se mě vyptával, jaký žurnál tetička čte, řekla jsem, že Hortonův *Girls' and Ladies' Weekly Visitor*, obskurní tiskovinu z Chicaga, a pan Little, aby si mě zajistil, protože zkušeně odhadl, jaký — pokud vůbec nějaký — bude kritický ohlas na dílo Lorraine Everetové, zaplatil v tom plátku superlativní recenzi. Jak to dokázal, nevím. Bylo to krátce po skandálech s placenými recenzemi a redaktoři se zdráhali tisknout chválu, i upřímně míněnou, ze strachu, aby je někdo neobvinil z braní úplatků. Jenže za peníze lze koupit všechno, jsou-li to přiměřené peníze, a recenze stála pana Littla, myslím, málem jako Humphreyho korektury. Rovněž myslím, že mi ji aspoň zčásti naúčtoval, a sumu skryl do položky "korektury". Nevěděl ovšem, že úplatný redaktor se zajistí proti případným komplikacím s páně Littlovým de facto placeným inzerátem. V příštím čísle Hortonova *Dívčího a dámského týdenního návštěvníka* vyšla ještě jedna recenze na *Kudy kam?,* evidentně nezaplacená, protože tak zvaně zničující, rozcupovala nejen knihu, ale i placený inzerát pana Littla a tím se nelišila od posudků v jiných žurnálech, jimž Humphreyho opus stál vůbec za zmínku.

Ohlas díla Humphreyho zdrtil. Zejména se ho dotklo, že recenzenti jako jeden muž, pouze s větší nebo menší jízlivostí, konstatovali, že Lorraine Everetová si plete román s přírodní lyrikou a přírodní lyriku s rozředěnou transcendentální filozofií. Jeden dokonce vypracoval statistiku: plných 618 stránek z celkového rozsahu 678 stran zabírají popisy lesů v různých ročních obdobích, a na 492 z těch 618 stránek jsou tyto přírodně-lyrické pasáže pouhým odrazovým můstkem k filozofování o principech vesmíru. Vlastní příběh, vypočítal statistik, má tedy pouze 60 stránek, což je literární útvar, jemuž Němci říkají *Die Novelle,* ale rozhodně ne to, co se v Americe rozumí pod pojmem "román".

I do téhle novelky, jež byla pokusem o něco na způsob cesty k oltáři s humornými překážkami, dokázal však Humphrey vnést vážnou otázku ze života: trapperova dcera a profesor entomologie, zajati Indiány, objeví, že vznešení divoši (jeden pronesl řeč jakoby ocitovanou z Rousseaua) skrývají uprchlého černého otroka. Oba milence zajali jen proto, aby bílé tváře neprozradily úkryt jejich černého přítele otrokářům. Obavy profesor rozptýlil projevem, který obsahoval hlavní myšlenky *Chaloupky strýčka Toma*.

Po té pohromě přestal Humphrey kritizovat mou obchodně-literární činnost a já o *Svítání na prérii* mlčela, neboť jsem svého filosofa měla ráda. Abych panu Littlovi vynahradila duševní strádání, náklady na léčbu po Cape Codu a finanční ztrátu zaviněnou Humphreyho sebedůvěrou, sepsala jsem narychlo román *Zbožná lež Lízy Thompsonové*, který překonal všechny mé dosavadní prodejní rekordy a ze zisku si pan Little postavil vilu v Provincetownu. *Kudy kam?* upadlo zatím v milosrdné zapomnění.

A jak je život samé překvapení, kdyby se byl chudák Humphrey dožil mého věku, začal mi možná opět kázat o literatuře. Kdo byla Laura A. Lee, neví dnes ani univerzitní profesoři amerického písemnictví; naposled jí vyšla kniha asi před čtvrt stoletím. Byla to její prvotina a vydali ji (ve zkráceném znění) jen proto, že podle ní pan Griffith natočil úspěšný film, kde se román ovšem scvrkl na desetiminutovou taškařici a z textu zbyl pouze jeden seškrtaný mezititulek. Kdežto Humphrey?

Nedávno mě navštívila pravnučka — nebo je to prapravnučka? — a přinesla mi zbrusu nové vydání *Kudy kam? aneb Svítání na prérii,* které prý čtou v semináři americké literatury minulého století na její koleji. Nemohla jsem uvěřit vlastním očím, ale držela jsem knihu v ruce, uvěřit jsem musela. Opatřili ji 75 stranami poznámek a 37 stránkovou předmluvou od profesora z Harvardovy university, kde se pravilo, že odhlédneme-li od běžné melodramatické zápletky a těžkopádně didaktických pasáží, román je neobyčejně svěží evokací amerického panenského pralesa, jakou nám snad kromě Coopera, jehož vliv je ostatně patrný, nikdo jiný v naší národní literatuře minulého století nezanechal. Jestli byl Humphrey někdy v lese, nevím, ale pochybuju. Narodil se v pískovcovém domě u Stuyvesantova parku v New Yorku, celý, bohužel tak krátký život prožil v knihách, v nichž ležel i v letním sídle v Catskills, kam jsme jezdili na dovolenou. Jeho svěží evokace byly vlastně výsledkem podobného literárního procesu jako moje cesty k oltáři s veselými překážkami. Ani já jsem nečerpala ze života, jenom místo abych imitovala Coopera, cucala jsem si je z prstů. To je ovšem patrně podstatný rozdíl, a proto moji pravnuci dnes čtou — nebo snad jen studují — Humphreyho samojediný výlet do krásné prózy. Ale jen neklesat na mysli. Módy se mění, třeba si někdo vzpomene na Maggii Fullerovou a nějaký učenec, který si povšimne, že v mých příbězích o cestách k oltáři jsou všechny hrdinky "chytré", kdežto všichni hrdinové pouze "hezcí", vydá *Zbožnou lež Lízy Thompsonové* s podrobným poznámkovým aparátem a v předmluvě dokáže, že podobně jako nešťastná Margaret, jejíž vliv je ostatně patrný, i já jsem byla raná bojovnice za ženská práva.

Doufám, že nedojde k závěru, že tahle krotká dychotomie je všechno, co mi zbylo z Margaretina bouřliváctví. Ale to sotva. Literární věda, mám někdy dojem, je umění, jak vidět duchy.

Řekla jsem Maggii:

"Slibuju ti, že svůj příští román napíšu, aby to bylo jako v životě." Měla jsem na mysli příběh Jasminy a jejího odloučeného Hasdrubala. Loučily jsme se na verandě před domem. Nad Cincinnati visela obloha jak z vánočního barvotisku.

"O to se nepokoušej," pravila Maggie. "Samas řekla, že Thackeray nejsi."

"Nejsem, ale chtěla bych být aspoň lepší, než jsem."

"Dokážeš jedině, že budeš horší, protože nejsi Thackeray." Zaklepala prstem na růžový hřbet knihy, kterou držela v ruce. Byl to můj signální výtisk románu *Kdo na koho vyzrál*, do něhož jsem jí vepsala dlouhé a vřelé věnování. "Drž se svýho kopyta."

"Člověk si má stavět vysoké cíle," řekla jsem.

Maggie se křivě usmála.

"Možná. Nakonec ale záleží ne na tom, co v životě chtěl, ale co se mu povedlo."

Políbila mě, nastoupila do kočáru, který jsem jí dala přistavit, kočí Tom zamlaskal, koně vyrazili a už jsem ji v životě neuviděla. V Liberty mi řekli, že tam v posledním roce války přijela na pohřeb mamince. Pracovala tou dobou jako ošetřovatelka v polním lazaretu Meadova sboru Grantovy armády. Po válce prý odjela na Jih, ale přesně to nevěděl nikdo. Už nikdy se nikomu neozvala, takže co se jí v životě povedlo, nevím. A vlastně ani, co v životě chtěla. Kromě Ambrose. To bylo ovšem pouze vzplanutí pošetilého mládí, které celý život vydrží jen v románech, jaké psala Laura A. Lee.

2.

Protože Ambrose byl člověk věrný, ale nikoli nadaný schopností číst jemné narážky a zahlédnout osobní motivy za činy směřujícími k objektivnímu dobru věci, počínal si často jako příslovečné velké zvíře mezi příslovečně křehkým nádobím.

Jeho konečný a vlastně šťastný pád — vrátil se přece z chicagské politiky, které nerozuměl, na bojiště v Corinthu a v Knoxville — začal patrně záležitostí s Carringtonem: jak se mě na něho na samém začátku svého pobytu v Cincinnati váhavě zeptal a pak mu málem uklouzlo, co si o tom skrznaskrz kancelářském generálovi myslí Lincolnův kancelářský pán nad armádou Halleck.

Tenkrát to nedořekl. Dozvěděla jsem se to až dávno po válce z dizertační práce svého vnuka Brendana. Brendana posedl nevysvětlitelný zájem o Občanskou válku obecně a o milého Ambrose zvlášť, ačkoliv jsem svým dětem, tím méně vnoučatům, jakživa neřekla o trapném týdnu v Liberty a o dámské jízdě à la Paul Revere, která se ovšem netýkala obecného blaha.

Carringtona Halleck odhadl dobře: na vojáka si jenom hrál, a možná proto slyšel trávu růst trochu víc, než skutečně rostla. I když Bůh ví: z Brendanovy dizertace to jasné není, ani z mých vzpomínek. *Lidé si neuvědomují rozsah a plány zrádcovských společenstev*, napsal Carrington Ambrosovi. *Mnozí se už ani neodvažují dát najevo věrnost vládě, protože se obávají, že jim nějaký copperheadský bídák zapálí střechu nad hlavou.* Konkrétní údaje o takových zločinech v psaní chyběly, a Ambrose byl v rozpacích. Nato mu napsal Halleck, vyjádřil pochybnosti o Carringtonově úsudku a v závěru psaní byla pasáž váhajícímu Ambrosovi víc než srozumitelná: "Generál Carrington nikdy nestál na bojišti. Možná že tam by se osvědčil líp." Ambrose snad dopis ani nedočetl — jestli ne, byla to chyba — a pustil se do práce. Carringtona zbavil velení nad distriktem Indiany a nahradil jej Milo Hascallem. Brzo se sice ukázalo, že Halleckovy výhrady k diplomatickým schopnostem velitele Indiany platí i na nového generála, ale v jednom bodě se Hascall od svého předchůdce lišil velmi pronikavě: byl přímo cítit střelným prachem. Byl to veterán od Shilohu a od Stony River, kde velel dokonce armádnímu sboru. Čeho se Halleck u Carringtona pouze obával, Hascall proměnil ve skutek. Nelámal si hlavu s pravděpodobností složitých konspirací, a jal se proti nim preventivně zakročovat. Halleck měl brzy příležitost obnovit korespondenci s Ambrosem.

Bohužel, nový dopis nebyl tak adresný jako předchozí. Halleck pouze obecně rozumoval o *obtížnosti najít oblastní velitele, kteří by měli dost zdravého rozumu, aby se vyhnuli konfliktům s civilními úřady.* Jméno shilohského generála v psaní nepadlo, a co ten dělal, sotva se Ambrosovi, jenž preventivně nenáviděl každou zradu, mohlo jevit jako počínání člověka s nemocným rozumem.

Řekla jsem, že nedočetl-li Ambrose první dopis do konce, udělal chybu. Hned po informaci, že generál Carrington jakživ nepodstoupil křest ohněm, následovala totiž jemná narážka: *Za své povýšení vděčí Carrington výhradně politickému vlivu.*

Ambrose ovšem dopis jistě do konce dočetl a věděl, že "politický vliv" znamená v téhle souvislosti Ollieho Mortona, guvernéra, jemuž Carrington před povýšením dělal poradce pro otázky konspiračních rejdů v Indianě. Jenomže Ollie kdysi vlastníma rukama vyrobil Ambrosovi klobouk, kdežto Carrington byl pouhý poradce. Jeho volání po rázných akcích proti copperheadům souhlasilo však s Ollieho názory a Ambrose tedy myslel, že — Carrington Necarrington — jedná v duchu Ollieho intencí, když vydal rozkaz č. 38 a zlikvidoval Vallandighama.

V duchu těch intencí si počínal i Hascall; naneštěstí tou dobou se už Ollieho intence začínaly měnit. Ollie Morton byl politik a věci vážil podle ohlasu mezi voličstvem, ne z hlediska principiální důslednosti. Měl taky prsty dost dlouhé, aby dosáhly do Washingtonu.

Že Ambrose se ho nedovolil, než odstranil jeho protégé Carringtona, to by byl možná spolkl. Ale brzo zjistil, že shilohský generál dělá v jeho volebním distriktu politickou paseku, která popuzuje nejen zatvrzelé mírové demokraty — ti mohli být Mortonovi ukradeni — ale i lidi nakloněné válce. Začal proto spěšně vlastní radikální názory ředit a dožadoval se u své hlavní washingtonské konexe, válečného sekretáře Stantona, aby Ambrosovi nařídil Hascalla vyměnit. Stanton se k tomu neměl.

Potom 28. května Hascall vsadil do žaláře vlivného senátora Douglase, Morton znova zaútočil na Stantona a k Amrosovi vyslal osobního kurýra s depeší, o jejímž obsahu lze se dohadovat pouze z telegramu, jejž Ambrose hned nato odeslal Lincolnovi a který můj vnuk Brendan v dizertaci ocitoval v plném znění. Vyplývá z něho, že

Lincoln Ambrosův postup, včetně rozkazu č. 38 sice před několika dny schválil, jenže teď se Ambrose od Mortona dozvídá, že v tomhle bodě ani jeden člen prezidentova kabinetu s Lincolnem nesouhlasil. Z Mortonovy depeše si proto Ambrose vybral, že jeho akce musela být pro prezidenta zdrojem rozpaků a na to poznání reagoval po svém: *Moje názory, jak si v oblasti pod mým velením máme počínat, se změnily jen v jednom ohledu,* telegrafoval Lincolnovi. *Měli bychom být ještě tvrdší. Vy moje názory znáte, nesmíte však připustit, abych stál v cestě postupu, pro nějž se rozhodnete.* A nabídl rezignaci. Lincolnovi tím z dilematu nepomohl. V té době vojenských porážek, politických mračen a blížících se voleb útočily naň starosti ze všech stran, a navíc měl Ambrosa rád. A kdo — kdo jako Lincoln nepatřil k mužům nesmiřitelných a tuhých nenávistí — by neměl? Na telegram tedy odpověděl pýtickou větou: *Až se rozhodnu Vás vyměnit, vyrozumím Vás o tom včas,* a dodal — ačkoliv toho případu se Mortonova interpelace netýkala — že vláda lituje, že se muselo přikročit k Vallandighamově zatčení, ale už se stalo a *všichni v té věci stojí za Vámi.*

Jak jinak si měl Ambrose taková slova vyložit než jako schválení svého postupu? A Mortonova depeše? Sám tuhý a neohebný, vykládal si ji Ambrose podle sebe. Morton byl přece starý kamarád z Liberty. Že život v politice naučil guvernéra ohebnosti, nevzal Ambrose v úvahu.

Jenže starého kamaráda z Liberty život ohebnosti naučil velice dobře. Napsal znova Lincolnovi — situace v Chicagu se přiostřovala — a uvedl v potaz moudrost rozkazu č. 38, s nímž předtím souhlasil. Posiluje prý demokratickou opozici proti válce. Svůj náhlý odpor k radikalismu generála Hascalla zase zformuloval tak, že v oblasti Ohia jsou vojenští velitelé vlastně zbyteční. Pokud budou mít guvernéři podporu Washingtonu, sami si poradí s problémem, s nímž se nešikovně potýká Hascall.

Nad novým Mortonovým dopisem se Lincoln sešel se Stantonem. Plodem schůzky byl Lincolnův příkaz Stantonovi, aby Ambrosovi vysvětlil, že Hascall, jakkoli zkušený a věci oddaný je to důstojník, nedostatkem diplomatického taktu bouří už tak dost rozbouřené veřejné mínění. Ambrose se prý má vystříhat všeho, co by mohlo ohrozit postavení funkcionářů věrných Washingtonu, jako je guvernér Morton. Vzkaz uzavřela nová pýtická rada: prezident prý neočekává, že *generál Burnside za každých okolností všechny uspokojí,* ale jenom že se vyhne zbytečným problémům.

Tyhle meziřádkové pokyny udělil Stanton Ambrosovi 1. června a to nikoli telegraficky, ale dopisem. Toho dne Ambrose, vždycky mizerný čtenář textů mezi řádky, posílený v přesvědčení, že Lincoln od něho očekává, co se chystá udělat, a rozezlený urážlivým článkem o prezidentovi, který si právě přečetl v *Timesech,* vydal rozkaz č.84 a chicagské *Timesy* zastavil.

3.

Na rozdíl od Ambrose jsem já nakloněna tomu, myslet si o lidech spíš horší než lepší a jejich motivaci zásadně podezírat. Je to jistě vada charakteru, někdy však výhodná. Proč politik tak zkušený jako Stanton v době, kdy dramatické události v Illinois měly tak rychlý spád, svou radu Ambrosovi neodtelegrafoval — ačkoliv ve Washingtonu tuhle novou a užitečnou hračku všichni milovali — nýbrž odeslal poštou?

Tahle skutečnost mi něco našeptává.

Kdyby byl Stanton dal rady přeložit do morseovky, nedošlo k zákazu *Timesů* a mnoha lidem, včetně Lincolna, ale zejména Ambrosovi by to ušetřilo hodně ostudy. Nevedlo snad Stantona k takové nepochopitelné botě, že sám nevěděl, co dělat, a rozhodnutí tedy přenechal, tak říkajíc, technologickému osudu?

Potvrzovala by to okolnost, že pár dní nato odložil Stanton pero a uchýlil se k telegrafnímu klíči.

A poslal telegram na špatnou adresu.

4.

Sotva kočár s Maggií zmizel za rohem, sedla jsem k rukopisu *Nevěsty z Karoliny* a zpytovala svědomí. Rukopis jsem měla uložený v levém šuplátku psacího stolu, kdežto v pravém spočíval manuskript právě vznikajícího románku s pracovním názvem *Opatrnost a předtucha:* stoprocentní Laura, včetně napůl vypůjčeného titulu. *Nevěsty z Karoliny* jsem měla asi dvacet stránek, *Opatrnosti a předtuchy* nejmíň desetkrát tolik. Jako vždycky, vymýšlení mi šlo snadno.

Tedy vymýšlení. Přečetla jsem těch asi dvacet stránek *Nevěsty*, zjistila jsem, že je jich jen osmnáct; pak jsem se ponořila do *Opatrnosti* a na čtyřicáté stránce mě polilo horko. Hezký hrdina příběhu farmář Frederick tam flirtoval s chytrou Maureen, dcerou majitele místního obchodu se smíšeným zbožím, jenž má problém s pitím whisky. Při pokusu o polibek vyjde Frederickovi rána z brokovnice (vracel se právě z lovu), která Maureen sice nezraní, ale k nespravení ožehne její nové šaty. Je vyloučeno, že by se dívka s dírou na zadnici nepozorovaně dostala přes vesnici domů, Fred tedy ze šňůry na zahradě sundá šaty své sestry Kate a poškozená milá se odejde převlíct do ložnice Fredových rodičů. Tam ji otevřeným oknem spatří v korzetu místní drbna slečna Petersová. Z téhle základní situace se pak měla rozvinout obvyklá cesta k oltáři s humornými překážkami. Polilo mě horko.

Totiž: vymyslela jsem si to? Vrátila jsem se k osmnáctistránkové *Nevěstě z Karoliny*, a provlhlá skrz sametovou blůzu, jsem ji přečetla znova. Nebylo pochyb. Labichovskou frašku kokety s myslivcem jsem si nevymyslela: převzala jsem ji z *Nevěsty z Karoliny*, kde to bylo podle skutečnosti. Jenom jsem ji trošku upravila pro potřeby zábavné taškařice.

Totiž — podle skutečnosti? Takhle ve skutečnosti přišla kuchačka Gospel o nohu. Jako sedmnáctiletá pokojská leštila stříbro, vedle ní čistil modlivý sluha Henry brokovnici pana Sinclaira, myslel přitom asi na vznešenější věci a nepřesvědčil se, jestli není nabitá.

Polilo mě horko. Moje vážné úmysly přetavily banální story z reality v drama, jež zachytila první kapitola *Nevěsty z Karoliny,* a to dokonce ve dvou variantách. První, zavržená a přeškrtnutá, proměnila klerikála Henryho v Gospelina nápadníka a jeho osudné zamyšlení v laškování mladých milenců. Stejně jako ve skutečnosti brokovnice spustila a zasáhla Gospel. Z oprávněného strachu před zlobou pana Sinclaira, jehož jsem z dobromyslného lenocha proměnila v honáka otroků, se Henry pokusil o útěk na Sever, chytli ho však a poslali na hluboký Jih. Tuhle variantu jsem opustila; jednak se mi motivace útěku zdála nepřesvědčivá, jednak jsem dobře nevěděla, co v románě, byť vážném, udělat se zmrzačenou dívčinou. Hlavně jsem se však obávala, že drastický efekt prodeje na hluboký Jih bych sotva trumfla v závěru románu, který jsem ještě neměla vymyšlený. Vyučila jsem se poetice u pana Poa a bez váhání jsem pasáž eliminovala, aby nekolidovala s klimaktickým závěrem. Flirt jsem pak proměnila v pokus o znásilnění, který ovšem učinil nikoli černý Henry, ale plantážníkův syn John. Měl přitom na zádech nabitou brokovnici. Rána ale nezasáhla Gospel, nýbrž cennou vázu z míšenského porculánu a John podezření svalil na Henryho. Tím začala, zatím nepříliš dramaticky, Henryho kalvárie, jež měla, přesně dle mého preceptora, prodejem na Jih vyvrcholit v závěru románu.

V oblečení už vyloženě mokrém jsem srovnala všechny tři příběhy. Měly společný ordinérní, třebaže skutečný výstřel z brokovnice.

Proboha, jak má vlastně literatura zrcadlit život?

5.

Ambrose vydal rozkaz k zastavení *Timesů* prvního června a hned nato odjel do Kentucky, aby se v Hingman's Bridge přichystal k tažení proti Braxtonu Braggovi. Záležitost listu koketujícího se zradou pustil z hlavy.

Rozkaz, který *Timesům* doručil posel druhého června ráno, Storey a jeho redaktoři ignorovali a noviny ten den ještě vyšly. Storey si rychle obstaral výnos podepsaný soudcem Thomasem Drummondem, jímž se platnost Ambrosova nařízení pozastavila až do konečného rozhodnutí soudu severního okresu státu Illinois, jenž měl zasedat třetího června ráno. Drummondův výnos se Storey pokusil vnutit důstojníkovi dohlížejícímu na provedení Ambrosova ediktu v redakčních místnostech *Timesů*. Ten jej však odmítl vzít na vědomí a vrátil se do Camp Davis, patrně aby přivedl posilu. Storey za ním poslal zvědy na koních a po městě se rozlétla zvěst, že do Chicaga co nevidět vtrhne armáda.

Ráno třetího června, právě když se dosazovalo číslo, skutečně přijel k budově *Timesů* jezdec a hlásil, že k městu pochodují oddíly generála Johna Ammena. Ukázalo se, že měl pravdu: oddíly dorazily na místo v půl třetí. Na výzvu, aby je pustil dovnitř, Storey nereagoval, vojáci vyrazili dveře, nahrnuli se do tiskárny, zastavili rotačku, balíky hotových novin vynesli na ulici a bajonety je rozcupovali na cimprcampr.

Přehlédli však menší lis ve vedlejší dílně a ten plnou parou chrlil letáky. Všichni chicagští občané, jimž je drahá svoboda, psalo se v nich, mají se ihned shromáždit před budovou *Timesů*.

Tím začalo drama, nebo fraška, nebo filozofická otázka, s níž se asi my Američani budeme potýkat, dokud na světě bude Amerika.

Netrvalo dlouho a k tiskárně proudily davy lidí. Současně se taky rozneslo, že ozbrojené bojůvky copperheadů zaútočí na budovu republikánské *Tribuny,* aby ani loajální tisk nepřišel zkrátka. Redaktoři *Tribuny* se tedy v domě zabarikádovali a vyhlásili, že list udrží, i kdyby je napadla copperheadská přesila. Republikáni nehodlali však osud novin ponechat v rukou metérů a sazečů a kolem *Tribuny* zaujalo bojové postavení osm set mužů domobrany pod velením plukovníka Haucka, každý vyzbrojen třiceti ostrými náboji. Navíc se na scéně objevil můj starý známý plukovník Jennison, a pochoduje s rozevlátým johnbrownovským plnovousem podél řad domobranců v pohotovosti, sliboval daleko slyšitelným hlasem, že odváží-li se zrádci zaútočit, "vydláždí okolí tiskárny lebkami copperheadských nebožtíků".

Krátce a dobře, v podvečer toho dne se nesnadno definovatelné pojmy neloajality a oslabování bojeschopnosti armády proměnily ve značně hmatatelný malér.

V půl osmé večer byla ulice před budovou *Timesů* už tak plná stoupenců míru, že z oken redakce vyzvali dav, aby se odebral na náměstí o dva bloky dál, kam se spíš vejdou. Valili se tedy na náměstí, semtam se někdo s někým popral a bylo hodně strkání a všeobecného zmatku a nade vším zněl hřímavý řev. V okně kolegy, který na náměstí bydlel, cítil prý Humphrey zřetelně pach mizerné whisky, který pokaždé zaval z dvaceti tisíc hrdel, když začala skandovat hesla, jež nebyla možná, liberálně řečeno, zrádcovská, rozhodně však neoslavovala Lincolna a jeho generály. Tu a tam zaznělo i dobře skandovatelné jméno Vallandigham, ale hlavně se dožadovali, aby k nim promluvil Storey.

Jenže Storey nebyl orátor, jenom psavec, nebo spíš cenzor svých redaktorů a na tribuně se neobjevil. Nakonec se dav, včetně nějakých tří tisíc označkovaných copperheadů, musel spokojit s náhradními řečníky a po jejich nepozoruhodných výkonech přijal rezoluci končící, v kontextu doby ambivalentním, prohlášením *věrnosti Unii, nad niž důležitější je toliko věrnost svobodě, která musí být zachována, ať to stojí co stojí.* Tou dobou se na náměstí rozmnožily potyčky s policajty, ale ty strážci zákona zvládli, takže nedošlo k ničemu, co by donutilo generála Ammena vyhlásit stanné právo. Pouze jakýsi rozjařený muž v plátěném převlečníku s velkou měděnou hlavičkou v klopě, jenž mával kloboukem vztyčeným na vycházkové holi, hulákal, že je "s to obratem ruky sešikovat dost copperheadů, aby rozlátili *Tribunu*," a vydal se vratkým krokem k redakci těch novin, odkud jeho postup dychtivě sledoval podmračený plukovník Jennison. Policajti sebrali copperheada dřív, než přišel k úrazu.

Den nato se konal republikánský tábor lidu. Třebaže na něm opět vystoupil plukovník Jennison a opakoval nabídku, že jeho lidi rádi chicagským zjemnělcům pověsí illinoiské zrádce, protože v Kansasu už nemají koho věšet, průběh shromáždění byl nesrovnatelně mírovější než bouřlivá demonstrace mírových demokratů. Těsně před tím, než začali řečníci řečnit, se přítomní totiž dozvěděli, že na Lincolnův příkaz generál Burnside z Kentucky zákaz *Timesů* odvolal.

6.

Co se stalo? Zemí křížem krážem počaly létat telegramy. První odeslala z Chicaga do Washingtonu po obědě třetího června před večerním srazem Republikánů, skupina politiků a byznysmenů vesměs v pozicích tak nebo onak závislých na veřejném mínění, kteří dostali strach z blížících se zvuků davové vášně a žádali prezidenta, aby Burnsidův edikt zrušil. Byli mezi nimi dva političtí profíci, Turnbull a Arnold, a ti připojili naléhavou doušku, aby prezident věnoval rezoluci *vážnou a bezodkladnou pozornost.*

V době, kdy prezident ve Washingtoně četl telegram chicagských byznysmenů, Ambrose v Kentucky měl v ruce jiný telegram, od Hallecka: místo tažení proti Braggovi v Tennessee, má zorganizovat a co nejrychleji do prostoru Vicksburgu poslat posily pro generála Granta.

Sotva se pustil do tohoto hlavolamu, doručili mu ještě jednu telegrafickou depeši, tuhle od ministra války Stantona: okamžitě — na prezidentovo přání — odvolat zákaz *Timesů*.

Mohl se v tom Ambrose, který v Kentucky neměl možnost ani koutkem oka nahlédnout do zákulisí, vyznat? Patrně zaklel, nicméně obratem ruky odtelegrafoval příslušnou instrukci generálu Ammenovi v Chicagu. Pak znova pustil Chicago z hlavy a pokračoval v řešení vicksburského rébusu.

Později se ukázalo, že prezidenta, zviklaného všemožnými žádostmi, rezolucemi, zprávami, voláním o pomoc a výzvami, přiměla k rozhodnutí naléhavá douška starých kongresových profesionálů Isaaca Arnolda a Lymana Turnbulla. Zavolal tedy Stantona a myslel si, že se tím zbavil dilematu. Jenomže ani ne půl hodiny po Stantonově depeši Burnsidovi vyťukával telegram v prezidentské kanceláři nové poselství z Chicaga, od kongresmana Arnolda: *Moje douška k předchozímu telegramu nevyjadřuje žádný názor ve věci zrušení rozkazu o zákroku proti Timesům.* Prezident, zvyklý klestit si cestu zmatky a jinotaji, uměl číst mezi řádky mnohem líp než Ambrose a tak v šest hodin večer čtvrtého června letěl po drátech další telegram, od Stantona Burnsidovi v Kentucky, se sdělením, jež přes zamotaně podmínečnou formulaci bylo jasné: *Pan prezident mě požádal, abych Vám vzkázal, že jestliže jste dosud nepodnikl nic na základě telegramu, jejž jste obdržel o něco dříve dnešního dne, nemusíte nic podnikat a máte vyčkat dopisu, který byl poštou odeslán včera.*

7.

Celá abrakadabra mě utvrzuje v přesvědčení, že Stanton ponechal dilema k vyřešení technickým možnostem komunikace. Těžko si představit, že například nevěděl o Halleckově telegramu odeslaném Ambrosovi do Kentucky o den dříve, jímž se měnil příkaz připravit ofenzívu proti Braggovi v organizování posil pro Granta ve Vicksburgu. Byl přece ministr války. Přesto telegram, sice zamotaně, ale při troše přemýšlení nakonec jasně odvolávající předchozí odvolání zákazu *Timesů* neposlal do Kentucky, nýbrž do Cincinnati, kde Ambrose už dávno nebyl. Kdyby měl telegram správnou adresu, byl by asi Ambrosa zastihl dřív než on sám, v půl sedmé večer, odtelegrafoval Ammesovi, že *Timesy* mohou poračovat v krasojízdě. V Cincinnati přijal depeši několik minut po šesté kapitán W.P. Anderson, obsah ho zmátl a nějakou dobu mu trvalo, než pochopil, že jde o "omyl" v adrese. Dal pak telegram přeťukat a odeslat Ambrosovi v Hingman's Bridge.

Na tuhle poslední (myslel si) zmateční výzvu odpověděl Ambrose, obvykle promptní, až sedm hodin poté, co došla. Že si dal tak na čas, dá se vysvětlit buď, že měl plné ruce práce s nesnadnými přesuny vojsk k Vicksburgu, anebo taky že konečně dostal vztek. Když ve dvě hodiny ráno zasedl k telegrafu, nadiktoval ne zcela koherentní (únava? vztek?) sdělení Stantonovi: *Váš telegram rušící prezidentův rozkaz v záležitosti chicagských Timesů došel pozdě. Odeslal jsem už tou dobou telegrafické pokyny odvolávající můj původní rozkaz. Jsem v situaci velice trapné a prosím Vás, abych v tom případě dostal přesné pokyny.*

Přes stylistické nebo snad gramatické nejasnosti, Lincoln i Stanton telegramu jistě porozuměli. Co četli, byla ovšem opravená verze. Z původního, mnohem koherentnějšího textu vyškrtl Ambrose celý závěr a uložil jej mezi své papíry, kde je pro svou dizertaci objevil můj vnouček. Tam Ambrose psal:

Jsem v opravdu trapné situaci a dovoluji si požádat, abych v podobných případech buď dostal přesné pokyny, nebo aby mi bylo dovoleno rezignovat z armády. Své názory na to, jakou politiku má moje velení prosazovat, nemohu změnit a je mi líto, že se neshodují s názory vlády.

Ve vší uctivosti žádám, aby mi bylo dovoleno odejít ze služby.

Lincoln mu to nedovolil a Ambrose sloužil dál, málem do roztrhání těla. Říká se, že žádný generál Unie nestanul na tolika bojištích jako můj přítel.

8.

Dopis, jehož odeslání poštou prvního června avízoval Stanton v telegramu ze čtvrtého června, zastihl Ambrosa v Kentucky až dvanáctého. K různým radám týkajícím se Hascalla, Mortona a všeobecné rozvážlivosti, připojil Stanton, s křížkem po funuse, doušku, jež dvanáctého června musela Ambrosovi znít, slušně řečeno, ironicky: *Poté, co jsem napsal tento dopis, obdržel pan prezident informaci, že jste zakázal chicagské* Timesy. *Požádal mě, abych vám sdělil, že by podle jeho názoru bylo pro Vás líp, kdybyste při nejbližší vhodné příležitosti rozkaz odvolal. Domnívá se, že takové akce vzbuzují obecnou podrážděnost a ta způsobí víc škody, než kolik by napáchal časopis sám. Vláda schvaluje Vaše motivy a je upřímně odhodlána poskytnout Vám účinnou pomoc. Kdežto však vojenská rozhodnutí ponechává Vaší rozvaze, pokud jde o administrativní otázky, jako je zatýkání civilistů a zákazy tisku, pan prezident si přeje, abyste se jej předem dotázal.*

Na to Ambrose už neodpověděl. Telegramem z dvanáctého června jenom potvrdil příjem dopisu a poznamenal: *Dopis mě dostihl teprve dnes.*

Celá pohnutá, precedenční a Ambrosem sotva zaviněná komedie plná omylů, jíž generál Burnside patrně vejde do našich dějin jako vojenský dráb, jenž potlačoval svobodu projevu, má sama na konci doušku. Je v dopisu, který Lincoln sedmadvacátého května 1864 poslal kongresmanu Arnoldovi, autorovi onoho opatrně neutrálního druhého telegramu, po němž se prezident pokusil odvolat odvolání. Zní:

Dnes už si vůbec nejsem jist, jestli odvolání nebylo správná věc.

Pýtická, gramaticky pochybená věta.

Těžko se z ní však dá vyčíst, že prezident byl o správnosti svého rozhodnutí naprosto přesvědčen.

9.

Jasmine odjela a slehla se po ní země. Jediné psaníčko od ní nepřišlo. Brzo po válce jsme se přestěhovali do Chicaga, kde můj Humphrey dostal profesuru na univerzitě. Dopis, který jsem odtamtud odeslala na adresu plantáže pana Carmichaela, přišel po několika měsících zpátky.

Ubíhaly týdny, měsíce, potom roky. Z Jihu přinášely noviny divné a nepěkné zprávy. Do Chicaga se valily davy osvobozených otroků, kteří kolem hlučného a dynamického středu města brzy vytvořili věnec bídy a taky spektakulárních, i když pochybných příběhů o úspěchu. Humphrey se tomu pokoušel čelit filozofií: první krok je svoboda, říkal. Po ní musí přijít osvěta, pak lepší životní úroveň, nakonec plná rovnoprávnost a blahobyt. Mluvit o tom dokázal krásně a všechno se zdálo jednoduché a čistě jen otázka času. Musím říct, že se neomezoval jen na filozofování, ale stal se duší všemožných výborů, které založili abolicionisti, pokud je osvobození otroci nepřestali bavit. Otvíral školy pro černé děti, noční kurzy pro jejich rodiče a pak zničehož nic zemřel.

Bylo mi sotva čtyřicet. Pořád jsem psala své románky; ne tolik co dřív, taky jsem to nepotřebovala, peněz jsem měla dost. Děti rostly a na konta jsem jim už uložila víc, než si zasloužily — ale ne: vyrostly z nich hodné děti, z Loretty hezká a zcela dívčí slečna, z Jimmyho pilný student a primus Latinské školy v Chicagu. A já psala. Proč? Protože mě to bavilo. Protože čtenářek mi neubývalo. A protože mezi sumírováním historek, na něž čtenářky čekaly a které ze skutečnosti měly jen zašifrované přání, aby to takhle v životě bylo, jsem smolila příběh o *Nevěstě z Karolíny*.

Vzpomínala jsem na Jasminu. Občas mi přišlo divné, proč na ni tolik myslím; skoro výčitka, protože moje vlastní někdejší holkakluk mi v hlavě zdaleka tak neležela, ani když už byla zasnoubená s mladým advokátem z New Yorku, který se dal na politiku a začínal bohatnout, rychle, plynule a velice; z čeho jsem se radši neptala: bylo to v druhém prezidentském období generála Granta.

Jednou, pár let před Humphreyho smrtí, poté co jsem se bez jediného napsaného řádku týden prala se svým vážným románem, popadla mě nesnesitelná touha po té líbezné dívce, jež kdysi nalévala mlčky koňak Ambrosovi, pak mlčky hleděla z okna na cincinnatské hvězdy a jednou se, plna úzkosti, zeptala: "Paní Tracyová, vy si myslíte, že — bude mír?" Touha tak trýznivá, že jsem všeho nechala a vydala se vlakem do Karolíny na plantáž pana Carmichaela.

Nikdy jsem tam nebyla a ruiny, které z plantáže zbyly, její někdejší krásu jenom naznačovaly. Velký dům zasáhla kanonáda, zůstalo pouze pár ohořelých trámů a čtyři prostřílené dorské sloupy, které nic nepodpíraly. I černošské chaloupky byly zpustlé, páslo se za nimi několik koz a před jednou seděl odraný stařeček a krhavýma očima mě sledoval, jak klopýtám mezi troskami zašlé slávy. Pozdravila jsem, něco zahuhlal.

"Hledám mladou barevnou ženu, která se jmenovala Jasmine," řekla jsem.

Stařeček jenom zavrtěl hlavou.

"Anebo kuchařku, kterou tu kdekdo znal. Byla jednonohá. Gospel."

Nic.

"Tohle byla přece plantáž pana Carmichaela?"

"Já nevim," řekl stařeček. "Nejsem vocuď."

Byl to nešťastník, který se přidal k exodu na Sever, vdovec s dětmi bůhvíkde, snad na Severu, ale daleko nedošel. Nechali ho umřít u metodistického duchovního ve vesnici, dál nemohl. Manželka duchovního však dědu postavila na vratké nohy slepičí polívkou; nyní pásl velebníčkovy kozy a toužebně hleděl kataraktickýma očima na Sever. Jít tam už neměl sílu. A taky neměl kam. Byl sám.

Vrátila jsem se k najatému kočáru a odjela do vesnice. Líbeznou dívku a jejího budižkničemu Hasdrubala jsem měla pořád před očima, ale duchovní taky nevěděl nic. Přišel do vesnice až v posledním roce války, stal se už jen svědkem všeobecného odchodu černochů z plantáže, jejíž majitel zahynul při bombardování divokými kanonýry generála Shermana. Vrátila jsem se do Chicaga.

Doma, váhavě a s mnoha škrty, jaké by redaktor v mých ostatních rukopisech marně hledal, vrátila jsem se k *Nevěstě z Karolíny* a dále se pokoušela dávat na papír skutečnost, jak jsem si ji zrekonstruovala, že byla : ne takovou, jakou bych si ji přála mít. Znova jsem si četla v Poeovi, o stálosti tónu, o blízkosti poezie hudbě, dokonce jsem Humphreymu dávala číst úryvky Jasminina příběhu přepsané prozatímně na čisto. To jsem předtím nikdy nedělala: Humphrey si z mých románků utahoval a po jeho vlastním literárním karambólu jsem se ho nechtěla dotknout. Ale tou dobou už mu otrnulo, Jasminin příběh byl vážný, žádná cesta k oltáři. Zrcadlil život, ne můj, samozřejmě, ale život mé líbezné dívky a její rasy. Humphrey, řekla jsem si, jako tolik profesorů, literatuře rozumí líp než já, jenom ji sám neumí psát.

Tezi o stálosti tónu mi Humphrey schválil, i když, podotkl, Poe měl na mysli krátké formy, ne román. A v Dickensovi — zamyslil se — sotva o stálosti tónu lze mluvit, i když — zase se zamyslil — jistě o zrcadlení života. A odmlčel se a přemýšlel a řekl: "Divná věc: jestli na tvých — hm — artefaktech, Lorraine, něco je, pak stálost tónu. Jsou to v podstatě frašky, kde se nic vážného neděje a nic vážného nevypovídá."

To jsem se zamyslila zase já. Tohle Poe stálostí tónu přece nemyslel. Anebo myslel? *V celé skladbě nesmí být*

*ani slovo, jež by, přímo nebo nepřímo, neposilovalo před-
em pojatý zámysl.* Jestli měly moje cesty k oltáři s
humornými překážkami nějakou kompoziční kvalitu, pak
že v nich zněly jen tóny, jež spolu harmonovaly; jejich
jednoduché melodie nerušily žádné disruptivní modula-
ce. A nenapsal snad můj Mistr taky, že *ten, kdo působí
požitek, je pro své druhy v lidském údělu důležitější než
ten, kdo poučuje.* Ano, snad, jenže. Vzpomínala jsem, jak
Humphrey, jako kněz hostii, pozdvihoval ke stropu Thac-
kerayho, a přemýšlela jsem o Gospel a jejím černokněž-
nickém synátorovi, o gastronomické vášni plantážníka,
zabitého Shermanovou artilérií, o filozofické debatě las-
kavého otrokáře s abolicionistickým fabrikantem ze Se-
veru, jak mi o ní Jasmine vyprávěla.

A prala jsem se s *Nevěstou z Karolíny.*

Potom Humphrey z ničehož nic zemřel a v žalu, který
trval dlouhé měsíce po jeho smrti, mi práce kupodivu
začala jít od ruky.

Všechno v rukopisu byla řádně podložená pravda: na
rozdíl od nupciálních taškařic, které jsem si cucala z
prstu, na *Nevěstu z Karolíny* jsem se důkladně připravila.
Nepsala jsem o ničem, pro co jsem neměla důkaz v
abolicionistických novinách, v Harrietě Beecher Stowe-
ové, ve Fredericku Douglasovi nebo v Dickensových
Amerických zápisnících, a koneckonců v tom, co mi vy-
právěla Jasmine a co jsem sama zahlédla při našich říd-
kých cestách na Jih.

A příběh se odvíjel. Jasmine s Hasdrubalem se poku-
sili odjet podzemní železnicí na Sever, ale dojela pouze
Jasmine. Hasdrubala dopadli lovci a po mnoha dramatic-
kých zvratech (všechno doloženo, nic jsem si nevymys-
lela) se někdejší domácí černoch, okukovaný bílými že-
nami, octl na rýžových plantážích na hlubokém Jihu.
Stará Gospel, invalida žijící z milosti pana Johna Sinclai-
ra, který mezitím plantáž zdědil, se oběsila brzo poté, co
jí syna prodali po proudu řeky. Román měl už přes pět
set stran, všechny ty věci se staly, jenom jsem je z růz-

ných pramenů soustředila do jednoho kraje. Ale protože jednotu tónu se mi zachovat podařilo, román nepůsobil jako nereálná kondenzace, ale jako teskná, epická kritika doby a jedné části naší milované a nemocné Unie.

Generální bas — ne: vše prolínající líbezný soprán příběhu — byla Jasmine; to smutné světlehnědé děvče, její strach, když se odvážila zeptat Ambrose — protože moje ujištění jí nestačilo, nebyla jsem voják — a generál, rozčilený těžkostmi s Vallandighamem, k ní obrátil tvář orámovanou krásným knírem a pravil: "Až je porazíme, děvče! Dřív ne!" Jasmine vystoupila z vlaku, šla pěšky na plantáž pana Carmichaela, ale z plantáže zbyly jen trosky; prastarý černošský pár, který tam jediný zůstal a živořil ze sklizně ubohého políčka, jí vyprávěl, jak v předvečer velké války hodného pana Lincuma Hasdrubala prodali, a Jasmine odjela na Jih, vyptávala se, blížila se chaosem Dixie k svému snoubenci.

Nejošklivější z divných nových věcí, o nichž začaly psát noviny po válce, byl předtím neznámý spolek bílých Jižanů. Jasmine se s Hasdrubalem nakonec setkala, ale štěstí trvalo jen pár dnů. Pak udeřili. Hasdrubal skončil na stromě, za ním hořící kříž.

Jasmine stála nad močálem nezdařených útěků, všechno v temných barvách smutku, v temné konstantě tónu, všechno hrozná pravda. Když jsem namočila pero, abych, přiznám se že v slzách, dopsala tu píseň, přišel listonoš a v poště barevná obálka s firmou nějaké restaurace.

10.

Ostuda — jestli to byla ostuda, a čí vlastně? — v Chicagu nebyl poslední malér milého Ambrosa. *Zlo, které lidé páchají, přežije jejich smrt, dobro však často pohřbí s jejich kostmi,* napsal Shakespeare a na Ambrosa to přesně platí, pokud člověk nahradí výraz "zlo" slovem "malér" nebo "karamból" nebo šedivým pojmem "neúspěch": Fredericksburg, Chicago, zpackaná šance u Petersburgu, jež do dějin války vešla pod jménem Kráter. O tom, co jí předcházelo, jsem slyšela až dávno po válce z úst nadporučíka Doutyho v chicagské restauraci Čarodějnická kuchyně.

Ambrosovi se povedly jen malé věci, nevhodné pro básně. Když dva měsíce po trapasu v Chicagu a poté, co vzorně zajistil přesun vojsk na pomoc Grantovi u Vicksburgu, promýšlel tažení proti Braxtonu Braggovi přes Cumberlandské hory do Knoxville ve východním Tennessee, dostal nápad, o němž by vojenští poeti možná psali básně, nenarodit se v hlavě poplety Burnsida. Ambrose nápad uskutečnil, jenomže — jinak nemohl — způsobem zdaleka ne tak ohromujícím jako později Sherman v Georgii.

Odpoutal se prostě od těžkopádných vozů, které běžně obstarávaly přísun proviantu, ale ve strmých horách zpomalovaly postup armády. Nařídil svým vojákům, aby žili z toho, co ukořistí za pochodu přes malebná pohoří, a díky tomu byl pohyb Třiadvacátého sboru tak rychlý, že rebelského generála Bucknera v Knoxvillu zcela zaskočil. Ambrosovi padlo do rukou dva a půl tisíce zmatených zajatců a jedenáct děl. Ještě v Knoxville vypracoval proto strategický plán pochodu z východního Tennessee přes Georgii k moři a Halleckovi o tom napsal: ... *žádný proviant nebrat, zásobovat se za pochodu a z ukořistěných skladišť nepřítele... Rychlost našich pohybů nám zajistí šanci, že se nepříteli nepodaří zasadit nám citelnější rány. Naše hlavní ztráty budou patrně sestávat z opozdilců.* Od Hallecka přišlo tehdy jen stručné zamítnutí: *O dlouhých expedicích do Georgie se zatím neuvažuje.* Labyrinty washingtonských kuloárů se však dopis dostal do rukou Shermanovi a ten, přesně o rok později, se svou velkou armádou rychle propochodoval Georgií k moři, do Savanny. Později se dal slyšet, že měl Ambrosův plán "v duchu před očima".

Jak to řekla Maggie: nezáleží na tom, co člověk chce, ale co se mu povede.

Ambrose chtěl hodně — především pomoct Unii vyhrát válku. Ale povedly se mu jen malé věci: nebo spíš věci, o nichž se básně nepíšou. Spořádaný ústup v první bitvě u Bull Runu, první, ale drobné válečné vítězství Unie u ostrova Roanoke, malebný spíš než dramatický pochod přes Cumberlandské hory a obrana Knoxvillu; organizování všemožných přesunů vojsk, často velikých, provedených vždy úspěšně, to jest profesionálně. Nic, co inspiruje poety.

A pak lapil Vallandighama.

11.

Kdykoli si vzpomenu na toho člověka, objeví se mi ve vnitřním zraku nosítka a na nich umírající stařec, kterého nesou k šibenici. Stín toho nelidského nářadí visel taky nad posledním soudním případem Vallandighamova života. Jeho politická kariéra byla tou dobou, v roce 1871, už pouze předmětem vzpomínek. Nakonec to pochopil, vrátil se k advokacii a tu provozoval podle stejného principu jako politiku: Vyhrát. O nic jiného nejde. Presumpci neviny chápal ne jako výzvu soudu vinu nikoli předpokládat, ale dokázat, nýbrž jako výzvu sobě samému, dokázat, co umí. Umírajícího starce poslal tedy na Golgatu v nosítkách.

Thomas McGehan nebyl umírající stařec. Z kresby v *Dayton Evening Herald* na mě civí tvář násilníka ze špatně osvětlené uličky, kumpána, jehož pěsti se hodí pro špinavou práci a který má proto přátele i mezi politiky. Ti přátelé najali Vallandighama a Vallandigham se dal najmout.

Říká se, že když Vallandighama odeskortovali do hlavního stanu generála Rosenkranse, odkud ho nazítří měli dopravit přes frontu k rebelům, Rosenkrans, ačkoliv přijal hrdinu copperheadů s nechutí a jako zrádce, loučil se s ním po večeři, jež se protáhla přes půlnoc, jako sentimentální Pilát s čistě umytýma rukama. Věřím tomu, protože v soudní síni ve Warrenském okrese vylíčil Vallandigham rvačku dvou lumpů, jež udělala tečku za bezcílnou pozemskou poutí gaunera jménem Tom Myers, tak, že rozplakal osm z dvanácti porotců. Ve tři hodiny odpoledne odročil proto soudce jednání na druhý den ráno.

Bylo slunečné odpoledne a Vallandigham s mladým advokátem Snopesem využili sklonku krásného dne k procházce lesem. V zeleném stínu jilmů tam Vallandigham vyložil Snopesovi svou hypotézu o případu McGehan versus Myers.

Oba muži se dostali do křížku — v tom se svědci shodovali — a McGehan srazil Myerse na kolena. Rozezlený Myers nahmatal v kapse pistoli, a jak se snažil vstát a zároveň vytáhnout zbraň, zachytil kohoutkem o lem kapsy, pistole vystřelila a kulka prolétla Myersovi levou srdeční komorou s fatálním následkem.

"A myslíte si, pane," řekl mladý právník Snopes,"že to tak bylo?"

"Myslím si, že to tak mohlo být."

"Zní to nepravděpodobně," řekl Snopes.

"Musíte to tedy prezentovat tak, aby to znělo pravděpodobně."

"Ale myslíte si, že to tak bylo? McGehan přece vystřelil taky — "

"Myslím si, že to tak mohlo být. Proto je moje povinnost jakožto obhájce přesvědčit porotu, že to tak bylo."

Mladý advokát se rozhlédl po krajině zářící sluncem, motýly, krásou života.

"Co když žaloba provede důkazy, že to tak nebylo?"

Vallandigham se na zeleného mladíka usmál:

"Příteli, je málo důkazů, které dobrý advokát nedokáže zviklat."

"I když sám věří, že jsou pravdivé?"

"Tím spíš je musí zviklat. Může se přece mýlit a obhájit klienta je věc profesionální cti."

Snopes už neřekl nic. Po procesu o tom napsal článek, vlastně Vallandighamův nekrolog. Na procházce lesem vypálil Vallandigham několik ran do kusu tweedové látky, kterou mu Snopes přidržel v různých vzdálenostech od ústí zbraně, aby zjistil, do jaké dálky výstřel látku poznamená ožehnutím. Vrátili se do hotelu, Vallandigham pozval Snopese na skleničku whisky k sobě do pokoje. V pokoji položil pistoli na krbovou římsu a nalil Snopesovi z láhve, jež rovněž stála na římse.

Snopes si všiml, že mezi lahví whisky a odloženou zbraní je ještě jedna pistole. Stejná jako ta, s níž před chvílí experimentovali v lese. Ale ponechal to bez komentáře.

Druhý den bylo v soudní síni plno. Někteří přítomní měli fyziognomii podobnou McGehanově a Myersově a na pomačkaných oděvech nesli stopy, že se do síně museli probojovat. Vallandigham vstoupil, porota — nebo většina poroty — zjihla dřív, než krásný Kléma otevřel ústa, a on začal dramaticky předvádět svou hypotézu o nešťastné náhodě. Rozkročil se, z kapsy povytáhl pistoli, natáhl kohoutek a oslovil porotu: "Takhle nějak Myers držel zbraň. On přitom ovšem nestál, nýbrž vstával z kleku." Porota — jako myška zmiji — sledovala pohyb hlavně Vallandighamovy pistole, jak se stáčela k advokátově hrudi.

"Asi takhle," pravil Krásný Kléma.

12.

Svědci se liší v tom, co Vallandigham vykřikl, když mu do hrudi vnikla kulka — z té druhé, nabité pistole, co ležela na krbové římse vedle láhve whisky. Podle některých zvolal zděšeně : "Probůh! Já se střelil!" Podle *Dayton Daily Journalu* výkřik zněl: "Zatraceně! Takhle se zbodnout!"

Mně se k němu hodí spíš ta druhá verze.

O život bojoval až do druhého dne do rána: těžce, jak o život bojují ti, co si myslí, že kromě tohoto života nemáme už nic. Přivedli k němu i McGehana v želízkách a i on slzel, asi upřímně, protože v hotelové posteli možná mizela jeho šance utéct šibenici.

Nakonec jí utekl. Vallandighamova smrt zapůsobila na porotu jako neproslovený závěrečný playdoyer, a ani mdlý výkon jeho zástupce mladého Snopese prokurátorovi nepomohl. McGehan, který by byl nosítka nepotřeboval, se k šibenici nevydal. Za pár let nato zahynul jinou kulí a ani za tím neudělala tečku šibenice, protože pachatel vypálil ve zcela jasné sebeobraně.

Tak skončil Vallandigham. Uměl krásně hájit svobodu, ale oč mu šlo doopravdy? Svou mimořádnou schopnost vyplýtval na hry se šibenicí.

Snad jsem k němu nebyla nespravedlivá.

13.

Ambrosa, svého drahého přítele, jsem po válce už neviděla. Dal se taky na politiku, nějaký čas byl guvernérem Rhode Islandu, kde se kdysi pokoušel stát se továrníkem, ale neuspěl. Pak zastupoval Rhode Island v senátě a potom mu zničehož nic zemřela Mary, jeho žena. Neznala jsem ji. Byla mladá, teprve devětačtyřicet let, a Ambrose ji přežil jenom o pět roků.

Říkalo se, jako se to říkává, že ho zabila manželčina předčasná smrt. Já tomu věřím. Ambrose nikdy nežil v první řadě pro sebe.

Naposled jsem ho spatřila v Chicagu, to ještě byla válka, jaro 1864. Ambrose se připravoval na kampaně toho jara, jež ho noční můrou bitev v Divočině měly dovést až k ostudnému Kráteru před Petersburgem a k propuštění z armády. Do Chicaga přijel z Virginie, kde dával znova dohromady svůj starý Devátý sbor, aby se s ním, ve svazku Potomacké armády, brzo na to ponořil do Divočiny. Dvacátého března pořádali chicagští Republikáni banket a pozvali Ambrosa k slavnostnímu projevu. Byla jsem tam s Humphreym, jenž v nedávné volební kampani zanedbával své profesorské povinnosti, až jsem se začala obávat, že dá vale akademickému životu, který mi vyhovoval, protože na manželky kladl mnohem menší požadavky než život kandidujících politiků. Přesto jsem v průběhu kampaně stihla napsat román o chytré Maud, která obratnými manévry přivede k rozumu (a k oltáři) hezkého Jonathana, jehož posedlo střídavé pominutí smyslů z politiky.

Hodně Republikánů v Chicagu dosud nezapomnělo, jak je Lincoln přivedl do nepříjemné situace, když odvolal Ambrosův rozkaz o zastavení *Timesů*. Storey toho taky zlomyslně využíval, naštěstí jen krátce, protože Gettysburg a Vicksburg a celkový obrat v ponurém směru války vzal vítr z plachet používatelům Ústavy, jako byl majitel *Timesů*. V obratu válečné štěstěny spatřovali chicagští Republikáni mezi jiným i potvrzení, že Ambrose měl s *Timesy* pravdu, a dokonce tvrdili, že jeho energický zásah proti Vallandighamovi a konec konců i ťafka Storeymu zlomily krk copperheadskému spiknutí skoro stejně účinně, jako na bojišti porazili Grant a Meade rebelská vojska. Doufali, že když se teď prezident veze na vítězné vlně a přátelská kritika už mu nemůže ublížit, Ambrose mu připomene, že se tenkrát před necelým rokem v Chicagu spletl.

Ambrose je zklamal. "Naprosto souhlasím se vším, co pan prezident udělal," říkal svým mocným a klidným hlasem, vysoký, čnící nad lekternu potaženou veselou vlajkou Unie, "a dnes večer mám stejné pocity jako ve chvíli, kdy jsem vydal rozkaz, který byl později odvolán." Stál v krásné modré uniformě, růžovou tvář v neuvěřitelném rámu kaštanových licousů. "Jsem stejně přesvědčený stoupenec svobody slova a tisku, jako který jiný člověk na světě může kdy být, ale když velím vojákům, jimž se má všemi možnými způsoby dodat síla, duševní i tělesná, a narazím-li na muže, kteří vojákům naší armády sílu dodávat odmítají, udeřím na takové lidi stejně, jako bych udeřil na nepřítele." V plamenech svícnů se Ambrosovi leskly oči, zlatý střapec šavle svítil na pozadí jemné látky kalhot, jaké mu kdysi Jasmine polila koňakem a jakou si vojáci zaslouží, protože tak často umírají. Vstoupily mi do očí slzy: mně, která jsem je pro své čtenářky vyrábět uměla, ale sama jsem je ronila jen zřídka, a v té chvíli, na té procovské večeři republikánského klubu v Chicagu, obklopena pány ve fracích a dámami ve velkých toaletách od Worthe, jsem cítila, že toho velkého, dětského muže miluju. Zítra bude už zase cválat v blátě silnic, vedoucích k zimě divokých bitev, aby ti tady mohli žít, jak žijí, ale taky aby mohla vůbec žít Jasmine a její lenošivý Hasdrubal. "Žalostně bych zklamal, nesplnil bych svou povinnost," říkal můj Ambrose nepochybujícím, vážným a naivním hlasem, "kdybych nedal v sázku všechno, co na světě mám, reputaci, postavení i sám život, a nedodával odvahu těm ubohým vojákům, kteří v poli denně hledí do očí smrti, aby ubránili vlast. To je všechno, co jsem chtěl říct, pokud jde o rozkaz, který jsem vydal a který byl později odvolán."

Potlesk, ovace, milá, mužná, trochu komická tvář, jejíž rám se stal synonymem pro ozdobu hejsků. Už jsem ho nikdy v životě neviděla: takhle a v těchhle slovech zůstal se mnou živ.

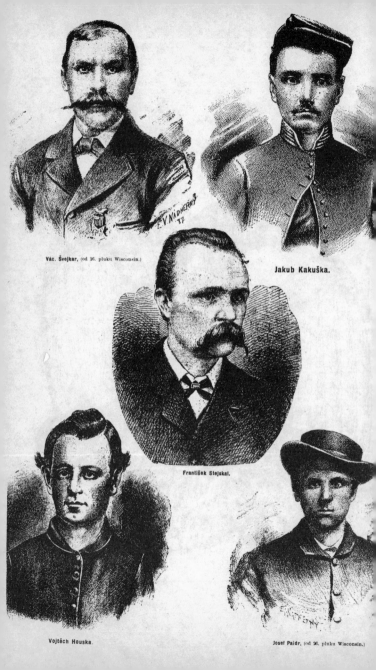

Vác. Švejkar, (od 26. pluku Wisconsin.)

Jakub Kakuška.

František Stejskal.

Vojtěch Houska.

Josef Paidr, (od 26. pluku Wisconsin.)

Kapitola pátá

Geza Miholotzy, Capt.

CHICAGO

Chrániče lamp drnčely jako plechové bubínky. Lampy byly mosazné, naleštěné a nové a lemovaly vchod kolem dokola. Zlaté světlo proudilo deštěm, kapičky vody se v něm studeně leskly. Předjel béžový kočár, černoch sklapl stupačku a rozevřel velký béžový deštník. Déšť se hustě lil. Ze tmy kočáru se do zlatého světla vystrčila dámská nožka ve šněrovacím střevíčku z lakované kůže, došlápla na stupačku. Černý lokaj vzal dámu jemně za loket a už stála pod deštníkem. Oči v hezkém obličeji pozvedla k ceduli lemované zlatou září lamp. ČARODĚJNICKÁ KUCHYNĚ stálo na ceduli zlatorudými písmeny na černém pozadí a pod tím, na transparentu zavěšeném jako vlajka, houpal se nápis GALA ZAHÁJENÍ. Dáma pod deštníkem vykročila ke vchodu. Zrzavé lokýnky se jí houpaly nad rameny v měňavé látce. Déšť bubnoval jako na plechový bubínek.

Houska slabě hvízdl.

"Housko!" pravila přísně jeho hezká paní Růža.

"Skotáku!" řekl Šálek. "Nejsi v Karolíně!"

"Hvízdá mi astma," řekl Houska a všichni se otočili za dámou, která prošla dveřmi z leptaného skla, kolem černého dveřníka v hlubokém předklonu a kolem restauratéra, jenž se pokusil o podobný předklon, ale zřejmě mu jej znemožnila revmatická záda. Dáma vstoupila do sálu, do hudby a do hustého kouře doutníků. Restauratér se narovnal. Přistoupil k němu Shake a podal mu knížku.

"Pro vašeho synovce," řekl. "Už ho pustili z karantény?"

Restauratér nechápavě pohlédl na knížku, potom si vzpomněl:

"Jo tak. Nojo, pustili. Velice zavázanej. Kolik vám dlužím?"

"Já si to u vás vypiju," řekl Shake a dodal: "A sním."

Pořád sledovali očima zrzavou dámu. Cestou mezi stoly se v měňavých šatech měděně leskla.

"Kdo je to, pane plukovníku?" zeptala se Boženka Kapsová pana Ohrenzuga.

"Nějaká spisovatelka," pravil restauratér. "Prej slavná."

Hleděli za dámou zářící jako svícen. U stolu v boxu v čele sálu, pod portréty Lincolna a prezidenta Granta, vyskočila hezká světležlutá černoška rovněž v měňavém hedvábí a rozběhla se vstříc spisovatelce. Dáma k ní vztáhla ruce. Pluly jedna k druhé jako dva blýskaví ptáci, uličkou mezi slávou gala ubrusů, pod červenými, modrými a bílými fábory. Setkaly se uprostřed jídelny a padly si do náručí.

"A kdo je ta druhá?" zeptala se Boženka.

Seržantovi projelo tělem škubnutí, jako by ho zasáhla minnie. Ale vrátil se do skutečnosti. Žlutou růžičku jakživ neviděl. Jenom si ji představoval: podle Cyrilova smutku, podle modelů v opuštěných plantážních domech. Takhle nějak vypadala. Jenom byla tehdy mladší. "Tahle?" slyšel pana Ohrenzuga. "Ta má na South Clark Street takovou jako — taky restauraci. Vod ní to vím, že je ta spisovatelka tak slavná."

Nový host vešel do dveří, dveřník se ukláněl. Zazněl plechový bubínek.

Na řeku Congaree padal hořící sníh.

"Umřela?" Cyrilkovi se zlomil hlas. Seržant viděl, jak stará černoška přikývla, ohlédl se. Po Carolina Avenue kráčel bubeník s prostřeleným bubínkem, který rachotil, nakřáple, skoro zlomyslně. Bubeník vypadal na dvanáct, z kapsy mu trčel generálský dalekohled a z dětských úst zapálený čvaňhák. Za ním, pod rozstřílenou zástavou, pochodovala četa vousáčů. Na dlouhém bidle nesli panáka z pytlů nacpaných bavlnou s krásně namalovanou

plechovou hlavou jednookého piráta. Uřízli ji někde v dobyté nálevně a na prsa pověsili hastrošovi ceduli JEFF DAVIS. Rezavý vousáč v první řadě za bubínkem hodil prázdnou lahví po okně výstavného domu na druhé straně ulice, ale netrefil se. Láhev se roztříštila. Z hloučku černochů křepčících na chodníku vyběhl mladík v krajkové košili, která ještě nedávno nebyla jeho, ne že by mu přepych krajkoviny musel být nedostupný — mladík vypadal k světu, mohl to být docela dobře lokaj — ale košile nešla dopnout přes hruď. Tedy kořist, nedostatečná kompenzace za leta služby. Mladík vtiskl vousáčovi do dlaně láhev náhradou za prázdnou, jež se roztříštila. Prostřelený bubínek zněl, jako by pochodovali s odsouzencem na popravu. Několikrát byl seržant svědkem i takové smrti, horší — třebaže doprovázené hudbou — než všechny jiné z obrovského sortimentu války. "Z plantáže pana de Ribordeaux v Texasu? Ne. Nikdo. A slečna umřela. Kdože? Nějaká stará bílá dáma sama? Promiňte, massa," řekla černoška. "Mám už děravou paměť." K bubínku se přidala píšťala. Cyril si sundal čepici, otřel si čelo. "Starší bílá žena," řekl. "Ne stará. Starší než ona. A ne dáma. Spíš bílá chátra. Měla ji dovézt sem, k slečně de Ribordeauxové." Černoška vzpomínala, bubínek, píšťala. "Je to, řikáte, asi tři roky?" "V jednašedesátým v létě," řekl Cyril. "Na samým začátku války. A ne dáma. Její muž byl v Austinu kovář." "Poslední návštěvu měla slečna, než umřela, to bude skorem rok. Ale to nebyla žádná bílá chátra. Slečna Sullivanová z Glenwoodovejch plantáže." "To ne. Tohle muselo bejt na samým začátku války. A rozhodně ne dáma." Stará černoška zavřela pohaslé oči. "Nezlobte se, massa. Ta moje paměť. Na začátku války, řikáte — to eště než massa Lincum—" "Ano, vzpomeňte si," naléhal Cyril, "Na začátku války—" černoška otevřela oči. "Tehdá slečna přestala chodit. Seděla támhle v křesle —" ukázala za sebe do velkého pokoje plného nábytku. U okna ze zalévaného olova stála plyšová lenoška na opěradle s krajkovou dečkou. Za oknem hořel sníh, zněl bubínek. "Bílá dáma," opakovala černoška zamyšleně. "Ne dáma," řekl Cyril. "Jednou k podzimku přijela slečnu navštívit vdova po panu Leblanc, co bejval dozorcem na plantáži pana de Ribordeaux, slečniného bratrance. Ale —" černoška zmlkla, bubínek rachotil, "— žádná bílá chátra. Já nevim, massa," pravila nešťastně. "Je mi moc líto, že nemůžu sloužit vojákum massa Lincuma. Ta moje děravá hlava..."

"Já ti přísahám, Cyrilku, přísahám ti," říkala úpěnlivě Linda, v ruce lavór s nějakým roztokem, za ní sténal raněný, " — při všem, co je mi —"

"Co je tobě svatý?" skočil jí do řeči, ale nešťastně, jako ona sama. Sestřičce divně blýsklo v očích.

"Při jeho památce," řekla tiše, vlastně šeptem.

Kráčeli v kouři a hluku domu, kde se ubytoval seržantův generál.

"Proč?" řekl Cyril. "Musela si to vymyslet. Jinak bych ji zabil."

"Na vymyšlení je to moc složitý," řekl seržant.

"Uchránit!" pravil trpce Cyril. "Měla ji nechat v Austinu. V tom domečku. Jeho stejně nakonec štvala až do Savanny. A tam ho uštvala k smrti."

"To ještě nevěděla, že ho starej vydědí," řekl seržant. "Nechtěla jí mít po ruce Etiennovi. Znáš jí —"

"Do Kolumbie!" Cyril se udeřil do čela. "Víc jak tisíc mil! Tomu sem měl věřit?"

"V létě v jednašedesátým to nebylo nic nemožnýho. Z Vicksburgu železnicí..."

Obešli rozbourané stavení, zasažené solidní střelou kapitána De Grese. Na zbořeništi si černý děda vybíral cihly a skládal je na vozík.

"Třeba tý kovářce cestou utekla," řekl seržant.

"To by na mě čekala v Austinu."

"Nedostala se tam. Něco jí do toho —" zarazil se.

"Chytili ji," pravil Cyril hořce. "Chytili! Bez papírů!" Rozhlédl se po hořících vločkách nad černými střechami, zaštkal. "Kde je jí konec?"

"Spíš to bylo tak, než že by Linda lhala," řekl tiše seržant. I když, pomyslel si... tisíc mil. Ale na začátku války. Kovářova žena s černou otrokyní. Podnikaly se takové cesty? Jenže muži na Jihu jsou galantní. Já ti přísahám, Cyrilku, řekla Linda, pak zašeptala: Při jeho—

Žal Cyrila přemohl. Sedl si na hromadu cihel a dal si hlavu do dlaní.

"Cyrile," pravil seržant. "Kamaráde. Někde se třeba schovala. Čeká na konec války. A válka už mele z posledního."

Hořící sníh, na řeku Congaree.

Seržant přistoupil k oknu, opřel se čelem o sklo. Kličkovaly po něm kapky deště. Déšť drnčel o mosazné stříšky lamp. V sále řachala Matesova banda a na parketě se otáčely nastrojené páry, mezi nimi slavná spisovatelka s nějakým důstojníkem, jeho Boženka, kterou vyváděl Vojta Houska. Pádecký se držel korbelu, tuhou nohu nataženou do uličky mezi stoly, kde přes ni klopýtali hosté cestou k parketu. Zamračeným pohledem pronásledoval Mařenku Kakuškovou, která se tvářila uraženě a se Schroederem v plukovnické uniformě se nesla jako velká dáma, jíž se doma v Milwaukee rychle stávala. Pádecký ji v chumlu tanečníků ztratil z očí a zuřivě se rozhlédl po sále, jako by někoho hledal. "Jesli sem strčej nos," zahulákal jako na lesy, "utrhnu jim ho a dám ho sežrat psoj!" běsnil. "Tady je podanejm zakázanej vstup! Todle je americkej candrbál!" "Měli ženy, děti a živnosti," pravil Shake. "A v kalhotech," řekl Šálek.

"Ja, das war wirklich unerwartet und — unangenehm," pravila Uršula. "Sorry," řekl seržant. "Já německy za ty léta zas zapomněl." Uršula mu položila prst na hřbet *ruky, na prsteníku měla krásně rytý snubní prsten, na prostředním prstě velký kámen jako skleněné vajíčko. Jedno z hnízda, které mu Frkač —*

"Mein lieber Mann," *pravila, potom:* "Das verstehst du noch immer, nicht wahr?" *Pokusil se vzít prsty s prsteny do dlaně, ale Uršula ruku stáhla, rozesmála se a pokračovala anglicky.* "Můj manžel to hned nepochopil. Znal je oba. Jedna z konzulových povinností je vést takové lidi v patrnosti. Náš agent o nich dost často podával hlášení. Nikde nechyběli —"

"Mlátit hubou, abys prodal vlastencum víc buřtů, co?" *řval v hospodě u Slavíků Pádecký.* "A dyž de teď do tuhýho —" "Tobě se to mluví, sousede," *pravil řezník Talafous.* "Ty teďkon nemusíš —"

"Nemůžu, Ferdo! Nemůžu! To je safraportskej rozdíl! Dybych moh," *Pádecký se praštil do kolena v gypsu a zavyl bolestí,* "žena nežena, děti neděti —"

"Docela ráda jsem je četla," *pravila Uršula a usmála se.* ""Nepatřím zrovna k obdivovatelům habsburského domu, i když jsem si vzala c.a k. diplomata. Jenže toho jsem si nevzala, že by mě nutili, jako v šestnácti —"

"Samá Čechie a Palackej a Havlíček a teďkon —" "Ovládni se, sousede," *pokusil se Pádeckého uchlácholit doutníkář, ale Pádecký pouze otočil rozlícenou tvář k němu:* "Ty taky, Kabrno! Na svatýho Václava vedeš rouhavý řeči, že Žižka, ne von, ponivač von se uvázal na ty voly a hřivny stříbra, už ani nevim kolik. A teď se ti naskýtá možnost, abys jako Žižka —"

Slovanská setnina se rychle scvrkávala, odchod dvou nejzazobanějších dobrovolců jí zasadil ránu málem smrtelnou. Čest zachránil rozvedenec Šálek, Kafka, hrstka ostatních, Maďaroslováci Kovácz a Gejza Miháloczy, jenž pak položil život u Buzzard Roost Cop.

"Dyby ale zvostalo jenom u zbabělství!" křičel Pádecký a do oka mu padla Mařenka, nafintěná, vystrojená, krásná a zavěšená do tloustnoucího plukovníka. Spatřila Kapsu, Boženku, Shaka a táhla Schroedera k jejich stolu. Ale Pádecký pravil: "Sem si nesedej!" Mařenka se zalekla. "Proč?" "Ty moc dobře víš proč!" vykřikl Pádecký. "Manžel ti ani nevychlad —" "Dostala sem voznámení," zrudla Mařenka. "Frantík umřel v září ve čtyřiašedesátym. Podepsal to pan generál Schofield." "Umřel!" zařval Pádecký. "Utejrali ho v Andersonvillu! Franta je mučedník! A ty, mučedníková vdova, sotva umlknou děla —" *"Was sagt er?"* zeptal se Schroeder. "A Němčoura!" řval Pádecký. "Jeden Němčour jí v Andersonvillu utejrá muže, a vona už se nemůže dočkat, aby si vzala druhýho Němčoura!" "To byl Švajcar," ohradila se Mánička. "A Fritz celou válku bojoval s našima. S Haeckerem. Dežto toho Wirze po válce pověsili!" Plukovník pochopil, že se mluví o něm, ale nikoli, co se o něm říká. *"Jawohl,"* pravil s úsměvem. *"Mit Haecker,"* začal vypočítávat na prstech a spokojeně míchal angličtinu s mateřským jazykem: *"Mit Sigel a zu Ende* s panem generálem Burnsidem v Kráteru, tam mě *Glueck* opustilo a já dostal *eine Kugel ins Arm."* Pádecký zmlkl, hleděl na Němce s výrazem člověka usvědčeného z omylu, pak na něho zabručel česky: "Aspoň se nauč pořádně mluvit, místo tý svý hatmatilky, dyž máš českou holku!" "Jakpak spolu doma mluvíte, Máňo?" zeptal se Shake. Mařenka zrudla. "No německy," připustila. "Dyž von je Fritz na cizí řeči tvrdej." *"Jawohl,"* pravil plukovník spokojeně.

"Manžel jim tedy řekl, že jim nerozumí, a tomu uzenáři ocitoval něco z Bretschneiderova hlášení," pravila Uršula, zvedla šálek čaje, skleněné vajíčko zaslzelo a Uršula

si všimla seržantova pohledu. "Vidíš," řekla. "Přinesly ti štěstí," zasmála se. "Nevím ovšem, mein lieber Mann, jestli to pořád ještě je štěstí —?" Seržant zrudl, Uršula mu rychle položila ruku s krásným vajíčkem na rukáv. "Bist du nich nett? Wie damals... Ale to je tak dávno. Dnes je to jenom so eine Legende." "Já—" seržantovi přeskočil hlas, "— sem ženatej. A mám jí rád. Moc!" vyhrkl a připadal si jako bídný hříšník, ale jít sem přece musel, ale Uršula řekla: "Já jsem se podruhé taky vdala z lásky. Vždyť to přece — nebo bychom na to měli zapomenout?" "Ne, to ne!" řekl rychle. "Ani to nejde." "Na siehst du," řekla "Vzpomínejme na to a buďme rádi tomu štěstí. Tys přežil válku, já přežila — " Odmlčela se, pohlédla na něho. "Viselo to na vlásku, víš?" To věděl. Na okamžik se mu vrátily noční můry v kasárnách, příšerný příběh z lodi na Atlantiku, Uršulina bílá tvář —"Ale vraťme se k manželovi. V jeho úředním postavení, myslím," řekla Uršula. "Tomu uzenáři ocitoval, co prohlásil z tribuny o císaři pánu šestého července v třiašedesátém roce, na svátek toho vašeho kacíře. 'A vy teď, pánové,' pravil na oko nechápavě, 'hodláte obnovit svou poddanost habsburskému domu?' Ti tři na sebe pohlédli a ten, co má výrobu doutníků, zapomněla jsem, jak se jmenuje, pravil: 'Pokavaď de vo to z tý tribůny, vaše blahorodí, to pan Talafous čistě jen kvůli byznysu.'"

Shake už dávno pochodoval ve velké Shermanově armádě, ale vyprávěl mu to po válce Krištůvek, tuberák, a brzy na to umřel. Jak to vynesla služka, která to slyšela v kuchyni od komorníka. Komorník přisluhoval u tabule, kde pan a paní von Ebbe hostili britského konzula Drummonda-Simmse a neuvěřitelnou historku dávali k lepšímu.

"Skutečně zcela vážně tvrdil, že jeho emigraci do Spojených Států motivovaly důvody ryze hospodářské," říkal von Ebbe. "Přitom my samozřejmě víme, že se zúčastnil povstání —"

"To ještě neměl ženu a děti," pravil Shake. "Ani živnost."

"Kterého?" zeptal se Brit, jenž o kontinentální historii, pokud se netýkala Napoleona, měl vědomosti neveliké. "V osmačtyřicátém," pravil von Ebbe. "V Praze je tehdy potlačil Windischgraetz." "I see," řekl Brit a von Ebbe pokračoval: "V den výročí smrti Jana Husa pronesl dokonce tady v Chicagu v sále Slovanské lípy projev, jenž se věru netýkal záležitostí hospodářských. Ovšem jak to vysvětlil ten výrobce kuřiva —" "Ještě kávu?" zeptala se konzulova žena. Drummond-Simms kývl. "Ale proč obnovení poddanství?" "Jako poddaní našeho nejmilostivějšího císaře a krále Františka Josefa Druhého by mohli žádat o přiznání statutu naturalizovaných cizinců," usmál se von Ebbe. "Pak by se na ně odvodní rozkaz prezidenta Lincolna nevztahoval. Jsou prý hospodářští emigranti a americké vnitropolitické spory jsou jim cizí. Hledí si jen svých živností a v tom hodlají pokračovat. Tím prý také přispějí věci Unie víc, protože vojenský výcvik mají rakouský, a ten se pro válku v Americe nehodí —" "Ale," podivil se poněkud natvrdlý Brit, "proč tedy ty politické projevy?" "Aby si mohli hledět svých živností. Aby jim vzkvétaly, Sire Drummonde-Simmsi," pravila konzulova žena. "Nejsem si jist, zda tomu rozumím," pravil Brit.

"Že ste baby, to mi bylo vod začátku jasný," hřímal tehdy Pádecký a Talafous, Kabrna a Strádal se nad korbely přikrčovali, jako by k Pádeckého slovům očekávali ještě dodatek, ne už slovní. "Ale todlenc? Zrada! Císařoj lízt do prdele!"

"Dyk vo co de," pravil chabě Talafous. "Vo ňáký négry se —"

"Podržte mě!" zvolal Pádecký a pokusil se vstát, ale Krištůvek a Hejduk ho skutečně podrželi.

"Sou to taky lický bytosti," řekl přitom Hejduk.

"Ale co je nám po nich?" pravil Kabrna. "My je nevlasníme. Českej národ s nima nemá nic společnýho—"

"De vo svobodu!" zařval Pádecký. "A jak řek prezident Lincoln: 'Tendle národ nemůže žít—žít—' Jak to hergot řek?"

"To se tejče americkýho národa, né českýho," pravil Talafous.

"A co seš ty, ty jelito?" zařval Pádecký.

"Čech jako poleno."

"Ty? Ty jako poleno?" běsnil muž s tuhou nohou. "Ty seš pro vostudu Čech! Ty seš teďkon Amerikán! A taky pro vostudu!"

"Dyž sem Čech, nemůžu bejt Amerikán," řekl bázlivě Talafous.

"Můžeš," pravil Krištůvek. "Seš americkej Čech. Jako já a Pádeckej."

"Leda americkej vobčan," pípl Kabrna.

Pádeckému blýsklo v očích.

"A ty seš?" zeptal se doutníkáře. "Ty taky?" obrátil se na Talafouse. "A ty?" pohlédl na Strádala.

Kabrna řekl:

"No—na jedný straně—"

Pádecký ho přerušil:

"A co na tý druhý?"

Kabrna řekl: "No—" Dál nic.

Pádecký mlčel, očima jezdil z jednoho na druhého, po všech třech. Potom z ničehož nic vyskočil, vyškubl se Krištůvkovi a Hejdukovi a rozeřval se na celé kolo:

"Podanej! Na druhý straně seš podanej! Cizák seš! Straníš votrokářum! Já ti jí—"

A popadl sukovici s jejíž pomocí od slavného úrazu na louce za Slavíkovou hospodou kulhal po Chicagu, praštil s ní po řezníkovi, ten se však uhnul a sukovice roztříštila kameninový korbel. Poddaní nečekali, prchli před Pádeckým, což nebylo obtížné, protože noha rovná jako lineál znemožňovala zlostnému obru mrštný pohyb. Popadl tedy aspoň Krištůvkův korbel, právě dolitý, a mrštil

*jím po doutníkáři. Korbel se roztříštil o doutníkářovu
palici a polil živnostníka pivem. "Koupim ti novej, souse-
de," řekl Pádecký souchotináři a zamžoural k otevřeným
dveřím.*

"Poserove byli dycky," pravil Šálek. Déšť bubnoval na
měděné lampy za okny. "A dycky budou. Tak už jim to
vodpusť, Pádeckej. Už to maj vlasně promlčený."

"Nikdy!" zařval Pádecký.

"Hele," řekl Šálek. "My sme nasazovali životy a vod-
pustili sme jim to. Tak co bys ty, kerej —"

"Ty seš lačnej jeho biřklí!" zařval Pádecký. "Znám tě,
Šálek! Dyckys byl žrout. Protos mu vodpustil. Abys k
němu moh chodit a cpát se jeho biřklema!" Pádecký se
zasnil, řekl: "Taky bych se do ňáký zakous..." a vzpama-
toval se: "Jenomže rači budu do smrti smrťoucí žrát
americký frankfurtry než bych pách k němu do krámu!"

"Měls ty ale smůlu," pravil Shake. "Teprv teď to vidím
v celým rozsahu. Kdyby tě ten uličník Lusků nebyl střelil,
mohs bojovat. Teď si budeš muset do smrti odříkat —"

"Však Talafous brzo nebude jedinej!" přerušil ho Pá-
decký. "Už teď je na rohu Canal a Madison ňákej Kret-
chner, sice Němčour, ale buřty umí —"

"A to vám nevadí, pane Pádecký?" pravila Mánička
Kakušková. "A na mym muži vám to vadí?"

Pádecký se zarazil, ale jen na okamžik.

"Na tvym muži mi vadí, že sis ho vzala tak brzo,
Máňo!" pravil vztekle. "A dyž už ty ses nestyděla, tak
aspoň von moh počkat!"

"Nemoh!" vyhrkla Mánička a zrudla jako mák.

Pádecký se nadlidsky ovládl.

*"Obnovil jim tvůj manžel poddanost?" zeptal se ten-
krát seržant.*

*"Poslal to do Vídně," řekla Uršula. "Nebyl pro to
precedent. Ve Vídni si s tím taky nevěděli rady a mezitím
si stejnou žádost podalo ještě asi třicet, možná víc tvých
krajanů, někteří až z Minneapolisu."*

"Takže je odvedli?"

"Z Vídně nakonec přišlo rozhodnutí, že pokud si žadatelé koupí kolek podle výše svých příjmů od pěti do padesáti zlatých, přijmou se znovu do poddanství. Ti tři si tedy nakoupili kolky, každý myslím za těch padesát zlatých, a většina ostatních také. Konzulát dělal dobré obchody," Uršula se zasmála. "Jenomže o věci se dozvěděl chicagský šerif a všichni čerstvě znovupoddaní dostali od něho přípis, že pokud se před znovuvstoupením do svazku c.a k. poddanství stali občany Spojených Států, jsou povinni vojenskou službou jak v Rakousku, tak v Americe. Vznikl přirozeně poprask a na konzuláté se dveře netrhly."

Seržant se zasmál, "S kým zrovna válčilo Rakousko?" zeptal se.

"S Dánskem," pravila Uršula. "Válka však neměla dlouhého trvání, takže odtud nebezpečí nehrozilo. Zato v Chicagu to vřelo. Bouřili se copperheads a Unie utrpěla velkou porážku u Chancellorsville. Lincoln potřeboval vojáky."

"Takže je přece odvedli!"

"Ti tři si zaplatili náhradníky," řekla Uršula. "Ostatní myslím většinou taky."

"Aspoň něco teda obětovali pro věc Unie," pravil seržant. "A těch padesát zlatých Rakousku navíc, to jim muselo pěkně ležet v žaludku. Stejně se asi báli hlavně o ušlý zisk. Byla v tom spíš chamtivost než zbabělství."

"Pochybuju, mein lieber Mann," řekla Uršula. "Ty přece víš, že bylo čeho se bát."

Déšť drnčel na plechové bubínky. Seržant se otočil, vrátil se ke stolu, ale neslyšel, o čem se tam mluví. Naslouchal Cyrilovi, a kde je mu konec?

Žena nebyla ještě stará, snad čtyřicet, hezká, snědá, silná venkovanka, jenže oči — Čachtická paní napadlo Cyrila. Za ní bušil její muž do kovadliny a žena se opírala o vidle.

"Jestli věříte spíš ňáký černý čarodějnici než bílý ženský, tak sbohem," řekla Cyrilovi. Podíval se jí do těch očí, musel sklopit zrak.

"Ona netvrdila, že jste ji tam nepřivedla, jenom že se nepamatuje. Že už má děravou hlavu."

"To má. Jako řešeto," pravila žena. Nevěřil jí. Takovým očím nešlo věřit. *"Mladej Ribordeaux mi zaplatil, a dobře. Nemám ve zvyku sebrat peníze a nedodat zboží."*

Cyril pochopil, že se mu směje. Co jí záleželo na růžičce? A jestli dojede, nebo se cestou ztratí? Jestli uteče, a co si na kovářce kdo mohl vzít? Jestli ji prodala — všechno se dá přece zfixlovat. A kdo jí co dnes dokáže? Z očí jí koukalo — co? Že je všeho schopná. Ze dvora zvučela kovadlina jako zvon, který zvoní — na poplach? *"Paní Smithová,"* řekl. *"Podívejte, jestli vám cestou utekla —"*

Déšť bubnoval na chrániče luceren. Plechové bubínky.

"Ne," řekl Josef. *"Slečna Rosemary se nevrátila s panem Carsonem do Anglie. Vdala se."*

"Vdala se," opakoval Cyril nepřítomně. Najednou zatoužil uvidět dívku s obličejem hezkého koníčka, její červené šaty, jak podobna červenému motýlu — jiný svět — *"Hospodaří — s manželem na Carsonovic plantáži?"*

"Depak," řekl Josef. *"Vzala si jankejskýho kapitána. Maji byznys, prej v Indianě. Ale než vodjela, přišla se na tebe vyptat. Jestli ses vrátil z vojny."*

"Přišla?" hlesl Cyril.

"Jo. A nechala tě pozdravovat."

Plechové bubínky. Hořící sníh.

"Jestli spíš neutekla vám," pravila kovářka zle. *"Budete mi povídat, že ji hledáte kvůli ňákýmu bráchovi z Chicaga!"*

"Hledám!" pravil Cyril popuzeně. Zlé kovářčiny oči mu však hleděly do žaludku. *"A i kdybych nehledal, svý domněnky si nechte vod cesty!"*

"No když myslíte," pravila pohrdavě. *"Tak teda: řekněte tomu bráchovi, že Kolumbie byla plná pěknejch*

panskejch negrů. Hoši jako panny. A jak se říká," vysmívala se mu, "svuj k svýmu."

Cyrila přemohla slabost. Přece není možné, aby takové zlé oči —

"Samosebou," pravila kovářka, "to sou jen takový mý domněnky."

Veliký černoch otevřel doširoka dveře z leptaného skla. Pořád pršelo. Lampy zadrnčely jak plechové bubínky. Černoch dveře zase zavřel, rozhlédl se po sále. Sukně ženských na parketě rozháněly doutníkový kouř, kouř houstl pod zlaceným stropem, a jakoby rovněž tančil kvapík. Ke stolu přisedl pan Ohrenzug ve fraku, členskou kokardu Slovanské lípy měl přišitou jako metál pod srdcem, Shakovu knížku položil na stůl před sebe. Pozornost společnosti upoutala opět slavná spisovatelka, jež přešla kolem s hezkou negerkou, ruku kolem jejího pasu, černoška ruku kolem pasu slavné spisovatelky. Boženka řekla: "Já sem četla román, kerej vona napsala." Sledovali obě ženské, zadnice se jim leskly v měňavé látce. *"She Played It Safe,"* pravila Boženka anglicky. Seržant si pyšně pomyslel, že jeho žena vyslovuje osvojenou řeč, jako kdyby se v Americe narodila. Zahřála ho nesmyslná pýcha, hlavou bleskla vzpomínka: legrační, smutná, zesmutněl, tragická vzpomínka, a legrační. Jak se Shake zeptal: "A kdo umí anglicky nejlíp? Doktor, tvoje mladá stará, nebo ty?" a nebožtík Kakuška — zatřásl hlavou, zahřála ho pýcha. Mizerně mluvil tenkrát zřejmě doktor, anebo spíš Boženka udělala velký pokrok, když v Manitowoc otevřeli anglickou školu a ona se zamilovala do učitelky slečny Woodfordové, která česky neuměla a půjčovala jí knížky, udělala z ní zimní vášnivou čtenářku, protože o žních nebyl čas. "Ňáká hovadina!" vykřikl Pádecký. "Náhodou ne," pravila Boženka. "Přečtěte si to, pane Pádecký, já vám to pučim." "Nejsem na to zvědavej," odsekl Pádecký a Mařenka Schroederová pravila jedovatě: "Však byste byl, dybyste to uměl přečíst!" Pádecký se rozkatil: "Nebuď drzá, Mařeno! Chceš říct, že neumim ingliš? Na takový koniny je moje ingliš dycky dost dobrá!" "To sem říct nechtěla," pravila Mánička sladce. "Ale vy pořád neumíte číst jinak než akorát švabachem." Pádecký se rozčilil, popadl knížku ležící před panem Ohrenzugem, otevřel ji, položil prst na první řádek na stránce a otevřel hubu. Pak pomalu zrudnul a nakonec knížku sklapl a vztekle ji odstrčil. Jela po stole, vrazila seržantovi do korbele a on ji zvedl. "Samý koniny!" pravil vztekle, ale tiše Pádecký a nejistě dodal: "Zapomněl sem si doma vokuláry." Seržant zvedl knížku k očím, černoch někomu otevřel dveře, plechové bubínky.

Krásného třpytu na hrdle mladé ženy si seržant nejdřív nevšiml. V kapse ho hřála papírová krabička s pomněnkovými náušničkami, pro něž se vypravil do Chicaga. Byly pravé, dovezené z Čech, v obchodě pana Pancnera na Dearborn za ně zaplatil dva dolary. Takže krásného třpytu na dívčině hrdle si vlastně nevšiml, viděl v duchu ouška své novorozené dcerky Terezky, ozdobené pomněnkami, spěchal po Lake Street k nádraží a ve světle oken nějaké velké restaurace se zatřpytila ta krásná věc na hrdle neznámé —

Prudce se otočil. Dívka v lesklém plášti a její průvodce pod buřinkou zahýbali právě do vchodu restaurace.

Zaváhal. Pohlédl k zemi, boty měl dosud nablýskané, poctivá práce, jíž si dopřál v čistírně salóně na nádraží, když přijel do Chicaga. Na sobě měl nedělní šaty, klobouk zánovní, ale švihácký. Nadýchl se, prošel turniketem do restaurace. Viděl, jak číšník snímá dívce z ramen pláštík, jak mu její průvodce podává buřinku, sedají si ke stolu, zprava zlaté světlo, dlouhý, zářící bar. Zamířil k němu. Usedl na barovou stoličku, uviděl se v zrcadle proti barpultu, které se táhlo po celé délce baru a zdvojovalo velký prostor restaurace. O.K. Je prezentábl. V kravatě má dokonce špendlík, který v lazaretě, kde jim léčili Kansaský quickstep, vyrobil Vojta Houska z přesky rebelského opasku. Podíval se na dívku v zrcadle. Měla na sobě šaty, které odhalovaly bílou krásu mladého hrdla, ale zezadu viděl jenom zlatý řetízek. Pohlédl na jejího společníka a lekl se tak, že přeslechl barmanovu otázku: "Co to bude, pane?" Naproti dívce seděl Hauptmann von Hanzlitschek.

"Co to bude, pane?"

"Cože?"

"Čím mohu sloužit?"

"Ajo," řekl. "Bourbon. Na ledu."

Hleděl na Hanzlitschka, už se uklidnil. Nemohl to být mrtvý hejtman, i kdyby vstal z mrtvých. Hejtmanovi by dnes bylo hodně přes padesát. Přes šedesát, možná, mezi ním a Uršulou byl rozdíl patnáct let. Ve vzpomínce se objevila holčička, mopslík, krajkový klobouček, pak pohlavek, pak brečící miniatura jeho Hauptmanna. Dívčin společník byla ta vyrostlá miniatura. I knír měl menší, americký, a neměl monokl. Ale jinak seděl jako svíce, jako ve šněrovačce, kouřil viržinko. Uršulin syn.

Obrátil se na barmana.

Barman pokrčil rameny.

"Ale jeho dáma je slečna Faberová," řekl. "Eberhart Faber, znáte?"

"Faber?" pravil nepřítomně.

"Tužky," barman očima zavadil o jehlici. "Veterán?"

Seržant přikývl.

"Jednadvacátý michiganský," barman napřáhl přes pult pravici.

"Třináctý Spojených Států," seržant nabízenou pravici přijal.

"Jo tak," pravil barman.

"Řeks slečna Faberová?"

"Její strejc má továrnu na tužky v New Yorku. Její táta je ředitelem jeho filiálky tady v Chicagu."

Dívka vstala, otočila se. Třpyt, jako kdyby vybuchl kanistr.

"Zůstals v armádě?"

Serežant neodpovídal. Barman se podíval po směru jeho pohledu. Řekl:

"Pěkná, co?"

Jenže seržant nehleděl na dívku. Hleděl na to, co měla kolem krku.

Jako hnízdo křišťálových vajíček.

Barman se ještě chvilku pokoušel o rozhovor, seržant však seděl jako zařezaný. Barman se vzdal, dolil mu. "Tohle je gratis, kamaráde," řekl. "Že jsme vyhráli."

A seržant — hlavou mu dula vichřice. Madam Sosniowská nevěděla jistě. A diplomaty překládají. Uršulin náhrdelník, čajznutý Frkačem — a teď na krku neteře výrobce tužek... Seržantovi se točila hlava.

Další bourbon už gratis nebyl. A další. Natankoval se na kuráž. Když se Hanzlitschek zvedl a číšník pozakryl líbeznou šíji slečny Faberové lesklým pláštíkem, svezl se ze stoličky, u turniketu dal dvojici přednost a pak se jakoby zarazil a řekl:

"Promiňte — nejste vy pan Hanzlitschek?"

Hanzlitschek na něho pohlédl s podezřením, seržanta nepoznával. Jak by mohl. Brečel tenkrát v námořnických šatečkách, on byl v uniformě infantérie —

"Ano?" pravil Hanzlitschek váhavě.

"Jste —" řekl seržant, "— jako byste vypadl z oka svému otci. Já jsem sloužil pod —" Hanzlitschek na něho nyní hleděl upřeně, "— sloužil jsem s vaším otcem, před dlouhými lety, v Rakousích."

"Ach tak," pravil Hanzlitschek. "V Helldorfu? Nebo ve Viertalu?"

"Ve Viertalu," řekl seržant rychle. "Byl jsem tehdy — četař," řekl a lekl se, kolik toho vlastně Hanzlitschek ví o skonu svého otce, a jestli se někdo někdy někde nezmínil o nějakém vojínovi, jehož hejtman kázal prohnat uličkou, ale Hanzlitschek se usmál, zlé rakouské oči zvlídněly, podal seržantovi ruku.

"Seržant —" Kapsa se zarazil. Pak řekl: "Tasche."

"Tasche?"

"Ano," pravil seržant Kapsa. "Co děláte v Chicagu?"

Zatřásl hlavou. Seděl v Čarodějnické kuchyni. Slavná spisovatelka mezitím došla se svou průvodkyní ke dveřníkovi, průvodkyně černocha představovala spisovatelce. Seržant otevřel knížku. Na titulní stránce stálo písmem, které seržant neznal, řečí, kterou neuměl: *Anglický jazyk pro emigranty z Ruska.* Sežant sklapl knížku a položil ji před pana Ohrenzuga. "Kdo je ten muskej, pane Ohrenzug?" zeptala se Mánička. "Myslíš ten négr?" pravil pan Ohrenzug a Pádecký řekl: ""Négr, Němčour, Nabuchodonozor, hlavně že muskej!" ale Mánička se rozhodla samonaštvance ignorovat. "Jasmíninej *hubbie*," pravil pan Ohrenzug. "Najal sem ho jako stolníka eště ve starym podniku na Dearborn, jenže měl vobě ruce levý, tak potom myl nádobí. To bylo eště horší. Naštěstí pak ta jeho —" pan Ohrenzug se zarazil a rozhlédl se po přítomných ženách. "Ste tu někerá z Chicaga?" Tři ženy se po sobě podívaly. "Žádná," zavrtěla hlavou Růža Housková. "Nejblíž sme my a my máme farmu na jih vod Manitowoc." "Co ta jeho naštěstí?" zeptala se dychtivě Mánička Schroederová. "Well," pravil pan Ohrenzug. "Votevřela si ten — vlastní podnik. Tak mu tam dala džob. Já si tu nechal jenom jeho matku. Na dnešek se mi nabíd, že máme to gala zahájení, tak sem ho postavil ke dvéřím, aby se ukláněl. To umí. Dělá to samý v podniku svý choti, v tý — restauraci. Stejně ale už uklouz a rozbil mi sklo ve dvéřích. Bude mě to stát dvacet bagů nejmíň. Je leptaný." Slavná spisovatelka se právě na celé kolo smála něčemu, co řekl ukláněč, zrzavé lokýnky se jí rozhoupaly nad měňavými zády. "Žvanit umí," pravil pan Ohrenzug. "Jinak nic. Defakto to byl nakonec, než mu Jasmine dala džob v tom svym — podniku, muj tak říkajíc tichej společník." "Proč tichej?" zeptala se Mánička. "Madam Schroeder!" jako se podivil pan Ohrenzug. "V Chicagu stačí bejt žid. Eště aby šel žid veřejně do kšeftu s négrem —" "Kde vzal kapitál, pane restauratér?" zeptal se Shake. "Kompenzoval se, tak říkajíc, za leta otroctví někde na

Jihu?" "Dyž vy mě nenecháte domluvit," pravil pan Oh-renzug. "Von, tak říkajíc, do kšeftu investoval svou mat-ku," řekl pan Ohrenzug. A jal se vyprávět, jak po debaklu v jídelně a po škodách způsobených v dřezu na nádobí chtěl nemrcoucha vyhodit, ale ukázalo se, že nemrcouch umí jednu věc, bohužel v hostinské živnosti nepotřebnou. Pan Ohrenzug ho přijal jako přívažek k matce, která se s ním po válce přistěhovala do Chicaga z Jihu a brzo proslula jako kuchařka. Jenomže když pan Ohrenzug dal nemrcouchovi výpověď, začaly se jí připalovat omáčky; syn byl černokněžník a z pomsty za vyhazov ji očaroval. Panu Ohrenzugovi nezbývalo než zatnout zuby a při-jmout čaroděje za tichého společníka. A potom si otevře-la — restauraci mágova manželka. "Vodkuď se s nima zná Mrs. Lee?" zeptala se Boženka. Seržant na ni pohlédl, plechové bubínky, déšť. Byla tenkrát ustaraná, už druhý rok mizerná úroda, celé léto pršelo, kroupy, pak uragán zničil stodolu, syn Cyrilek potřeboval doktora, dvojnásob ustaraný, aby farma, kterou vybudoval nebožtík Kakuš-ka, když se o ni teď stará on, nepřišla na buben. *"Pojedu za Cupem,"* rozhodl se a vypravil se do Chicaga. *Grocer-ní krám, spravovaný mezitím poctivcem z Nebrasky, kte-rého pro krátkozrakost na vojnu nevzali, přežil válku a začal se množit, Cup & Comp., už z něho bylo krámů pět. Na zastávce přistoupil do kupé chlap v kostkovaných šatech a v širáku. Bylo horko, chlap sundal klobouk a —*

"Frkači," řekl seržant. *Poznal starého gaunera vlastně podle holé lebky, že si pamatoval Cupovu story o vodičce pro vzrůst vlasů, kterou majitel patentu po zahájení prodeje vyzkoušel na vlastním skalpu. Fircut přimhouřil oči, pak se přikrčil, jako by čekal facku.*

"Kapsa!" zvolal. *"Člověče, tebe jsem se něco nahle-dal!"*

"Já tebe taky," pravil seržant. *"A taky sem tě nemoh najít." Prohlížel si Fircutovu tvář, která pod kolenem zmacatěla, ale pořád byla mazaná všemi mastmi. "Až teď,"* řekl seržant. *"Tomu říkám náhoda." Mírně předpa-*

žil, povytáhl rukávy saka. Válka seržanta poznamenala jinak než Fircuta. Gauner zbřichatěl, byl jako sulc. Bojí se facky, pomyslel si seržant.

"Něco ti dlužím, Kapso," řekl Fircut a roztřásl se mu podbradek.

"Něco?"

"S úrokama to bude ňákejch sedm, osm stovek —" odhadl výraz seržantovy tváře, "— řekněme tác —"

"To bude víc," řekl seržant. "I bez úroků." Zase si povytáhl rukávy. Fircut naň hleděl očima už dost zalitýma v sádle. Bojí se facky, pomyslel si znovu. Brzo nato poznal, že Frkač se víc bál něčeho jiného. "Patnáct set," řekl. Pak spolu seděli v salooně na rohu Clinton a Monroe a nějaký hrací stroj tam jako na pouti vyhrával "Bitevní píseň republiky".

Fircut vytáhl tlustý pakl, sepjatý zlatou sponou. "Tady máš dva." Seržant se naň udiveně podíval. Oči zalité sádlem plavaly starému gaunerovi v slzách. Měl jsem si říct o víc? napadlo seržantovi. Fircut v slzách? A ty peníze — Spadly z nebe, pomyslil si. Od Uršuly. Vyřešily problém farmy zděděné i s farmářkou po chudáku Kakuškovi a zbylo na nový žací stroj.

"Je to třikrát víc, než co jsem za něj dostal," říkal Fircut. "To víš, musel jsem k židovi, ještě jsem se tak nevyznal. Ale přinesly mi tenkrát štěstí, Kapso. A já —"

"Takže ti přinesly štěstí," řekla Uršula.

"Nakonec jo."

"Myslíš přesně co?" zeptala se Uršula, ale hlas jí nezněl vážně. Byla to už jen legenda.

"Všem přinesly štěstí," řekl a počítal: "Tvýmu Georgovi, žes je uviděla na Hannelore, Hannelore, žes je na ní uviděla —"

"Pokud je ovšem Georg pro ni štěstí," řekla. "Někdy se příliš podobá Hauptmannovi a nejen tím, že si taky pěstí knír. Ale tobě štěstí přinesly."

"Tobě ne?" zeptal se troufale a hned si zas připadal jako bídný hříšník, přesto se pokusil položit jí ruku na hřbet ruky, na prstě jí do chicagského odpoledne zářilo osamělé vajíčko. Z povětří okouněli rackové, lavička stála kousek od břehu Michiganského jezera, obrostlá keři. Odtáhla ruku a řekla:

"Nakonec taky. Bála jsem se o tebe. Že tě chytí, víš? Ale dopadlo to dobře. A tobě taky přinesly štěstí. Vzal tě ovšem na hůl."

"Moh bych si na něj došlápnout. Jenže —" odmlčel se a nemusel to ani říct. Uršula pravila spěšně:

"Ne! Nepokoušej štěstí! Jak známo, je vrtkavé."

To je, pomyslil si. Uršula pravila:

"Srdce se mi v prsou zastavilo, když jsem je uviděla na Hannelore. Bylo to znamení, že ses dostal do Ameriky."

"Pročs mi neodpověděla na dopisy, Uršulo?"

"Žádné dopisy nepřišly," řekla.

Nepřišly?

"Hannelore je koupil strýček, ten tužkař," pravila Uršula. "Má tři syny, ale vždycky chtěl taky dceru. S tím jsem se nikdy nesešla, abych se ho zeptala kde."

"Na tom nesejde," řekl seržant Kapsa. "Hlavně že nám přinesly štěstí."

"— mám raka, Kapso," řekl Fircut. "Je to všechno na draka."

V salooně jako na pouti vyhrával nějaký hrací stroj "Bitevní hymnu republiky".

"Ta jeho u ní sloužila v Cincinnati," pravil pan Ohrenzug. "Vo čom to je, Božka?" skočil jim temně do řeči Pádecký. Už delší dobu mlčel, vrtalo mu hlavou dílo jemu pro neznalost latinky nepřístupné, jak se znova přesvědčil nad knihou *Anglický jazyk pro emigranty z Ruska*. "To se dá těžko říct, vo čom to je," pravila seržantova žena. "Vono se tam toho moc děje. To byste si musel sám přečíst." "Zapomněl sem si vokuláry doma, hergot!" zaklel Pádecký. "Jen si namáhej hlavu, máš jí mladou, i dyž podle všeho slaměnou, dyž čoveku ani nedokážeš říct, voč de v takový konině!""Proč vás to zajímá, dyž je to konina?" zeptala se Mánička Schroederová. Pádecký se však opět rozhodl veselou vdovu ignorovat. "Je to vo ňáký Geraldině," řekla Boženka. "Vona se zezačátku zasnoubí s ňákym Patrickem, kerej je doktor. Nakonec se vemou, ale mezitim to furt jednu chvíli vypadá, že jim veselka nevyjde, pak zas, že vyjde, pak zas že ne. Hlavně proto, že von je, řekla bych, vosel." "No konina," pravil Pádecký. "Ani to nemusim číst a vim to." "Je to moc hezká kníha," ohradila se Boženka. "A tlustá. Akorát nevim, že dyž von je vedle Geraldiny takovej vosel — " zamyslela se. "A co má bejt?" rozčilil se Pádecký. "Koukni na něj!" ukázal na parket, kde se z kouře doutníků nořila Houskova tvář jako zpocený měsíc, vystřídávaná, jak se otáčeli, hezkou tváří jeho fešandy ženy. "A taky se voženil! A eště jí navíc rozbil první manželství, pravda, nepovedený!" "Vrátil se ovšem z vojny jako hrdina," řekl Shake. "A ty snad ne?" zařval Pádecký. "Navíc s metálem! A seš furt na vocet!" "Mám k tomu své důvody," pravil Shake. "Jaký, prosim tě? Seš snad — " Pádecký se zarazil. "No dyk víš, co myslim. Ale sou tu dámy." "To jako my?" zeptala se drze Mánička Schroederová, jenže Pádecký ji opět ignoroval. "Vím, co myslíš," řekl Shake. "Leč můj důvod je jiný. Myslím, že paní Laura Lee by mě pochopila," unyle pohlédl na slavnou spisovatelku, do níž stále cosi hučel dveřník. "Bůh ví," pravil Shake elegicky. "Patrně bych jí moh svůj příběh vyprávět. Třeba by podle něj sepsala krásný román," odmlčel se. "Jmenoval by se patrně *Between The Devil And The Deep Blue Sea*. A byl by v něm, milospani," otočil se k Božence, "podobný problém: jak mohla jedna tak hezká a patrně i chytrá milovat, i když jen nakrátko, takového, jak jste se ráčila vyjádřit, osla." "Vy ste šašek, pane Švejk," pravila Boženka. "Ale to mi v tý knize divný nebylo. To já vim taky, že si kolikrát hezká a chytrá veme — " zarazila se, pak mrkla po seržantovi, ten se jen zašklebil, "— i dyž málokdy," řekla Boženka. "Málem nikdy," skočil jí smutně do řeči Shake. "Mně vrtalo hlavou," pravila Boženka, "jak se takovej mezek moh stát doktorem? Vod takovýho bych si nedala dát recepis ani na hofmanský kapky." "Inu, sem tam se i takoví doktoři najdou," řekl Shake. "To já znal jednoho, ňákýho Schlafliebra, byl to Němec. Ten, pokud šlo o recepisy, se taky uměl sem tam pěkně zbodnout."

Boženka zrudla jako mák. Ale to bylo dávno. Čas je lepší lékař než Mr. Schlaflieber, M.D., i než vosel Patrick. Seržant se usmál na svou ženu. Zrudla ještě víc, ačkoliv to vlastně nebylo možné. Bodla ho výčitka svědomí, jenže to bylo už ani ne dávno. Bylo to v propasti času. A co bylo nedávno —

Vrátil se z Chicaga na farmu a v noci ležel vedle své ženy, jež spala spánkem mladých farmářek, hleděl na letní hvězdy a přemýšlel o tajemstvích lásky, o nichž žena četla v románech, a jak jsou všelijaká. Pohlédl na farmářčinu tvář a láska se v něm rozlila jako med. Vzpomínal na letní oblohu v jiné a daleké zemi, na nevysvětlitelné stavení na stolečku samého Pánaboha, už to bylo dávno, krásný a jiný čas uzavřený do propasti, přes niž se převalila veliká válka, ta, co spolkla Kakušku.

Za půl roku musel opět do Chicaga a v mahagonové kanceláři nóbl advokáta dostal šek na závratných pět tisíc dolarů, konvertovanou výčitku svědomí ze smrtelného lože úspěšného emigranta Frkače-Fircuta, který — psal v naškrábaném lístku přišpendleném k šeku — nestřelil hnízdo krystalových vajíček židovi, věděl tou dobou už o výhodnějších odbytištích (odkud se vajíčka záhadnými cestami dostala až na šíji tužkářovy neteřinky), a za hodinu poté se přistihl, jak stojí před domem u jezera,

odkud se na něho z průčelí mračí orel, jiný než ten
holohlavý, pod jehož zrakem kdysi vstoupil do nové a
lepší, třebaže kruté a nebezpečné kapitoly svého života,
a jak jde k vedlejšímu vchodu, tahá za táhlo zvonku a
komorné, jež dveře otevřela, říká anglicky Povězte Frau
Konsul, že by s ní rád mluvil, jestli má minutku času,
seržant — zaváhal — Tasche, řekl.

Zatřásl hlavou. Černoch otevřel dveře, pořád pršelo.
Plechový bubínek, zarazil se. "*Das heisst,* až po jistou
dobu," pravil pan Ohrenzug. "Než vona se udělala pro
sebe v tom — v tý restauraci. Jo," řekl pan Ohrenzug,
"řeknu vám, sousedi, jako dyby si to vymyslela Mrs.
Laura Lee." Dveřník byl už zase sám. Seržant se rozhlédl
a uviděl spisovatelku s černoškou, jak zasedají u stolu v
boxu, černoška cosi vypráví, spisovatelka má otevřená
ústa jakoby údivem. Pak vytáhla ze záňadří kapesníček,
otřela si čelo — je tu takové horko? Seržantovi se zdálo,
že slavná spisovatelka zbledla a pan Ohrenzug vyprávěl,
jak abolicionistka paní Morrisová si dívku vyžádala na
svém otci jako dárek k narozeninám a pak utonula v
jezeře a dívka našla místo u slavné spisovatelky, která se
vlastně nejmenuje Laura Lee. "To má jen takový to —
perní méno," řekl pan Ohrenzug. "Jaký méno?" zeptala
se Boženka. "No *pen name,*" pravil restauratér. "Jak se to
řekne po našem? Je to vod *pen*, péro, tak —" "Česky se
to tuším řekne pseudonym," pravil Shake a Pádecký
vykřikl: "Česky, jo? Kde je tu co česky, skotáku!" "Par-
don," opravil se Shake. "Chtěl jsem říct: *nom de plume.*
Čeština je velmi bohatý jazyk." "Chceš přetáhnout řeme-
nem?" pravil výhrůžně Pádecký, sáhl si na břicho, jako
by chtěl rozepjat přesku, ale zjistil, že má jen kšandy.
"Není třeba," pravil Shake. "Raději ať pan plukovník
pokračuje ve svém příběhu." "V kerym?" zeptal se zma-
teně plukovník Ohrenzug. "Vo tý negerce přeci!" nakrkl
se Pádecký. "Pravda," řekl pan Ohrenzug. "Well, Mrs.
Lée jí dala džob jako *Zimmermaedchen* a vona si z gáže
měla nastřádat nejdřív na manžela, jako vykoupit ho z

otroctví," řekl pan Ohrenzug. "To neměl bejt problém. Lenoch a nemrcouch jako Hasdrubal, co za něj moh kdo chtít? To jeho máma, to bylo těžší — " Ale i to měli vymyšlené. Osvobozený nemrcouch ji měl očarovat, její cena by klesla k nule, protože byla jednonohá. "Jenomže člověk míní a Pámbů — " pravil pan Ohrenzug. Přišla do toho secese, *Zimmermaedl* uvízla v Cincinnati, Hasdrubal někde na plantáži na Jihu. "Holka byla do nemrcoucha tak udělaná, že jak byla jako lusk," pravil plukovník Ohrenzug, "za celou válku se mu spustila prej jenom jednou, s ňákym generálem, kerej tady v Illonois zavíral žurnalisty." "Burnside?" užasl Shake. "Neurážej!" zařval Pádecký. "Ten líznul toho padoucha Vallandighama!" a seržantovi vybouchla v hlavě vzpomínka jak prskavka. "A měl mu dát špagát!" běsnil Pádecký. "Velká chyba, že to neudělal!" "Myslíte toho pejzatýho?" zeptal se pan Ohrenzug. "S tim ne, pánove. To byl slušnej člověk. Tenhle se menoval Rascall nebo jak a rošťák to byl. Ne že zavíral pisálky, to sem mu schvaloval. Ale byl to nemrava. Jenže to vona čistě z vděčnosti, že bojoval za svobodu její rasy. Von byl fikanej, rošťák. Nebylo mu proti mysli zneužít vznešenejch lidskejch citů, mizera jeden!" Pan Ohrenzug se pozvolna málem připodobnil Pádeckému, ale uklidnil se a vyprávěl, jak černá dívka, sotva bylo po válce, sedla na vlak a odjela na plantáž do jižní Karolíny a v kufru si vezla svatební šaty —

"Tak to bude ta *Bride From Carolina!*" zvolala Boženka.

"Jaká brajd nebo co?" zabručel Pádecký.

"V tý kníze, co sem četla, *She Played It Safe*," řekla Boženka, "na konci stojí, že Mrs. Lee je nyní v práci na *another story, a tragic romance of the War against Secession,* která příde jako velký překvapení pro všechny její čtenářky," citovala Boženka, "protože v ní zazní struny dosud nezazněvší v díle Mrs. Laury Lee." Pohlédla ke stolu v boxu, seržant s ní. Slavná spisovatelka právě stavěla zpátky na stůl prázdnou sklenici na vysoké stopce, do jakých se nalévá pálenka. Hezká negerka rozkládala rukama v pantomimě, jakou se člověk dožaduje porozumění.

"Jaký struny?" ozval se Pádecký.

"Cože?" zeptala se Boženka nepřítomně.

"Povídám jaký struny?" opakoval Pádecký. "To bude vo šumařích nebo vo kom?"

"Paní Kapsová to myslí obrazně," řekl Shake."V románě budou zřejmě zcela nové příhody v pojetí, jakého autorka dosud nepoužila."

"To nevim," řekl Pádecký. "Holka si veze v kufru svatební šaty — jaký zcela nový příhody nebo struny nebo co? Akorát že jela ňák moc najisto, dyž mu sama zahnula, i dyž jen jednou. Ženská pitomá! Já bych — "
Pádecký zmlkl, protože ke stolu přiběhli dva číšníci s tácy, z nichž se kouřilo a stoupala vůně, vlastně už zapomenutá —

— a seržant, s prskavkou v hlavě, viděl ten lágr, výcvikový tábor ve Washingtonu, kde týral nováčky-dobrovolníky, vtloukal jim do těla rakušácký drill, ale pro dobrou věc, pro svobodu, kterou v téhle zemi, byť v armádě, získal, i pro tu, o jejímž nedostatku vyprávěl Cyril. Do tábora přijel poslanec, elegantní, řečný, a řečnil a nováčci, trochu vzpurní a dlouho odmítající pochopit, proč mají na slovo poslechnout Jacka od nich ze vsi jen proto, že má na rukávě prýmky, které jim na rukávě chybí, stáli kolem narychlo sbité tribuny a tváře jim temněly, jak washingtonský poslanec řečnil a řečnil proti válce. Nedořečnil: sundali ho z tribuny, posadili na trám, ze skladu už čtyři vlekli sud s térem a dva běželi z kuchyně s pěti právě podříznutými slepicemi a cestou už je oškubávali, pak jim však cestu zastoupil plukovník Farrar a řečníka zachránil. Ale dřív než hezký politik slezl z trámu, a obklopen stráží, na plukovníkův rozkaz zmizel z tábora, seržant se k němu přitočil a —

"Facku?" zeptala se užasle holčička. "Co ti udělal, tati?"

"Mně nic, Terezko," řekl seržant. "Ale —" Ten den přišel dopis, že Paidr umřel v domově veteránů v Racine. Jenom dvě věty. Seržant pohlédl na Houskovy hodiny, rozehrály se, Lincoln jako kukačka se vyklonil z vikýře, devětkrát zamával hvězdnatým praporečkem. Seržant vzpomínal na starého druha, Paidr, jméno ve věnci jmen Gettysburg, Cumberlandská armáda, Chattanooga, Wannahatchie, jak McLaws v noci zaútočil na Hookera, Lookout Mountain, hodiny rozehrály jiná jména. Kabinus, ženatý, ale shledal se po vojně s dívenkou, jíž do oddacího listu napsal kapitán věk 60 let? U Resaky přišel o ruku, nemluva, kamarád; a Kennesaw Mountain, Vojta Houska, Yazoo River, Stejskal, Dvacátý sbor Cumberlandské armády, Šestadvacátý wisconsinský, Švejkar, Zinkule, Fišer, Janovský, Kakuška —

"Mně nic, Terezko. A čti mi, čteš tak hezky."

"Jo hezky," pravila holčička, zvedla knihu a mechanickým hláskem se jala slabikovat, kde přestala —

"— a generál Sherman, vyhnuv se obecné bitvě, vyčkal u Bentonvillu, až lodice vyslané Schofieldem byly dovezly výstroj zle již potřebnou, neb dlouhý pochod oběma Karolínami, potyčky časté a kruté a posléze velké utkání bentonvillské své vykonaly a Shermanova armáda, ač vítězná, nezřídka podobala se tlupě hastrošů s kabátci v cárech, hruď holá pod rozedranou strůjí a nejeden vojín bos, však s puškou pečlivě vycíděnou, dorazil k řece Neuse, kde válka, ač trvala pak ještě měsíc, než generál Johnston 18. dubna konečně zbraně složil, pro statečné šiky generála Shermana slavně skončila."

"Nečekal na ní?" zeptala se Boženka zklamaně a ohlédla se po hezkém dveřníkovi. Za leptaným sklem se objevily dvě siluety, černoch otevřel. Pršelo. Do sálu vešel muž s tváří žebráka, s ramenou sundal pláštěnku a podal ji dveřníkovi. Druhý muž, menší, skoro přihrbený, měl výrazný nos. Pořád pršelo. Mosazné chrániče luceren drnčely jako plechový bubínek.

"Vy ste to uhod, pane Pádecký," pravil plukovník Ohrenzug. "Moc mu věřila. Jet tenkrát, brzo po válce, vlakem až do Jižní Karolíny byla štrapáce, a dyž se tam konečně dotrmácela, byl ten její ten tam. Tejden předtim se totiž na sousední plantáži vobjevila majitele cera, provdaná za generála naší, uniový armády a přivezla si s sebou *Zimmermaedchen*." Pokojská, jménem Bee, byla kdysi rovněž dáreček k svatbě, jenže její otrocký stav v Chicagu nepřetrval; buď jí generálka dala svobodu, nebo se o nesvobodě prostě přestalo mluvit. Buď jak buď, vypukla válka, výrobce inkoustu se stal plukovníkem a po rvačce na Malém Kulatém Vršku u Gettysburgu, kde přišel o oko, ale rval se dál, povýšil na generála. Z Bee se zatím stala důvěrnice a nejlepší přítelkyně bývalé majitelky. Tou byla vlastně odjakživa, vyrostly spolu. Na plantáž v Cooper's Ferry, napůl rozbořenou a opuštěnou, přijely na pohřeb generálčina ovdovělého otce. Cestovaly bez generála: ten už zas vyráběl inkoust a v mnoha městech na Jihu i na Severu se vytahoval historií svého skleněného oka. Na plantáži nezůstaly ani týden, ale stačil. Do Chicaga se generálka vrátila v doprovodu komorné, nového lokaje a nové kuchařky. Den nato dospěla k troskám sousední plantáže nevěsta z Cincinnati, svatební šaty ani nevybalila a vlastně jen přesedla na jiný vlak.

"Ale dopadlo to dobře," ujistila se Boženka a opět pohlédla na slavnou spisovatelku. Černoška v měňavém hedvábí jí úpěnlivě pořád předváděla pantomimu.

Pan Ohrenzug znejistěl.

"Jak se to veme," pravil. "Vona s ní držela toho lokaje matka. Volizujete se po jejim díle," řekl a rozhlédl se po společnosti kolem stolu.

Olizovali se, avšak Shake pravil:

588

"Kuchařské umění té dámy je vskutku *Jenseits von Lob und Kritik.* Nejde mi však na rozum —"

"Má to vod Boha," pospíšil si plukovník Ohrenzug. "Na to školní vzdělání neni zapotřebí. Vono se takhle vařit ani v žádný škole naučit nedá."

Shake se mu upřeně a mlčky podíval do očí. Plukovník se nervózně otázal:

"Dal byste si eště?"

"Říkal jste, že si ta Jasmine otevřela restauraci?" zeptal se Shake.

"*Sort of*, jak se řiká."

"Rovněž jste říkal, že lokajova matka drží s Jasmine."

"No, řikal," připustil pan Ohrenzug a zarazil se.

"Co mi nejde na rozum," pravil Shake, nespouštěl oči z plukovníka a pan Ohrenzug uhnul zrakem. "Že zůstala u vás? Když si její snacha otevřela restauraci a její syn tam dělá číšníka?"

"Bauncra," uklouzlo panu Ohrenzugovi. "Co chci říct, je, že vona to neni zas tak moc dobrá restaurace."

"Chcete říct, že vaše kuchařka odmítla jít vařit do podniku nízké kvality?"

"To je, co chci říct. Vona má Jasmině za zlý —"

Zarazil se. Shake mu pořád hleděl do očí. Zeptal se:

"Kde je ten podnik?"

"Ani přesně nevim," pravil plukovník vyhýbavě. "Prej někde mezi Dearborn a Clark."

Houska, jenž s fešandou paní pilně pracovali na talířích, zvedl hlavu, jako by chtěl něco říct. Pan Ohrenzug však s velkým úsilím a s falešnou veselostí změnil téma. "Vypadalo to bledě pro holku," ukázal hlavou ke stolu v boxu, kde slavná spisovatelka podávala ručku muži se žebráckou tváří, a neupřímně se zachechtal. Černoška přestala gestikulovat a hleděla na žebráka, jako by to byl prezident Spojených Států. "Pokojská z Chicaga připadala támhletomu troubovi," plukovník kývnul ke krásnému dveřníkovi, "jako lepší partie, ačkoliv to byly vobě holky hezký, světležlutý, vobě pokojský. Jenže ta Bee ovšem v zaměstnání u generálky. Vjely si kvůli němu do vlasů a ta chicagská Jasminu přeprala. Zřídila jí, panstvo! Jedno ouško málem utržený. Nebejt doktora Walenty, kerej jí ho přišil, dost možná vzalo za svý. Generálka ovšem mezitim chystala svatbu."

Seržant si všiml, že Boženka se na vypravěče zamračila.

"Hasdrubala s tou chicagskou?" zeptala se.

"Jo. S Bee."

"Tak to asi nebude ta *Bride From Carolina*," pravila Boženka smutně.

"Pěkná Bee!" zachechtal se plukovník. "Vosa se měla menovat. Popraly se večer před svatbou. Generál byl zas jednou na jedný ze svejch velice četnejch vobchodních cest, vytahoval se se skleněným vokem někde v Albany, a v generálovejch ložnici ležely na manželský posteli svatební šaty. Ty, co měla v kufru Jasmine, ty se těmhle rovnat nemohly. Nebe a dudy. Dyť taky generálka byla s Bee málem jako rodná sestra. Jo, a vidíte," a vyprávěl, jak se v předsvatební noci strhla v domě nepřítomného generála bouře. V přístěnku na dvoře, kam ji uklidila Gospel, si Jasmine míchala vitriol, ale nyní natáhla zdravé ouško. Z manželské ložnice ječely ženské hlasy, generálčin a pokojské jménem Bee. "Hotový pandemonium!" pravil pan Ohrenzug. "Jen dvakrát do toho jekotu brouknul mužskej hlas, ale povobakrát se hned vozvalo plác! jako z děla. Vona ta Bee byla vod rány." "Co se stalo?" zeptal se Vojta Houska. Všechny ženy na něho pohlédly, jako by nevěřily vlastním uším. Pádecký se snažil něco podotknout, jenže měl ústa zacpaná zelím.

"No přeci," řekl Shake.

Pan Ohrenzug přestal vyprávět.

Pádecký s velikým úsilím spolkl zelí a rozlítil se: "Jako sestra, jo? Coura oficírská!" křičel. "Jenže co čovek může čekat vod ženskejch? Hadí plemeno, jedna jako druhá!" Běsnil víc, než na to u něho byli zvyklí, jakoby z nějaké hluboké zkušenosti, ne jak to měl ve zvyku pro zábavu, neboť se rozčiloval rád.

"Mírněte se, Pádecký!" okřikla ho Růža.

"Co bych se mírnil?"

"Každá potvora neni," pravila Mánička.

"To řikáš ty, kerá —"

"Vona nemyslí sebe," pokusila se Boženka přispět na pomoc. "Chci říct —"

"— seš veselá vdova?!" řval Pádecký.

"*Was sagt er?*" zeptal se Schroeder.

"Která to byla?" zeptal se Shake.

Pádecký se zarazil.

"Co kerá? Jaká kerá?"

"Ta," pravil Shake, "co kvůli ní zatracujete celý ženský plemeno."

Pádecký ztuhnul.

"Tys jí znal?"

"Neznal," řekl Shake. "Nemám tušení, kdo ta dáma je."

"Tak co se do toho pleteš, sakra! Co ti je do toho, hlupče, proč já se rozčiluju, dyž houby víš."

"Příliš křičíte," pravil Shake. "Hosty to ruší."

"Kerý hosty?" Pádecký se rozhlédl kolem dokola a skutečně, od okolních stolů na ně hledělo několik tváří, ale spíše se zájmem.

"Tak dovim se to?" pravil Houska.

"Co?!" štěkl Pádecký, aby si ulevil.

"No co se stalo?"

Pádecký řekl téměř tiše:

"Ty asi ne."

Otevřely se dveře, zarachotil bubínek. Seržant se otočil. Dlouhá nesehnutá postava s generálským knírem, ale byl to jen Stejskal, koncem války už taky seržant tělesné stráže generála Williamse. S ním mrňavý šlachovitý kníráč. "Ale dopadlo to dobře?" znovu se ujišťovala Boženka. V boxu, z karafy s tekutinou krásně zářící ve světle svíc, nalévala Jasmine muži se žebráckou tváří. Dveřník zavřel dveře. "No jak se to veme," pravil plukovník Ohrenzug. "Bee se eště v noci spakovala a vodjela drožkou. Za tejden se vrátila pro svatební šaty. Je teď manželkou ňákýho konzula v republice Haiti, prej. Pani generálovou dal do pořádku doktor Walenta, kerej už v tom měl praxi. A Hasdrubal žádný zranění neutrpěl. Ten jak viděl, že de do tuhýho, na třetí facku nečekal."

Zavládlo mlčení. Po značně dlouhé chvíli pravil Houska:

"Jo tak!"

Všichni se po něm otočili, ale Houska si toho nevšiml. Řekl:

"Stejně ale že si ho vzala, dyž jí vyved takový neřádstvo?"

"Copak neznáš ženský, slejško?" zařval Pádecký.

"Neznám," řekl Houska. "Proto se ptám."

"Třeba to přece jen bude ta *Bride From Carolina*," pravila Boženka. "Ne nadarmo se řiká, že láska hory přenáší."

Seržant se napil piva. Předtím si do něho tajně nalil ohnivou vodu z lahvičky, kterou mu naplnili u baru, a nechal myšlenky volně plynout časem sem tam. Uršula, Franta Kotrmelec, Esmeralda, Josef, hořící terpentýnové lesy, Vítek.

Zprávu rozšířil ve Lhotě Martin Touška, z městyse ji přivez soused Vantoch, když tam byl ve mlejně. Touška seděl na káře, místo pravé ruky přišpendlený rukáv, jenže přesto. Lída už dávno sešla z očí, ale přísloví se nevyplnilo. Vítek byl málem rozhodnut, táta ho pečlivě odděloval od peněz, a přísloví se nevyplnilo, nebo vyplnilo, hory přenáší, a jednoruký jako znamení: otevřela se možnost. Zdrhnul. V okresním městě byli verbíři, za měsíc už v Tyrolích, za dva na lodi, za půl roku už křest ohněm u Matamoras, v parném létě cizí a daleké země, jenže blízko kraji, kam odjela, co sešla z očí. Hory přenáší. Pak potkal v Matamoras Josefa a Josef to vyprávěl Cyrilovi, Cyril seržantovi, to už máma Toupelíková nežila. Hořely ter-

pentýnové lesy. Potom i Cyril se ztratil v tropickém stínu
války, Jamaica, Trinidad, Barbados.

Pak Stejskalův hlas: "Kuba Dutý. Co položil tu minu
u Petersburgu. Udělali ho za to nadporučíkem." Seržan-
tovi stoupla do hlavy whiska. "Sem se na to mrk střílnou
v palisádě," říkal mrňavý kníráč, "a povídám: Dyž se
prokopáme pod předprseň a strčíme tam dost velkou
nálož, vyhodíme tu zatracenou pevnost, že po ní zůstane
jen díra jak po zubu. Krakonošovym," kníráč se zachech-
tal. "My sme tohle v menšim chtěli udělat u Vicksburgu,
jenže rebi měli stejnej nápad. Kopem šaft, já si dávám
chvíli dvacet a najednou slyšim, jak někdo škrábe lopa-
tou, vohlídnu se, ale celá moje parta si dává dvacet —"
mrňous se zhluboka napil piva, zakuckal se. Růžena ho
začala bušit pěstičkou do zad, Stejskal zavrtěl hlavou.
"To neni nic platný, pani. Von má z dolů zaprášený
plíce." Kníráč příšerně zalapal po dechu. "Poď, Kubo,"
řekl Stejskal a pomohl mu vstát. Dívali se, jak Stejskal
odvádí malého kamaráda k místnosti pro gentlemany.
"Ale stejně, pane plukovníku," ozval se Shake. "Když se
tak se synem milovali —" "Pohádala se s nim," přerušil
ho pan Ohrenzug a potemněl. "Proč?" "Vona —" barva
pana Ohrenzuga ještě o odstín ztmavla, "— chtěla, aby si
spíš vzal tu Bee. Moh z něj dnes bejt konzulový manžel
na Haiti - " "Dyť ste řikal, že držela s Jasminou?" podivila
se Boženka. "To že sem řikal? No to sem se musel spl -"
"A dyby si Hasdrubal vzal Bee, jak se vona mohla stát
konzulovou na Haiti?" řekla seržantova žena. Pan Ohren-
zug pravil bezradně? "Asi sem se přeřek." "Pane Ohren-
zug, vy hrdloužete!" pravila přísně Mánička Schroedero-
vá. Seržant tajně zazdil dalšího prcka, jeho žena zamra-
čeně upírala zrak na plukovníka. Seržant se napil, hlasy
utichly.

Na pohřeb mámě přijela Lída, Linda, už zase samo-
druhá. Z tohohle požehnání se konečně měl narodit Bax-
ter Warren III., dědic, a znova přísahala. Nevěřil jí, ale
řekla. "A proč bych si to vůbec vymejšlela, Cyrilku,

593

nevíš? Byla v tahu. V Savanně sem klidně mohla říct, že sem měla svejch starostí dost. Ale já se starala, víš?" "Jenže proč, Lído? Proč?" "Inu," řekla sestřička, módně vyfiknutá, už bohatá a ve Washingtoně, tenkrát, se smuteční šerpou na kloboučku. "Taky kvůli tobě. Ona ta tvoje růže, bůhvíjaký čárymáry —" pohlédla přes pole k de Ribordeauxově plantáži v dálce, přes hřbitov, kde na tátově hrobě byla čerstvá hromada hlíny, jak k němu přidali maminku. "Ale mohla sem mu nařídit, ať jí prodá na Jih. A já místo toho celou tu štrapáci s kovářkou—"

"Prásk!" uslyšel Jakuba Dutýho, byl už zas při hlase. Jeho návrat zmeškal. "Prásk!" opakoval Kuba. "Zemina se sype a já vidim ve světle lucerničky chlapa v batrnatu a s rejčem. Jak sem řek, měli stejnej nápad, prokopávali sme se jeden druhýmu pod předprsně. Tak sem po něm majz krumpáčem, von mi parýroval lopatou — hoši, my sme bojovali s rebama v podzemí!" "Zajali ste je?" zeptal se Houska. "Vodrazili sme jejich útok, pouze sme se museli stáhnout. Plán byl vyrazenej, na tom místě už se kopat nedalo. Ale u Petersburgu sem hned viděl tu šanci. Jak sem se mrk střílnou v palisádě. Za mnou někdo povídá: 'Myslíte?' Votočim se, von to byl muj podplukovník Henry Pleasants, u Osmačtyřicátýho pennsylvanskýho sme byli samí havíři ze schuylkillskýho vokresu, černý uhlí. 'Šůr, pane podplukovník!' 'A co větrání?' von. 'Museli byste prokopat ňákejch pět set stop.'

Cyril neřekl Lindě o broukovi, kterého mu kovářka nasadila do hlavy. Vrátil se do Chicaga, kde tou dobou byl už společníkem strojní firmy, ale brouk mu seděl v hlavě. Hory přenáší. Svěřil se Kapsovi: "Bůhví. Třeba si zoufala. A přece jen —" pravil smutně, "— já nejsem z její krve." "Jako kdyby na tom záleželo!" řekl seržant. "Bůhví," řekl Cyril a odjel.

Seržant se zvedl, odešel do místnosti pro gentlemany, cestou se znova stavil u baru.

"Ach Tasche! Kapsa! Mein lieber Mann!" *zvolala* Uršula, vzala ho za ruce, jenže to bylo všechno, dotkla se *ho jinak jenom šedivýma očima, řekla:* "Das alles ist nicht wahr." *"Není,"* řekl. *"Ale tenkrát jsem vám —"* "Tobě!" *"— ani nepoděkoval."* "A já?" *řekla Uršula.* "Kdo komu měl děkovat?" *Usmála se. U toho zůstalo. Něco se v něm zvedlo, silný cit, vděčnost. U toho zůstalo. Pak řekl:* "Tadyten šek. Patří vám — tobě. Nedokázal jsem ten vzácnej dar ani pořádně vohlídat." *"Ale přinesl ti štěstí."* "To ano," *řekl.* "A já jsem ti ho dala. A teď je vlastně zas v rodině." *"Ale tenhle šek —"Přerušila ho:* "Říkals, že máš dcerku?" *Takže z hnízda krystalových vajíček věno pro Terezku. Políbil jí jenom ruku.* "Danke, mein lieber Mann. Danke, danke, danke!"*Pak vyšel před dům, ohlédl se po dvouhlavém orlu a už nikdy ji neuviděl.*

A teď viděl svého generála. "Petarda!" říkal Jakub Dutý. "Co svět světem stojí a co bude stát! Obrovskej kus země, hlína, palisády, kanóny, rebove. Letěli rovnou kolmo do vejšky a pod nima sloup kouře a vohně, nahoře se to roztáhlo jak vobrovskej hřib a začalo to padat dólu, lidi, celí i roztrhaný, kolo vod kanónu, koňskej zadek s jednou nohou, co svět světem stojí —" *Chrpové hadí oči. Jak to řekla Boženka? Některé přísloví vyšlo, některé ne.* "Plán byl," slyšel Jakuba Dutýho, "zaútočit tou vobrovskou dírou. A měl se povíst. Za hodinku mohli bejt v Petersburgu. Jenomže řacha byla tak děsná, že se všichni lekli. K tomu spustila naše artilérie, rambajs, svět to neviděl. Ledlieho divize, co měla jít do útoku první, stála s hubama dokořán, a dyž se nakonec hnuli, místo zteče začli pomáhat raněnejm a zasypanejm rebum. Teprve dyž se k nim přidaly další dvě divize, začlo se v Kráteru střílet a za chvíli se to tam mlelo, že nikdo neměl pojem, kdo je kdo. Navíc se generál Ledlie ulil, chlastal v krytu za palisádama asi podělanej strachem. Ani se neni co divit. Do toho napochodovala negerská divize jako na execíráku, dokonce si zpívali! Jejich velitel Ferraro je ovšem pustil do řeže samotný, přihejbal si v krytu s Ledliem. To byli velitele! Ty negry chtěl starej Burnside poslat první. Počítal, že nevěřícím Tomášum dokáže, že sou to vojáci jako každý jiný, taky na to drilovali celejch čtrnáct dní. Pak si to ale Burnside rozmyslel a poslal napřed bílý divize, kerý ovšem Kráter neměly nacvičenej. Zvoral to jako u Fredericksburgu."

"Pamatuješ? Pamatuješ, kamaráde? Perryville. A my mezi těma strašnejma bublinama!" Šťastný Šálek-Cup. Jak se všechno mění. Někdo říkal alchymie času, seržant se napil posíleného piva, taky alchymie. Bitka s vyplazenými jazyky u Perryvillu. Zbylo z ní už jenom vyprávění Jana Ámose Shaka. Cup, vdovec, rozvedenec a teď zase šťastlivec —

"Činžák?" zeptal se seržant.

"Jeden na Žižkově, druhej na Malý Straně," řekl Cup. "A zelinářství na Malym Rynečku. Sme kolegove!" pravil šťastně. "A voba Sokolove! Já chicagskej, von pražskej. Jiřinku sem taky prvně viděl v sokolskym — "

"A že ses na slet nebál," přerušil ho seržant. "Seš přece zběh. A Malou Stranus bombardýroval."

"Sem Andy Cup," pravil Šálek. "Mám na to papíry. Americký. No, bombardýroval. Ale byl sem mladej a vosel. Už je to taky let."

Seděli v hostěnici u Slavíků, přibyly jim leta, farmák, velkoobchodník.

"Nejsi pro Jiřinku moc starej?"

"Sem Amerikán!" pravil hrdě Cup. "Sloužil sem čestně ve velký vojně za svobodu!"

Seržant se rozhlédl. "Vona ne že by ta restaurace byla tak špatná," zaplétal se pan Ohrenzug. "Jedině že je ve špatnym sousedství."

"Že to tam neznám," řekl Shake. "Pohybuju se výhradně mezi chudým lidem."

"Kde ste řek, že to je?" zeptal se Houska.

"Někde mezi Dearborn a Clark," pravil pan Ohrenzug.

"Neni vono to v Little Cheyenne?" řekl Houska a zarazil se. Růžena se zeptala:

"Co je to zač, to Little Cheyenne, Housko?"

"To sme ale eště nebyli svoji," pravil Houska.

"Ach tak!" řekl Shake.

"Vy to tam znáte, pane Shake?" zeptala se Růžena.

"To jste ještě nebyli svoji," pravil Shake.

"Byli nebyli!" rozzlobila se Housková manželka. "My byli s Vojtěchem zasnoubený už za války!"

"Dyť ty sis pak vzala Fredyho!" bránil se Houska.

"Jenže kvůli tobě sem se vod něj dala rozvíst!" pravila namíchnutá paní Růža. "A von je teď čekanec za šestej vokres v Berwynu!"

Boženka, která celou tu dobu pozorně poslouchala, řekla:

"Tak to ta *Bride From Carolina* nebude. Tohle nevypadá na ten druh *stories*, co je píše Mrs.Lee."

U stolu v čele sálu měla slavná spisovatelka hlavu v dlaních. Pak ale vstala a prudce hlavou otřásla, až se jí kolem dokola rozhoupaly zrzavé lokýnky. Muž s tváří žebráka rovněž vstal, uklonil se. Spisovatelka se do něho zavěsila, odešli na parket. Za chvíli už křepčili jig na rytmus skočné, kterou vyhrávala Matesova banda.

Ty divné cesty přes hory.

"Jenom ten jeden dopis," řekla Linda. "Že prej ji někdo viděl. Na Jamaice." "Takže kovářka—" "Já nevim," řekla Linda. "Tonoucí se stébla chytá." Některá přísloví.

Seržant vstal.

"A z Jamaiky už —?" "Nic," řekla Linda. ""Sou to tři roky. Cyrilek. Měli sme na nebi divný hvězdy, seržante, co?" Stála v zeleném kloboučku na rohu Randolph a Green. Cupovy oranžové pomeranče za ní jako hořící pochodně, chrpy z té daleké země, terpentýnové lesy, leč už navždycky tady.

"Třeba bude," utěšoval pan Ohrenzug jeho ženu. "Von je to jinak nóbl podnik. Maj tam salóní kapelu z New Orleansu. Dovezenou —"

"Vy ste tam byl, pane Ohrenzug?" zeptala se Boženka.

"Čistě jen ze zájmu," pravil pan Ohrenzug. "Dá se tam jít i jen tak. Na drink. Na víno, myslim. Někerý dámy uměj i francouzsky. Sic jenom ten patojs, ale —"

"Jedna věc mi stejně nejde na rozum," ozval se Shake. "Kde na to vzala?"

Pan Ohrenzug se lekl.

"Kapitál do toho vložil doktor Walenta!" řekl rychle. "Jak jí šil to ouško, tak počítám dostal ten nápad."

"Tak to určitě nebude ta *Bride From Carolina!*" pravila pevně Boženka.

Seržant vykročil ke stolu v čele sálu, zaváhal, zarazil se. Slavná spisovatelka se vrátila z parketu a slyšel, jak muži s tváří žebráka říká: "Já nevím, jestli ještě někdy něco napíšu, pane generále. Napsala jsem patrně všechno, co jsem uměla. Potom jsem zkusila něco... Snažila jsem se. Moc. Jenže co jsem chtěla, je mi málo platné. Platí, co jsem dokázala. Pán Bůh mění..." Některá přísloví.

Dveře farmovního domu otevřela ta červenolící z obrázku, kde v pozadí visel menší obrázek s maličkým obličejem jejího muže, dílo všeumělce z Wilberu. Věděl, že jeho kroky nevedli otázaní na rozcestích. Plakala usedavě, k neutišení. Nakonec se utišila.

Jeho žena. "Ne, pane generále," říkala slavná spisovatelka. "Tahat los je nechat neměl. Do útoku měl poslat nejzkušenějšího velitele a to Ledlie nebyl, ten si jenom vytáhl los. Jenomže proč tak selhal?" "Proč?" pravil muž s tváří žebráka. "Burnside byl výborný chlap. Ale chtěl víc, než uměl." "To nevím," řekla slavná spisovatelka. "Vím jenom, že mu na tom strašně záleželo, aby v téhle bitvě, která, jak by asi řekl můj nebožtík manžel, měla znamenat nejen průlom fronty u Petersburgu, ale taky průlom do historie válečné techniky —" *Na svém obrovském koni Samovi, jeho štáb v kyvadlovém pohybu, hořící sníh. "*— a aby se slovo Kráter spojilo s jeho barevnou divizí. On na ně byl opravdu hrdý. Vážil si jich. To je taková stará historie. Ještě z mexické války. Vlastně dřív. A vy jste mu to nedovolili." Seržant sebral odvahu. "Proto ta hloupost s tím losováním," řekla slavná spisovatelka. "Meade se bál," pravil jeho generál. "Kdyby došlo k masakru, obvinili by novináři Granta, že poslal negry na jistou smrt, aby ušetřil bílé." "Takže jste Burnsidovi v poslední chvíli změnili rozkaz a teď vám novináři vyčítají, že barevné vojáky pokládáte za šunt," pravila spisovatelka. "Báli jste se svěřit jim nevyzkoušený úkol. " "Člověk se nezachová," ušklíbl se generál. *Řekl generálu Loganovi: "Teď už, Johnny, nemusíme vyhrávat bitvy." Kolem pochodovala Druhá Terryho divize v nových modrých uniformách. Linda řekla: "Co ty víš, Cyrilku?"* Co věděl? Seržant vykročil k boxu v čele sálu, zahlédl, jak k němu spěchá plukovník Ohrenzug, který si nasadil brejle a konečně spatřil muže s tváří žebráka. Seržant se postavil do pozoru. "Pane generále!" zachroptěl. Žebrácká tvář k němu vzhlédla, viděl, že generál vzpomíná. Linda v kloboučku s černou šerpou, pod tribunou velká Shermanova armáda. Generál mu pohlédl do očí.

"Počkejte — Kapsa, že?"

"Ano, pane generále!" řekl seržant.

Toronto — Tortola — Toronto — Amherst — Toronto — Canberra — Toronto 1984-1991

DEO GRATIAS

AUTOROVA POZNÁMKA

Jádro příběhu o lásce Lídy Toupelíkové a statkářského synka Vítka Miky jsem si vypůjčil z povídky Josefa Buňaty "Shledání na půdě texaské", otištěné v *Amerikánu, národním kalendáři* (roč.21,1898), a story o objevu poživatelného bavlníkového oleje z povídky téhož autora "Za otrockou svobodu" (*Amerikán*, roč.39, 1916). Buňatova povídka má ovšem viktoriánský happy end: milenci se šťastně shledají v Texasu.*

S výjimkou Jana Ámose Shaka, jehož jsem si vymyslel, všichni ostatní čeští vojáci opravdu žili a ve válce

---

*Josef Buňata (1846 — 1934) byla výrazná postava českoamerické žurnalistiky v druhé polovině 19. století a na začátku století našeho. Politicky to byl volnomyšlenkář a socialista (ke konci života se však socialismu zřekl a přiklonil se k americké demokracii), který redigoval množství českých periodik v Clevelandu, v New Yorku, v Bryanu v Texasu, v Chicagu a v Omaze, a protože povolání českoamerického žurnalisty bylo málo lukrativní a hodně nejisté, živil se v dobách, kdy byl bez místa, rukodělnou výrobou doutníků. V průběhu hektického a činorodého života stihl napsat i několik románů vesměs volnomyšlenkářského charakteru jako *Kněz svobodář; příběh ze života amerických Čechů* (Aug.Geringer, rok neudán), *Kněžská msta* (Geringer, rok neudán) nebo *Kotrmelce lidového lidovce* (rok a nakladatel neudáni), a hlavně přispíval do *Amerikána* i do jiného českoamerického kalendáře *Pionýr, českoamerický kalendář*, kde otiskl vzpomínky "Z mého dětství" (roč.5, 1920). *Amerikán* uveřejnil Buňatovo vzpomínání na řemeslo, jímž se většinou živil, "Doutníkáři" (roč.47, 1924), "Putování českoamerického novináře" (roč.59, 1936), autobiografický text o Buňatových zkušenostech v Americe, a řadu jiných nebeletristických textů. *Last but no least* otiskl Buňata v *Amerikánu* několik próz jako např. "Amerikanismus přistěhovalců" (roč. 44, 1921), "Šlechetná pomsta" (roč.22, 1899), "Z dob rekonstrukce (roč.38, 1915) aj., včetně zmíněných povídek "Shledání na půdě texaské" a "Za otrockou svobodu".

bojovali, a i většina civilistů jsou skuteční lidé. O jejich osudech, existují, pokud vím, dva hlavní prameny: *Amerikán*, kde někteří z nich otiskli krátké autobiografie, a kniha Josefa Čermáka, starosty chicagského Sokola, *Dějiny Občanské války s připojením zkušeností českých vojínů*, kterou vydal August Geringer v Chicagu v roce 1889. Čermák v téhle knize hojně cituje z dopisů, jež — patrně na jeho výzvu — poslali mu čeští veteráni Občanské války. Ale jenom cituje: existoval zřejmě soubor dopisů a nebyl jsem si jist, zda série minibiografií, otištěná v *Amerikánu* (roč.12, 1889), je všechno, co měl Čermák k dispozici. Když jsem shromažďoval materiál pro *Nevěstu z Texasu,* obrátil jsem se proto v Chicagu na Vlastu Vrázovou, vnučku nakladatele Augustina Geringera a dceru cestovatele Enrique Stanko Vráze, jejíž bohatý život a neúnavná práce pro českou věc v Americe i doma (kde ji po únoru 1948 nakrátko zatkli komunisti) čeká na dizertaci. Dala mi adresu Čermákových vnuček, a od jedné z nich jsem se dozvěděl, že žádné takové dopisy se v pozůstalosti jejího dědečka nenašly. Vnučka Josefa Čermáka už ovšem česky neumí a nejsem si proto

---

Buňata je jedním z mnoha českoamerických autorů, kteří jsou zcela zapomenuti a jimiž by se asi měli zabývat bohemisti, především američtí bohemisti; ti místo Hrabala, Kundery a jiných současných spisovatelů ze staré vlasti, o nichž může dnes psát dost kvalifikovaných lidí v Československu. Podobně jako Bartoš Bittner, Pavel Albieri, J.V.Čapek, Hugo Chotek, R. Jaromír Pšenka, J.A. Trojan nebo F. Staňková-Bujárková a mnozí jiní, nebyl ani Buňata žádný literární velikán. Ale snad i na českých univerzitách vzniknou stolice pro výzkum "pokleslé" literatury — *Popular Literature,* jak se tomu žánru říká v Americe — z níž je často možné dozvědět se o životě, smýšlení a chování lidí té které doby a země víc než z literatury vážné, prošlé uměleckou stylizací. Snad se podaří sehnat stipendium pro nějakého českého studenta nebo studentku, aby mohli tenhle zapomenutý poklad české kultury prozkoumat tam, kde jej naši předkové nashromáždili: ve Spojených Státech Amerických.

jist, do jaké míry je její údaj věrohodný. Doufal jsem, že existuje nějaký archiv Geringerova nakladatelství, ale Vlasta Vrázová mi řekla, že když dědeček zemřel a podnik se likvidoval, starou korespondenci většinou zničili, protože ji nepokládali za nic příliš cenného. Ani tenhle údaj není zcela spolehlivý a chtělo by to skutečného badatele, ne do historie fušujícího romanopisce, aby se na to podíval. To ovšem vyžaduje čas a peníze, což jsem neměl, a navíc jsem došel k názoru, že originály dopisů těch legendárních českých vojínů skutečně vzaly za své.

Z hlediska romanopisce to není špatné: ponechává to větší pole obrazotvornosti. Takže jsem všechny své vojíny shromáždil v Šestadvacátém wisconsinském pluku, kde ve skutečnosti bojovali jen někteří (i když jich tam bylo hodně), a pokusil jsem se dát jejich jménům tvář prostředky obvyklými v próze.

Některé episody — třeba žádost chicagských Čechů o úpravu vztahu s Vídní znovuuvedením do rakouského poddanství, nebo česky mluvící černoch (jehož jsem pojmenoval Břéťa) z Karolíny — jsou doloženy věrohodnými prameny, ačkoliv vypadají jako neoprávněné aktualizace, ne-li holý výmysl. Takový je život.

K románu jsem musel pročíst nejenom českoamerické, ale také americké prameny. Americká Občanská válka byla první velký konflikt dějin, kde naprostá většina vojáků a všichni důstojníci byli lidé gramotní, a protože ještě neexistovalo rádio, film ani televize, také velmi psaví. Existují desítky ne-li stovky knih korespondence vojáků s drahými doma; téměř každý důstojník, od velitele roty po Shermana a U.S. Granta, pokládal za svou povinnost napsat dějiny útvaru, jemuž stál v čele. Tohle všechno se pak stalo materiálem pro armády historiků, a ti z toho vyprodukovali další desítky, ne-li stovky článků a knih. Strávil jsem nějaký čas v U.S. Army Military History Institute v Carlisle Barracks v Pennsylvanii, hned vedle bojiště u Gettysburgu, kde jsem se ponořil do obrovské knihovny a do gigantických archivů a v nich jsem utonul. Zjistit v těch archivech jména všech českých vojáků je nemožné: jednak mnoho Čechů má jména německá a kdo z těch všech Muellerů, Koenigů a Neumannů v seznamech byli Češi, kdo Němci nebo Rakušani (anebo Maďaři), dnes už patrně rozhodnout nelze. Američtí plukovní písaři jednak přirozeně neuváděli etnický původ vojáků, jednak často "obtížná" jména komolili, a i čeští vojáci sami si jména občas přizpůsobovali možnostem svých anglosaských krajanů. Tak se nejen z Machané stal MacHane, což byla otázka výslovnosti, ale třeba můj prastrejček z Milwaukee Škvorecký se proměnil ve Squara nebo snad dokonce prostým překladem v Earwigana; přesně to už v rodině nikdo neví.

Uvědomil jsem si, jak riskantní je psát román o té válce, neboť je to jediný velký ozbrojený konflikt v krátkých amerických dějinách, který se odehrál na půdě Spojených Států, a proto se jím zabývá nejen spousta univerzitních profesorů historie, ale i desetitisíce *Civil War Buffs*, což snad by se dalo přeložit jako "Občanskou válkou posedlí". Pro ty se vydávají fandovské časopisy, kde vycházejí články o významných, ale i o nejbezvýznamnějších episodách velkého zápolení; existuje rozsáhlý obchod s antikvárními knihami o Občanské válce a s reedicemi prastarých publikací, jakož i byznys s uniformami, zbraněmi a výstrojí. Jednou za čas se ti nejposedlejší z posedlíků ozbrojí, ustrojí a vystrojí a pořádají jakési komemorativní manévry na klasických bojištích: přesně dle historických záznamů znovuvybojovávají třeba bitvu u Spotsylvanie a jiná krveprolití a mají pak na dlouhou dobu nač vzpomínat. Nedávno natočila taky americká televize seriál, založený na mnohasvazkových dějinách války vydaných koncernem Time-Life, což zájem o válku přeneslo do většiny amerických domácností, i do těch, kde dominují pacifistky (přes nepřítomnost v senátě vládnou Americe ženské). To všechno znamená, že každý druhý Američan je vlastně znalec mého tématu, a lze se tedy nadít, že román bude podroben přísné a odborné (i když ne třeba literárně odborné) kritice. Co z něho zbude, nevím. Ale takové je riziko tohohle povolání. Přes to riziko je radost moci v něm pracovat, z knih a fantazie vytvářet svět sice zašlý, kde však žili lidé jako my a ti jednali a do značné míry mysleli a mluvili jako my, i když jejich řeč se v literatuře příliš nezachovala, protože tenkrát panoval — aspoň v Čechách — názor, že v knihách se tak psát nemá.

Nejsem si jist, nakolik zaujme české čtenáře příběh generála Burnsida a Klementa Vallandighama, postav v Čechách prakticky neznámých, jenže pro mě má význam klíčový. Je to story podobná v jistém smyslu příběhu filmu *Farářův konec*, který podle mého námětu natočil nebožtík Evald Schorm: historie člověka, jenž porušuje psaný zákon, protože v duchu naslouchá zákonu, jímž se řídila Antigona; a jiného člověka, který, drže se přísně v mezích psaného zákona, dopouští se zrady. Tedy vyprávění o problému, který americkou demokracii provází téměř od jejího zrodu dodnes. Patrně nejen americkou demokracii. I tady jsou všechny hlavní episody — včetně Lorrainina útěku od oltáře — založeny na skutečných událostech. Jenom pochybuju, že Burnsidova uprchlá nevěsta se ve skutečném životě stala úspěšnou spisovatelkou: to jsem si vymyslel. Ale její problém s "vážnou" literaturou, a jak vlastně "zrcadlí" skutečnost, vymyšlený asi není.

Některé episody týkající se černých otroků znějí možná taky nevěrohodně: třeba strýček Habakuk a jeho obratná zákulisní diplomacie, jíž se zbaví dozorce, který si na něho zased. Ale našel jsem podobný příběh v přísně vědecky zpracované dokumentaci, i když tam nešlo o padělání dopisů a o pornografický portrét plantážníkovy manželky. Dokumentován je i trest spočívající v nuceném pojídání housenek: skutečně potrestaným se asi zvedal žaludek (v tom spočíval trest), ale nelze vyloučit, že některým bavlníkové ponravy perverzně zachutnaly: hmyz je konec konců pochoutka různých exotických kuchyní. Poprvé jsem ji okusil na oslavě čínského Nového roku u Priscilly a Oty Ulčových v Binghamtonu (po mandarinsku upravené kobylky) a od té doby tu delikatesu marně hledám v početných restauracích torontského *Chinatownu*. Asi to v Severní Americe umí už jen princezna Priscilla Li-Ulčová. Také milostný vztah otrokáře k otrokyni nepochází z romantické literatury, ale ze skutečnosti a prezident Jefferson nebyl jediný plantážník, jenž měl techtle mechtle s černou milenkou. Na perryvillském bojišti opravdu došlo k záhadnému akusticko-optickému jevu, o němž, v rámci tradiční humorné nadsázky, vypráví Jan Ámos Shake. Také brnění prodávali dobrovolníkům obchodní podnikavci, aspoň na počátku války. Bylo jim houby platné.

V té válce, jak říká Shake, bylo prostě možné všechno. Snad je i možné napsat o ní takovýhle román.

*   *   *

Protože aspoň základní znalost historie Občanské války je asi potřebná pro orientaci v románě, který jsem nepsal jako román striktně historický a u něhož takovou znalost předpokládám, a protože příručky nejsou vždycky po ruce, rozhodl jsem se, že se pokusím načrtnout stručný portrét té velké a slavné války.

Když sečteme a odečteme všechny položky, byla to v podstatě válka, v níž se rozhodovalo o lidské svobodě; na dlouho do budoucnosti a na celém světě. Téma lidské svobody ztělesňoval osud černých otroků. Marxističtí historikové měli ve zvyku — a co já vím, paličatí stoupenci toho učení snad dodnes mají — ohrnovat nos nad přesvědčením, že ve válce, jak napsal Buňata, se bojovalo "za otrockou svobodu". Šlo prý o hospodářský a třídní konflikt, o protichůdné materiální zájmy severních kapitalistů a jižních plantážníků, na něž se otázka otroctví pouze přilepila, aby se ekonomické zájmy zakryly a davům dalo heslo. Inu, nikdo, kdo něco o válce ví, nebude popírat, že ekonomický interes hrál velice důležitou roli. Jenomže je tu jeden fakt, marxisty přehlížený nebo tutlaný. Nejlíp jej zformuloval Bruce Catton, americký historik a jeden z předních znalců války: "Bez otroctví se problémy mezi oběma částmi Ameriky daly pravděpodobně vyřešit politickým kompromisem; protože však existovalo otroctví, proměnily se v problémy nevyřešitelné...Všechny rozpory, až na otroctví, šly urovnat demokratickým procesem. Otroctví však situaci skrznaskrz otrávilo."

O pravdivosti Cattonova postřehu svědčí jednak celá předválečná historie otrokářství v Americe, jednak a hlavně osudové rozhodnutí vlád Anglie a Francie do americké války nezasahovat a samostatnost Konfederace neuznat.

Jih se o intervenci velmi snažil: představovala jeho hlavní naději na vítězství. A Konfederace nebyla bez šancí. Pseudoaristokratický charakter její společnosti vzbuzoval značné sympatie ve vznešených kruzích obou západoevropských velmocí; obě vyslaly na bojiště četné vojenské pozorovatele, kteří táhli s armádami generálů Leea, Johnstona, Bragga aj.; a Jih měl v Evropě dva zcela oficiální zástupce, Jamese Masona v Londýně a Johna Sliddella v Paříži. V létě 1862 došly věci tak daleko, že britská vláda uvažovala o nabídce zprostředkování mezi Severem a Jihem, aby se spor urovnal. Předpokládalo se, že jestliže Lincoln taková jednání odmítne — a to by se jistě stalo — Anglie bude moct s klidným svědomím Konfederaci uznat, bez rozpaků ji zásobovat zbraněmi (které agrikulturální Jih vyráběl v nedostatečném množství) a nakonec i vyslat expediční armádu. Neboť oficiálně nebylo v té fázi války jádrem sporu otroctví, ale právo národů na samostatný stát.

Tomu ovšem učinila konec Lincolnova Proklamace o osvobození otroků (*Emancipation Declaration*) z 22. září 1862. Bez Proklamace mohly se evropské mocnosti dělat hloupé a tvářit se, že prostě pomáhají státu, který bojuje za svobodu a byl napaden agresorem. Po Proklamaci by intervence ve prospěch Jihu vypadala jako pomoc při zotročování lidského plemene. "Proklamace," říká Bruce Catton, "uzamkla Konfederaci do anachronismu, který nemohl přežít moderní svět." Naděje Jihu na pomoc z Evropy se zhroutila a filozofie "zvláštní instituce" nakonec dospěla k hořkému konci. Počátkem roku 1865 konfederační státní sekretář Benjamin nabídl Lincolnovi, že Jih otroctví zruší výměnou za uznání samostatnosti, a zanedlouho potom se Konfederace dokonce pokusila rekrutovat otroky do armády za slib, že po válce budou z otroctví propuštěni. Byl to žalostný a zcela nesmyslný pokus (jejich ženy, které do armády vstoupit nemohly, měly zůstat nadále otrokyněmi?), který samozřejmě totálně ztroskotal.

Druhé svědectví o správnosti Cattonova postřehu je předválečná historie otrokářství v Americe. Na počátku osidlování nepředstavovala instituce velký problém a koncem osmnáctého století v severní části Unie samo od sebe vymřelo: prostě se nevyplácelo. Na Severu i na Jihu se tedy mělo za to, že otroctví není nutno nějak formálně rušit, protože samo zanikne. Všechno se ale prudce změnilo, když Yankee Eli Whitney vynalezl v roce 1793 vyzrňovací stroj na bavlnu (*cotton gin*), který umožnil mohutný rozmach pěstování té plodiny na Jihu, podporovaný obrovským zájmem o laciné bavlněné látky v Evropě: otroctví se náhle začalo zatraceně vyplácet. Z Jihu se stalo bavlníkové impérium a na začátku války pracovalo na jeho plantážích na čtyři milióny otroků : téměř polovina obyvatelstva.

"Zvláštní instituce", jak otrokářství decentně říkali plantážníci, se proměnilo ve špatné svědomí Ameriky. Mezi lety 1820 až 1861 Kongres uzavřel řadu kompromisů, jimiž se mělo zamezit šíření otroctví na Sever a do nově vznikajících států (*Missouri Compromise,* 1820; *the Compromise of 1850* atd.) až po poslední pokus senátora Crittendena z roku 1861, který Lincoln definitivně zamítl a otevřel tak bránu k rozehrání konfliktu. Vlastní střetnutí zahájila Jižní Karolína, když 20. prosince 1860 vyhlásila odtržení od Unie. Děla začala pracovat 12. dubna 1861, kdy jihokarolínské dělostřelectvo bombardovalo pevnost Sumter v charlestonském přístavu a donutilo její posádku se vzdát.

* * *

Válka začala. Její historie je dlouhá a spletitá a nemohu ji zde líčit ve všech jejích zákrutech: pro orientaci v románě to ani není nutné. Byla to válka, zejména zezačátku, dvou amatérských armád vedených většinou důstojníky-amatéry, takže pruský generál Moltke se o ní vyjádřil pohrdavě: nemá prý cenu ji studovat, protože to nebyla válka, ale rvačka dvou ozbrojených tlup (*mobs*), které se vzájemně honily sem tam po kontinentě. Byl ovšem dost vedle: válka otevřela zcela nové možnosti ozbrojeného boje a byla v pravém slova smyslu, protože v mnoha ohledech, první moderní válkou dějin. Jenže to v roce 1870 pruský stratég přehlédl.

Zezačátku vládl optimismus: počítalo se s krátným trváním, proto první Lincolnova výzva zřídit dobrovolnické milice o síle 75.000 mužů (přihlásili se i Lincolnovi slovanští střelci v Chicagu) zavazovala dobrovolníky pouze k devadesátidenní službě, a mnozí se obávali, že konflikt skončí dřív, než zasáhnou do boje.

Zrodila se však armáda, jakou svět do té doby nepoznal, neboť v ní bojovali muži, kteří nezažili nic jiného než demokracii a nikdy neprošli bitevním ohněm. Výjimkou byli samozřejmě nedávní přistěhovalci, zejména osmačtyřicátníci, ale naprostá většina dobrovolníků přicházela z prosperujícího amerického venkova. Amerika byla tehdy i na Severu země převážně zemědělská a většina mladíků hrnoucích se do armády v takových počtech, že je odvodní komise nemohly všechny přijmout a mnozí se proto zahanbeně vraceli domů se stigmatem "odmítnutých", byli synové a vnukové evropských chudáků, kteří se na americké "cestě za štěstím" tvrdou prací domohli majetku a statutu samostatných farmářů.

Charakterizovaly je především tři vlastnosti: zaprvé železná věrnost myšlence zachování Unie, tj. toho amerického státu, který umožnil jejich předkům dostat se z mizérie dožívajícího evropského feudalismu a udělal z nich svobodné občany. I když boj za svobodu otroků většinu z nich (kromě aktivních abolicionistů a těch bylo ovšem hodně, dokonce existovaly kompletní abolicionistické jednotky) nemotivoval v první řadě, k instituci samé neměli sympatie, neboť jim připomínala podobné zařízení ve starém světě, nevolnictví, které znali z vyprávění otců a dědů.

Zadruhé — protože žádnou válku v nové vlasti nikdy nezažili — byla to armáda zpočátku značně operetní, barevná a poetická. Před válkou trénovaly dobrovolné milice téměř výlučně schopnosti potřebné nikoli v boji, ale na přehlídkách. Protože neexistovala jednotná uniforma, vymýšleli si křiklavé a zcela nepraktické stejnokroje (Zuávové) a označovali se chlubivými a krvelačnými jmény, jaká dnes používají nanejvýš fotbalové a hokejové týmy: *Tigers, Invincibles* (Neporazitelní), *Game Cocks* (kohouti pro kohoutí zápasy) apod. mezi nimi se Lincolnovi slovanští střelci vyjímají krotce; ale zato z názvu dýchá úcta k muži, jenž měl zachránit ohroženou Unii.

Zatřetí: byla to armáda demokracií prodchnutých civilistů nikoli profesionálních vojáků, první svého druhu v dějinách a i její organizace byla proto dotud nevídaná. Některé jednotky se např. podobaly spíš společenským klubům než vojenským útvarům a přijetí záleželo na souhlasu ostatních "členů". Důstojníky si vojáci buď' volili, nebo je jmenoval guvernér státu zodpovědný za organizování sborů. Jenom menšina důstojníků byli absolventi vojenské akademie ve West Pointu, protože obrovská a stále rostoucí armáda potřebovala prostě mnohem víc velitelů, než kolik jich mohl dodat West Point. Vším pronikal naproso neformální duch, který ovšem také vedl k jevům v jiných armádách té doby i pozdějších nemyslitelný. Tihle svobodomyslní mladíci dlouho nemohli pochopit, že okamžité a bezpodmínečné uposlechnutí rozkazu není nic ponižujícího: proto o rozkazech často debatovali nebo aspoň žádali, aby velitel věc pořádně vysvětlil. Na Jihu došlo k případům, kdy horkokrevný nováček, rozkazem uražený, vyzval svého nadřízeného na souboj; na Severu souboje tou dobou už vyšly z módy, ale zato docházelo ke rvačkám mezi důstojnictvem a vojíny, jimž se rozhodnutí velitele nelíbilo. Přitom měli vojáci patrně často dobré důvody k zpochybňování rozkazů, neboť důstojníci byli amatéři jako oni a válečné řemeslo se teprve učili.

Tohle snad vysvětluje důležitost výcvikových seržantů (*drill masters*), jako byl seržant Kapsa, vydrezírovaný tuhou rakouskou kázní. V průběhu války se vojáci ovšem naučili poslouchat rozkazy stejně bez odmluv jako jejich evropské protějšky, ale jedna věc z téhle v původním slova smyslu lidové armády nezmizela nikdy a existuje v ní podnes, jak jsme se znova přesvědčili v nedávné válce s Irákem. I poté, co vojáci řemeslo subordinace zvládli, v leženích panoval starý neformální přátelský duch mezi vojíny a důstojníky: ten, co tak šokoval sovětské rudoarmejce ještě v roce 1945 při "Setkání na Labi", kde viděli americké vojcly popíjet pivo s oficíry a oslovovat se navzájem křestními jmény (angličtina, jak známo, nemá tykání: tímhle je nahražuje). V ležení tedy byl na denním pořádku značný nedostatek disciplíny, a zvrhlosti, jaké jsme zažili ještě my v komunistické armádě padesátých let, jako zdravení důstojníka v pořadovém kroku i uvnitř tábora, by vojákům připadaly jako dobrý (nebo špatný) vtip.

Ale pozor: jakmile tihle vojáci vytáhli do pole, byla z nich najednou zcela disciplinovaná, nad jiné statečná armáda.

* * *

Ta armáda čelila strašlivostem, před nimiž hrůzy minulých i pozdějších válek blednou. Percentuálně vzato, byla to patrně nejkrvavější válka dějin.V obou armádách bojovalo dohromady na čtyři milióny vojáků: někteří ovšem sloužili jen krátkou dobu, mnohé záznamy v armádních rejstřících jsou zdvojené i ztrojené: odborníci tedy odhadují, že Unie měla od začátku do konce ve zbrani asi 1,500.000 vojáků přihlášených nebo povolaných (v průběhu války zavedly obě strany odvody) k tříleté službě, a Konfederace asi 1,000.000. Z toho počtu přišlo o život asi 359.000 vojáků Unie a asi 258.000 "rebelů". To znamená, že padla téměř čtvrtina bojujících. Ztráty v jednotlivých bitvách byly přitom strašlivé: tak v 1. baterii mainského těžkého dělostřelectva zahynulo za sedm minut boje u Petersburgu 635 z celkového stavu 900 mužů: patrně nejhrůznější masakr války. Ale jiné krvavé episody nejsou o mnoho menší: 26. severokarolínský pluk ztratil u Gettysburgu 714 ze svých 800 mužů a v průběhu týdne bojů v Divočině přišla jedna vermontská brigáda o 1,645 mužů z celkového počtu 2,100. Procenta si vypočítejte sami.

Žně smrti způsobily tři faktory.

Zaprvé: kdežto během války se zcela změnila tradiční výzbroj armád, změna taktiky za prudkým vývojem značně pokulhávala. Na počátku konfliktu se velitelské sbory obou armád řídili taktikou napoleónských válek. Jenže těsně před vypuknutím nepřátelství došlo k převratnému vynálezu. Muškety a děla napoleónských armád byly zbraně s hladkým vývrtem hlavně. Když vypukla americká válka a čím dál víc, zaváděly obě bojující strany muškety a děla s drážkovaným vývrtem. Vesměs to byly ještě předovky.

Rozdíl byl tragický: mušketa s hladkým vývrtem měla dostřel asi 100 metrů, ale spolehlivě se z ní dal zasáhnout nepřátelský voják jenom na vzdálenost podstatně menší. Útočilo se tedy pochodem a v sevřených řadách. Teprve na hranici těch 100 metrů dal důstojník povel k útoku klusem. Nepřítel vypálil, většina ran nic nezasáhla a nabít předovku za míň než minutu dokázal jen nejšikovnější veterán se železnými nervy. Ti, co přežili první salvu, dostali se tedy po krátkém běhu bezpečně do přímého dotyku s nepřítelem, a pokud měli početní převahu, snadno si s ním poradili bodáky a (důstojníci) šavlemi.

Z toho je snad zřejmé, že kopat zákopy, stavět palisády, krýt se za stromy, plazit se po loktech, postupovat vpřed přískoky atd. nemělo smysl. Nepraktičnost podobného počínání v poli spojila se ještě — zejména na Jihu — s kódem vojenské cti: krýt se za stromem by jižanský voják a zejména důstojník pokládal za ostudnou zbabělost. Zásadou bylo hrdě vystavit hruď kulobití a tradice by se i v americké válce byla udržela.

Nebýt vynálezu muškety s drážkovanou hlavní: měla dostřel asi půl míle (skoro 800 metrů). Na tu vzdálenost bylo sice obtížné trefit nepřátelského vojáka, ale nebylo to zdaleka nemožné. Při menších vzdálenostech byla přesnost smrtelná. Útvary postupující postaru v sevřených řadách, loket na lokti — a to na počátku války a ještě dlouho po něm bylo pravidlem — dostaly se tak do nepřátelského ohně nikoli až ve vzdálenosti 100 metrů, ale už když je od nepřítele dělilo ještě nějakých 600-700 metrů. Následky není jistě třeba vysvětlovat. Utíkat víc než půl kilometru plnou rychlostí nedokázal každý a vzdálenost dala navíc obráncům možnost nabít a vystřelit dvakrát i třikrát. Než — vojáci dřív než tradicí omezení důstojníci — pochopili, že proti takovým zbraním má naději jen útok v rozestupu, s přískoky, a kde to jde, s krytím, vykonal rozpor mezi zlepšující se technikou a zaostávající taktikou své.

Věc ještě zkomplikoval překotný vývoj i jiných zbraní. Objevily se zadovky (*breech-loading gun*), potom i opakovačky (*repeating rifles*), např. spencerovka, jakou je vyzbrojen Kakuška, a dokonce kulomety. Třebaže opakovaček se na bojiště nedostalo mnoho a kulometů zcela mizivě (hlavně pro odpor důstojníků, kteří je považovali za nespolehlivé a dokonce riskatní), i ty přispěly ke krvavé bilanci.

Podobně to bylo s dělostřelectvem. Kanóny se v naprosté většině nabíjely zepředu, ačkoliv se na bojišti na obou stranách objevilo také Whitworthovo dělo s uzávěrem. Kanóny s drážkovanou hlavní měly nosnost až pět mil (přes sedm kilometrů) a byly velice přesné. Tak daleký dostřel vlastně nikdo nepotřeboval, protože nepřímá střelba, při níž dělostřelec nevidí cíl, ještě neexistovala: systém předsunutých pozorovatelů telegraficky spojených s palebným postavením nebyl zatím technicky zvládnutelný. Navíc omezovala účinnost téhle značně dokonalé artilérie nedokonalost střeliva. Kromě nevýbušných kulí (*solid shot*) existovaly sice velmi účinné výbušné projektily, kartáče a primitivní šrapnely (*canisters*), ale nedalo se jimi přestřelovat vlastní jednotky: výbušné střely explodovaly často mnohem dřív, než měly, a stávalo tedy nebezpečí, že přestřelováním zasáhnou kanonýři spíš vlastní lidi než nepřítele. Kanistry, skutečné plechovky naplněné koulemi nebo železnými střepy, měly malý dostřel, ale na ten fungovaly jako upilované brokovnice, jenže ve velkém. Skutečně "kondenzované peklo".

* * *

Vynalézavost konstruktérů neznala mezí a na rozdíl od mnoha svých generálů, Lincoln se o takové vynálezy živě zajímal. Vyzkoušel např. osobně kulomet J.D. Millse (ten, který při jiném předvádění zranil Shermana) a dal mu jméno "kafemlejnek". Jedině odpor důstojníků vysvětluje, že slavná šestihlavňová (později desetihlavňová) strojní puška Dr. Richarda J. Gatlinga, ačkoliv předvedená armádě už v roce 1862, dostala se do armádního arzenálu až po válce. Pro vojáky to bylo ovšem spíš štěstí: Gatlingova strojní puška měla smrtelnou účinnost a na respekt, v jakém ji měli vojáci pozdějších konfliktů, poukazuje skutečnost, že v gangsterském slangu se pro revolver dodnes udržel výraz "gat".

S novými vynálezy se dveře netrhly a starší došly nového nebo masového a systematického použití. Objevily se první ponorky: poháněla je síla svalů a neměly zařízení na výrobu kyslíku, takže když posádka vzduch vydýchala, musel se přístroj vynořit (pokud neplul těsně pod hladinou, kdy používal hadice na způsob dnešního "šnorklu"). Jižanské ponorce *Hunley* se dokonce podařilo zničit severní válečnou loď *Housatonic*; ovšem potopila se s ní a posádka zahynula. Seznam "firsts", jak říkají Američani, tj. věcí použitých poprvé, je velmi dlouhý. Jsou na něm obrněné dělostřelecké železniční vozy, předchůdci obrněných vlaků a tanků; periskop pro zákopovou válku, jak k ní v poslední fázi války často docházelo; nášlapné miny; plamenomety; zátarasy z ostnatého drátu; vojenský telegraf; námořní torpéda; vzdušný průzkum (prováděl se poprvé ve velkém a samozřejmě balóny; došlo dokonce k pokusům o bombardování ze vzduchu); opakovačky; teleskopické pušky pro ostrostřelce; spojené dělostřelecké náboje, tj. náboj a nálož v jednom celku; obrněné válečné lodě; otočné dělové věže atd., atd. A *last but not least,* rozsáhlé použití fotografie přímo v poli. Existují ovšem ojedinělé fotografie z dřívějších konfliktů, ale americká válka je první, o níž máme rozsáhlou fotografickou dokumentaci.

Moltke se tedy mýlil, když si myslel, že tahle válka nestojí za studium.

Za druhé: jiná příčina vysokých ztrát byl tehdejší stav lékařské vědy. Zachránit se dali většinou jen vojáci ranění do nohy nebo do ruky. Průstřely břicha, plic, krku a hlavy znamenaly téměř jistou smrt. Amputace byly sice více méně bezbolestné, protože se používalo primitivní anestézie chloroformem (raněnému přidržel k obličeji kolega hadr namočený v chloroformu, do něhož občas, podle vlastní úvahy nebo na pokyn chirurga, přikapával), ale o sterilizaci neměli chirurgové tušení. Díky hrůzostrašné praxi se vypracovali v pravé virtuózy amputace, jenže pokud nástroje vůbec čistili, tedy jen tak, že večer po šichtě je opláchli ve vodě a utřeli (nesterilizovaným) hadrem. Ani obvazy nebyly sterilní a tak není divu, že jenom asi polovina amputovaných operaci nakonec, po dlouhém zápase, přežila. Ostatní sklátila sněť a jiné infekce.

Zatřetí: velký počet vojáků padl za oběť epidemiím v táborech. Znalosti hygieny byly pranepatrné a obyčejně se uvádí, že přes polovinu celkových ztrát armády nezpůsobil boj, nýbrž epidemie: od nejméně ničivých jako úplavice (vojáci tomu říkali Kansaský, Texaský i jiný quickstep) až po epidemie tyfu a jiných smrtelných nemocí.

Válka tedy byla v pravém slova smyslu peklo: a přesto tihle mladíci z prérií bojovali statečně a vydrželi až do konce; mnozí dokonce po vypršení původního služebního období podepisovali závazek setrvat v armádě "po dobu války" (*for the duration*). Přesto že to byla armáda civilistů, a proto kolem táboráků kvetl sebeshazující a často víc než drsný černý humor; přestože američtí veteráni narozdíl od vysloužilců evropských se po válce chlubili nikoli s vážnou tváří hrdinskými činy, ale spíš s poťouchlým úsměvem zbabělostí, nemohu jinak než je mít v upřímném obdivu. Závisel na nich osud Ameriky, na osudu Ameriky, jak ukázala budoucnost sahající do dneška, závisel osud světa. Mám samozřejmě Ameriku rád, ale myslím, že nepřeháním.

***

Jak jsem napsal, historie války samé je dlouhá a zamotaná a pokusím se tedy jen o zachycení hlavních událostí. Velkou chybou Lincolnova vedení — Lincoln fungoval do značné míry jako aktivní, ne pouze nominální vrchní velitel a projevil schopnosti, jež často přesahovaly kapacitu některých jeho generálů - trvající až do března 1864 bylo, že akce armád na Východě a na Západě byly jen nedostatečně koordinované nebo zcela bez koordinace. V tomhle měl Moltke trochu pravdu: po obrovských prostorách Severní Ameriky se pohybovaly amatérské armády, střetávající se v strašlivě krvavých bitvách, jejichž účel zkušenému válečnému odborníkovi někdy unikal: taková byla třeba řež, k níž došlo 31. prosince 1863 u Murfreesboro, po které nebylo nikomu jasné, kdo ji vlastně vyhrál a jaký dávala smysl. Na Východě, kde vzdálenost mezi oběma hlavními městy Washingtonem a Richmondem byla pouhých sto mil, se pod heslem "Vzhůru na Richmond!" těžkopádně převalovala armáda, jíž velel generál George McClellan, aniž se jí kdy podařilo Richmondu dosáhnout. McClellan spoléhal na odhady o síle konfederačních vojsk, jak mu je dodával šéf jeho výzvědné služby Allan Pinkterton: ten měl ovšem praxi spíš soukromého detektiva a organizátora stávkokazů než šéfa špionážní služby, a odhady značně nadsazoval. McClellan proto neustále otravoval Lincolna žádostmi o nové a nové posily, aniž čeho dosáhl. Názorný důkaz jeho neschopnosti je skutečnost, že když se velení jeho bývalé armády ujal v roce 1864 Grant, bylo její základní ležení jenom pár mil jižně od místa odkud, pod McClellanem, před třemi roky "vyrazila na Richmond".

Prezident měl pro ocenění McClellanova výkonu typicky lincolnovský *wisecrack*: "He's got the slows," tedy asi: "Trpí zpomaleninou." Na podzim 1862 konečně pomalého generála zbavil velení a vrchním velitelem jmenoval Ambrosa Burnsida.

Z románu jste snad seznali, že Burnside byl člověk nad jiné statečný a čestný; byl si však, rovněž nad jiné, vědom svých omezení. Vrchní velení přijmout nechtěl, jenže Lincoln mu dal rozkaz a Burnside, disciplinovaný profesionální voják, uposlechl. Následovala katastrofa u Fredericksburgu 13. prosince 1862, Lincoln předal velení generálu Josephu Hookerovi a Burnsida poslal na středozápad organizovat pomoc Grantovi u Vicksburgu. Hooker promptně prohrál jednu z největších bitev války u Chancellorsvillu, kde ho porazil patrně nejschopnější generál války, jižanský velitel Robert E. Lee. Armáda Unie opět změnila velitele: nový se jmenoval George Gordon Meade a ten ji dovedl k bitvě u Gettysburgu, prvnímu velkému obratu ve válečním štěstí — nebo umění — ve prospěch Severu.

Lee byl možná vojenský génius — ale byl to génius obranného boje. Vpád do Virginie, jenž vyvrcholil velkým utkáním u Gettysburgu, byla akce ofenzívní a Lee v ní po třídenním boji podlehl málo známému Meadovi. Neměl ovšem k dispozici svou pravou ruku, generála "Stonewalla" Jacksona, který padl u Chancellorsvillu, a žalostně mu zklamal jízdní průzkum, jemuž velel brilantní, ale příliš lehkomyslný generál Jebb Stuart. Rozhodující však je, že gigantická bitva (obě strany ztratily po 20.000 mužů) skončila Leeovou porážkou, po níž se definitivně stáhl na Jih. A Meade jej nepronásledoval.

Lincoln prostě dlouho neměl na generály štěstí. Současně s Gettysburgem dobyl však Grant na Západě konečně říční přístav na Mississippi Vicksburg a tím prakticky rozlomil Konfederaci na dvě části, mezi nimiž bylo spojení čím dál těžší. Lincoln dospěl k nejdůležitějšímu rozhodnutí války: 9. března 1864 jmenoval Ulyssesa S. Granta vrchním velitelem všech ozbrojených sil Unie. Hned nato Grant svěřil velení armád na Západě svému příteli Shermanovi.

* * *

Z dosavadního průběhu války dedukoval Grant jednoduchý závěr: dobývání měst a "strategických" bodů a okupace rozsáhlých území nepřítele nedává v téhle válce smysl — důležité je zničit nepřítelovy armády. Konfederace, uvažoval Grant, zůstane na živu jen tak dlouho, dokud bude mít v poli bojeschopná vojska. Grantovi neušlo, že kdežto válka na Severu přinesla obrovský rozmach průmyslu a tím bohatství, na Jihu znamenala ekonomickou katastrofu. Sever byl proto s to zásobovat svá vojska čím dál větším počtem čím dál lepších zbraní, kdežto Jih mlel v roce 1864 z posledního: změna válečného cíle dávala tedy hluboký smysl. Nový vrchní velitel proměnil válku ze snahy dobývat města včetně Richmondu v úsilí zničit Leeovo vojsko, a tak trochu v souboj dvou generálů.

Stejné instrukce dal svému příteli a podřízenému Shermanovi: z války na Západě se měl stát souboj Shermana s Joem Johnstonem.

Sherman se zpočátku snažil rozkaz splnit, jenže Johnston, nesmírně inteligentní důstojník, vědomý si, stejně jako Grant, hospodářské situace Jihu, pochopil, oč Grantovi a Shermanovi jde, a věděl, že velkému utkání (*general battle*) se Shermanovou přesilou se musí vyhnout. Postavil se mu jen jednou — úspěšně — u Kennesaw Mountain, a poté zas zahájil pozoruhodný tanec armád, který jedině mohl Konfederaci ještě za pět minut dvanáct zachránit.

Na Severu se totiž schylovalo k prezidentským volbám a Lincoln zoufale potřeboval velké vojenské vítězství. Demokratickou stranu prakticky ovládli copperheadi, jejichž programem byl mír za každou cenu. V prohlášení předvolební demokratické konvence se válka nedvojsmyslně prohlašovala za zbabranou a proti Lincolnovi postavili copperheadi-demokrati "zpomaleného muže", ješitného a zahořklého, protože odstaveného generála McClellana. Kdyby měl Lincoln v listopadových volbách prohrát, válka mohla skončit mírem, uznáním samostatnosti Konfederace a zrušením zrušení otroctví: tedy vítězstvím Jihu.

Johnston se tedy zničujícím bitvám vyhýbal a hrál na čas.

Nakonec Lincolnovi k velkým válečným vítězstvím pomohla osudná chyba prezidenta Konfederace Jeffa Davise, jenž nespokojen s Johnstonovým tancem, zbavil ho velení a na jeho místo dosadil bojovného generála Johna Bella Hooda. Došlo k velké bitvě o Atlantu, jíž se Johnston chtěl vyhnout, a která 2. září 1964 skončila dobytím hlavního města Georgie a krutým zdecimováním Hoodova vojska. Davis sice vrátil do velitelského sedla Johnstona, ale už bylo pozdě. Míroví demokrati volby prohráli a Lincoln se podruhé stal prezidentem. Poslední naděje Unie zmizela.

Generál Lee se sice pokusil spojit obě zbylé jižanské armády, svou a Johnstonovu, v jediný celek, ale zabránila mu v tom strategie, kterou určil Grant: v dvacátém století se jí začalo říkat totální válka.

Granta a zejména Shermana prohlašují dnes ahistoričtí učenci šlehnutí Marxem za původce tohoto vynálezu a přirovnávají jejich vedení boje k totální válce nacistů. Teorie je, že kdežto předchozí války dějin civilní obyvatelstvo vynechávaly a omezovaly se na zápolení armád v poli, Grant a jeho generálové systematicky zaútočili také na nebojující obyvatele. Nikdy mi nebylo jasné, jak mohou historici Shermanovi přisuzovat tenhle primát. Stačí si přečíst Starý Zákon, stačí něco vědět o středověkých válkách včetně našich husitských (*Bijte, zabijte, nikoho neživte!*, tj. i ženy a děti) nebo o španělské conquistě, aby člověk usoudil, že gentlemanská utkání omezená jen na ozbrojence jsou v dějinách spíš výjimkou než pravidlem.

Základní rozdíl je však ten: na rozdíl od starozákonních, středověkých nebo nacistických systematicky pracujících hubitelů civilního obyvatelstva, Grantovy a Shermanovy armády měly přísný rozkaz lidí se ani nedotknout. Tyhle armády — kavalérie Grantova podřízeného

Phila Sheridana na Východě a Sherman na Západě — ničily jen hospodářská a vojenská zařízení Konfederace: továrny, muniční sklady, železniční tratě, a pravda, také úrodu a zásoby potravin, a především osvobozováním připravovaly Jižany o jejich majetek nejcennější: černé otroky. Kruté to bylo, ale civilní obyvatelstvo, kromě individuálních obětí bombardování bráněných měst a epidémií, přežilo. Také důvody, jež severní generály vedly ke strategii, jíž by se správně mělo asi říkat "omezená" totální válka, byly zcela jiné, než co hnalo do válek skutečně totálních Husity, esesáky nebo conquistadory. Precizně to vyjádřil Sherman: "Válka je hrozná a všechno, co vede k tomu, aby co nejdřív skončila, je dobré." Předchozí válečníky vedla k totalitním masakrům ideologie, fanatismus, nenávist, lačnost kořisti, krvežíznivost. Nic takového ani nejzaujatější historici nedokázali objevit v povaze Abrahama Lincolna a jeho generálů. I tady zachovali také prostí vojáci Unie disciplinovanost dnes asi nevídanou. Teprve když vtrhli do Jižní Karolíny, rozpoutali ničení hospodářských zařízení na plné obrátky: jedině tam to byl trest, protože v myslích těch statečných, ale většinou prostých vojáků byla Jižní Karolína, která se jako první odtrhla od Unie, zodpovědná za všechny hrůzy války. V Georgii, v Severní Karolíně bylo ničení nesrovnatelně menší a krásného města Savanny se vojáci, na Shermanův rozkaz, ani nedotkli.

* * *

A protože velitelem Konfederační armády na Západě se opět stal inteligentní Johnston, Sherman dospěl k závěru, s nímž Grant zpočátku sice nesouhlasil, ale který se nakonec ukázal jako správný. Rozhodl se, že Johnstonovu armádu bude ignorovat a místo po ní půjde "po čemsi vojensky nehmatatelném, ale patrně důležitějším — po duchu, který držel Konfederaci na nohou." (Catton) Rozhodl se k velkému pochodu Georgií a k moři do Savanny a potom oběma Karolínami na sever.

Tenhle pochod jsem se pokusil zachytit v *Nevěstě z Texasu*.

* * *

Válka skončila brzo po bentonvillské bitvě moudrým rozhodnutím generála Leea, nepokračovat v marném boji a nevyzvat své vojáky, aby se rozutekli do lesů a vedli dál válku partyzánsky. 9. dubna 1865 se vzdal generálu Grantovi v městečku jménem Appomattox Court House. Grant byl velkomyslný. Dovolil Leeovým vojákům i důstojníkům odevzdat zbraně a odejít domů. O pár dní později totéž, a ještě velkomyslněji (vyneslo mu to značné maléry s washingtonskými politiky) povolil Sherman Johnstonovi.

Grant a Sherman, podobně jako Lincoln, nebyli lidé mstiví, dychtiví vidět nepřítele rozšlapaného v prachu a jeho zemi zničit. Všichni ostatně měli osobní vztahy k přátelům z Jihu a jednou ze zvláštností války bylo, že všichni profesionální generálové spolu chodili do školy — do West Pointu. Byla to, koneckonců, válka občanská: konflikt uvnitř americké rodiny. V Kongresu ovšem existovaly vlivné síly, které volaly po pomstě: žádaly popravy vůdců rebélie a jejích generálů, které rovněž pokládali za zrádce, domáhaly se rozsáhlé náhrady škod, jež by Jih zcela zbídačila, a chtěli ovládnout celý politický systém rebelských států. Dokud žil Lincoln, měli málo naděje na úspěch.

A tady zasáhlo jedno z těch mála skutečných spiknutí moderních dějin. Bylo značně amatérské a v jeho čele stál pološílený herec John Wilkes Booth, oběť pervertované loajálnosti věci Jihu. Přes všechen amatérismus se mu podařilo Lincolna 14. dubna 1865 ve Fordově divadle zastřelit. Jihu tím prokázal nejhorší možnou službu.

Atentát na prezidenta byla voda na mlýn Lincolnových nepřátel. Poválečný vývoj na Jihu se místo usmíření a odpuštění proměnil v loupežnickou politiku rekonstrukce, jejímiž plody byl, mimo jiné, i Ku Klux Klan a rasismus, přežívající sem tam dodnes. A samozřejmě i nezřízená idealizace starých dobrých otrokářských časů, odvátých vichřicí yankeeské války, jak ji v obecném povědomí světa představuje zejména román (a film) Margarety Mitchellové *Jih proti Severu* (*Gone With The Wind*).

Ale to je historie, jež se vymyká z rámce téhle poznámky.

J.Š.

SLOVNÍČEK MÉNĚ BĚŽNÝCH SLOV A POJMŮ

bam (bum) — vandrák.

bamři (bummers) — První význam slova "bummer" je pobuda. Za války se tak říkalo vojínům, kteří se ztratili svým jednotkám a spolu s dezertéry (dokonce s dezertéry Konfederační armády) se připojili k Shermanovu vojsku, ale místo boje soustřeďovali se na rabování plantáží. Catton uvádí, že Sherman je pravděpodobně mohl celkem snadno potlačit, ale neudělal to. Argumentoval, do značné míry přesvědčivě, že jeho úkol je armádu bezpečně dovést k moři, nikoli ochraňovat majetek georgijských otrokářů. Skutečnost je, že bamři dělali v podstatě to, co Sherman potřeboval. Po válce se tyto loupežnické bandy vytratily do civilního života.

bankovničení — Kapsa zde naráží na episodu ze Shermanova civilního života. Protože před válkou armáda, která čítala jen kolem 16.000 vojáků z povolání (včetně důstojníků) nepotřebovala absolventy v takovém množství, v jakém je škola dodávala (za války se to ovšem změnilo, a profesionálních důstojníků byl po celou válku nedostatek), mnozí po odsloužení povinných let odcházeli do výhodných míst v civilním životě. Sherman pracoval jako bankéř po čtyři roky v San Franciscu a v New Yorku.Když se začalo bojovat, naprostá většina důstojníků *reported for duty*, tj. nastoupili ke svým útvarům.

Bartlett — John Bartlett (1820-1905) autor první a nejpopulárnější knihy citátů z literárních děl.

batrnat (butternut) — hrubá hnědá látka, z náž se na Jihu vyráběly uniformy, zejména poté, co došlo k zásobovací krizi.

bauncr (bouncer) — vyhazovák.

copperheadi (copperheads) — organizace radikálních odpůrců války, působící na Severu; "zdravé jádro" Demokratické strany. Název se vztahuje k hlavičce na starém měděném centu, který copperheadi používali jako odznak, ale znamená taky jedovatého hada jménem ploskorubec.

Devátá kapitola knihy Jozue — pasáž, z níž krkolomnou argumentací jižanští teologové vyvozovali, že černoši jsou potomci "chytráků Gabaonských", kteří "v službu podrobeni jsou" a odsouzeni k "sekání dříví a nošení vody".

disčárdžovat (discharge) — propustit ze služby.

Divočina (Wilderness) — pruh zalesněné země v klasické bitevní krajině mezi Wasingtonem a Richmondem, kde došlo k některým z nejkrvavějších bitev, např. k masakru u Spotsylvanie.

dráftovat (draft) — odvést na vojnu.

dressed to kill — slangové rčení, jímž se označuje žena v krásných šatech, určených zřejmě k zalasování ženicha nebo milence.

enfieldka — předovka vyráběná anglickou firmou Enfield, jichž americká vláda zakoupila pro armádu asi půl miliónu zejména v první fázi války, kdy výroba ještě nestačila armádním potřebám.

fajtovat (fight) — bojovat.

foradžři (foragers) — vojáci pověření sháněním krmiva a potravin. Velký anglicko-český slovník (Academia, 1984) uvádí výraz "pícník", jenže ten američtí Češi v době studené války používali jako hanlivé označení "bojovníků za mír" inspirovaných Moskvou.

Gatling — Dr. Richard Gatling, konstruktér první spolehlivě fungující strojní pušky.

gin — v románě většinou nikoli alkoholický nápoj, ale stroj na vyzrňování bavlny. Čeští farmáci samozřejmě říkali "gin".

Grantovo druhé prezidentské období — věk vrcholné korupce v letech 1873-1877. Grant byl skvělý vojevůdce, ale mizerný prezident.

grocerní krám — českoamerický výraz pro grocery, tj. obchod potravinami.

harcovníci, harcovat (skirmishers, to skirmish) — Slovník uvádí výraz "voják v rojnici", "bitka","šarvátka". Byli to prostě vojáci, kteří prováděli to, čemu se dnes říká "bojový průzkum". Navazovali dotyk s nepřítelem, buď aby zjistili, kde přesně je, nebo aby odvrátili pozornost od pohybů vlastního vojska. Protože sloveso v češtině zřejmě neexistuje, říkám tomu "harcovat". Je to patrně neologické použití, protože pokud vím, "harcovníci" nebo "harcíři" byli středověcí jízdní lučišníci. Ale slovo se mi prostě líbilo.

hubbie — manžílek.

Jak Fénix... — báseň českoamerického spisovatele a novináře Bartoše Bittnera, jíž Čermák uvádí své *Dějiny občanské války*. Koncem století Bittner redigoval mimo jiné chicagský humoristický časopis Šotek, kde vycházely dopisy Miss Rosie drahým doma, jež jsme svého času vydali jako čtenářskou prémii.

kaunty (county) — okres.

klejmovat (claim) — zde hlásit se k české národnosti.

kontraband (contraband) — výraz pro otroky, kteří přeběhli k armádě nebo do ní po osvobození byli přijati. Z nich hlavně se rekrutovali černošské pluky (mnozí ovšem byli svobodní černoši ze Severu), v nichž koncem války sloužilo asi 15.000 mužů.

lejof (layoff) — dočasné vysazení z práce.

longšórmen (longshoremen) — přístavní dělníci.

markytáni (sutlers) — obchodníci, kteří provázeli armádu a prodávali vojákům všemožné zboží, jež nebylo součástí armádního vybavení: od whisky přes různé pochutiny a pamlsky až k ozdobným dopisním papírům pro psaní snoubenkám doma.

midvajfka (midwife) — porodní bába.

minnie — nejčastěji používaná kulka do muškety, od jména francouzského konstruktéra C.E.Miniého.

mint julep — oblíbený jižanský nápoj: whisky na ledu smíšená s mátou peprnou.

Náprstsquaw — lingvisticky zajímavý jev. Družka Vojty Náprstka (přítelkyně Boženy Němcové) používala v Americe jeho příjmení s ženskou koncovkou: Náprstková. Američani ovšem smysl ženských koncovek nechápou, ale -ová jim znělo přibližně jako "squaw" (skvó), indiánské slovo pro ženu. Příjmení se v Milwaukee ujalo a objevuje se i v Náprstkových německých novinách, jež tam vydával.

patojs (patois) — zkorumpovaná francouzština, jakou se mluvilo v New Orleansu.

perrotka — těžké dělo pojmenované po konstruktérovi Robertu Parrottovi.

podzemní železnice (underground railroad) — nebyla to samozřejmě žádná železnice, ale síť záchytných bodů na cestě, po níž se uprchlí otroci snažili dostat na Sever, zejména do Kanady a kterou organizovali abolicionisté.

quickstep (kansaský, texaský i jiný) — průjem, ekvivalent výrazu "běhavka".

ranžer (ranger) — zejména *Texas Rangers*, oddíly divoké jízdní milice, jejichž jedním — často hlavním — úkolem bylo honit zběhy a násilím odvádět mladíky do konfederační armády.

Rapice — tak říkali američtí Češi městu Cedar Rapids v Iowě, kde dodnes žije hodně krajanů.

rikošetovat (ricochet) — odrazit se (o střele z pušky).

secese (secession) — zde odtržení Jihu od Unie.

spencerovky — pušky vyráběné Spencerovou továrnou, která se proslavila zejména konstrukcí prvních opakovaček.

springfieldka — jedna ze standartních mušket vyráběná v městě Springfieldu.

substituti (substitutes) — nejkontroverznější opatření odvodového zákona: odvedenec si obvykle za 300 dolarů mohl najmout zástupce (substituta), který za něho šel sloužit. Opatření samozřejmě zvýhodnilo movité brance a vedlo ke korupčním jevům. Vznikli např. tzv. *substitute brokers,* zprostředkovatelé, kteří za odměnu (obvykle v procentech) opatřovali substituty, často fyzicky nebo duševně méněcenné. Armádě takoví rekruti příliš nepomohli. Jiné kontroverzní opatření byla odměna za dobrovolný vstup do armády, *bounty,* obvykle kolem tisíce dolarů, jež vedla zas k existenci tzv. *bounty jumpers* tj. lidí, kteří se dali najmout, inkasovali odměnu, hned nato dezertovali, dali se najmout jinde pod jiným jménem atd. kolem dokola. Někteří se v tomto umění vypracovali v pravé virtuózy, jiní nakonec přišli o život.

terpentýnové lesy — borovicové lesy v Jižní Karolíně, jejichž smůla je velice hořlavá. Ponechal jsem anglický název, protože toho jistě používali i čeští vojáci. Sotva znali oficiální botanický termín "řečík terpentýnový".

vejtr (waiter) — číšník.

vivandiérky, cypriánky — dobové výrazy pro prostitutky.

SEZNAM VYOBRAZENÍ

Na obálce knihy je reprodukce malby Henryho A. Ogdena, na níž se generál Hooker snaží přesvědčit generála Burnsida, aby zastavil útok na Marye's Heights ve Fredericksburgu.

str. 219 V táboře Pendleton v Severní Virginii pradlena 31. pennsylvanského pluku pracuje spolu s manželem, který je voják. V ležení směl každý regiment zaměstnávat čtyři civilní pradleny. V poli si vojáci prali sami.

str. 332 Miháloczyho dopis Lincolnovi se žádostí o povolení Lincolnových slovanských střelců.

str. 333 Osvobozená otrokyně pomáhá manželovi, který táhne pluh. Černoši byli sice svobodní, ale mnohdy postrádali základní farmářské vybavení, zejména tažná zvířata.

str. 364 Kavaleristi 5. ohijského jízdního pluku. S jednou takovou jednotkou bojoval Kakuška.

str. 365 Shermanův štáb za tažení Karolínami. Zleva doprava: stojící — Oliver O. Howard, William B. Hazen, Jefferson C. Davis a Joseph A. Mower; sedící - John A. Logan, William Tecumseh Sherman, Henry W. Slocum.

str. 524 Lincolnův portrét z března 1865, nedlouho před atentátem.

str. 525 Chirurg (v proužkované košili) se chystá k amputaci nohy zraněného. Voják v pozadí tiskne na tvář pacienta hadr namočený v chloroformu.

str. 558 Portréty českých vojáků z Čermákových Dějin občanské války. Fotografie Miháloczyho je z Burtonovy knihy Melting Pot Soldiers.

str. 559 Sherman na pochodu Georgií a oběma Karolínami.

HLAVNÍ POUŽITÉ PRAMENY

(uvádím pouze prameny knižní)

1. Americké

Angle, P.M. *Created Equal? The Complete Lincoln Douglas Debates of 1858*. The University of Chicago Press, 1958.

Argument of Hon. Aaron F. Perry. Vallandigham Habeas Corpus. U.S. District Court. 1864?

Barnard, G.N. *Photographic views of Sherman's Campaign*. Dover, 1977.

Battle of Bentonville, The. Bentonville, nakladatel a rok neudáni.

Bierce, Ambrose. *Bits of Autobiography*. Gordian Press, 1966.

Botkin, B.A. *A Civil War Treasury of Tales, Legends and Folklore*. Random House, 1960.

Bowman, S.M.,Col. and Irvin, R.B., Lt.Col. *Sherman and His Campaigns: A Military Biography*. New York: Charles B. Richardson, 1865.

Burton, W.L. *Melting Pot Soldiers: The Union's Ethnic Regiments. Iowa State University Press, 1988.*

Catton, Bruce. *Reflections on the Civil War*. Berkeley Books, 1984.

Catton, Bruce. *Short History of the Civil War*. Laurel, 1984.

Commager, H.S., ed. *The Blue and the Gray: The Story of the Civil War as Told by the Participants*. 2 vols. New American Library, 1973.

Crawford, R., ed. *The Civil War Songbook*. Dover 1977.

David, Donald. *Lincoln Reconsidered*. Vintage, 1961.

Davis, Burke. *The Civil War: Strange and Fascinating Facts*. The Fairfax Press, 1982.

631

Davis,Burke. *Sherman's March.*Random House, 1980.

Dyer, F.H. *A Compendium of the War of the Rebellion.* The Press of Morningside Bookshop, 1978.

Faust, D.G., ed. *The Ideology of Slavery: Proslavery Thought in Antebellum South 1830-1860.* Louisiana State University Press. 1981.

Foote, Shelby. *The Civil War: A Narrative.* 3 vols. Random House, 1958-1974.

Gardner, Alexander. *Photographic Sketch Book of the Civil War. Dover 1959.*

Genovese, E.G. *The World the Slaveholders Made.* Vintage, 1971.

Hagerman, Edward. *The American Civil War and the Origins of Modern Warfare.* Indiana University Press, 1988.

Haythornthwaite, Phillip. *Uniforms of the American Civil War.* Blanford Press, 1986.

Hitchcock, Henry. *Marching With Sherman.* Yale University Press, 1927.

Klement, Frank L. *The Copperheads in the Middle West.* University of Chicago Press, 1960.

Klement, Frank L. *The Limits of Dissent.* University of Kentucky Press, 1970.

Korn. B.W. *American Jewry and the Civil War.* Jewish Publication Society of America, 1951.

Liddell- Hart, B.H. *Sherman: Soldier, Realist, American.* Dodd, Mead, 1929.

Lewis, Lloyd. *Sherman, Fighting Prophet.* Harcourt, Brace, 1932.

Lonn, Ella. *Foreigners in the Union Army and Navy.* Louisiana State University Press, 1951.

Lossing, B.J. *Mathew Brady's Illustrated History of the Civil War.* The Fairfax Press, rok vydání neuveden.

Marszalek, John F. *Sherman's Other War: The General and the Civil War Press.* Memphis State University Press, 1981.

McAlexander,U.G. *History of the Thirteenth Regiment United States Infantry.* Regimental Press, Thirteenth Infantry, Frank D.Gunn, 1905.

McPherson, James M. *Battle Cry of Freedom: The Civil War Era. Oxford University Press, 1988.*

Menendez, A.J. *Civil War Novels.* Garland, 1986.

Merrill, James M. *William Tecumseh Sherman.*Rand McNally, 1971.

Official Army Register of the Volunteer Force of the United States 1861-1865, 9 vols. Ron R. Van Sickle Military Books,1987.

Olson, Kenneth. *Music and Musket: Bands and Bandsmen of the Civil War.* Westport: Greenwood, 1981.

Russell, A.J. *Civil War Photographs.* Dover, 1982.

Schuyler, Hartley and Graham. *Illustrated Catalog of Civil War Military Goods.* Dover, 1985.

Sherman,William Tecumseh. *Memoirs. Da Capo Press, 1984.*

Simonhoff, Harry. *Jewish Participants in the Civil War.* Arco Publishing Company, 1963.

Slotkin, Richard. *The Crater.* Atheneum, 1981.

Stampp, Kenneth M. *The Peculiar Institution: Slavery in the Ante-Bellum South.* Vintage, 1956.

Symonds, Craig L. *A Battlefield Atlas of the Civil War.* The Nautical and Aviation Publishing Company of America, 1983.

Tenney, Craig Davidson. *Major General A.E.Burnside and the First Amendment: A Case Study of Civil War Freedom of Expression.* Dizertační práce, Indiana University, 1977. University Microfilms International, 1987.

The Civil War, 27 vols. Time-Life Inc, 1987.

Todd, F.P. *American Military Equipage.* Charles Scribner's Sons, 1980.

Vasvary, Edmund. *Lincoln's Hungarian Heroes: The Participation of Hungarians in the Civil War.* The Hungarian Reformed Federation of America, 1939.

Walters, John B. *Merchant of Terror: General Sherman and Total War*. Bobbs-Merrill, 1973.

Wheeler, Richard. *We Knew William Tecumseh Sherman*. Thomas Crowell, 1977.

Wheeler, Richard. *Sherman's March*. Thomas Crowell, 1978.

Wiley, B.I. *The Life of Billy Yank. The Common Soldier of the Union*. Louisiana State University Press, 1978.

Wiley, B.I. *The Life of Johnny Reb. The Common Soldier of the Confederacy*. Louisiana State University Press, 1978.

Williams,T.H. *Lincoln and His Generals*. Vintage, 1952.

Woodbury, Augustus. *Ambrose Everett Burnside*. Providence: N.Bangs Williams and Company, 1882.

Wyatt-Brown, Bertram. *Yankee Saints and Southern Sinners*. Louisiana State University Press, 1985.

2. České

Amerikán, národní kalendář. Geringer, 1878-1957.

Bicha, Karel D. *The Czechs in Oklahoma*. University of Oklahoma Press, 1980.

Bubeníček, Rudolf. *Dějiny Čechů v Chicagu*. Kniha I. Chicago: nákladem vlastním, 1939.

Čapek, Tomáš. *Padesát let českého tisku v Americe*. New York: Správní radové "Bank of Europe", 1911.

Čapek, Thomas. *The Čechs (Bohemians) in America*. Houghton Mifflin, 1920.

Čermák, Josef. *Dějiny Občanské války s připojením zkušeností českých vojínů*. Geringer, 1889.

Dignowity, Anthony M.,M.D. *Bohemia under Austrian Despotism: Being an Autobiography*. New York: Published by the Author, 1859.

Dvorník, Francis. *Czech Contributions to the Growth of the United States of America*. Chicago: Benedictine Abbey Press, 1962.

Habenicht, Jan. *Dějiny Čechův amerických*. St.Louis: Hlas, 1910.

Habenicht, Jan,Dr. *Z pamětí českého lékaře*. Geringer, 1897.

Hannan, Kevin. *A Study of the Culture of the Czech-Moravian Community in Texas*. Rukopis, 1985.

Hewitt, William Phillip. *The Czechs in Texas: A Study of the Immigration and the Development of Czech Ethnicity 1850-1920*. Dizertační práce, The University of Texas at Austin,1978. University Microfilms International,1984.

Chada, Josef. *The Czechs in the United States*. SVU Press, 1981.

Jerabek, Esther. *Czechs and Slovaks in North America: A Bibliography*. Czechoslovak Society of Arts & Sciences in America and Czechoslovak National Council in America, 1976.

Kašpar, Oldřich, ed. *Tam za mořem je Amerika*. Čs. Spisovatel, 1986.

Machann, Clinton and Mendl, James W.,Jr., ed. *Czech Voices: Stories from Texas in the Amerikán Národní Kalendář*. Texas A & M University Press, 1991.

Machann, Clinton and Mendl, James W. *Krásná Amerika: A Study of the Texas Czechs 1851 - 1939.* Austin: Eakin Press, 1983.

Martínek, Joseph. *Století Jednoty Č.S.A.* Chicago: Executive Committee of the C.S.A., 1955.

Morris, Nick A. *A History of the SPJST: A Texas Chronicle 1897-1980.* The Slavonic Benevolent Order of Texas - SPJST, 1984.

Opatrný, Josef. *Válka Severu proti Jihu*. Mladá Fronta, 1986.

Památník národní jednoty sokolské. Nákladem Výkonného výboru, rok neudán.

Památník rodiny Špačkové a jejich spřízněných rodin. Fayetteville, 1931.

Panorama: A Historical Review of Czechs and Slovaks in the United States of America. Czechoslovak National Council of America, 1970.

Polák, Josef. *Americká cesta Josefa Václava Sládka.* Státní pedagogické nakladatelství, 1966.

Pšenka, Jaromír R. *Zlatá kniha československého Chicaga.* Geringer, 1926.

Rosická, Růžena. *Dějiny Čechů v Nebrasce.* Český historický klub v Nebrasce, 1928.

Siemering, A. *Texas co cíl stěhování.* Společnost dráhy Galveston, Harrisburg a San Antonio, 1882.

Skocpol, William J. *Two Czech Families Who Survived the Great Fire of Chicago.* Chicago, nákladem vlastním, 1982.

Skrabanek, Robert L. *We're Czechs.* Texas A & M University Press, 1988.

Šatava, Leoš. *Migrační procesy a české vystěhovalectví 19. stol. do USA.* Univerzita Karlova, 1989.

Vojan, E.S. *Velký New York: Dějiny New Yorku a české čtvrti.* New Yorské Listy, 1908.

OBSAH